FARFALLE

Stieg Larsson
La ragazza che giocava con il fuoco

traduzione di Carmen Giorgetti Cima

Marsilio

Editor Francesca Varotto

Titolo originale: *Flickan som lekte med elden*
© Stieg Larsson 2006
First published by Norstedts, Sweden, 2006
Published by agreement with Pan Agency

© 2008 by Marsilio Editori® s.p.a. in Venezia

Prima edizione: giugno 2008
Quarta edizione: settembre 2008

ISBN 978-88-317-9498

www.marsilioeditori.it

Realizzazione editoriale: Silvia Voltolina

LA RAGAZZA CHE GIOCAVA CON IL FUOCO

Prologo

Era legata con cinghie di cuoio a una stretta branda con il telaio in acciaio. Le cinghie tese sopra il torace premevano. Era stesa sulla schiena. Le mani bloccate all'altezza dei fianchi.

Ormai aveva rinunciato da tempo a qualsiasi tentativo di liberarsi. Era sveglia ma teneva gli occhi chiusi. Se li avesse aperti si sarebbe ritrovata al buio, l'unica fonte di luce era una debole striscia che filtrava da sopra la porta. Si sentiva in bocca un sapore cattivo e non vedeva l'ora di potersi lavare i denti.

Una parte della sua coscienza tendeva l'orecchio per cogliere il rumore di passi che avrebbe indicato che lui stava arrivando. Non aveva la minima idea di che ora della sera fosse, al di là del fatto che aveva l'impressione che cominciasse a essere troppo tardi perché venisse a trovarla. Un'improvvisa vibrazione della branda la indusse ad aprire gli occhi. Era come se un macchinario di qualche genere si fosse avviato da qualche parte all'interno dell'edificio. Ma dopo un paio di secondi non sapeva se fosse stata solo un'illusione oppure se il rumore fosse stato reale.

Mentalmente spuntò un altro giorno sul calendario.

Era il suo quarantatreesimo giorno di prigionia.

Avvertì un prurito nel naso e girò la testa in modo da poterlo sfregare contro il cuscino. Sudava. Nella stanza l'aria era calda e soffocante. Indossava una semplice camicia da notte che le si era arrotolata sotto il corpo. Spostando l'anca riusciva ad afferrare l'indumento fra l'indice e il medio e a tirarlo giù da una parte un poco alla volta. Ripeté il procedimento con l'altra mano. Ma la camicia faceva ancora una piega sotto l'osso sacro. Il materasso era sformato e scomodo. Il totale isolamento faceva sì che ogni piccola impressione, che altrimenti sarebbe passata del tutto inosservata, si ingigantisse pesantemente. Le cinghie erano abbastanza lasche da permetterle di cambiare posizione e mettersi sul fianco, ma anche così era scomoda perché doveva stare con una mano dietro la schiena e questo le faceva intorpidire il braccio.

Non era spaventata. Al contrario sentiva accumularsi dentro di sé una rabbia violenta.

Ma era anche tormentata dai suoi stessi pensieri che si trasformavano costantemente in sgradevoli fantasie su ciò che le sarebbe successo. Odiava la sua impotenza coatta. Per quanto cercasse di concentrarsi su qualcos'altro per far passare il tempo e reprimere il pensiero della sua situazione, l'angoscia riusciva comunque a filtrare. Ristagnava intorno a lei come una nube di gas minacciando di infiltrarsi nei suoi pori e avvelenarle l'esistenza. Aveva scoperto che il modo migliore per tenere lontana l'angoscia era fantasticare di qualcosa che le desse una sensazione di forza. Chiuse gli occhi e richiamò l'odore della benzina.

Lui era in macchina con il finestrino aperto. Lei gli si avventava contro, versava la benzina e accendeva un fiammifero. Questione di un attimo. Le fiamme si alzavano subito. Lui si contorceva dal dolore e lei sentiva le sue urla di terrore e sofferenza. Poteva percepire l'odore della carne bruciata e quello più aspro del rivestimento e dell'imbottitura dei sedili che si incenerivano.

Probabilmente si era assopita, dal momento che non aveva sentito i passi, ma di colpo fu perfettamente sveglia quando la porta si aprì. La luce dal rettangolo illuminato l'accecò.

Alla fine *lui* era venuto.

Non sapeva quanti anni potesse avere, ma era grande. Aveva i capelli arruffati castano scuro, occhiali cerchiati di nero e una rada barbetta. Profumava di dopobarba.

Odiava il suo odore.

Rimase ritto in silenzio ai piedi della branda e la osservò a lungo.

Odiava il suo silenzio.

Il suo viso era in ombra nel controluce della porta aperta e lei vedeva solo la sua sagoma. D'un tratto le rivolse la parola. Aveva una voce nitida e profonda che sottolineava in maniera pedante ogni parola.

Odiava la sua voce.

Le disse che era il suo compleanno e che voleva farle gli auguri. La voce non era sgarbata o ironica. Era semplicemente neutra. Lei indovinò che stava sorridendo.

Lo odiava.

Lui si avvicinò e girò intorno alla branda. Poggiò il dorso di una mano umidiccia sulla sua fronte e le passò le dita fra i capelli in un gesto che probabilmente voleva essere gentile. Era il suo regalo di compleanno per lei.

Odiava il suo contatto.

Lui cominciò a parlare. Lei vedeva la bocca muoversi ma si sforzava di escludere il suono della sua voce. Non voleva ascoltare. Non voleva rispondere. Lo sentì alzare il tono. Un tocco di irritazione per la sua mancanza di reazione si era insinuato nella voce dell'uomo. Stava parlando di reciproca fiducia. Dopo parecchi minuti tacque. Lei ignorò il suo sguardo. Poi lui alzò le spalle e cominciò a sistemare le cinghie. Le strinse un po' sul torace e si chinò su di lei.

Lei si voltò di scatto verso sinistra, più bruscamente che poté. Raccolse le ginocchia fin sotto il mento e poi scalciò forte contro la sua testa. Mirava al pomo d'Adamo e lo colpì in un punto sotto il mento, ma lui era preparato e si scostò, e il risultato fu solo un colpo leggero, appena percettibile. Cercò di scalciare di nuovo ma lui era già fuori portata.

Le sue gambe sprofondarono di nuovo nella branda.

Il lenzuolo pendeva sul pavimento. La camicia da notte era finita molto al di sopra dei fianchi.

Lui rimase immobile senza dire nulla. Poi le girò intorno e cominciò a legarle i piedi. Lei cercò di tirare le gambe verso di sé ma lui le afferrò una caviglia e le abbassò di forza il ginocchio con l'altra mano, bloccandole il piede con una cinghia. Poi fece il giro della branda e le legò anche l'altro piede.

Adesso era ridotta alla totale impotenza.

Raccolse il lenzuolo e la coprì. La guardò in silenzio per due minuti. Lei poteva sentire la sua eccitazione nella penombra benché lui non ne facesse mostra in alcun modo. Di sicuro aveva un'erezione. Sapeva che avrebbe voluto allungare una mano e toccarla.

Poi lui si voltò e uscì chiudendosi la porta alle spalle. Sentì che chiudeva col catenaccio, cosa perfettamente inutile dal momento che non aveva nessuna possibilità di slegarsi dalla branda.

Rimase diversi minuti con lo sguardo fisso sulla sottile striscia di luce sopra la porta. Poi cominciò a muoversi per cercare di capire quanto fossero strette le cinghie. Riuscì a piegare un po' le ginocchia ma quelle che le bloccavano i piedi opposero immediatamente resistenza. Si rilassò. Restò stesa assolutamente immobile, fissando nel nulla.

Aspettava. Intanto fantasticava di una tanica di benzina e di un fiammifero.

Lo vide imbevuto di benzina. Poteva percepire fisicamente

la scatola dei fiammiferi nella propria mano. La scosse. Ne udì il tipico rumore. La aprì e scelse un fiammifero. Lo udì dire qualcosa ma non lo ascoltò. Però vide l'espressione del suo viso, quando strusciò il fiammifero contro la superficie ruvida. Udì il rumore raspante della capocchia di zolfo. Suonava come un protratto rombo di tuono. Vide la fiamma scoccare.

Fece un sorriso duro e si rinfrancò.

In quella notte compiva tredici anni.

Parte prima

Equazioni irregolari
16 - 20 dicembre

$$3x - 9 = 0$$
$$(x = 3)$$

L'equazione si definisce in base alla potenza delle incognite coinvolte (valore dell'esponente). Se tale potenza è uno, l'equazione è detta di primo grado, se la potenza è due, di secondo grado, e così via. Le equazioni di grado superiore al primo danno diversi valori alle incognite. Tali valori sono chiamati radici.

1.
Giovedì 16 dicembre - venerdì 17 dicembre

Lisbeth Salander abbassò gli occhiali da sole sulla punta del naso e strizzò gli occhi sotto la tesa del cappello di paglia. Vide la donna della stanza 32 uscire dall'ingresso laterale dell'albergo e raggiungere uno dei lettini prendisole a righe bianche e verdi allineati intorno alla piscina. Il suo sguardo era concentrato sul percorso e le sue gambe parevano instabili.

Lisbeth non l'aveva mai vista così da vicino. Ne stimò l'età intorno ai trentacinque anni, ma dall'aspetto avrebbe potuto collocarsi in qualsiasi punto fra i venticinque e i cinquanta. I capelli castani le toccavano le spalle, il viso era allungato e il corpo maturo pareva ritagliato da un catalogo di vendita per corrispondenza di biancheria intima. Portava sandali, bikini nero e occhiali da sole con lenti violette. Era americana e parlava con l'accento del Sud. Aveva anche un cappello di paglia giallo, che lasciò cadere per terra accanto al lettino prima di fare un cenno al ragazzo che lavorava al bar di Ella Carmichael.

Lisbeth Salander appoggiò il libro che stava leggendo sulle ginocchia e bevve un sorso dal suo bicchiere di caffè prima di allungarsi a prendere il pacchetto delle sigarette. Senza voltare la testa spostò lo sguardo sull'orizzonte. Dal suo posto sulla terrazza della piscina poteva vedere un angolo del Mar dei Caraibi attraverso un gruppo di palme e rododendri lungo il muro di cinta davanti all'albergo. Un po' al largo una barca a vela andava verso nord col vento in poppa, in direzione Santa Lucia o Dominica. Ancora più in là poteva scorgere il profilo di un grosso mercantile diretto a sud, verso la Guyana o qualcuno dei paesi vicini. Una debole brezza mitigava la calura pomeridiana, ma lei avvertì una goccia di sudore colare lentamente verso il sopracciglio. Lisbeth Salander non amava stare ad arrostire al sole. Aveva trascorso le giornate il più possibile all'ombra, saldamente radicata sotto la tettoia. Eppure era scura come un cioccolatino. Indossava un paio di shorts kaki e una maglietta nera.

Ascoltò le singolari tonalità prodotte dagli *steel pans* che fluivano dagli altoparlanti a fianco del bar. Non si era mai interessata alla musica e non era in grado di distinguere Sven Ingvars da Nick Cave, ma gli *steel pans* l'affascinavano. Pareva inverosimile che qualcuno fosse capace di accordare un bidone e ancor più inverosimile che il bidone stesso potesse essere indotto a emettere suoni controllabili che non somigliavano a nient'altro. Quei suoni le parevano magici.

Improvvisamente qualcosa la irritò e riportò lo sguardo sulla donna che aveva appena ricevuto un bicchiere contenente un drink color arancio.

Non erano problemi suoi. Solo, non riusciva a capire perché mai quella donna rimanesse. Per quattro notti, fin da quando la coppia era arrivata, Lisbeth aveva dovuto ascoltare il dramma soffocato che si svolgeva nella stanza accanto alla sua. Aveva sentito pianti, voci basse e sconvolte e in qualche occasione rumore di schiaffi. L'uomo che ne era responsabile – supponeva si trattasse del marito – era sulla quarantina. Aveva i capelli scuri e dritti, pettinati anacronisticamente con la riga in mezzo, e sembrava trovarsi a Grenada per ragioni di lavoro. In cosa consistesse tale lavoro lei non lo sapeva, ma ogni mattino l'uomo beveva il suo caffè al bar dell'albergo in giacca e cravatta, prima di prendere la cartella e raggiungere il taxi che l'aspettava di fuori.

Ritornava in albergo nel tardo pomeriggio, e allora faceva il bagno e stava in compagnia della moglie ai bordi della piscina. Di solito cenavano insieme in quella che pareva essere un'atmosfera sommessa e affettuosa. La donna beveva forse uno o due bicchieri di troppo ma le sue sbronze non avevano mai provocato disturbo.

I litigi nella stanza a fianco cominciavano di solito fra le dieci e le undici di sera, grossomodo nello stesso momento in cui Lisbeth si infilava a letto con un libro sui misteri della matematica. Non erano maltrattamenti pesanti. Da quanto poteva sentire attraverso la parete, era piuttosto un litigio continuo, insistente. La notte prima non aveva saputo resistere alla curiosità ed era uscita sul balcone per sentire attraverso la porta-finestra aperta di cosa si trattasse. Per più di un'ora l'uomo era andato avanti e indietro per la stanza ammettendo di essere un mascalzone. Più volte aveva ripetuto che doveva sembrare falso e bugiardo. Ogni volta la donna aveva risposto che non lo pensava e aveva cercato di calmarlo. Lui aveva insistito sempre più pesantemente fino ad arrivare a scuoterla. Alla fine lei aveva risposto come voleva lui... *sì, sei un bugiardo*. Lui aveva subito preso a pretesto la sua forzata ammissione per attaccare lei, la sua condotta e il suo carattere. L'aveva chiamata sgualdrina, una parola contro la quale Lisbeth avrebbe preso senza esitazione pesanti misure se fosse stata indirizzata a lei. Quello tuttavia non era un problema suo, di conseguenza aveva difficoltà a decidere se fosse opportuno intervenire in qualche modo.

Aveva ascoltato stupefatta le parole insistenti dell'uomo che d'improvviso si erano trasformate in qualcosa che era sembrato un ceffone. Aveva appena deciso di uscire nel corridoio e spalancare con un calcio la porta dei vicini, quando nella loro stanza era sceso il silenzio.

Ora, mentre osservava la donna ai bordi della piscina, poté notare il vago segno di un livido sulla spalla e un graffio sul fianco, ma nessuna lesione di rilievo.

Nove mesi prima Lisbeth aveva letto un articolo su un numero di *Popular Science* che qualcuno aveva dimenticato all'aeroporto Leonardo da Vinci di Roma, e tutto d'un tratto aveva sviluppato un'indefinibile attrazione per una materia tanto oscura come l'astronomia sferica. In modo del tutto impulsivo aveva fatto un salto alla libreria universitaria di Roma e aveva comperato alcuni dei trattati più importanti sull'argomento. Ma per avvicinare l'astronomia sferica era stata costretta a penetrare i misteri più intricati della matematica.

Nel corso degli ultimi mesi aveva spesso visitato librerie universitarie per procurarsi ulteriori testi in materia.

I libri erano rimasti il più delle volte nella valigia e i suoi studi erano stati privi di sistematicità e di uno scopo vero e proprio, fino al momento in cui era entrata in una libreria universitaria a Miami e ne era uscita con *Dimensions in Mathematics* del dottor L.C. Parnault pubblicato dalla Harvard University nel 1999. Questo subito prima di raggiungere le Florida Keys e cominciare il suo vagabondaggio fra le isole dei Caraibi.

Guadalupa (due giorni in un buco indescrivibile), Dominica (piacevole e rilassante, cinque giorni), Barbados (un giorno in un albergo americano dove non si era sentita affatto la benvenuta), Santa Lucia (nove giorni). Qui avrebbe potuto anche pensare di fermarsi per un periodo più lungo, se non avesse avuto un diverbio con un ottuso teppista locale che stazionava al bar del suo alberghetto. Alla fine aveva perso la pazienza e gli aveva calato in testa un mattone, aveva lasciato l'albergo ed era salita su un traghetto con destinazione Saint George's, la capitale di Grenada. Era un posto di cui non aveva mai sentito parlare prima di salire a bordo dell'imbarcazione.

Era sbarcata a Grenada sotto un diluvio tropicale alle dieci di un mattino di novembre. Dalla sua guida, aveva appreso che Grenada era nota come Spice Island, l'isola delle spezie, e che era il maggior produttore mondiale di noce moscata. L'isola contava centoventimila abitanti ma altri duecentomila grenadiani circa vivevano fra Stati Uniti, Canada e Inghilterra, il che dava un'idea di come fosse il mercato del lavoro nella madrepatria. Il paesaggio era montuoso intorno a un vulcano spento, il Grand Etang.

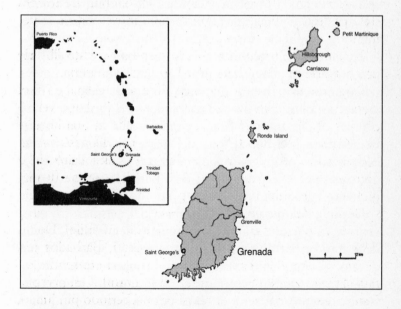

Sotto il profilo storico, Grenada era una delle tante insignificanti ex colonie britanniche. Nel 1795 aveva destato attenzione dopo che un ex schiavo liberato di nome Julian Fedon, ispirandosi alla rivoluzione francese, aveva dato inizio a una rivolta, inducendo la corona a inviare truppe per fare a pezzi, fucilare, impiccare e mutilare un gran numero di ribelli. Ciò che aveva scosso il regime coloniale era che anche un certo numero di bianchi poveri si era unito alla rivolta di Fedon senza il minimo riguardo per l'etichetta e i confini razziali. L'insurrezione era stata schiacciata. Ma Fedon non era mai stato catturato, facendo perdere le sue tracce sul massiccio del Grand Etang, e col tempo era diventato una leggenda locale di proporzioni robinhoodiane.

Circa duecento anni più tardi, nel 1979, l'avvocato Maurice Bishop aveva dato inizio a una nuova rivoluzione, che secondo la guida turistica si ispirava alle dittature comuniste di Cuba e Nicaragua, ma della quale Lisbeth aveva tutt'altra immagine dopo l'incontro con Philip Campbell – insegnante, bibliotecario e predicatore battista – nella cui pensione aveva alloggiato i primi giorni. La storia si poteva riassumere così: Bishop era stato un condottiero genuinamente popolare che aveva fatto cadere un dittatore pazzo che per di più era un fanatico degli ufo alla cui caccia aveva destinato una buona fetta del magro budget nazionale. Bishop aveva propugnato la democrazia economica e introdotto nel paese le prime leggi sulla parità fra i sessi, prima di venire assassinato nel 1983.

Dopo la sua morte, accompagnata dal massacro di circa centoventi persone compresi il ministro degli Esteri, quello delle Pari opportunità e alcuni esponenti di spicco del sindacato, gli Stati Uniti avevano invaso il paese portandovi la democrazia. Questo comportò che a Grenada la disoccupazione aumentò dal sei per cento circa a quasi il cinquanta per cento e che il commercio della cocaina tornò a essere la principale fonte di reddito. Philip Campbell aveva scosso la testa alla descrizione contenuta nella guida di Lisbeth e le aveva fornito buoni consigli su quali persone e quartieri avrebbe dovuto evitare dopo il calare del buio.

Nel suo caso, tali consigli erano tuttavia sprecati. Aveva infatti evitato di fare la conoscenza della criminalità di Grenada innamorandosi di Grand Anse Beach, subito a sud di Saint George's, una spiaggia di sabbia lunga un miglio e poco frequentata, dove poteva camminare per ore senza bisogno di parlare con nessuno e nemmeno di incontrare altra gente. Si era trasferita al Keys Hotel, uno dei pochi alberghi americani affacciati su Grand Anse, e ci abitava da sette settimane, senza fare molto più che passeggiare lungo la spiaggia e mangiare il frutto locale, il *chinup*, che nel gusto ricordava l'uvaspina svedese e le piaceva immensamente.

Era bassa stagione e al Keys Hotel neppure un terzo delle stanze era occupato. L'unico problema era che la sua tranquillità personale e i suoi studi sparsi di matematica venivano disturbati dal soffocato terrore nella stanza adiacente.

Mikael Blomkvist premette l'indice sul campanello dell'appartamento di Lisbeth Salander in Lundagatan. Non si aspettava che lei aprisse la porta, ma aveva preso l'abitudine di passare da casa sua più o meno una volta al mese per controllare che non fosse intervenuto qualche cambiamento. Quando sollevò il portellino della buca delle lettere, poté intravedere la montagnola di materiale pubblicitario. Erano appena passate le dieci di sera ed era troppo buio per stabilire di quanto fosse cresciuta dall'ultima volta.

Per un istante rimase fermo sulle scale, indeciso, prima di girare i tacchi frustrato e lasciare l'edificio. A passo lento si diresse verso il suo appartamento di Bellmansgatan, dove accese la macchina del caffè e sfogliò i giornali della sera ascoltando l'ultimo telegiornale. Si sentiva di umore cupo e si domandava dove diavolo si fosse cacciata Lisbeth. Avvertiva una vaga inquietudine e per la millesima volta si domandò cosa fosse realmente successo.

Durante le feste di Natale dell'anno prima l'aveva invitata nella sua casetta di Sandhamn. Avevano fatto lunghe passeggiate discutendo sommessamente delle ripercussioni dei drammatici avvenimenti dei quali entrambi erano stati partecipi nel corso dell'anno appena trascorso, quando Mikael aveva vissuto qualcosa che col senno di poi considerava una crisi esistenziale. Dopo una condanna per diffamazione e un paio di mesi in galera, la sua carriera professionale di giornalista era infangata e lui aveva abbandonato il posto di direttore responsabile della rivista *Millennium* con la coda fra le gambe. Ma d'improvviso tutto era cambiato. L'incarico di scrivere la biografia del magnate dell'industria Henrik Vanger, che aveva considerato come una terapia assurdamente ben remunerata, si era trasformato di colpo nella caccia disperata a un serial killer sconosciuto quanto scaltro.

Nel corso di quella caccia aveva incontrato Lisbeth Salander. Mikael si passò distrattamente la mano sulla leggera cicatrice che il cappio gli aveva lasciato in ricordo sotto l'orecchio sinistro. Lisbeth non l'aveva soltanto aiutato nella caccia all'assassino, gli aveva anche letteralmente salvato la vita.

Di volta in volta l'aveva sorpreso con le sue bizzarre capacità – memoria fotografica e abilità informatiche fenomenali. Mikael Blomkvist si considerava personalmente dotato di una generica competenza in fatto di computer, ma Lisbeth Salander li trattava come se fosse in combutta col diavolo. Si era lentamente reso conto che era un hacker di fama mondiale, e all'interno dell'esclusivo club internazionale che si dedicava alla pirateria informatica ad alto livello era una leggenda, ancorché la conoscessero solo sotto lo pseudonimo di *Wasp*.

Era stata la sua capacità di entrare e uscire dai computer

altrui a fornirgli il materiale per trasformare la sua disfatta giornalistica nell'affare Wennerström – uno scoop che ancora un anno più tardi era oggetto di indagini di polizia internazionali per frode e dava motivo a Mikael di visitare a intervalli regolari diversi talk-show televisivi.

Un anno prima aveva guardato allo scoop con enorme soddisfazione, come a una vendetta e a una riabilitazione professionale. Ma la soddisfazione gli era passata presto. Nel giro di poche settimane era già arcistufo di rispondere sempre alle stesse domande di giornalisti e agenti della finanza. *Mi dispiace ma non posso parlare delle mie fonti.* Quando un reporter del giornale in lingua inglese *Azerbaijan Times* si era preso il disturbo di andare a Stoccolma solo per fargli le stesse domande idiote, la misura fu colma. Mikael aveva ridotto il numero delle interviste al minimo e negli ultimi mesi si era a grandi linee prestato solo quando era "la famosa" di Tv4 a telefonargli per convincerlo, cosa che succedeva soltanto nei momenti in cui l'inchiesta passava a una nuova fase.

La collaborazione di Mikael con "la famosa" di Tv4 aveva inoltre una dimensione del tutto particolare. Lei era stata la prima giornalista ad abboccare alla rivelazione, e senza il suo apporto, la sera in cui *Millennium* aveva lanciato lo scoop, difficilmente la notizia avrebbe avuto un simile impatto. Solo in seguito Mikael era venuto a sapere che lei aveva lottato con unghie e denti per convincere la redazione a dare spazio alla storia. C'era stata una massiccia opposizione a mettere sotto i riflettori l'imbroglione di *Millennium*, e il dubbio se la batteria di avvocati della redazione avrebbe lasciato passare la notizia era rimasto fino all'attimo in cui lei era andata in onda. Molti dei suoi colleghi più anziani avevano fatto pollice verso e constatato che, se si fosse sbagliata, la sua carriera sarebbe finita lì. Lei aveva tenuto duro ed era stata la storia dell'anno.

Se ne era occupata per la prima settimana – era pur sempre l'unica reporter che conosceva il caso –, ma verso Natale Mikael aveva notato che tutti i commenti e le interpretazioni erano stati assegnati a colleghi maschi. Verso capodanno era venuto a sapere per vie traverse che lei era stata molto semplicemente estromessa a gomitate con la motivazione che una vicenda così importante doveva essere seguita da seri reporter economici, e non da una ragazzetta del Gotland o del Bergslagen o di dove diavolo fosse. Quando Tv4 aveva telefonato chiedendogli altri commenti, Mikael aveva risposto con molta franchezza che sarebbe stato disposto a pronunciarsi solo se fosse stata *lei* a porgli le domande. Dovettero passare alcuni giorni di silenzio acido prima che i ragazzi di Tv4 capitolassero.

La diminuzione d'interesse di Mikael per l'affare Wennerström era coincisa con la scomparsa di Lisbeth Salander dalla sua vita. Ancora non capiva cosa fosse successo.

Si erano separati il giorno dopo Natale, e fra Santo Stefano e capodanno non l'aveva più incontrata. Il 30 le aveva telefonato, ma lei non aveva risposto.

La sera di capodanno era passato da casa sua due volte, suonando alla porta. La prima volta nel suo appartamento c'era la luce accesa ma lei non aveva aperto. La seconda era tutto spento. Il primo dell'anno aveva provato di nuovo a chiamarla senza ricevere risposta. In seguito aveva trovato solo il messaggio che l'abbonato non era raggiungibile.

L'aveva vista due volte nei giorni immediatamente successivi. La prima volta, non riuscendo a contattarla per telefono, era andato a casa sua e si era seduto ad aspettarla sul gradino davanti alla porta dell'appartamento. Aveva portato con sé un libro, aspettando testardamente per quattro ore finché lei aveva varcato il portone subito prima delle undici di sera. Reggeva fra le braccia uno scatolone e si era fermata di botto nel vederlo.

«Ciao Lisbeth» l'aveva salutata, chiudendo il libro.

Lei l'aveva fissato senza espressione e senza un briciolo di calore o amicizia nello sguardo. Poi aveva infilato la chiave nella serratura.

«Mi offri una tazza di caffè?» aveva domandato Mikael.

Lei si era voltata e aveva detto a bassa voce: «Vattene via di qui. Non ti voglio vedere mai più.»

Quindi aveva chiuso la porta in faccia a un Mikael Blomkvist immensamente stupefatto, e lui l'aveva sentita mettere anche il catenaccio.

L'altra volta era stata solo tre giorni più tardi. Stava andando in metropolitana da Slussen a T-Centralen e quando il treno si era fermato a Gamla Stan aveva guardato fuori dal finestrino, scorgendola sul marciapiede, meno di due metri più in là. Se n'era accorto nel preciso momento in cui le porte si stavano chiudendo. Lei aveva guardato dritto attraverso Mikael come se fosse stato d'aria, e poi aveva girato i tacchi e si era allontanata dal suo campo visivo nell'attimo stesso in cui il treno si metteva in movimento.

Sul messaggio non c'era modo di sbagliarsi. Lisbeth Salander non voleva più avere a che fare con Mikael Blomkvist. L'aveva tagliato fuori dalla sua vita con la stessa efficacia con cui eliminava un file dal suo computer, senza spiegazioni. Aveva cambiato numero di cellulare e non rispondeva ai messaggi di posta elettronica.

Mikael sospirò, spense la tv, andò alla finestra e si mise a guardare il municipio.

Si chiese se non avesse commesso un errore, ostinandosi a passare da casa sua a intervalli regolari. L'atteggiamento di Mikael era sempre stato che, se una donna faceva capire così chiaramente che non voleva più sentir parlare di lui, lui se ne andava per la sua strada. Non rispettare un messaggio del genere equivaleva ai suoi occhi a una mancanza di rispetto nei confronti della donna in questione.

Mikael e Lisbeth erano stati a letto insieme. Ma era successo su iniziativa di lei e la relazione era durata sei mesi. Se adesso lei aveva deciso di chiudere la loro storia così sorprendentemente come l'aveva aperta, per Mikael era okay. Stava a lei decidere. Non aveva nessun problema ad assumere il ruolo di ex – se poi era di questo che si trattava –, ma la totale presa di distanza di Lisbeth lo lasciava confuso.

Non era innamorato di lei – erano così diversi che due persone non avrebbero potuto esserlo di più – ma gli piaceva e provava un genuino rimpianto per quella ragazza così maledettamente difficile. Aveva creduto che l'amicizia fosse reciproca. In breve, si sentiva un idiota.

Rimase in piedi accanto alla finestra.

Alla fine prese una decisione risolutiva.

Se Lisbeth Salander lo detestava così cordialmente da non riuscire nemmeno a salutarlo quando si vedevano in metrò, allora probabilmente la loro amicizia era finita e il danno irreparabile. In futuro non avrebbe più preso nessuna iniziativa per mettersi di nuovo in contatto con lei.

Lisbeth Salander guardò l'orologio e constatò che, nonostante fosse rimasta seduta ferma all'ombra, era sudata da capo a piedi. Erano le dieci e mezza. Memorizzò una formula matematica lunga tre righe e chiuse con un colpo secco *Dimensions*. Quindi afferrò le chiavi della propria stanza e il pacchetto di sigarette dal tavolino.

La sua camera si trovava al secondo piano, che era anche l'ultimo. Si liberò dei vestiti ed entrò nella doccia.

Una lucertola verde lunga una ventina di centimetri la fissò dal muro, subito sotto il soffitto. Lisbeth ricambiò l'occhiataccia ma non fece nessun tentativo di cacciarla via. Le lucertole erano dappertutto sull'isola e si infilavano nella stanza attraverso le fessure delle persiane, da sotto la porta o dalla finestrella del bagno. A lei non dispiaceva quella compagnia, che generalmente la lasciava in pace. L'acqua era fredda ma non gelata, e rimase sotto la doccia cinque minuti per rinfrescarsi.

Quando tornò di nuovo in camera da letto si fermò nuda davanti allo specchio del guardaroba ed esaminò con stupore il proprio corpo. Pesava quaranta chili circa ed era alta più o meno centocinquanta centimetri. E per quello non è che potesse fare granché. Aveva membra sottili come quelle di una bambola, mani piccole e fianchi efebici.

Ma adesso aveva le tette.

Per tutta la vita era stata piatta, proprio come se non fosse ancora entrata nell'età puberale. Era davvero una cosa ridicola, e si era sempre sentita a disagio a mostrarsi nuda.

E ora tutto d'un tratto aveva le tette. Non si trattava di due meloni (che non avrebbe voluto e che sarebbero sembrati ancora più ridicoli sul suo corpo per il resto così mingherlino), ma di due bei seni tondi e sodi di dimensione media. La trasformazione era avvenuta in maniera molto discreta, e le proporzioni erano assolutamente plausibili. Tuttavia la differenza era evidente, sia per il suo aspetto che per il suo benessere strettamente privato.

Aveva trascorso cinque settimane in una clinica dalle parti di Genova per farsi impiantare le protesi che costituivano l'armatura dei suoi nuovi seni. Aveva scelto la clinica e i medici con la migliore fama in Europa, anche sul piano della serietà. La dottoressa, Alessandra Perrini, una donna affascinante e tosta, aveva constatato che i seni di Lisbeth erano fisicamente sottosviluppati e che pertanto un ingrandimento era da considerarsi dettato da motivazioni mediche.

L'intervento non era stato una passeggiata, ma ora i seni parevano del tutto naturali, e le cicatrici erano ormai quasi invisibili. Non si era pentita della sua scelta neanche per un secondo. Era soddisfatta. Ancora sei mesi dopo, non riusciva a passare davanti a uno specchio a torso nudo senza sobbalzare e poi constatare con gioia che aveva migliorato la qualità della sua vita.

Durante il periodo trascorso nella clinica di Genova si era anche fatta levare uno dei nove tatuaggi – una vespa lunga un paio di centimetri – dal lato destro del collo. I suoi tatuaggi le piacevano, soprattutto il grande drago che dalla spalla scendeva fino alla coscia, ma aveva comunque preso la decisione di liberarsi della vespa. Era talmente vistosa che la rendeva facile da ricordare e identificare. Lisbeth Salander non voleva essere ricordata e identificata. Il tatuaggio era stato rimosso con il laser e quando si passava la punta del dito sul collo poteva sentire la vaga traccia di una cicatrice. Un'ispezione più attenta rivelava che la sua pelle abbronzata era un filo più chiara nel punto in cui c'era stata la vespa, ma a un'occhiata superficiale non si vedeva niente. Nel complesso il suo soggiorno a Genova era costato il corrispettivo di centonovantamila corone.

Se lo poteva permettere.

Smise di sognare davanti allo specchio e si infilò slip e reggiseno. Due giorni dopo avere lasciato la clinica, per la prima volta nei suoi venticinque anni di vita era entrata in un negozio di biancheria intima e aveva acquistato un indumento di cui prima non aveva mai avuto bisogno. Da allora aveva compiuto ventisei anni e indossava il reggiseno con una certa soddisfazione.

Si vestì con jeans e una T-shirt nera con la scritta *Consideralo un cortese avvertimento*. Trovò i sandali e il cappello di paglia e si mise sulla spalla una borsa nera di nylon.

Andando verso l'uscita notò un gruppetto di ospiti che parlottavano alla reception. Rallentò e tese l'orecchio.

«Ma *quanto* è pericoloso?» chiese a voce alta una donna di colore dall'accento europeo. Lisbeth la riconobbe come facente parte di una comitiva arrivata da Londra dieci giorni prima.

Freddy McBain, l'impiegato della reception dai capelli brizzolati che salutava sempre Lisbeth con un sorriso gentile, adesso aveva un'aria angustiata. Spiegò che sarebbero state date istruzioni a tutti gli ospiti dell'albergo e che non c'era motivo di preoccupazione se gli ospiti le avessero seguite alla lettera. La sua risposta fu accolta da un fuoco di fila di domande.

Lisbeth corrugò le sopracciglia e raggiunse il bar dove trovò Ella Carmichael dietro il bancone.

«Di che si tratta?» domandò, indicando col pollice il gruppetto assiepato alla reception.

«Mathilda minaccia di farci visita.»

«Mathilda?»

«È un uragano che si è formato al largo delle coste brasiliane un paio di settimane fa, e che stamattina è passato dritto attraverso Paramaribo, la capitale del Suriname. Non si sa bene quale direzione prenderà. Probabilmente si dirigerà a nord verso gli Stati Uniti. Ma se continuerà a seguire la costa verso ovest, Trinidad e Grenada si troveranno proprio sul suo percorso. Quindi potrebbe esserci un po' di vento.»

«Credevo che la stagione degli uragani fosse finita.»

«E lo è. Di solito siamo in allerta in settembre e ottobre. Ma di questi tempi c'è una tale confusione, con il clima e l'effetto serra e tutto il resto, che non si può mai sapere.»

«Okay. E quando dovrebbe arrivare, Mathilda?»

«Presto.»

«Dovrei fare qualcosa?»

«Lisbeth, con gli uragani non c'è da scherzare. Negli anni settanta ne abbiamo avuto uno che ha provocato un disastro qui a Grenada. Io avevo undici anni e abitavo in un villaggio sulle pendici del Grand Etang, sulla strada per Grenville, e quella notte non la dimenticherò mai.»

«Mmm.»

«Ma non è il caso che ti preoccupi. Sabato cerca di rimanere nelle vicinanze dell'albergo. Prepara una borsa con tutto quello da cui non ti puoi separare, ad esempio quel computer con il quale sei solita gingillarti, e tieniti pronta a prenderla con te se dovessimo ricevere l'ordine di scendere nel rifugio sotterraneo. È tutto.»

«Okay.»

«Vuoi qualcosa da bere?»

«No.»

Lisbeth uscì senza nemmeno salutare. Ella Carmichael sorrise rassegnata. C'erano volute un paio di settimane per abituarsi agli strani modi di quella strana ragazza, ma aveva capito che Lisbeth non era altezzosa, era solo molto diversa. E comunque pagava i suoi drink senza far storie, si manteneva passabilmente sobria, si faceva gli affari suoi e non creava mai problemi.

Il traffico locale di Grenada consisteva principalmente di minibus decorati con fantasia che con poco riguardo per orari e altre formalità facevano la spola senza interruzione durante le ore di luce. Dopo il calar delle tenebre era invece praticamente impossibile spostarsi sull'isola senza un veicolo proprio.

Lisbeth dovette aspettare solo qualche minuto lungo la strada per Saint George's prima che un minibus frenasse davanti a lei. L'autista era un rasta e la radio stava suonando *No woman no cry* a tutto volume. Lei pagò il suo dollaro e si infilò a fatica fra una cicciona con i capelli grigi e due ragazzini che indossavano l'uniforme della scuola.

Saint George's era situata in un'insenatura a forma di U che costituiva il Carenage, il porto interno. Intorno al porto si arrampicavano ripide collinette disseminate di condomini e vecchi edifici coloniali, con una fortezza, Fort Rupert, che si ergeva all'estremità di una scogliera sul promontorio.

Saint George's era una città estremamente compatta, con strade strette e molti vicoli. Le case si arrampicavano sulle collinette e non esisteva quasi altra superficie orizzontale se non una combinazione di campo da cricket e ippodromo ai margini settentrionali dell'abitato.

Lisbeth scese al porto e raggiunse a piedi il negozio MacIntyre's Electronics in cima a una ripida salita. A grandi linee tutti i prodotti che si vendevano a Grenada erano importati dagli Stati Uniti o dall'Inghilterra, e costavano di conseguenza il doppio che negli altri posti, ma in cambio il negozio offriva una piacevole aria condizionata.

Le batterie di riserva che aveva ordinato per il suo Apple PowerBook con schermo da diciassette pollici erano finalmente arrivate. A Miami si era procurata un palmare con tastiera pieghevole sul quale poteva leggere la posta elettronica e che poteva senza difficoltà portarsi appresso nella borsa, anziché trascinarsi dietro il PowerBook, ma era un misero sostituto. Inoltre le batterie originali erano andate peggiorando e ormai resistevano solo per una mezz'oretta prima di avere bisogno di essere ricaricate, e questa era una vera noia quando voleva starsene seduta fuori in terrazza accanto alla piscina, anche perché l'approvvigionamento di corrente a Grenada lasciava non poco a desiderare. Nelle settimane in cui era stata lì aveva sperimentato due interruzioni di corrente di una certa importanza. Pagò con una carta di credito intestata alla Wasp Enterprises, infilò le batterie nella borsa e uscì nuovamente nel caldo torrido di mezzogiorno.

Fece una visita alla Barclays Bank e prelevò trecento dollari in contanti, poi scese al mercato e comperò un mazzo di carote, una mezza dozzina di mango e una bottiglia da un litro e mezzo di acqua minerale. La borsa diventò considerevolmente più pesante e quando scese di nuovo al porto si ritrovò affamata e assetata. Pensò inizialmente di fermarsi al Nutmeg, ma l'ingresso del ristorante sembrava già bloccato da clienti in attesa. Continuò verso il più tranquillo Turtleback, in fondo al porto, e si sedette nella veranda ordinando un piatto di calamari e patate arrosto e una bottiglia di Carib, la birra locale. Prese una copia abbandonata del giornale locale, il *Grenadian Voice*, e le diede una scorsa per un paio di minuti. L'unica cosa di un qualche interesse era un drammatico articolo sul possibile arrivo di Mathilda. Il testo era illustrato dall'immagine di una casa rasa al suolo per ricordare il disastro provocato dall'ultimo grande uragano che aveva visitato il paese.

Ripiegò il giornale, bevve un sorso di birra direttamente dalla bottiglia e si appoggiò allo schienale, e in quell'attimo scorse l'uomo della stanza 32 che dal bar usciva nella veranda. Aveva la sua cartella marrone in una mano e un grosso bicchiere di Coca-Cola nell'altra. La sfiorò con lo sguardo senza riconoscerla e andò a sedersi sul lato opposto della veranda, mettendosi a guardare il mare di là dal ristorante.

Lisbeth ne studiò il profilo. Sembrava totalmente assente e restò seduto immobile per sette minuti prima di alzare d'improvviso il bicchiere e bere tre lunghe sorsate. Poi appoggiò il bicchiere e riprese a fissare l'acqua. Dopo un momento Lisbeth aprì la borsa e tirò fuori *Dimensions*.

A Lisbeth erano sempre piaciuti i giochi di pazienza e gli enigmi. Quando aveva nove anni sua madre le aveva regalato un cubo di Rubik. L'oggetto aveva messo alla prova la sua capacità logica per quasi quaranta frustranti minuti, fino a quando aveva finalmente capito come funzionava.

Dopo di che non aveva avuto nessun problema a farlo girare nel modo giusto. Non aveva mai fatto un errore nel rispondere ai test d'intelligenza pubblicati dai quotidiani. Cinque figure dalla forma strana e la domanda su come doveva essere la sesta della serie. Per lei la risposta era sempre stata evidente.

Nei primi anni di scuola aveva imparato addizioni e sottrazioni. Moltiplicazioni, divisioni e geometria erano state una prosecuzione naturale. Era capace di fare il conto al ristorante, mettere insieme una fattura e calcolare la traiettoria di una granata d'artiglieria sparata con una determinata velocità e angolazione. Erano cose ovvie. Prima di leggere l'articolo di *Popular Science* non era mai stata affascinata dalla matematica, né aveva mai riflettuto sul fatto che le tabelline fossero matematica. Le tabelline erano qualcosa che aveva memorizzato nell'arco di un pomeriggio a scuola e non riusciva a capire perché mai l'insegnante avesse continuato a insistere sull'argomento per un anno intero.

Tutto d'un tratto aveva intuito la logica implacabile che doveva esistere dietro calcoli e formule, e questo la condusse agli scaffali della matematica nelle librerie universitarie. Ma fu solo quando aprì *Dimensions* che le si spalancò davanti un mondo completamente nuovo. La matematica era in realtà un puzzle logico dalle variazioni infinite – enigmi che avevano una soluzione. Il trucco non era nel risolvere esempi di calcolo. Cinque per cinque dava sempre venticinque. Il trucco era piuttosto nella composizione delle diverse regole che rendevano possibile risolvere qualsivoglia problema matematico.

Dimensions non era un manuale in senso stretto, ma un mattone di milleduecento pagine sulla storia della matematica dagli antichi greci all'odierno tentativo di padroneggiare l'astronomia sferica. Era considerato come la Bibbia, al livello di ciò che l'*Arithmetica* di Diofanto di Alessandria era stata un tempo (ed era tuttora) per i matematici seri. Quando per la prima volta aveva aperto *Dimensions* sulla terrazza dell'albergo a Grand Anse, si era ritrovata d'improvviso in un mondo incantato di cifre, un libro interessante che al tempo stesso riusciva a divertire il lettore con aneddoti e problemi sorprendenti. Poté seguire gli sviluppi della matematica da Archimede al moderno Jet Propulsion Laboratory in California, e capire i vari metodi di soluzione dei problemi.

Il teorema di Pitagora, $x^2 + y^2 = z^2$, formulato circa cinquecento anni prima di Cristo, fu un'esperienza illuminante. Di colpo capì il significato di ciò che aveva memorizzato già a scuola nel corso delle poche lezioni a cui aveva assistito. *In un triangolo rettangolo, il quadrato costruito sull'ipotenusa è equivalente alla somma dei quadrati costruiti sui cateti.* Rimase affascinata dalla scoperta di Euclide, fatta nel 300 avanti Cristo. *Un numero perfetto è sempre un multiplo di due numeri, dove il primo è una potenza di 2 e il secondo è costituito dalla differenza fra la successiva potenza di 2 e 1.* Era un perfezionamento dell'enunciato di Pitagora e lei ne intuì le infinite combinazioni.

$$6 = 2^1 \times (2^2 - 1)$$
$$28 = 2^2 \times (2^3 - 1)$$
$$496 = 2^4 \times (2^5 - 1)$$
$$8128 = 2^6 \times (2^7 - 1)$$

Avrebbe potuto continuare all'infinito senza trovare nessun numero che infrangesse la regola. Era una logica che dava soddisfazione al suo senso dell'assoluto. Passò felicemente attraverso Archimede, Newton, Martin Gardner e un'altra dozzina di matematici classici.

Quindi arrivò al capitolo su Pierre de Fermat, il cui enigma matematico la lasciò perplessa. D'altra parte Fermat aveva fatto impazzire i matematici per quasi quattrocento anni prima che un inglese di nome Andrew Wiles nel 1993 riuscisse a risolvere il suo rompicapo.

Il teorema di Fermat era ingannevolmente semplice.

Pierre de Fermat era nato nel 1601 a Beaumont-de-Lomagne nella Francia sudoccidentale. Ironicamente non era nemmeno un matematico, ma un funzionario statale che si dedicava ai numeri per hobby nel tempo libero. Eppure fu uno degli studiosi autodidatti più dotati che siano mai esistiti. Proprio come a Lisbeth Salander, gli piaceva risolvere rompicapi ed enigmi. Pare che si divertisse particolarmente a prendere per il naso altri matematici costruendo problemi ma tralasciando di includere la soluzione. Il filosofo Cartesio diede a Fermat tutta una serie di epiteti spregiativi, mentre il collega inglese John Wallis lo chiamava "quel maledetto francese".

Intorno al 1630 uscì una traduzione francese del libro di Diofanto, *Arithmetica*, che conteneva una raccolta completa delle teorie sui numeri che Pitagora, Euclide e altri matematici dell'antichità avevano formulato. Fu quando Fermat studiò Pitagora che in un'esplosione di perfetta genialità creò il suo problema immortale. Egli formulò una variante dell'enunciato di Pitagora. Invece di $x^2 + y^2 = z^2$, trasformò il quadrato in un cubo, $x^3 + y^3 = z^3$.

Il problema era che la nuova equazione sembrava non avere nessuna soluzione a numero intero. Con un piccolo cambiamento, Fermat aveva trasformato una formula che aveva un numero infinito di soluzioni perfette in un vicolo cieco senza soluzione. Il suo teorema era esattamente questo – affermava che da nessuna parte nell'universo infinito dei numeri esisteva un numero intero il cui cubo si potesse esprimere come la somma di due cubi, e che questo valeva per tutti i numeri che avevano una potenza superiore al 2.

Presto, anche altri matematici furono d'accordo. Attraverso vari tentativi poterono constatare l'impossibilità di trovare un numero che sconfessasse l'enunciato. Il problema era che, anche se avessero calcolato fino alla fine del tempo, non avrebbero potuto provare con tutti i numeri esistenti – che sono ovviamente infiniti – e di conseguenza non potevano essere sicuri al cento per cento che il numero successivo non avrebbe sconvolto il teorema di Fermat. In ambito matematico infatti ogni affermazione deve poter essere dimostrata matematicamente ed espressa con una formula universalmente applicabile e scientificamente corretta. Il matematico deve poter stare su un podio e pronunciare le parole "è così *perché...*".

Fermat, fedele alle proprie abitudini, mostrò il dito ai colleghi. A margine della sua copia dell'*Arithmetica* scarabocchiò il problema e concluse con qualche riga. *Cuius rei demonstrationem mirabilem sane detexi hanc marginis exiguitas non caperet.* Quelle righe divennero immortali nella storia della matematica. *Ho una dimostrazione invero meravigliosa di questa asserzione, ma il margine è troppo stretto per contenerla.*

Se il suo intento era stato di mandare in bestia i colleghi, ebbene ci era riuscito straordinariamente bene. Dal 1637 in poi, praticamente ogni matematico dotato di un po' d'amor proprio ha dedicato del tempo, talvolta anche parecchio, a cercare la dimostrazione del teorema di Fermat. Già più generazioni di pensatori avevano fallito quando Andrew Wiles arrivò con la sua soluzione nel 1993. Aveva riflettuto sull'enigma per venticinque anni, gli ultimi dieci quasi a tempo pieno.

Lisbeth Salander era perplessa.

In realtà non era interessata alla risposta. Il punto era come risolvere il problema. Quando qualcuno le metteva davanti un enigma, lei era abituata a risolverlo. Prima di capire i principi del ragionamento impiegava molto tempo, ma arrivava sempre alla risposta esatta prima di andare a guardare le soluzioni.

Di conseguenza aveva preso un foglio e aveva cominciato a scarabocchiare cifre dopo avere letto il teorema di Fermat. Ma non era riuscita a trovare una spiegazione.

Si rifiutava di guardare la soluzione, perciò aveva saltato il capitolo in cui veniva illustrata la spiegazione di Andrew Wiles. Aveva terminato di leggere *Dimensions* e aveva constatato che nessuno degli altri problemi formulati le aveva posto difficoltà insormontabili. Quindi era tornata giorno dopo giorno con crescente irritazione all'enigma di Fermat scervellandosi su quale "meravigliosa dimostrazione" egli avesse potuto intendere. Ma continuava a finire in un vicolo cieco dopo l'altro.

Lisbeth sollevò lo sguardo quando l'uomo della stanza 32 d'improvviso si alzò e si avviò verso l'uscita. Diede un'occhiata all'orologio e constatò che era stato seduto immobile per circa due ore e dieci minuti.

Ella Carmichael poggiò il bicchiere sul bancone del bar davanti a Lisbeth Salander. La ragazza non voleva nessuna sciocchezza colorata di rosa e decorata di stupidi ombrellini, ordinava sempre lo stesso drink – rum e Coca-Cola. A parte un'unica sera in cui era stata di umore strano e si era ubriacata a tal punto che Ella era stata costretta a chiedere a una cameriera di trasportarla nella sua stanza, le sue consumazioni consistevano normalmente di caffè macchiato, qualche raro drink e birra Carib. Come sempre Lisbeth si piazzò in disparte all'estremità destra del bancone e aprì un libro pieno di strane formule matematiche, il che agli occhi di Ella Carmichael costituiva una bizzarra lettura per una ragazza della sua età.

Aveva constatato che Lisbeth pareva non avere il minimo

interesse per i corteggiatori. I pochi uomini soli che avevano tentato degli approcci erano stati respinti gentilmente ma con fermezza, e in un caso nemmeno tanto gentilmente. Chris MacAllen, quello che era stato respinto bruscamente, era d'altra parte un fannullone locale che aveva proprio bisogno di una strigliata. Di conseguenza Ella non si era granché indignata quando, curiosamente, era inciampato finendo dritto nella piscina dopo avere questionato con Lisbeth per tutta la sera. A onore di MacAllen si poteva dire che non era un tipo vendicativo. La sera dopo era ritornato, perfettamente sobrio, e aveva offerto a Lisbeth una birra che lei, dopo una breve esitazione, aveva accettato. Da allora si salutavano con cortesia quando capitava che s'incontrassero al bar.

«Tutto okay?» domandò Ella.

Lisbeth annuì e prese il bicchiere.

«Qualche novità su Mathilda?» chiese.

«Si sta dirigendo dalla nostra parte. Potrebbe essere un fine settimana davvero sgradevole.»

«Quando lo sapremo?»

«In realtà non prima che sia passata. Può dirigersi su Grenada e poi decidere di piegare a nord all'ultimo momento.»

«Sono frequenti gli uragani?»

«Be', vanno e vengono. Il più delle volte ci passano solo accanto, altrimenti l'isola non esisterebbe più. Ma non c'è bisogno che ti preoccupi.»

«Non sono preoccupata.»

D'improvviso sentirono una risata un po' troppo sonora e voltarono la testa verso la signora della stanza 32, apparentemente divertita per qualcosa che le stava raccontando il marito.

«Chi sono quei due?»

«Il dottor Forbes e la moglie? Sono americani di Austin, Texas.»

Ella Carmichael pronunciò il termine "americani" con un certo disgusto.

«Lo so che sono americani. Cosa fanno qui? Lui è un medico?»

«No, non è un dottore in quel senso. È qui per la Fondazione Santa Maria.»

«Cosa sarebbe?»

«Una fondazione che paga gli studi a bambini dotati. Lui è una persona squisita. Sta trattando con il ministero dell'Istruzione per costruire una nuova scuola superiore a Saint George's.»

«È un uomo squisito che picchia la moglie» disse Lisbeth.

Ella tacque e le lanciò un'occhiataccia prima di spostarsi all'altra estremità del bancone per servire una Carib ad alcuni clienti locali.

Lisbeth rimase seduta al bar per dieci minuti con il naso nel suo *Dimensions*. Già da bambina si era resa conto di possedere un'ottima memoria fotografica, che la distingueva in maniera determinante dai suoi compagni di classe. Ma non aveva mai svelato questa sua peculiarità a nessuno – tranne che a Mikael Blomkvist in un momento di debolezza. Conosceva già il testo di *Dimensions* a memoria, e si trascinava appresso il volume più che altro perché costituiva un collegamento visuale con Fermat, proprio come se il libro fosse divenuto un talismano.

Ma quella sera non riusciva a focalizzare i suoi pensieri né su Fermat né sul suo teorema. Invece continuava a vedere davanti a sé l'immagine di Forbes seduto immobile con lo sguardo fisso sullo stesso punto del mare al Carenage.

Non sapeva spiegarsi perché tutto d'un tratto avvertiva che qualcosa non quadrava.

Alla fine chiuse il libro e tornò nella sua camera, dove avviò subito il PowerBook. Navigare in Internet non era possibile, l'albergo non aveva la banda larga, ma lei aveva un modem che poteva collegare al suo cellulare per inviare e ricevere messaggi elettronici. Ne scrisse rapidamente uno per plague-xyz-666@hotmail.com.

Non ho la banda larga. Mi servono informazioni sul dottor Forbes della Fondazione Santa Maria e sulla moglie, di Austin nel Texas. Pago 500 dollari a chi mi fa la ricerca.
Wasp

Aggiunse la sua chiave pgp, criptò la mail con la chiave pgp di *Plague* e premette il tasto invio. Quindi guardò l'ora e vide che erano appena passate le sette e mezza di sera.

Spense il computer, chiuse la porta e scese per quattrocento metri lungo la spiaggia, attraversò la strada per Saint George's e bussò alla porta di una catapecchia dietro il Coconut. George Bland aveva sedici anni ed era uno studente. Aveva in mente di diventare medico oppure avvocato o forse astronauta ed era mingherlino come Lisbeth e quasi altrettanto basso.

Lisbeth aveva incontrato George Bland sulla spiaggia la prima settimana a Grenada, il giorno dopo che si era trasferita a Grand Anse. Aveva fatto una passeggiata e si era seduta all'ombra di alcune palme a guardare i bambini che giocavano a calcio giù a riva. Era immersa nella lettura del suo *Dimensions* quando lui era arrivato e si era piazzato solo qualche metro davanti a lei, apparentemente senza notare la sua presenza. Lei l'aveva osservato in silenzio. Un ragazzino nero in sandali, calzoni neri e camicia bianca.

Proprio come lei, anche lui aveva aperto un libro e vi si era sprofondato. Proprio come lei, anche lui studiava un libro di matematica, *Basics 4*. Leggeva concentrato e aveva cominciato a scarabocchiare qualcosa. Solo quando Lisbeth dopo cinque minuti si era schiarita la voce lui si era accorto della sua presenza ed era balzato in piedi in preda al panico. Le aveva chiesto scusa per avere disturbato e stava per andarsene quando lei gli aveva chiesto se era un'operazione complicata.

Algebra. Dopo due minuti Lisbeth gli aveva fatto notare un errore fondamentale nei suoi calcoli. Dopo mezz'ora avevano completato tutti i suoi compiti. Dopo un'ora avevano esaminato l'intero capitolo successivo del libro e lei gli aveva spiegato in maniera molto semplice i trucchi che stavano dietro le operazioni. Lui l'aveva guardata con rispettosa considerazione. Dopo due ore le aveva raccontato che sua madre abitava a Toronto, in Canada, suo padre a Grenville, dall'altra parte dell'isola, e lui in una casupola più giù, lungo la spiaggia. Era il più piccolo di quattro figli, e l'unico maschio.

Lisbeth trovava la sua compagnia curiosamente rilassante. La situazione era insolita. Le capitava raramente di attaccare discorso con altre persone per il puro piacere di chiacchierare. Non era una questione di timidezza. Per lei la conversazione aveva una funzione pratica: dove trovo una farmacia, quanto costa la camera. O anche una funzione professionale. Quando lavorava come ricercatrice per Dragan Armanskij della Milton Security non aveva nessun problema a fare lunghe conversazioni per ottenere informazioni.

Ma detestava le conversazioni personali che portavano sempre a frugare in quelle che lei considerava faccende private. *Quanti anni hai? Indovina. Ti piace Britney Spears? Chi? Ti piacciono i quadri di Carl Larsson? Non ci ho mai pensato. Sei lesbica? Direi che la cosa non ti riguarda per niente.*

George Bland era un po' goffo ma sicuro di sé, era gentile e cercava di condurre una conversazione intelligente senza mettersi in competizione o frugare nella sua vita privata. Proprio come lei, anche lui era solo. Curiosamente, sembrava accettare come cosa normale che una dea della matematica fosse calata su Grand Anse, contento che volesse fargli compagnia. Dopo diverse ore sulla spiaggia avevano levato le tende quando il sole si stava approssimando all'orizzonte. Erano tornati insieme verso il suo albergo e lui le aveva indicato la casupola che costituiva il suo alloggio da studente, domandandole imbarazzato se poteva offrirle un tè. Lei aveva accettato, e questo l'aveva stupito.

Il suo alloggio era molto modesto: una casupola con un tavolo sgangherato, due sedie, un letto e un armadio per indumenti e biancheria. L'unica fonte di illuminazione era una lampada da tavolo collegata a un cavo che arrivava al Coconut. La cucina era costituita da un fornello da campeggio. Le aveva offerto una cena a base di riso e verdure servita su piatti di plastica. Poi le aveva anche proposto arditamente di fumare la locale sostanza proibita, e lei aveva accettato.

Per Lisbeth era stato semplice capire che il ragazzo era in soggezione e non sapeva esattamente come comportarsi. D'impulso aveva deciso di consentirgli di sedurla, ma questo fu più complicato del previsto. Lui senza dubbio aveva compreso i suoi segnali ma senza avere la minima idea di come comportarsi. Si era mosso come il gatto intorno al latte bollente fino a quando lei aveva perso la pazienza e l'aveva spinto risolutamente giù sul letto togliendosi i vestiti.

Era la prima volta che si mostrava nuda a qualcuno dopo l'operazione di Genova. Aveva lasciato la clinica con un leggero senso di panico. Le era occorso un po' per rendersi conto che non una persona la degnava di uno sguardo. Normalmente a Lisbeth Salander non importava un fico secco di cosa pensasse la gente di lei, e si era chiesta a lungo perché mai d'improvviso si sentisse tanto insicura.

George Bland sarebbe stato un debutto perfetto per il suo nuovo io. Quando (dopo una certa dose di incoraggiamento) era finalmente riuscito a slacciarle il reggiseno, aveva subito spento la lampada accanto al letto prima di cominciare a togliersi i suoi, di vestiti. Lisbeth aveva capito che era timido e aveva riacceso la lampada. Osservava le sue reazioni mentre cominciava a toccarla. Solo molto più avanti nella serata era riuscita a rilassarsi, constatando che lui considerava i suoi seni assolutamente naturali. D'altro lato non sembrava nemmeno disporre di molti termini di paragone.

Non era nei suoi piani procurarsi un amante tanto giovane a Grenada. Si era trattato di un gesto impulsivo e quando se n'era andata a notte fonda non aveva intenzione di ritornare. Ma già il giorno dopo l'aveva incontrato di nuovo sulla spiaggia e si era effettivamente resa conto che il goffo giovincello era una compagnia piacevole. Nelle sette settimane da che abitava a Grenada, George Bland era diventato un punto fermo della sua esistenza. Di giorno non si frequentavano, ma lui passava i pomeriggi prima del tramonto sulla spiaggia e le serate da solo nella sua casupola.

Lisbeth aveva notato che quando passeggiavano insieme parevano due adolescenti. *Sweet sixteen.*

Lui probabilmente pensava che la vita fosse diventata più interessante. Aveva incontrato una donna che gli insegnava sia la matematica che l'erotismo.

Aprì la porta e le sorrise estasiato.

«Ti va un po' di compagnia?» domandò lei.

Lisbeth Salander lasciò George Bland poco dopo le due di notte. Si sentiva un piacevole calore dentro e passeggiò lungo la spiaggia anziché seguire la strada verso il Keys Hotel. Camminava da sola nel buio, sapendo che George l'avrebbe seguita a circa cento metri di distanza.

Lo faceva sempre. Non si era mai fermata a dormire da lui, ma spesso George esprimeva vibranti proteste contro il fatto che una donna facesse ritorno al suo albergo da sola in piena notte, e insisteva nell'affermare che era suo dovere riaccompagnarla in albergo. In particolare quando facevano molto tardi. Lisbeth ascoltava paziente le sue motivazioni e poi troncava la discussione con un semplice no. *Io vado dove mi pare e quando mi pare. Fine della discussione. E no, non voglio avere nessuna scorta.* La prima volta che si era resa conto che lui la seguiva, si era infastidita. Ma adesso vedeva nel suo istinto di protezione un certo fascino e perciò fingeva di non sapere che lui camminava dietro di lei e che sarebbe tornato verso casa solo dopo averla vista varcare la soglia del suo albergo.

Si chiedeva cosa avrebbe fatto se lei d'improvviso fosse stata aggredita.

Personalmente, Lisbeth avrebbe utilizzato il martello che aveva acquistato da MacIntyre's e che teneva nello scomparto esterno della borsa a tracolla. C'erano poche configurazioni di minaccia fisica cui l'uso di un buon martello non potesse porre rimedio, pensava.

Il cielo era limpido e stellato, e c'era la luna piena. Lisbeth alzò lo sguardo e identificò Regolo nella costellazione del Leone bassa sull'orizzonte. Era quasi arrivata all'albergo quando si fermò di colpo. Aveva intravisto l'ombra di una figura umana più giù sulla spiaggia, a riva, davanti all'hotel. Era la prima volta che le capitava di vedere un'anima viva sulla spiaggia dopo il calare dell'oscurità. Anche se la distanza era di quasi cento metri, non ebbe nessun problema a identificare l'uomo al chiarore della luna.

Era il rispettabile dottor Forbes della stanza 32.

Con pochi rapidi passi si spostò di lato e si fermò sotto gli alberi. Quando voltò la testa, constatò che anche George Bland si era reso invisibile. La figura sulla battigia si muoveva lentamente avanti e indietro. Stava fumando una sigaretta. A intervalli regolari si fermava e si chinava, come se stesse esaminando la sabbia. La pantomima andò avanti per venti minuti, poi l'uomo cambiò bruscamente direzione e si diresse a passi spediti verso l'ingresso dell'albergo sulla spiaggia, sparendo.

Lisbeth attese qualche minuto prima di portarsi dove il dottor Forbes aveva passeggiato. Descrisse un lento semicerchio esaminando il terreno. Riusciva a vedere solo sabbia, conchiglie e qualche sasso. Dopo un paio di minuti interruppe lo studio della battigia e si diresse verso l'albergo.

Uscì sul suo balcone, si chinò sopra la ringhiera e sbirciò nel balcone dei vicini. Tutto era tranquillo e silenzioso. Il litigio serale evidentemente era finito. Dopo un momento andò a prendere la borsa, tirò fuori una cartina e si arrotolò uno spinello con la scorta che le aveva fornito George Bland. Si sedette sul balcone. Guardava il mare scuro dei Caraibi mentre fumava e pensava.

Si sentiva come un'apparecchiatura radar in stato di massima allerta.

2.
Venerdì 17 dicembre

Nils Erik Bjurman, avvocato, cinquantacinque anni, era seduto a un tavolino del caffè Hedon a Stureplan e guardava la fiumana di gente che passava davanti alla vetrina. Guardava tutti quelli che passavano ma non osservava nessuno.

Stava pensando a Lisbeth Salander. Gli capitava spesso.

Quei pensieri lo facevano ribollire dentro.

Lisbeth Salander l'aveva distrutto. Erano stati momenti che non avrebbe mai dimenticato. Lei aveva preso il comando e l'aveva umiliato. L'aveva brutalizzato lasciando tracce letteralmente indelebili sul suo corpo. Per essere più precisi, su un'area di venti centimetri quadrati sul ventre, subito sopra il suo organo genitale. L'aveva incatenato al suo stesso letto, l'aveva malmenato e gli aveva tatuato un messaggio che non poteva essere frainteso né cancellato. IO SONO UN SADICO PORCO, UN VERME E UNO STUPRATORE.

Lisbeth Salander era stata dichiarata giuridicamente incapace dal tribunale di Stoccolma. Lui aveva ricevuto l'incarico di agire come suo tutore, cosa che la poneva in una condizione di massima dipendenza nei suoi confronti. Già la primissima volta che aveva incontrato Lisbeth, aveva cominciato a fantasticare su di lei. Non sapeva spiegarsi perché, ma quella ragazza indirizzava i suoi pensieri su quella strada.

Da un punto di vista puramente intellettuale, l'avvocato Nils Bjurman sapeva di avere fatto qualcosa che non era né accettabile né consentito. Sapeva di avere sbagliato. Sapeva anche di avere agito in un modo assolutamente indifendibile sotto il profilo giuridico.

Dal punto di vista emotivo questa consapevolezza intellettuale non aveva tuttavia nessun peso. Dall'attimo in cui aveva incontrato per la prima volta Lisbeth Salander nel dicembre di due anni prima, non era riuscito a resistere. Leggi, regole, morale e responsabilità non avevano più nessuna importanza.

Era una strana ragazza – perfettamente adulta, ma con un aspetto che poteva farla scambiare per una minorenne. Lui aveva il controllo sulla sua vita – poteva disporre di lei. Era qualcosa di irresistibile.

La ragazza aveva una biografia che faceva di lei un soggetto a cui nessuno avrebbe dato credito nel caso le fosse venuto in mente di protestare. Non si trattava nemmeno di stupro di innocente – la sua cartella clinica diceva chiaramente che aveva avuto non poche esperienze sessuali e che poteva perfino essere considerata promiscua. Un assistente sociale aveva redatto una relazione secondo cui esisteva la possibilità che Lisbeth Salander all'età di diciassette anni avesse offerto prestazioni sessuali dietro compenso. Una pattuglia della polizia aveva osservato uno sporcaccione in compagnia di una ragazzina su una panchina del parco di Tantolunden. Gli agenti avevano fermato la macchina e avvicinato la coppia, la ragazzina si era rifiutata di rispondere alle loro domande e lo sporcaccione era troppo sbronzo per dire qualcosa di sensato.

Agli occhi dell'avvocato Bjurman la conclusione era ovvia: Lisbeth Salander era una puttana e stava sul gradino più basso della società. E in suo potere. Nessun rischio. Anche se lei avesse protestato presso le autorità competenti, lui in forza della sua credibilità e dei suoi meriti avrebbe potuto renderla inoffensiva dandole della bugiarda.

Lei era il giocattolo perfetto – adulta, promiscua, socialmente isolata e abbandonata alla sua discrezione.

Era la prima volta che si comportava così con una delle sue assistite. In precedenza non aveva mai nemmeno preso in considerazione la possibilità di fare pressione su qualcuno con cui avesse una relazione professionale. Per dare sfogo alle sue particolari esigenze in fatto di sesso si era rivolto a prostitute. Era stato discreto e prudente e aveva pagato bene, il problema era che con le prostitute era tutta una finzione. Un servizio che lui comperava da una donna che gemeva e si lamentava e recitava un ruolo, ma il tutto era altrettanto falso dell'arte da quattro soldi che si vende in piazza.

Aveva cercato di dominare sua moglie all'epoca in cui era sposato, ma lei era sempre stata d'accordo e anche quello era stato soltanto un gioco.

Lisbeth Salander era perfetta. Era indifesa. Non aveva parenti né amici. Un'autentica vittima, totalmente inerme. L'occasione fa l'uomo ladro.

E poi lei d'improvviso l'aveva distrutto.

Si era vendicata con una forza e una determinazione assolutamente insospettabili. L'aveva umiliato. Torturato. Quasi annientato.

Durante i quasi due anni trascorsi da allora, la vita di Nils Bjurman era cambiata in maniera drammatica. I primi tempi, dopo la visita notturna di Lisbeth nel suo appartamento, era come paralizzato, incapace di pensare e di agire. Si era chiuso in casa, non rispondeva al telefono e non riusciva a mantenere i contatti con la sua abituale clientela. Dopo due settimane si era messo in malattia. La sua segretaria sbrigava la corrispondenza in ufficio, disdiceva gli appuntamenti e cercava di rispondere alle domande dei clienti irritati.

Ogni giorno era costretto a vedere il proprio corpo riflesso nello specchio che copriva la porta del bagno. Alla fine l'aveva smontato.

Solo all'inizio dell'estate era tornato in ufficio. Fatta una selezione fra i suoi clienti, ne aveva passato la gran parte ai colleghi. Gli unici che aveva tenuto erano alcune società per le quali curava della corrispondenza d'affari di carattere giuridico non impegnativa. Il suo unico cliente attivo era Lisbeth Salander – ogni mese redigeva un bilancio e una relazione per l'ufficio tutorio. Faceva esattamente ciò che gli aveva imposto lei – le relazioni erano fantasie che documentavano che la ragazza non aveva nessuna necessità di un tutore.

Ogni relazione gli bruciava e gli ricordava dell'esistenza di lei, ma non aveva scelta.

Bjurman aveva trascorso l'estate e l'autunno come bloccato. In dicembre aveva preso coraggio e prenotato un viaggio in Francia. Aveva fissato un appuntamento presso una clinica specializzata in chirurgia estetica dalle parti di Marsiglia, dove un medico gli avrebbe detto come liberarsi del tatuaggio nella maniera migliore.

Il medico aveva esaminato esterrefatto il suo ventre sfigurato. Alla fine aveva suggerito un trattamento laser, anche se il tatuaggio era così esteso e l'ago era penetrato così a fondo che temeva che l'unica scelta realistica sarebbe risultata essere un trapianto cutaneo. Che sarebbe stato costoso e avrebbe richiesto tempo.

Nei due anni trascorsi Bjurman aveva incontrato Lisbeth in un'unica occasione.

La notte in cui lei l'aveva aggredito e aveva preso il comando della sua esistenza, si era anche impossessata delle chiavi di riserva del suo studio e del suo appartamento. Aveva detto che l'avrebbe tenuto sotto sorveglianza e che, quando meno se lo fosse aspettato, gli avrebbe fatto una visita. Nei dieci mesi successivi lui aveva quasi cominciato a credere che fosse stata una finta, ma non aveva osato cambiare le serrature. La sua minaccia non lasciava spazio a fraintendimenti – se mai l'avesse scoperto con una donna nel letto, avrebbe reso pubblico il filmato di novanta minuti che documentava come lui l'avesse violentata.

Una notte di metà gennaio, quasi un anno prima, si era svegliato di soprassalto alle tre, senza sapere per quale motivo. Aveva acceso la lampada sul comodino e urlato dallo spavento vedendola ritta ai piedi del letto. Era come se uno spettro si fosse d'improvviso materializzato nella stanza. Il suo volto era pallido e senza espressione. In mano teneva la sua maledetta pistola elettrica.

«Buon giorno, avvocato Bjurman» aveva detto alla fine. «Scusa se questa volta ti ho svegliato.»

Buon Dio, è stata qui altre volte? Mentre io dormivo.

Non riusciva a decidere se stesse bluffando oppure no. Nils Bjurman si era schiarito la voce e aveva aperto la bocca. Lei l'aveva fermato con un gesto.

«Ti ho svegliato per un solo motivo. Presto me ne andrò via per un lungo periodo. Tu continuerai a scrivere le tue relazioni sulle mie buone condizioni ogni mese, ma anziché spedirmene una copia a casa, la invierai a un indirizzo hotmail.»

Tirò fuori un foglio piegato in due dalla tasca e lo lasciò cadere sul letto.

«Se l'ufficio tutorio vuole mettersi in contatto con me o se succede qualcos'altro che richieda la mia presenza, dovrai scrivere una mail a questo indirizzo. Hai capito?»

Lui aveva annuito.

«Non...»

«Taci. Non voglio sentire la tua voce.»

Lui aveva stretto i denti. Non aveva mai osato prendere contatto con lei, perché in quel caso lei avrebbe spedito il filmato alle autorità. Invece per diversi mesi aveva pianificato cosa le avrebbe detto quando si fosse fatta viva. Si era reso conto che effettivamente non aveva nulla da dire a propria discolpa. L'unica cosa che poteva fare era appellarsi alla sua generosità. Se solo gli avesse dato la possibilità di parlare, avrebbe cercato di convincerla che aveva agito in un momento di squilibrio mentale, che era pentito e voleva porre rimedio a ciò che aveva fatto. Era pronto a strisciare nella polvere per impietosirla e in tal modo neutralizzare la minaccia che costituiva per lui.

«Devo poter parlare» aveva risposto con voce umile. «Voglio domandarti perdono...»

Lei aveva ascoltato sulla difensiva la sua sorprendente preghiera. Alla fine si era chinata sopra la testata del letto e gli aveva lanciato un'occhiata malevola.

«Stammi a sentire adesso. Tu sei un lurido verme. Io non ti perdonerò mai. Ma se ti comporti bene ti lascerò libero il giorno in cui la mia dichiarazione di incapacità sarà revocata.»

Aveva aspettato fino a quando lui aveva abbassato lo sguardo. *Mi costringe a strisciare ai suoi piedi.*

«Quello che ho detto un anno fa è ancora valido. Se fallisci, renderò pubblico il filmato. Se cerchi di metterti in contatto con me in qualsiasi modo diverso da quello che ho stabilito io, renderò pubblico il filmato. Se io dovessi morire in un incidente, il filmato sarà reso pubblico. E se mi tocchi di nuovo ti ammazzo.»

Le credeva. Non c'era spazio per dubbi o trattative.

«Ancora una cosa. Il giorno in cui ti lascerò andare potrai fare quello che vorrai. Ma fino a quel momento non rimetterai piede in quella clinica di Marsiglia. Se ci tornerai, ti tatuerò di nuovo. Ma la prossima volta la scritta te la farò sulla fronte.»

Dannazione. Come diavolo ha fatto a scoprire che...

L'istante successivo era già sparita. Aveva sentito un leggero clic alla porta d'ingresso quando lei aveva girato la chiave. Proprio come avere ricevuto la visita di un fantasma.

Era stato in quell'attimo che aveva cominciato a odiare Lisbeth Salander con un'intensità che ardeva come acciaio incandescente nel suo cervello e trasformava la sua esistenza in una brama ossessiva di distruggerla. Fantasticava sulla sua morte. Fantasticava di costringerla a strisciare in ginocchio elemosinando pietà. Sarebbe stato spietato. Sognava di chiudere le mani intorno al suo collo e stringere fino a farla boccheggiare in cerca d'aria. Voleva strapparle gli occhi dalle orbite e il cuore dal petto. Voleva cancellarla dalla superficie terrestre.

Paradossalmente era stato in quell'attimo che aveva anche sentito che riprendeva a funzionare e che aveva ritrovato un certo equilibrio interiore. Era ancora ossessionato da Lisbeth Salander e focalizzava ogni minuto di veglia sulla sua esistenza. Ma aveva scoperto che cominciava di nuovo a pensare in maniera razionale. Se voleva riuscire a distruggerla, doveva riprendere il comando del proprio intelletto. La sua vita aveva acquisito un nuovo scopo.

Fu in quel giorno che smise di fantasticare sulla morte di Lisbeth e cominciò a pianificarla.

Mikael Blomkvist passò a meno di due metri dalla schiena dell'avvocato Nils Bjurman mentre cercava di portare a destinazione due bicchieri bollenti di caffè macchiato al tavolo del caporedattore Erika Berger al caffè Hedon. Né lui né Erika avevano mai sentito parlare dell'avvocato Nils Bjurman, perciò non lo notarono.

Erika arricciò il naso e spostò un posacenere di lato per far spazio ai bicchieri. Mikael si levò la giacca appendendola allo schienale della sedia, trascinò il posacenere dalla sua parte del tavolo e accese una sigaretta. Erika detestava il fumo e gli lanciò uno sguardo afflitto. Lui soffiò sollecito il fumo lontano da lei.

«Credevo che avessi smesso.»

«Ricaduta temporanea.»

«Credo che smetterò di fare sesso con uomini che puzzano di fumo» disse lei, con un sorriso tenero.

No problem. Ci sono altre ragazze che non vanno tanto per il sottile» disse Mikael, ricambiando il sorriso.

Erika Berger alzò gli occhi al cielo.

«Qual è il problema? Ho un appuntamento con Charlie fra venti minuti. Andiamo a teatro.»

Charlie era Charlotta Rosenberg, l'amica d'infanzia di Erika.

«La nostra praticante mi disturba. È la figlia di qualcuna delle tue amiche. È con noi da tre settimane e rimarrà in redazione altre otto. Presto non la sopporterò più.»

«Ho notato che ti lancia delle occhiate bramose. Naturalmente, però, mi aspetto che tu ti comporti da gentiluomo.»

«Erika, ha diciassette anni e ha un'età mentale di circa dieci, e voglio essere generoso.»

«È solo emozionata all'idea di incontrarti. Probabilmente ti adora come si adora un idolo.»

«Ieri sera ha suonato al mio citofono alle dieci e mezza e voleva salire con una bottiglia di vino.»

«Ooops» fece Erika.

«Ooops a te» disse Mikael. «Se avessi vent'anni di meno probabilmente non esiterei un secondo. Ma andiamo, lei ha diciassette anni. Io ne ho quasi quarantacinque.»

«Non ricordarmelo. Siamo coetanei.»

Mikael si appoggiò allo schienale e scosse la cenere dalla sigaretta.

Non gli era sfuggito che l'affare Wennerström gli aveva conferito un bizzarro status da star. Nell'anno trascorso aveva ricevuto inviti a feste ed eventi dalle persone più improbabili.

Era evidente che quelli che lo invitavano lo facevano perché avevano piacere di inserirlo nella loro cerchia di conoscenze – baci di benvenuto sulla guancia da parte di persone alle quali in precedenza aveva a malapena stretto la mano, ma che ora ci tenevano ad apparire come suoi amici e per giunta intimi. Non si trattava di colleghi del mondo del giornalismo – quelli li conosceva già e aveva con loro buoni o cattivi rapporti –, ma di cosiddette personalità culturali, attori, mediocri tuttologi e semicelebrità. Era semplicemente uno status symbol avere Mikael Blomkvist come ospite a un party o a una cena privata. Inviti e richieste per questo o quell'evento gli erano letteralmente piovuti addosso senza posa nell'anno trascorso. Cominciava a diventare un'abitudine rispondere alle richieste con un "fantastico, ma purtroppo sono già impegnato" eccetera.

Del rovescio della medaglia della notorietà faceva parte anche una crescente diffusione di chiacchiere. Un suo conoscente l'aveva chiamato preoccupato dopo avere raccolto una voce secondo cui Mikael aveva cercato aiuto presso una clinica specializzata in disintossicazione da stupefacenti. In realtà, per Mikael l'abuso di droghe si limitava a qualche raro spinello dall'adolescenza in poi e all'avere provato circa quindici anni prima della cocaina in compagnia di una ragazza olandese che faceva la cantante in un gruppo rock. Il suo consumo di alcolici era più esteso ma non era mai andato oltre rari casi di palese ubriacatura in occasione di cene o di feste. Al ristorante prendeva raramente più di una birra ad alta gradazione e beveva altrettanto volentieri quella leggera. Il suo mobile bar a casa conteneva vodka e qualche bottiglia di whisky ricevuta in regalo che non veniva aperta quasi mai.

Che Mikael fosse single con diversi legami e storie amorose occasionali era cosa nota sia dentro che fuori la sua cerchia di conoscenze, il che dava luogo ad altre chiacchiere. La sua storia con Erika Berger era da anni oggetto di innumerevoli speculazioni, completate nell'ultimo anno dalla voce che lui passava da un letto all'altro, rimorchiava parecchio e sfruttava la sua notorietà per scoparsi la clientela di tutti i locali di Stoccolma. Un giornalista che conosceva superficialmente gli aveva perfino chiesto in un'occasione se non avrebbe dovuto farsi aiutare con la sua ossessione per il sesso. La domanda era ispirata al recente ricovero in clinica di un noto attore americano per lo stesso disturbo.

Mikael aveva avuto molte brevi relazioni, è vero, e talvolta anche più d'una contemporaneamente. Ed era lui stesso incerto su quale fosse il motivo. Sapeva di avere un bell'aspetto ma non si era mai considerato davvero attraente. Sentiva però spesso dire che possedeva qualcosa che stimolava l'interesse delle donne. Erika gli aveva spiegato che lui irradiava al tempo stesso sicurezza di sé e tranquillità, e che aveva la capacità di far sentire le donne rilassate e a loro agio. Andare a letto con lui non era né faticoso, né minaccioso o complicato – era senza pretese ed eroticamente godibile. La qual cosa (secondo Mikael) era come doveva essere.

Ma, all'opposto di quanto credeva la maggior parte dei suoi conoscenti, Mikael non si era mai dedicato a rimorchiare. Nel migliore dei casi segnalava che lui era lì ed era ben disposto, ma lasciava sempre che fosse la donna a prendere l'iniziativa. Il sesso veniva spesso come una conseguenza naturale. Le donne con le quali finiva a letto erano raramente anonime avventure di una notte – anche quelle c'erano state, ovviamente, ma il più delle volte si erano rivelate esercizi piuttosto insoddisfacenti. Le storie migliori di Mikael erano state con persone che conosceva e gli piacevano. Perciò non era un caso che vent'anni prima avesse intrecciato una relazione con Erika Berger – erano amici e provavano un'attrazione reciproca.

La sua tarda celebrità aveva tuttavia accresciuto l'interesse per lui fra le donne in un modo che trovava bizzarro e incomprensibile. L'aspetto più sorprendente era che c'erano ragazze capaci di avance improvvise nei contesti più inattesi.

L'interesse di Mikael era tuttavia indirizzato verso un tipo di donna diverso dalle ragazzine entusiaste con minigonne sempre più corte e corpi perfetti. Da giovane le sue conoscenze femminili erano state spesso più vecchie di lui, e in qualche caso considerevolmente più vecchie e più esperte. Più gli anni passavano però, più la differenza di età si era appianata. Lisbeth Salander, che aveva venticinque anni, aveva costituito decisamente un notevole passo in giù nella scala di età.

E questa era la causa dell'incontro organizzato in fretta e furia con Erika.

Millennium aveva preso una praticante da una scuola superiore di comunicazione, un favore a una conoscente di Erika. Di per sé non era nulla di insolito, ogni anno avevano diversi praticanti in redazione. Mikael aveva accolto cortesemente la ragazza diciassettenne e aveva constatato quasi subito che aveva un interesse piuttosto vago per il giornalismo, a parte il fatto che "voleva apparire alla tv" e (sospettava Mikael) che al momento doveva essere prestigioso lavorare per *Millennium*.

Presto però si era accorto che la ragazza non perdeva una sola occasione per stargli appresso. Aveva finto di non accorgersi dei suoi approcci piuttosto palesi, la qual cosa tuttavia aveva avuto come unico risultato che la fanciulla aveva raddoppiato i suoi sforzi. La situazione era, molto semplicemente, alquanto faticosa.

Erika scoppiò d'improvviso in una risata.

«Santo cielo, sei molestato sessualmente sul lavoro.»

«Ricky, questa cosa mi sta davvero stressando. Non voglio per nessuna ragione al mondo ferire o mettere in imbarazzo quella ragazza. Ma lei ha più o meno la discrezione di una puledra in calore. Sono quasi preoccupato per quello che potrebbe combinare.»

«Mikael, lei è innamorata di te ed è soltanto troppo giovane per sapere come esprimersi.»

«Ti sbagli. Lei è maledettamente consapevole di come si esprime. C'è qualcosa di falso nel suo modo d'agire e comincia a essere irritata dal fatto che non abbocco all'amo. E io non ho nessun bisogno di una nuova ondata di chiacchiere che mi presentino come una specie di bavoso Mick Jagger a caccia di carne fresca.»

«Okay. Capisco il problema. Ieri sera dunque è venuta a bussare alla tua porta.»

«Con una bottiglia di vino. Ha detto che era stata a una festa a casa di un "conoscente" nel quartiere e ha cercato di farlo sembrare un caso.»

«Tu cosa le hai detto?»

«Non l'ho fatta entrare. Ho mentito, le ho detto che era il momento sbagliato, che c'era una signora in visita.»

«E lei come l'ha presa?»

«Si è arrabbiata come una biscia ma è andata via.»

«Cosa vorresti che facessi?»

«Toglimela dai piedi. Lunedì ho intenzione di farle un discorso serio. O la pianta, o la butto fuori a pedate dalla redazione.»

Erika rifletté un momento.

«No» disse. «Non dire niente. Parlerò io con lei.»

«Non ho scelta.»

«Lei cerca un amico, non un amante.»

«Non so cosa cerca, ma...»

«Mikael. Io ci sono stata dov'è lei adesso. Ci parlerò io.»

Come tutti quelli che avevano guardato la tv o letto un giornale nell'ultimo anno, anche Nils Bjurman aveva sentito parlare di Mikael Blomkvist. Però non l'aveva riconosciuto, e anche se l'avesse riconosciuto non avrebbe reagito comunque. Ignorava completamente il fatto che ci fosse un legame fra la redazione di *Millennium* e Lisbeth Salander.

Inoltre era troppo immerso nei propri pensieri per far caso a ciò che gli stava intorno.

Dopo che la sua paralisi intellettuale si era finalmente allentata, aveva ripreso ad analizzare la situazione e a meditare su come muoversi per annientare Lisbeth Salander.

Il problema girava intorno a un unico ostacolo.

Lisbeth Salander disponeva di un filmato di novanta minuti che aveva registrato con una videocamera nascosta e che mostrava in dettaglio come lui le avesse usato violenza. Aveva visto quel filmato. Non lasciava il benché minimo spazio a interpretazioni benevole. Se mai l'ufficio del procuratore ne fosse venuto a conoscenza – oppure se, peggio ancora, fosse finito nelle grinfie dei mass-media – la sua vita, la sua carriera e la sua libertà sarebbero finite. Conoscendo le pene previste per stupro, sfruttamento di persona in stato di dipendenza e violenze aggravate, valutava che gli avrebbero dato circa sei anni di galera. Un pubblico ministero zelante avrebbe potuto perfino servirsi di una parte del filmato per ipotizzare un tentato omicidio.

Infatti nel corso dello stupro l'aveva quasi soffocata quando, nell'eccitazione, le aveva premuto un cuscino sulla faccia. Avrebbe voluto avere portato a compimento quel gesto. *Non avrebbero capito che lei aveva recitato tutto il tempo una parte. L'aveva provocato, aveva giocato con i suoi occhioni da bimba e l'aveva sedotto con un corpo che avrebbe potuto essere quello di una dodicenne. Si era fatta stuprare. Era colpa sua. Loro non avrebbero mai capito che lei in realtà aveva messo in scena una rappresentazione teatrale. Aveva pianificato...*

In qualsiasi modo avesse agito, il presupposto doveva essere di entrare personalmente in possesso del filmato e di assicurarsi che non ne esistessero copie. Quello era il nocciolo del problema.

Non esisteva praticamente nessun dubbio che una strega come Lisbeth Salander avesse fatto in tempo a procurarsi un certo numero di nemici nel corso degli anni. L'avvocato Bjurman aveva però un grosso vantaggio. A differenza di tutti gli altri che per un motivo o per l'altro potevano essersi arrabbiati con la ragazza, lui aveva un accesso illimitato alle sue cartelle cliniche, alle relazioni degli assistenti sociali e a quelle degli psichiatri. Era una delle poche persone in Svezia a conoscere i suoi segreti più intimi.

Ma la cartella personale che l'ufficio tutorio gli aveva fornito quando aveva accettato l'incarico di tutore della ragazza era breve e sommaria – circa quindici pagine che fornivano un'immagine generale della sua vita adulta, un riassunto della perizia psichiatrica, la decisione del tribunale di metterla sotto tutela e la revisione contabile dell'anno precedente.

Aveva letto il sunto più e più volte. Quindi aveva cominciato sistematicamente a raccogliere informazioni sul passato di Lisbeth.

Da avvocato sapeva molto bene come comportarsi per raccogliere informazioni negli uffici pubblici. In qualità di suo tutore non aveva nessun problema a superare la segretezza che circondava la sua cartella clinica. Era una delle poche persone che potevano ottenere qualsiasi documento che riguardasse Lisbeth Salander.

Eppure gli ci erano voluti dei mesi per mettere insieme il quadro della sua vita, dettaglio su dettaglio, dalle primissime annotazioni dell'epoca delle elementari attraverso le relazioni degli assistenti sociali fino alle inchieste di polizia e ai verbali del tribunale. Era andato di persona a discutere delle sue condizioni con il dottor Jesper H. Löderman, lo psichiatra che al compimento del suo diciottesimo anno aveva raccomandato che fosse rinchiusa in un istituto. Aveva ottenuto un'esposizione approfondita del ragionamento. Tutti si erano dimostrati molto collaborativi. Una donna della previdenza sociale l'aveva perfino elogiato perché mostrava un impegno che andava oltre il dovuto nell'addentrarsi in tutti gli aspetti della vita di Lisbeth.

La vera miniera d'oro di informazioni la trovò tuttavia in due taccuini rilegati dentro uno scatolone che accumulava polvere presso una persona di riferimento all'ufficio tutorio. I taccuini erano stati scritti dal predecessore di Bjurman, l'avvocato Holger Palmgren, che conosceva Lisbeth Salander meglio di chiunque altro. Palmgren aveva coscienziosamente consegnato un breve rapporto all'ufficio ogni anno, ma Bjurman supponeva che Lisbeth ignorasse che aveva anche annotato con diligenza le proprie considerazioni in forma di diario. Quello era il materiale di lavoro personale di Palmgren che, quando due anni prima era stato colpito da un ictus, era finito all'ufficio tutorio dove nessuno si era curato di esaminarlo.

Erano gli originali. Non ne esisteva nessuna copia.

Perfetto.

Palmgren dava della ragazza un'immagine completamente diversa da quella che si poteva dedurre dalle relazioni dei servizi sociali. Aveva potuto seguire il faticoso cammino di Lisbeth Salander da adolescente intrattabile a giovane donna impiegata presso la società di sicurezza Milton Security – un lavoro che aveva ottenuto tramite i contatti di Palmgren. Bjurman si era reso conto con crescente stupore che Lisbeth Salander non era affatto una specie di inserviente ritardata che faceva le fotocopie e preparava il caffè, ma al contrario svolgeva un lavoro qualificato che consisteva nel fare indagini personali per il direttore generale della Milton, Dragan Armanskij. Era altrettanto evidente che Armanskij e Palmgren si conoscevano e che di tanto in tanto si scambiavano informazioni sulla loro protetta.

Nils Bjurman aveva memorizzato il nome di Dragan Armanskij. Di tutte le persone comparse nella vita di Lisbeth Salander, ce n'erano solo due che in un senso o nell'altro apparivano come suoi amici e parevano considerarla una loro protetta. Palmgren ormai era fuori gioco. Armanskij era l'unico rimasto a costituire una minaccia. Bjurman decise di tenersi alla larga da lui e di non andarlo a cercare.

Le cartelle gli avevano spiegato parecchio. Bjurman aveva improvvisamente capito come avesse fatto Lisbeth a sapere così tanto di lui. Tuttavia non riusciva ancora a capacitarsi di come diavolo fosse riuscita a sapere che aveva visitato una clinica francese specializzata in chirurgia plastica, ma una gran parte del mistero che la circondava si era dissolto. Mettere il naso nella vita privata di altre persone era il suo lavoro. Subito si fece più cauto con le sue stesse indagini e si rese conto che, considerato che Lisbeth aveva accesso al suo appartamento, era assolutamente inopportuno conservarvi qualsiasi carta che la riguardasse. Raccolse tutta la documentazione in uno scatolone e lo portò nella sua casa di campagna dalle parti di Stallarholmen, dove trascorreva una parte sempre maggiore del suo tempo in solitaria meditazione.

Più cose leggeva su Lisbeth Salander, più si convinceva che era una persona patologicamente disturbata. Rabbrividiva al pensiero che l'aveva avuto ammanettato al suo stesso letto. Era stato completamente alla sua mercé e non dubitava che lei avrebbe dato corso alla sua minaccia di ucciderlo se lui l'avesse provocata.

La ragazza mancava totalmente di freni sociali. *Era una maledetta pazza, malata e pericolosa. Una bomba a mano pronta a esplodere. Una puttana.*

Gli appunti di Holger Palmgren avevano contribuito anche a fornirgli l'ultima chiave. In svariate occasioni Palmgren aveva fatto annotazioni molto personali riguardo a colloqui che aveva avuto con Lisbeth. *Proprio un vecchio pazzo.* Da due di questi colloqui aveva riportato l'espressione "quando era successo Tutto il Male". Era palese che Palmgren aveva ripreso l'espressione direttamente dalla ragazza, ma non si capiva a cosa facesse riferimento.

Bjurman annotò sconcertato le parole "Tutto il Male". Gli anni presso la famiglia che l'aveva in affido? Qualche particolare abuso? Avrebbe dovuto esserci tutto nell'ampia documentazione alla quale aveva accesso.

Aprì la perizia psichiatrica su Lisbeth Salander che era stata effettuata al compimento del suo diciottesimo anno d'età, e la lesse attentamente parola per parola per la quinta o sesta volta. E si rese conto che c'era una lacuna in ciò che sapeva.

Aveva estratti delle annotazioni dei registri della scuola dell'obbligo, un certificato che attestava che la madre di Lisbeth non poteva più prendersi cura di lei, rapporti da diverse famiglie che l'avevano avuta in affido durante la sua adolescenza e la perizia psichiatrica al compimento dei diciotto anni.

Ma qualcosa aveva scatenato la sua follia quando aveva circa dodici anni.

E c'erano anche altre lacune nella sua biografia.

Anzitutto scoprì con grande stupore che Lisbeth aveva

una gemella della quale non si faceva alcun cenno nel materiale che aveva avuto a disposizione in precedenza. *Santo Iddio, ce n'è in giro un'altra uguale.* Ma non riuscì a trovare nessuna annotazione su che fine avesse fatto questa sorella.

Il padre era ignoto e mancava una spiegazione del perché la madre non avesse più potuto occuparsi di lei. Bjurman era sempre partito dal presupposto che si fosse ammalata e in concomitanza con questo fatto fosse iniziato tutto il processo dei soggiorni presso la clinica psichiatrica infantile. Adesso si era convinto che a Lisbeth Salander era successo qualcosa all'età di dodici o tredici anni. Tutto il Male. Un trauma di qualche genere. Ma da nessuna parte risultava in cosa fosse consistito Tutto il Male.

Nella perizia psichiatrica scovò alla fine un riferimento a un allegato che mancava – il numero di protocollo di un rapporto di polizia datato 12 marzo 1991. Era annotato a mano sul margine della copia che aveva pescato nei recessi dell'ufficio dei servizi sociali. Ma quando cercò di procurarsi il documento s'imbatté in un ostacolo. Il rapporto era stato classificato segreto da Sua Maestà. Avrebbe dovuto fare ricorso presso il governo.

Nils Bjurman era sconcertato. Che un rapporto di polizia relativo a una ragazzina di dodici anni fosse secretato non era di per sé sorprendente – era normale, per ragioni di riservatezza. Ma lui era il tutore di Lisbeth Salander e aveva il diritto di richiedere qualsiasi genere di documentazione su di lei. Non riusciva a capire perché il rapporto dovesse essere coperto da segreto a tal punto da rendere necessaria una richiesta al governo per avervi accesso.

Automaticamente presentò la richiesta. Occorsero due mesi prima che fosse presa in esame. Con sua sincera sorpresa la richiesta fu respinta. Non capiva cosa ci potesse essere di tanto drammatico in un rapporto di polizia su una ragazzina dodicenne vecchio di quasi quindici anni.

Ritornò al diario di Holger Palmgren e lo rilesse riga per riga, cercando di capire cosa si intendesse con Tutto il Male. Ma non gli fornì nessun indizio. Palesemente era un argomento che era stato discusso fra Holger Palmgren e Lisbeth Salander, ma che il primo non aveva mai messo per iscritto. C'erano annotazioni su Tutto il Male anche alla fine della lunga cartella personale. Era possibile che Palmgren molto semplicemente non avesse mai fatto in tempo a redigere delle annotazioni esaurienti prima di essere colpito dall'ictus.

La qual cosa condusse i pensieri dell'avvocato Bjurman su nuove strade. Holger Palmgren era stato il tutore di Lisbeth dal tredicesimo al diciottesimo compleanno. In altre parole, era comparso subito dopo che Tutto il Male era successo, quando Lisbeth era stata ricoverata nel reparto di psichiatria infantile. Era dunque altamente probabile che lui fosse a conoscenza di ciò che era accaduto.

Bjurman ritornò all'archivio dell'ufficio tutorio. Questa volta chiese non gli atti su Lisbeth Salander, ma il conferimento dell'incarico a Palmgren – una decisione che era stata presa dai servizi sociali. Ebbe la documentazione, che al primo sguardo fu una delusione. Due pagine di succinte informazioni. La madre non era più in grado di prendersi cura delle figlie. A causa di circostanze particolari le due ragazzine dovevano essere separate. Camilla Salander fu sistemata dai servizi sociali presso una famiglia affidataria. Lisbeth Salander fu ricoverata nella clinica psichiatrica infantile St. Stefan di Uppsala. Altre alternative non furono prese in considerazione.

Perché? Solo una formulazione alquanto criptica: *A ragione degli avvenimenti 910312 i servizi sociali hanno deciso che...* Poi di nuovo un rimando al numero di protocollo del misterioso rapporto di polizia classificato come segreto. Ma questa volta un ulteriore dettaglio: il nome dell'agente che aveva steso il rapporto.

L'avvocato Nils Bjurman lo fissò stupefatto. Era un nome che conosceva. Molto bene.

Questo metteva tutto in una luce completamente nuova.

Gli erano occorsi altri due mesi per riuscire ad avere fra le mani tramite tutt'altre vie il famoso rapporto – una concisa inchiesta di polizia che comprendeva quarantasette pagine in un raccoglitore formato A4 e gli sviluppi in forma di annotazioni comprendenti complessivamente circa sessanta pagine aggiunte in un periodo di sei anni.

All'inizio non capiva il nesso.

Poi trovò una perizia psichiatrica e controllò di nuovo il nome.

Dio mio... non può essere.

D'un tratto si rendeva conto del perché la faccenda fosse stata secretata. L'avvocato Nils Bjurman aveva fatto tombola.

Quando più tardi lesse attentamente il rapporto riga per riga, si rese conto che c'era un'altra persona al mondo che aveva motivo di odiare Lisbeth Salander con la sua stessa passione.

Bjurman non era solo.

Aveva un alleato. L'alleato più improbabile che si potesse immaginare.

Cominciò lentamente a formulare un piano.

Nils Bjurman fu destato dalle sue elucubrazioni quando un'ombra cadde sul tavolino del caffè Hedon. Alzò gli occhi e vide un biondo... *gigante* fu la parola sulla quale alla fine si fermò. Per un decimo di secondo vacillò, prima di riprendere un certo contegno.

L'uomo che lo stava guardando dall'alto in basso era alto più di due metri e robusto. Eccezionalmente robusto. Un culturista, senza dubbio. Bjurman non riusciva a scorgere la benché minima traccia di grasso o mollezza. Nel complesso, l'uomo dava un'impressione di spaventosa potenza.

Aveva i capelli cortissimi sulle tempie e una piccola frangia, e un viso ovale, bizzarramente tenero, quasi infantile. I gelidi occhi celesti al contrario non erano teneri. Indossava un giubbotto di pelle nera, una camicia blu, cravatta nera e pantaloni neri. L'ultima cosa che l'avvocato Bjurman registrò furono le sue mani. Se l'uomo per il resto era grande e grosso, le sue mani erano enormi.

«Avvocato Bjurman?»

Parlava con un accento marcato ma la voce era così sorprendentemente limpida che Bjurman per un secondo stirò quasi le labbra in un sorriso. Annuì.

«Abbiamo ricevuto la sua lettera.»

«Chi sei tu? Io volevo incontrare...»

L'uomo dalle mani enormi ignorò la domanda e gli si sedette di fronte, interrompendolo.

«Invece incontrerà me. Mi spieghi cosa vuole.»

L'avvocato Nils Erik Bjurman esitò un momento. Inorridiva al pensiero di doversi scoprire con un perfetto sconosciuto. Ma era necessario. Ricordò a se stesso che non era l'unico a odiare Lisbeth Salander. Si trattava di trovare alleanze. A bassa voce cominciò a spiegare la questione.

3.
Venerdì 17 dicembre - sabato 18 dicembre

Lisbeth Salander si svegliò alle sette del mattino, fece la doccia e scese da Freddy McBain alla reception per chiedere se c'era una *beach buggy* libera da noleggiare per la giornata.

Dieci minuti più tardi aveva pagato il deposito, sistemato sedile e specchietto retrovisore, avviato il motore per prova e controllato che ci fosse benzina nel serbatoio. Andò al bar e ordinò un caffè macchiato e un tramezzino al formaggio per colazione e una bottiglia di acqua minerale da portare via. Dedicò il momento della colazione a scarabocchiare cifre su un tovagliolo di carta e a lambiccarsi il cervello con Pierre de Fermat. $x^3 + y^3 = z^3$.

Subito dopo le otto scese al bar il dottor Forbes. Era rasato di fresco e indossava un completo scuro, camicia bianca e cravatta blu. Ordinò uova, pane tostato, succo d'arancia e caffè nero. Alle otto e mezza si alzò e raggiunse il taxi che lo stava aspettando.

Lisbeth lo seguì a opportuna distanza. Forbes scese dal taxi sotto il Seascape all'inizio del Carenage e prese a passeggiare in riva al mare. Lei lo superò, parcheggiò a metà del lungomare del porto e attese con pazienza che passasse prima di riprendere a seguirlo.

All'una Lisbeth era inzuppata di sudore e aveva i piedi

gonfi. Per quattro ore non aveva fatto che camminare su e giù per le strade di Saint George's. Il ritmo della passeggiata era stato lento ma senza pause, e le numerose collinette ripide cominciavano a farsi sentire sui suoi muscoli. Si stupì dell'energia di Forbes mentre beveva le ultime gocce d'acqua minerale. Aveva appena cominciato a meditare di abbandonare il progetto, quando lui d'improvviso diresse i suoi passi verso il Turtleback. Lei gli diede dieci minuti prima di entrare nello stesso ristorante e andare a sedersi fuori nella veranda. Occupavano gli stessi posti del giorno prima, e allo stesso modo lui beveva Coca-Cola con lo sguardo fisso sull'acqua.

Forbes era una delle pochissime persone a Grenada a indossare giacca e cravatta. Lisbeth notò che sembrava del tutto indifferente alla temperatura torrida.

Alle tre l'uomo disturbò la catena dei pensieri di Lisbeth pagando il conto e lasciando il ristorante. Passeggiò un po' lungo il Carenage, poi saltò a bordo di uno dei minibus che andavano a Grand Anse. Lisbeth parcheggiò fuori dal Keys Hotel cinque minuti prima che il minibus ve lo depositasse. Salì in camera, aprì il rubinetto dell'acqua fredda e si stese nella vasca da bagno. I piedi le dolevano. La sua fronte era solcata da rughe profonde.

Le fatiche della giornata avevano dato un'indicazione molto chiara. Il dottor Forbes lasciava l'albergo ogni mattino rasato di fresco, vestito di tutto punto e con la sua valigetta, come se fosse pronto a dare battaglia. Poi passava la giornata senza fare assolutamente nient'altro che ammazzare il tempo. Qualsiasi cosa facesse a Grenada, non era certo pianificare la costruzione di una nuova scuola. Ma per qualche motivo voleva dare l'impressione di trovarsi sull'isola per affari.

Perché quel teatro?

L'unica persona cui poteva ragionevolmente avere motivo di nascondere qualcosa al proposito era la sua stessa consorte, alla quale bisognava dare l'impressione che lui di giorno fosse indiscutibilmente occupato. Ma perché? Forse l'affare era fallito e lui era troppo orgoglioso per riconoscerlo? O forse la sua visita a Grenada era ispirata da tutt'altro? Aspettava qualcosa o qualcuno?

Quando controllò la sua casella di posta, Lisbeth trovò quattro messaggi. Il primo veniva da *Plague* ed era stato inviato circa un'ora dopo che lei gli aveva scritto. Il messaggio era criptato e conteneva due parole che laconicamente ponevano una domanda.

Sei viva?

Plague non era mai stato incline a scrivere lunghi messaggi sentimentali. D'altro lato, la stessa cosa valeva anche per Lisbeth.

Entrambe le mail successive erano state spedite verso le due del mattino. La prima era ancora di *Plague*, un'informazione criptata secondo cui un conoscente virtuale che si faceva chiamare *Bilbo* e casualmente abitava in Texas aveva abboccato alla sua richiesta. *Plague* allegava l'indirizzo e la chiave pgp. Qualche minuto più tardi *Bilbo* le aveva mandato un messaggio da un indirizzo hotmail. Il messaggio era conciso e conteneva soltanto l'informazione che i dati sul dottor Forbes sarebbero arrivati entro le successive ventiquattr'ore.

Anche la quarta mail era di *Bilbo* ed era stata inviata nel tardo pomeriggio. Conteneva il numero criptato di un conto corrente bancario e un indirizzo ftp. Lisbeth lo aprì e trovò un file compresso che salvò e aprì. Era una cartella contenente quattro immagini jpg e cinque documenti Word.

Due delle immagini erano ritratti del dottor Forbes. La terza, una foto scattata alla prima di una rappresentazione teatrale, mostrava Forbes in compagnia della moglie. Nella

71

quarta immagine infine si vedeva Forbes sul pulpito di una chiesa.

Il primo documento era costituito da undici pagine di testo, il rapporto di *Bilbo*. Il secondo da ottantaquattro pagine scaricate da Internet. I due documenti successivi erano ritagli scansionati del giornale locale *Austin American-Statesman*. L'ultimo era una panoramica generale sulla congregazione del dottor Forbes, The Presbyterian Church of Austin South.

A parte il fatto di conoscere il Levitico a memoria – l'anno precedente aveva avuto motivo di studiarlo – Lisbeth non era molto ferrata nella storia delle religioni. Aveva un'idea piuttosto vaga di dove stessero le differenze fra una chiesa ebraica, presbiteriana o cattolica, al di là del fatto che quella ebraica si chiamava sinagoga. Per un attimo temette di doversi addentrare in dettagli teologici. Poi si rese conto che poteva infischiarsene della congregazione di cui faceva parte il dottor Forbes.

Richard Forbes, talvolta menzionato come reverendo Richard Forbes, aveva quarantadue anni. La presentazione della Church of Austin South in Internet diceva che la chiesa aveva sette dipendenti. Un reverendo Duncan Clegg era in cima alla lista, e questo lasciava intendere che fosse una figura di primo piano della congregazione. Una foto mostrava un uomo vigoroso con un cespuglio di capelli grigi e una barba grigia ben curata.

Richard Forbes compariva come terzo nell'elenco, ed era il responsabile dell'istruzione. Accanto al suo nome c'era scritto Holy Water Foundation fra parentesi.

Lisbeth lesse l'introduzione del messaggio della congregazione.

Attraverso la preghiera e il ringraziamento serviremo la popolazione di Austin South offrendo la stabilità e la speranza che la Chiesa presbiteriana d'America difende. Come servito-

*ri di Cristo offriamo un asilo ai bisognosi e una promessa di
riconciliazione attraverso la preghiera e la benedizione battista. Rallegriamoci dell'amore di Dio. Il nostro dovere è di eliminare le barriere fra gli uomini e di rimuovere gli ostacoli
alla comprensione del messaggio d'amore di Dio.*

Immediatamente sotto l'introduzione seguiva il numero
di conto corrente bancario della congregazione, e un'esortazione a tradurre in concreto il proprio amore verso Dio.

Bilbo aveva fornito una breve ma eccellente biografia di
Richard Forbes. Da essa Lisbeth poté apprendere che era
nato a Cedar's Bluff nel Nevada e aveva lavorato come agricoltore, uomo d'affari, organizzatore scolastico, corrispondente locale per un giornale del New Mexico e manager di
un gruppo rock cristiano prima di aderire, all'età di trentun
anni, alla Church of Austin South. Aveva un diploma di revisore contabile e aveva anche studiato archeologia. Del
conseguimento del titolo di dottore *Bilbo* non aveva però
trovato traccia.

Nella congregazione, Richard Forbes aveva conosciuto
Geraldine Knight, unica figlia del facoltoso allevatore
William F. Knight, anch'egli membro di spicco della Church
of Austin South. Richard e Geraldine si erano sposati nel
1997, dopo di che la carriera di Richard aveva preso il volo. Era stato messo a capo della Fondazione Santa Maria, il
cui compito consisteva nell'"investire il denaro di Dio in
progetti per l'istruzione dei bisognosi".

Forbes era stato arrestato in due occasioni. A venticinque
anni, nel 1987, era stato incriminato per avere causato gravi lesioni in seguito a un incidente automobilistico. Nel corso del processo era stato scagionato. Per quanto Lisbeth poteva capire dai ritagli di giornali, era davvero innocente. Nel
1995 era stato citato in giudizio per appropriazione indebi-
ta di denaro ai danni del gruppo rock del quale era manager. Anche quella volta era stato assolto.

Ad Austin era diventato una figura ben nota come collaboratore dell'assessorato all'istruzione della città. Era membro del Partito democratico, partecipava assiduamente alle feste di beneficenza e raccoglieva denaro per finanziare gli studi di bambini appartenenti a famiglie disagiate. La Church of Austin South concentrava una parte rilevante della propria missione sulle famiglie ispaniche.

Nel 2001 contro Forbes erano state indirizzate accuse di irregolarità contabili in riferimento alla Fondazione Santa Maria. Secondo un articolo di giornale, Forbes era stato sospettato di avere investito in fondi più di quanto previsto dallo statuto. Le accuse erano state respinte dalla congregazione, e il pastore Clegg si era messo chiaramente dalla parte di Forbes nel dibattito che era seguito. Non era stata intentata nessuna azione giudiziaria e una revisione contabile non aveva fornito appigli.

Lisbeth dedicò un attento interesse ai resoconti sulla situazione economica di Forbes. Aveva un introito annuo di sessantamila dollari, da considerarsi un salario decente, ma non aveva altre risorse personali. In famiglia, chi rispondeva della stabilità economica era Geraldine Forbes. Nel 2002 era mancato suo padre. La figlia era l'unica erede di un patrimonio di circa quaranta milioni di dollari. La coppia non aveva figli.

Di conseguenza Richard Forbes dipendeva economicamente dalla moglie. Lisbeth corrugò le sopracciglia. Non una situazione di partenza ideale per dedicarsi ai maltrattamenti coniugali.

Lisbeth inviò un conciso messaggio criptato a *Bilbo* ringraziandolo della relazione. Trasferì anche cinquecento dollari sul numero di conto che *Bilbo* aveva indicato.

Uscì sul balcone e si appoggiò alla ringhiera. Il sole stava calando. Un vento crescente scuoteva le chiome delle palme sulla spiaggia. Mathilda era ormai vicina a Grenada. Seguì il consiglio di Ella Carmichael e sistemò computer, *Dimensions*, alcuni effetti personali e un cambio d'abiti nella borsa di nylon che sistemò sul pavimento accanto al letto. Quindi scese e ordinò del pesce per cena e una bottiglia di Carib.

L'unico avvenimento di qualche interesse fu che il dottor Forbes, ora in scarpe da tennis, polo chiara e shorts, fece delle domande curiose sul comportamento di Mathilda a Ella Carmichael al bancone del bar. Non sembrava preoccupato. Aveva una croce appesa a una catena d'oro al collo e pareva in piena forma.

Lisbeth Salander era esausta dopo lo sconfortante peregrinare per le vie di Saint George's. Dopo cena fece una breve passeggiata, ma il vento era troppo forte e la temperatura si era notevolmente abbassata. Perciò preferì ritirarsi in camera e alle nove si stava già infilando a letto. Il vento sibilava fuori dalla finestra. Aveva pensato di leggere un po', ma si addormentò quasi subito.

Si svegliò di soprassalto in seguito a un forte rumore. Diede un'occhiata all'orologio. Le undici e un quarto. Si alzò barcollando dal letto e aprì la porta-finestra del balcone. Le raffiche di vento che la colpirono la fecero arretrare di un passo nella stanza. Si sostenne contro lo stipite della porta-finestra, uscì con cautela sul balcone e si guardò intorno.

Alcune lampade appese intorno alla piscina oscillavano avanti e indietro creando un drammatico gioco di ombre nel giardino. Vide che diversi ospiti dell'albergo si erano svegliati e si erano radunati a osservare la spiaggia. Altri bazzicavano nelle vicinanze del bar. Guardando verso nord poteva vedere le luci di Saint George's. Il cielo era coperto di nubi ma non stava piovendo. Non riusciva a scorgere il mare nell'oscurità, il fragore delle onde era però considerevolmente più forte del solito. La temperatura era calata ancora. Per la prima volta da quando era arrivata nei Caraibi si rese conto d'improvviso che stava tremando.

Mentre era fuori sul balcone, qualcuno bussò forte alla sua porta. Si avvolse in un lenzuolo e aprì. Freddy McBain aveva un'aria risoluta.

«Scusa se ti disturbo ma a quanto pare ci sarà tempesta.»

«Mathilda.»

«Mathilda» confermò McBain. «Stasera ha già imperversato fuori Tobago e abbiamo avuto notizia di gravi danni.»

Lisbeth ripassò le sue conoscenze di geografia e meteorologia. Trinidad e Tobago si trovavano grossomodo duecento chilometri a sudest di Grenada. Una tempesta tropicale poteva tranquillamente estendersi per un raggio di duecento chilometri e spostare il proprio centro con una velocità di trenta quaranta chilometri all'ora. Dunque Mathilda sarebbe potuta arrivare alle porte di Grenada. Tutto dipendeva da quale direzione avrebbe preso.

«Non c'è nessun pericolo imminente» continuò McBain. «Ma preferiamo stare sul sicuro. Ti chiederei di mettere le tue cose di valore in una borsa e di scendere alla reception. L'albergo offre a tutti caffè e tramezzini.»

Lisbeth seguì il suo suggerimento. Si sciacquò il viso per svegliarsi, infilò jeans, stivaletti e una camicia di flanella e si buttò la borsa di nylon sulla spalla. Prima di lasciare la camera tornò indietro, aprì la porta del bagno e accese la luce. La lucertola verde non si vedeva, doveva essere scomparsa in qualche buco. Brava ragazza.

Al bar si piazzò al solito posto e si mise a osservare Ella Carmichael. Coordinava il personale che preparava caraffe termiche di bevande calde. Quando vide Lisbeth la raggiunse nel suo angolino.

«Ciao. Hai l'aria di esserti appena svegliata.»

«Mi ero addormentata. Cosa succede adesso?»

«Aspettiamo. C'è tempesta in mare e abbiamo ricevuto

l'allarme uragano da Trinidad. Se peggiora e Mathilda si dirige da questa parte, scenderemo giù. Te la senti di dare una mano?»

«Cosa devo fare?»

«Abbiamo centosessanta coperte alla reception da portare in cantina. E una quantità di cose da mettere al riparo.»

Per un po' Lisbeth aiutò a portare giù le coperte e a radunare vasi di fiori, tavolini, lettini e altre cose sparse intorno alla piscina. Quando Ella fu soddisfatta e la lasciò libera, raggiunse l'ingresso sulla spiaggia e fece qualche passo fuori nel buio. Il mare tuonava minaccioso e le raffiche di vento la colpivano con tanta forza che era costretta a puntare i piedi nella sabbia per non cadere. Le palme lungo il muro ondeggiavano paurosamente.

Fece ritorno al bar, ordinò un caffè macchiato e si sedette al bancone. Era passata da poco la mezzanotte. Fra gli ospiti dell'albergo e fra il personale serpeggiava una certa inquietudine. Intorno ai tavoli si svolgevano conversazioni a bassa voce mentre la gente a intervalli regolari sbirciava verso il cielo. Complessivamente, al Keys Hotel c'erano trentadue ospiti e una decina di persone di servizio. D'un tratto Lisbeth notò Geraldine Forbes seduta a un tavolo verso la reception. Aveva un'espressione tesa e stringeva fra le mani un drink. Suo marito non si vedeva da nessuna parte.

Lisbeth beveva caffè e meditava sul teorema di Fermat quando Freddy McBain uscì dall'ufficio e andò alla reception.

«Posso avere la vostra attenzione? Mi hanno appena informato che una tempesta con forza di uragano ha colpito Petit Martinique. Vi chiedo di scendere tutti immediatamente in cantina.»

Freddy McBain troncò qualsiasi tentativo di fare domande o di fare conversazione e guidò i suoi ospiti verso le scale dietro la reception. Petit Martinique era una piccola isola che apparteneva a Grenada, qualche miglio marino a nord dell'isola principale. Lisbeth guardò con la coda dell'occhio Ella Carmichael e tese l'orecchio quando si avvicinò a Freddy McBain.

«Quanto forte è?» domandò Ella.

«Non lo so. Il telefono ha smesso di funzionare» rispose McBain a bassa voce.

Lisbeth scese in cantina e piazzò la sua borsa su una coperta in un angolo. Rifletté un momento e quindi ritornò alla reception andando controcorrente. Bloccò Ella e le chiese se c'era qualcos'altro che poteva fare per aiutare. Ella scosse la testa, tutta seria.

«Vediamo cosa succede. Mathilda è una puttana.»

Lisbeth notò un gruppetto di cinque adulti e una decina di bambini che si affrettavano a entrare. Freddy McBain li accolse e li guidò verso le scale.

Lisbeth fu colpita d'improvviso da un pensiero inquietante.

«Suppongo che tutti vadano a rifugiarsi in qualche cantina...» disse a bassa voce.

Ella Carmichael seguiva con lo sguardo la famiglia vicino alle scale.

«Purtroppo questa è una delle poche cantine su Grand Anse. Ne arriveranno anche altri in cerca di un riparo.»

Lisbeth fissò Ella con sguardo penetrante.

«E cosa fanno gli altri?»

«Quelli che non hanno una cantina?» La donna rise amaramente. «Si rifugiano in casa o in qualche capanna. Devono mettersi nelle mani di Dio.»

Lisbeth girò i tacchi e corse fuori.

George Bland.

Sentì Ella che la chiamava ma non si fermò per dare spiegazioni.

Lui abita in una dannata capanna che crollerà al primo colpo di vento.

Non appena fu sulla strada ondeggiò nel vento furioso che la investì. Cominciò testardamente a correre. Un forte vento contrario la faceva barcollare. Le occorsero quasi dieci minuti per percorrere i circa quattrocento metri fino alla casa di George Bland. Non vide anima viva per tutta la strada.

La pioggia arrivò da chissà dove come una doccia gelata da una canna dell'acqua nell'attimo stesso in cui svoltava per salire alla casupola di George Bland e scorgeva il riflesso della lampada attraverso una fessura della finestra. In pochi secondi era fradicia e la sua visuale si ridusse a qualche metro. Martellò alla porta. George Bland aprì con gli occhi sbarrati.

«Cosa ci fai tu qui?» gridò per sovrastare l'urlo del vento.

«Vieni. Devi seguirmi all'albergo. Là c'è una cantina.»

George era esterrefatto. Il vento fece sbattere improvvisamente la porta e passarono diversi secondi prima che lui riuscisse ad aprirla di nuovo. Lisbeth lo afferrò per la maglietta e lo tirò fuori con uno strattone. Si spazzò via l'acqua dal viso, lo prese saldamente per mano e cominciò a correre.

Scelsero la strada lungo la spiaggia, circa cento metri più corta dell'altra che descriveva un ampio arco verso l'interno. Giunti a metà percorso, Lisbeth si rese conto che probabilmente era stato un errore. Sulla spiaggia non avevano nessuna protezione. Vento e pioggia li frustavano con tanta violenza che erano costretti a fermarsi di continuo. Sabbia e ramoscelli volavano tutt'intorno. C'era un frastuono indescrivibile. Dopo quella che sembrò un'eternità, Lisbeth vide finalmente materializzarsi il muro di cinta dell'albergo e cercò di affrettare il passo. Proprio quando erano ormai alla porta d'ingresso, si diede un'occhiata alle spalle lungo la spiaggia. Si fermò di botto.

Attraverso un rovescio di pioggia scorse d'improvviso due sagome chiare circa cinquanta metri più in là, giù sulla spiaggia. George la tirò per il braccio per trascinarla dentro. Lei si appoggiò al muro mentre cercava di mettere a fuoco lo sguardo. Per qualche secondo perse di vista le due figure nella pioggia, poi tutto il cielo fu illuminato da un lampo.

Sapeva già che erano Richard e Geraldine Forbes. Si trovavano più o meno nello stesso punto in cui la sera precedente aveva osservato lui camminare avanti e indietro.

Quando sfavillò il lampo successivo, vide che Richard Forbes sembrava trascinare la moglie, che opponeva resistenza.

D'improvviso tutti i pezzi del puzzle andarono al loro posto. La dipendenza economica. Le accuse di irregolarità contabili ad Austin. L'inquieto vagabondare di lui e il suo immobile lambiccarsi al Turtleback.

Ha intenzione di ucciderla. Quaranta milioni nel piatto. La tempesta è la sua copertura. Adesso ha la sua occasione.

Lisbeth Salander spinse dentro George, quindi si guardò intorno e riuscì a trovare la sedia sgangherata su cui usava sedersi la guardia notturna, che non era stata riposta in previsione della tempesta. Afferrò la sedia, la spaccò contro il muro con tutta la forza che aveva e si armò di una gamba. George la chiamò stupefatto a gran voce mentre lei correva sulla spiaggia.

Le raffiche di vento la fecero quasi cadere, ma Lisbeth strinse i denti e continuò ad avanzare faticosamente passo dopo passo. Aveva quasi raggiunto i Forbes quando il lampo successivo illuminò la spiaggia e lei poté vedere Geraldine in ginocchio sulla battigia. Richard Forbes era chino sopra di lei con il braccio alzato pronto a colpire con qualcosa che pareva un tubo di ferro stretto nella sua mano. Vide il braccio dell'uomo descrivere un arco e abbattersi sulla testa della moglie. Lei smise di agitarsi.

Richard Forbes non ebbe il tempo di accorgersi di Lisbeth Salander.

Lei gli ruppe la gamba della sedia sulla nuca e lui cadde bocconi.

Lisbeth si chinò e afferrò Geraldine. Mentre la pioggia scrosciava loro addosso, ne voltò il corpo. Le sue mani erano d'improvviso coperte di sangue. Geraldine Forbes aveva una profonda ferita sul cranio. Era pesante come piombo e Lisbeth si guardò disperatamente intorno mentre cercava di pensare a come trasportare il corpo fino all'albergo. Un attimo dopo George Bland era lì al suo fianco. Gridava qualcosa che lei non riusciva a capire nel fragore della tempesta.

Lisbeth guardò con la coda dell'occhio verso Richard Forbes. Le voltava la schiena ma si era messo carponi. Prese il braccio sinistro di Geraldine e se lo passò intorno al collo, facendo segno a George di prendere l'altro braccio. Cominciarono faticosamente a trascinare il corpo attraverso la spiaggia.

Giunti a metà percorso, Lisbeth si sentì totalmente esausta, come se tutte le forze avessero abbandonato il suo corpo. Il cuore ebbe un battito doppio quando d'improvviso sentì una mano che le afferrava la spalla. Mollò la presa su Geraldine, girò su se stessa e tirò un calcio tra le gambe a Richard Forbes. L'uomo si afflosciò sulle ginocchia. Lei prese la mira e lo colpì in faccia. Poi incontrò lo sguardo terrorizzato di George. Lisbeth gli dedicò un mezzo secondo di attenzione prima di afferrare di nuovo Geraldine e riprendere a trascinarla.

Dopo qualche istante girò di nuovo la testa. Richard

Forbes avanzava barcollando dieci passi dietro di loro ma ondeggiava avanti e indietro come un ubriaco sotto le sferzate del vento.

Un nuovo lampo squarciò il cielo e Lisbeth Salander sbarrò gli occhi.

Per la prima volta provava un terrore paralizzante.

Dietro Richard Forbes, cento metri al largo, aveva visto il dito di Dio.

Un'immagine istantanea congelata nel bagliore del lampo, un pilastro nero come il carbone che si era ammassato ed era scomparso dal suo campo visivo su nello spazio.

Mathilda.

Non è possibile.

Un uragano – sì.

Un tornado – impossibile.

Grenada non è zona da tornado.

Una tempesta anomala in una zona dove i tornado non possono formarsi.

I tornado non si formano sull'acqua.

È scientificamente sbagliato.

È qualcosa di unico.

È venuto per prendere me.

Anche George Bland aveva visto il tornado. Si gridarono vicendevolmente di sbrigarsi, senza riuscire a capire cosa diceva l'altro.

Ancora venti metri al muro. Dieci. Lisbeth inciampò e cadde in ginocchio. Cinque. Sulla porta Lisbeth si diede un'ultima occhiata alle spalle. Scorse l'ombra di Richard Forbes proprio nell'attimo in cui veniva trascinato in mare da una mano invisibile e spariva. Insieme a George trascinò il corpo di Geraldine. Superarono barcollando il giardino posteriore e attraverso la tempesta Lisbeth sentì fragore di finestre che si infrangevano e stridore di metallo che si piegava. Un'asse volò nell'aria proprio davanti a lei. Poi sentì una fitta quando qualcosa la colpì sulla schiena. La pressione esercitata dal vento diminuì quando finalmente raggiunsero la reception.

Lisbeth bloccò George afferrandolo per il colletto. Tirò la testa del ragazzo verso la sua bocca e gli gridò nell'orecchio: «L'abbiamo trovata sulla spiaggia. Il marito non l'abbiamo visto. Hai capito?»

Lui annuì.

Trascinarono Geraldine Forbes giù per le scale e Lisbeth tirò un calcio alla porta della cantina. Freddy McBain aprì e li fissò. Poi afferrò il corpo di Geraldine e li tirò dentro prima di chiudere nuovamente la porta.

Il rumore della tempesta si abbassò in un secondo da un frastuono insopportabile a un baccano di sottofondo. Lisbeth fece un respiro profondo.

Ella Carmichael versò del caffè caldo in una tazza e gliela allungò. Lisbeth era talmente sfinita che non ebbe quasi la forza di sollevare il braccio per prenderla. Stava seduta totalmente passiva sul pavimento, appoggiata contro il muro. Qualcuno aveva avvolto una coperta intorno a lei e a George. Lisbeth era bagnata fradicia e sanguinava profusamente da un taglio subito sotto la rotula. Aveva uno strappo di dieci centimetri nei jeans che non si ricordava assolutamente di essersi fatta. Osservò senza interesse come Freddy McBain e alcuni ospiti dell'albergo lavorassero intorno a Geraldine Forbes facendole una fasciatura intorno alla testa. Colse qualche parola qua e là e capì che qualcuno del gruppetto era medico. Notò che la cantina era piena zeppa e che agli ospiti dell'albergo si erano aggiunte persone da fuori venute a cercare rifugio.

Alla fine Freddy McBain venne verso Lisbeth e si accovacciò accanto a lei.

«È viva.»

Lisbeth non rispose.

«Cosa è successo?»

«L'abbiamo trovata sulla spiaggia.»

«Mancavano tre persone all'appello quando ho contato gli ospiti dell'albergo qui in cantina. Tu e i coniugi Forbes. Ella ha detto che eri corsa fuori come una pazza proprio nel momento in cui stava arrivando l'uragano.»

«Andavo a prendere il mio amico George.» Lisbeth fece un cenno del capo verso il ragazzo. «Abita più giù lungo la strada in una casupola che probabilmente adesso non esiste più.»

«È stato un gesto sciocco ma molto coraggioso» disse Freddy McBain, guardando George Bland con la coda dell'occhio. «Avete visto il marito, Richard Forbes?»

«No» rispose Lisbeth, scuotendo la testa.

Ella Carmichael lanciò a Lisbeth un'occhiata penetrante. Lisbeth ricambiò lo sguardo con occhi privi d'espressione.

Geraldine Forbes riprese conoscenza alle tre del mattino. A quell'ora, Lisbeth Salander dormiva con la testa appoggiata alla spalla di George Bland.

In qualche modo miracoloso Grenada era sopravvissuta alla terribile nottata. Allo spuntare dell'aurora la tempesta si era placata ed era stata sostituita dalla pioggia più torrenziale che Lisbeth avesse mai visto. Freddy McBain fece uscire gli ospiti dalla cantina.

Il Keys Hotel avrebbe avuto bisogno di una bella rimessa a nuovo. La devastazione, lì come lungo tutta la costa, era quasi totale. Il bar di Ella Carmichael era sparito e una delle verande era demolita. Le persiane erano state strappate da tutta la facciata e il tetto di una parte dell'albergo si era piegato. La reception era un caos.

Lisbeth prese George con sé e raggiunse barcollando la propria stanza. Chiuse provvisoriamente il rettangolo vuoto della finestra con una coperta per tenere fuori la pioggia. George incontrò il suo sguardo.

«Ci sarà meno da spiegare, se non abbiamo visto il marito» disse Lisbeth prima ancora che il ragazzo facesse in tempo a formulare qualsiasi domanda.

Lui annuì. Lei si spogliò lasciando cadere gli indumenti in un mucchio sul pavimento, e poi picchiettò con la mano sul bordo del letto accanto a sé. Lui annuì di nuovo, si spogliò a sua volta e si infilò a letto. Si addormentarono quasi subito.

Quando Lisbeth si svegliò in pieno giorno il sole splendeva attraverso gli squarci delle nubi. Le dolevano tutti i muscoli del corpo e il ginocchio si era gonfiato così tanto che aveva difficoltà a piegare la gamba. Scese piano dal letto e si mise sotto la doccia, osservando la lucertola verde che era tornata al suo posto sul muro. Si infilò un paio di shorts e una maglietta e uscì zoppicando dalla camera senza svegliare George.

Ella Carmichael era ancora in piedi. Appariva stanca ma era riuscita a rimettere in funzione il bar della reception. Lisbeth si sedette a un tavolino accanto al bancone e chiese un caffè e un tramezzino. Diede un'occhiata attraverso le finestre rotte dell'ingresso e vide che fuori era parcheggiata un'auto della polizia. Aveva appena avuto il suo caffè quando Freddy McBain uscì dal suo ufficio a fianco della reception con un agente in divisa al seguito. McBain la vide e disse qualcosa al poliziotto prima di dirigersi con lui verso il tavolino di Lisbeth.

«Questo è l'agente Ferguson. Vorrebbe farti alcune domande.»

Lisbeth annuì cortesemente. L'agente Ferguson aveva l'aria stanca. Prese bloccnotes e penna e annotò il nome di Lisbeth.

«Signorina Salander, da quanto ho capito lei e un suo amico avete trovato la signora Forbes ieri notte durante l'uragano.»

Lisbeth annuì.

«Dove l'avete trovata?»

«Sulla spiaggia subito sotto l'albergo» rispose Lisbeth. «Praticamente siamo inciampati nel suo corpo.»

Ferguson annotò.

«Vi ha detto qualcosa?»

Lisbeth scosse la testa.

«Era priva di sensi?»

Lisbeth annuì coscienziosamente.

«Aveva una ferita spaventosa sul capo.»

Lisbeth annuì di nuovo.

«Lei non sa come se la fosse procurata?»

Lisbeth scosse la testa. Ferguson sembrava lievemente infastidito dalla sua scarsa loquacità.

«C'era un sacco di ciarpame che volava per aria» disse lei collaborativa. «Io mi sono quasi presa un'asse sulla testa.»

Ferguson annuì compassato.

«Si è fatta male alla gamba?» Ferguson indicò la fasciatura di Lisbeth. «Come è successo?»

«Non lo so. Mi sono accorta della ferita solo quando sono scesa in cantina.»

«Lei era in compagnia di un ragazzo.»

«George Bland.»

«Dove abita?»

«Nella casupola dietro il Coconut, un po' più giù lungo la strada per l'aeroporto. Se la casupola c'è ancora.»

Lisbeth trascurò di spiegare che George Bland al momento stava dormendo nel suo letto al piano di sopra.

«Avete per caso visto il marito, Richard Forbes?»

Lisbeth scosse la testa.

All'agente Ferguson non vennero in mente altre domande, per cui chiuse il blocnotes.

«Grazie, signorina Salander. Devo redigere un rapporto sul decesso.»

«È morta?»

«La signora Forbes? No, è all'ospedale a Saint George's. Probabilmente deve ringraziare lei e il suo amico per essere viva. Ma suo marito è morto. L'hanno trovato due ore fa nel parcheggio dell'aeroporto.»

Circa seicento metri più a sud, dunque.

«Era alquanto malridotto» spiegò Ferguson.

«Triste» disse Lisbeth Salander, senza mostrare grandi segni di turbamento.

Quando McBain e l'agente Ferguson si furono allontanati, Ella Carmichael andò a sedersi di fronte a Lisbeth. Mise due bicchieri di rum sul tavolo. Lisbeth la guardò con espressione interrogativa.

«Dopo una notte del genere c'è bisogno di qualcosa per tirarsi un po' su. Offro io. Offro io tutta la colazione.»

Le due donne si guardarono. Poi alzarono i bicchieri e fecero un brindisi.

Per parecchio tempo, Mathilda sarebbe stata oggetto di studi scientifici e discussioni fra gli istituti meteorologici dei Caraibi e degli Stati Uniti. Tornado della portata di Mathilda erano praticamente sconosciuti nella regione. Si riteneva teoricamente impossibile che potessero formarsi sull'acqua. Gradualmente gli esperti concordarono che una costellazione del tutto insolita di fronti atmosferici aveva collaborato alla creazione di uno "pseudo-tornado" – qualcosa che non era un tornado vero e proprio ma ne aveva soltanto l'aspetto. Molti parlarono di effetto serra ed equilibrio ecologico alterato.

Lisbeth Salander non si curò della discussione teorica. Sapeva ciò che aveva visto e decise per il futuro di cercare di stare alla larga da qualsiasi parente di Mathilda.

Diverse persone avevano riportato lesioni durante la notte. Miracolosamente, solo una era morta.

Nessuno riusciva a capire cosa avesse spinto Richard Forbes a uscire nel bel mezzo di un uragano, al di là forse dell'incoscienza che sembra sempre caratterizzare i turisti americani. Geraldine Forbes non fu in grado di contribuire con alcuna spiegazione. Aveva una grave commozione cerebrale e solo ricordi sconnessi degli avvenimenti di quella notte.

Ma era inconsolabile per essere rimasta vedova.

Parte seconda

Dalla Russia con amore
10 gennaio - 23 marzo

$$3x + 4 = 6x - 2$$
$$(x = 2)$$

Normalmente un'equazione comprende una o più incognite, spesso indicate con x, y, z. Si dice che i valori delle incognite che permettono che l'uguaglianza fra i due elementi dell'equazione realmente esista soddisfano l'equazione oppure costituiscono la sua soluzione.

4.
Lunedì 10 gennaio - martedì 11 gennaio

Lisbeth Salander atterrò ad Arlanda alle sei e mezza del mattino. Era in viaggio da ventisei ore, nove delle quali trascorse all'aeroporto Grantly Adams a Barbados. La British Airways si era rifiutata di far partire l'aereo prima di avere scongiurato una possibile minaccia terroristica mediante l'allontanamento e il conseguente interrogatorio di un passeggero dalle fattezze arabe. Quando era arrivata all'aeroporto londinese di Gatwick l'ultimo volo per la Svezia era già partito, e così aveva dovuto aspettare ore prima di poter prendere posto sul volo del mattino dopo.

Lisbeth si sentiva come un sacchetto di banane rimasto troppo tempo al sole. Aveva solo il bagaglio a mano con il suo PowerBook, *Dimensions* e un cambio d'abiti compressi fino all'inverosimile. Passò senza intoppi la dogana, e quando uscì dall'aeroporto per salire sul bus fu accolta da un nevischio a zero gradi che le diede il bentornata a casa.

Ebbe un attimo di esitazione. Per tutta la vita era stata costretta a scegliere l'alternativa più economica, e aveva tuttora difficoltà ad abituarsi al pensiero di possedere circa tre miliardi di corone di cui si era appropriata grazie alla combinazione di un colpo di mano informatico e un buon vecchio imbroglio. Se ne infischiò delle regole e fece segno a un taxi. Diede l'indirizzo di Lundagatan e si addormentò quasi subito sul sedile posteriore.

Fu solo quando il taxi si fermò in Lundagatan e il tassista la scosse per svegliarla che si rese conto di avere dato l'indirizzo sbagliato. Si corresse e pregò il tassista di continuare fino a Götgatsbacken. Gli lasciò una lauta mancia in dollari americani e imprecò quando mise il piede in una pozzanghera ai margini della strada. Indossava jeans, T-shirt e una giacca leggera di panno. Ai piedi portava sandali e calzini corti. Raggiunse barcollando un 7-Eleven dove acquistò shampoo, dentifricio, sapone, yogurth, latte, formaggio, uova, pane, piccole brioche alla cannella surgelate, caffè, tè in bustine, cetrioli in salamoia, mele, una confezione famiglia di Billys Pan Pizza e una stecca di Marlboro Light. Pagò con la carta di credito.

Quando uscì di nuovo in strada esitò su quale percorso scegliere. Poteva risalire lungo Svartensgatan oppure scendere lungo Hökensgatan per un breve tratto verso Slussen. Lo svantaggio di Hökensgatan era che sarebbe passata proprio davanti alla porta della redazione di *Millennium* e dunque avrebbe rischiato di finire addosso a Mikael Blomkvist. Alla fine decise che non aveva voglia di fare gran giri per evitare di incontrarlo. Si avviò dunque verso Slussen, svoltò a destra salendo verso Mosebacke Torg. Passò davanti al Södra Teatern e infilò le scale verso Fiskargatan. Si fermò e guardò pensierosa l'edificio. Non lo sentiva ancora esattamente come "casa".

Si guardò intorno. Era un angolo isolato in piena Södermalm. Non era una via di passaggio, il che le andava a pennello. Era facile osservare chi si muoveva nei dintorni. Probabilmente era una passeggiata popolare d'estate, ma d'inverno ci venivano solo le persone che avevano da fare qualche commissione nel quartiere. Al momento non c'era in giro nessuno – nessuno che lei conoscesse e che quindi ragionevolmente potesse riconoscere lei. Lisbeth appoggiò la borsa della spesa nella poltiglia di neve per tirare fuori di tasca le chiavi. Salì all'ultimo piano e aprì la porta con la targhetta *V. Kulla*.

Una delle prime misure che Lisbeth aveva preso, quando d'improvviso era entrata in possesso di una grossa somma di denaro raggiungendo con ciò l'indipendenza economica vita natural durante (o almeno per tutta la durata di circa tre miliardi di corone), era stata di cercarsi una nuova abitazione. Gli affari immobiliari erano stati per lei un'esperienza nuova. Non aveva mai investito denaro in qualcosa di più grande di singoli oggetti d'uso, che poteva pagare in contanti o secondo un ragionevole piano di rateizzazione. In precedenza, i singoli esborsi più consistenti della sua contabilità erano stati computer di vario genere e la sua Kawasaki. L'aveva acquistata per settemila corone – un prezzo davvero stracciato. Aveva comperato pezzi di ricambio per una somma quasi equivalente e dedicato diversi mesi a smontarla e risistemarla con le proprie mani. Desiderava una macchina, ma non si era arrischiata ad acquistarne una dal momento che non avrebbe saputo come far quadrare i conti.

Un appartamento, ne era consapevole, era un affare di una classe di grandezza superiore. Aveva cominciato col leggere gli annunci sull'edizione in rete del *Dagens Nyheter*, la qual cosa, come ebbe modo di scoprire ben presto, era una scienza in sé.

Dopo avere letto i criptici annunci zeppi di sigle e abbreviazioni, si era grattata la testa e aveva cominciato a telefonare a casaccio senza sapere cosa chiedere. Presto si era sentita talmente stupida che aveva interrotto i tentativi. La prima domenica di gennaio aveva visitato due appartamenti. Uno si trovava in Vindragarvägen a Reimersholme e l'altro in Heleneborgsgatan nelle vicinanze di Hornstull. L'appartamento di Reimersholme era un quadrilocale luminoso con vista su Långholmen ed Essingen. Lì si sarebbe potuta trovare bene. L'altro era un bugigattolo con vista sul palazzo a fianco.

Il problema era che in effetti lei non sapeva bene dove voleva abitare, come doveva essere la sua casa e quali pretese doveva avere come acquirente. Non aveva mai dedicato un pensiero a una qualche alternativa ai quarantanove metri quadrati in Lundagatan in cui aveva trascorso la sua infanzia e dei quali aveva ottenuto l'usufrutto una volta compiuti i diciotto anni grazie al suo precedente tutore Holger Palmgren. Si era seduta sul divano consunto nel suo soggiorno-studio e si era messa a pensare.

L'appartamento di Lundagatan si affacciava su un cortile interno ed era angusto e poco accogliente. La vista dalla camera da letto era un muro tagliafuoco sul lato corto di un palazzo. Dalla cucina il panorama comprendeva il retro della porzione del palazzo che dava sulla via e l'entrata di un magazzino seminterrato. Dal soggiorno riusciva a vedere un lampione e qualche ramo di una betulla. Il primo punto fu dunque che la sua nuova abitazione avesse una qualche forma di panorama.

Sentiva anche la mancanza di un balcone e aveva sempre invidiato i vicini più fortunati dei piani alti che vi trascorrevano le calde giornate estive all'ombra di una tenda con una birra fresca. Il secondo punto fu che la nuova abitazione avesse un balcone.

Come doveva essere il nuovo appartamento? Ripensò a quello di Mikael Blomkvist – un unico grande locale di sessantacinque metri quadrati in una mansarda ristrutturata in Bellmansgatan con vista verso il municipio e Slussen. Era stata bene lì. Voleva anche lei un appartamento accogliente, con pochi mobili e facile da tenere in ordine.

Quello fu il terzo punto della lista delle caratteristiche desiderate.

Per anni era stata stretta. La sua cucina misurava circa dieci metri quadrati in cui avevano trovato posto un piccolo tavolo e due sedie. Il soggiorno ne misurava venti. La camera da letto dodici. Il quarto punto fu che la nuova abitazione avesse spazio in abbondanza e diversi guardaroba. Voleva uno studio vero e proprio e una grande camera da letto dove potersi muovere con agio.

Il suo bagno era uno sgabuzzino senza finestre con grigie piastrelle quadrate di cemento sul pavimento, una goffa mezza vasca e un rivestimento plastificato che non diventava mai veramente pulito per quanto lo strofinasse. Voleva avere delle vere piastrelle e una grande vasca da bagno. Voleva la lavatrice in casa e non in uno squallido scantinato. Voleva che in bagno ci fosse sempre profumo di pulito e voleva poter arieggiare il locale.

Dopo di che era andata in Internet e aveva esaminato le offerte degli agenti immobiliari. Il mattino dopo si era alzata presto ed era andata a visitare l'agenzia Nobel, che a detta di alcuni era la più rinomata di Stoccolma. Portava jeans neri consunti, stivaletti e la sua giacca di pelle nera. Si era piazzata al bancone e aveva osservato distrattamente una bionda sui trentacinque anni che era giusto occupata a inserire immagini di appartamenti nel sito dell'agenzia. Alla fine le si era avvicinato un tipo grassoccio sulla quarantina dalla rada capigliatura rossiccia. Lei gli aveva domandato quali appartamenti avesse in assortimento. L'uomo l'aveva guardata perplesso per un momento, dopo di che aveva attaccato a parlarle in tono paterno.

«Dimmi un po', signorina, i tuoi genitori lo sanno che hai intenzione di uscire di casa?»

Lisbeth Salander l'aveva guardato in silenzio con un'espressione gelida finché lui aveva smesso di ridacchiare.

«Mi occorre un appartamento» aveva cercato di spiegare.

Lui si era schiarito la voce e aveva guardato con la coda dell'occhio la collega.

«Capisco. E cosa avevi in mente?»

«Voglio un appartamento a Söder. Deve avere un balcone e vista sull'acqua, almeno quattro locali e bagno con finestra e spazio per la lavatrice. E ci dovrà essere anche posto per la mia motocicletta.»

La donna al computer si era interrotta e aveva girato curiosa la testa per guardare Lisbeth.

«Motocicletta?» aveva domandato l'uomo dai radi capelli.

Lisbeth Salander aveva annuito.

«Posso domandare... ehm... come ti chiami?»

Lisbeth si era presentata. Aveva chiesto a sua volta come si chiamasse lui e l'uomo si era presentato come Joakim Persson.

«Ecco, succede che costa un po' di soldi comperare una casa qui a Stoccolma...»

Lisbeth non aveva risposto. Aveva chiesto cosa avesse da offrire, spiegando che la precisazione sui soldi era irrilevante.

«Che lavoro fai?»

Lisbeth rifletté un momento. Formalmente era una lavoratrice autonoma. In pratica lavorava solo per Dragan Armanskij e la Milton Security, ma nell'ultimo anno si era trattato di una collaborazione molto poco regolare e negli ultimi tre mesi non aveva svolto nessun incarico per lui.

«Al momento non sto facendo nessun particolare lavoro» rispose con sincerità.

«Ah... allora vai a scuola, suppongo.»

«No, non vado a scuola.»

Joakim Persson aveva fatto il giro del bancone e aveva messo amichevolmente il braccio intorno alle spalle di Lisbeth, guidandola con cautela verso la porta.

«Bene, signorina, sarai la benvenuta fra qualche annetto, ma allora dovrai avere con te un po' più di soldini di quanti ce ne sono ora nel tuo salvadanaio. Vedi, la paghetta settimanale non è esattamente sufficiente per queste cose.» Le diede un pizzicotto amichevole sulla guancia. «Torna quando vuoi, e vedrai che troveremo un angolino anche per te.»

Lisbeth era rimasta ferma in strada davanti all'agenzia Nobel per diversi minuti. Si domandava quanto sarebbe piaciuto a Joakim Persson ricevere una bottiglia molotov attraverso la vetrina. Poi era andata a casa e aveva acceso il suo PowerBook.

Le erano bastati dieci minuti per entrare nella rete interna dell'agenzia Nobel con l'aiuto delle password che aveva memorizzato osservando distrattamente la donna dietro il bancone che le digitava prima di inserire le immagini. Le occorsero circa tre minuti per rendersi conto del fatto che il computer su cui la donna aveva lavorato era anche il server aziendale – *fino a che punto si può essere idioti?* – e altri tre minuti per avere accesso a tutti i quattordici computer che facevano parte della rete. Dopo circa due ore aveva passato al setaccio la contabilità di Joakim Persson e constatato che negli ultimi due anni aveva evaso le tasse su circa settecentocinquantamila corone di introiti in nero.

Scaricò tutti i file necessari e li inviò ai vari uffici delle imposte dall'indirizzo di un server negli Stati Uniti. Dopo di che scacciò Joakim Persson dai propri pensieri.

Per il resto della giornata passò in rassegna le offerte di immobili di prestigio dell'agenzia Nobel. L'oggetto più costoso era un castelletto fuori Mariefred, dove lei non aveva il benché minimo desiderio di abitare. Per puro dispetto scelse invece la seconda della lista fra le offerte più costose dell'agenzia, un magnifico appartamento a Mosebacke Torg.

Si mise a studiare le immagini e la planimetria. Alla fine constatò che l'appartamento soddisfaceva più che bene le sue esigenze. In precedenza era stato di proprietà di un direttore dell'Abb che era sparito dalla ribalta dopo che si era procurato una discussa clausola paracadute di qualche miliardo.

Verso sera telefonò a Jeremy MacMillan, socio dello studio legale MacMillan & Marks di Gibilterra. Aveva fatto affari con MacMillan in precedenza. Dietro lauto compenso l'avvocato aveva fondato una serie di società di comodo che risultavano intestatarie dei conti in cui era custodito il patrimonio che lei un anno prima aveva sottratto al finanziere Hans-Erik Wennerström.

Ancora una volta utilizzò i servizi offerti da MacMillan. In questo caso gli diede disposizione di entrare in trattativa, per conto della sua società Wasp Enterprises, con l'agenzia immobiliare Nobel per l'acquisto dell'allettante appartamento di Fiskargatan a Mosebacke. La trattativa si protrasse per quattro giorni. La fattura riportava una cifra che le fece alzare le sopracciglia. Più il cinque per cento per MacMillan. Prima che la settimana fosse finita aveva trasferito nel nuovo appartamento due scatoloni di indumenti, la biancheria per la casa, un materasso e qualche utensile per la cucina. Aveva dormito sul materasso per circa tre settimane mentre faceva ricerche sulle cliniche specializzate in chirurgia plastica, portava a conclusione una serie di questioni rimaste in sospeso (fra cui un colloquio notturno con un certo avvocato Nils Bjurman) e pagava acconti per noleggi, bollette e altre spese correnti.

Quindi aveva prenotato il suo viaggio in Italia. Quando era stata dimessa dalla clinica, si era ritrovata in una stanza d'albergo a Roma, a meditare sul da farsi. Avrebbe dovuto fare ritorno in Svezia e prendere in mano le redini della sua vita, ma per svariati motivi il solo pensare a Stoccolma le ripugnava.

Non aveva un lavoro vero e proprio. Non vedeva nessun futuro alla Milton Security. Dragan Armanskij non c'entrava. Lui sarebbe stato più che contento se lei fosse diventata un ingranaggio effettivo della società con un impiego fisso, ma a venticinque anni lei non aveva nessuna preparazione professionale e non le andava a genio di essere ancora lì a cinquant'anni a mettere minuziosamente insieme indagini personali su scapestrati del bel mondo. Quello poteva essere un passatempo divertente, ma non lo scopo di una vita.

Un altro motivo per cui tentennava si chiamava Mikael Blomkvist. A Stoccolma avrebbe indubbiamente rischiato di imbattersi in *Kalle Dannato Blomkvist* e al momento era l'ultima cosa che desiderava. Lui l'aveva ferita. A onor del vero riconosceva che non era stato intenzionale. Mikael era stato onesto. Era colpa sua se aveva finito per "innamorarsi" di lui. La sola parola era una contraddizione in termini, se si trattava di *Lisbeth Dannata Pollastra Salander*.

Mikael Blomkvist era un ben noto donnaiolo. Lei era stata nel migliore dei casi una distrazione, della quale lui si era impietosito in un momento in cui aveva bisogno di lei e non c'era di meglio a portata di mano, ma che presto si era lasciato alle spalle a favore di una compagnia più divertente. Lisbeth si malediceva per avere abbassato la guardia e avergli concesso di entrare nella sua vita.

Dopo essere tornata nel pieno possesso delle proprie facoltà mentali, aveva troncato tutti i contatti con lui. Non era stato granché facile, ma si era fatta forza. L'ultima volta che l'aveva visto, lei era sul marciapiede della metropolitana a Gamla Stan e lui era in un vagone diretto verso il centro. L'aveva fissato per un minuto intero e aveva deciso di non provare più nessun sentimento perché sarebbe stato lo stesso che farsi male da sé. *Fottiti.* Lui l'aveva notata proprio nell'attimo in cui le porte si chiudevano e l'aveva fissata con occhi indagatori prima che lei girasse i tacchi e si allontanasse mentre il treno ripartiva.

Non capiva perché lui avesse continuato così testardamente a cercare di mantenere i contatti, proprio come se lei fosse stata un suo dannato progetto sociale. La irritava il suo dimostrarsi così ignaro, ogni volta che riceveva una sua mail doveva farsi forza per cancellarla senza leggerla.

Stoccolma non la attraeva per niente. A parte la collaborazione con la Milton Security, qualche ex compagno di letto e le ragazze del defunto gruppo rock Evil Fingers, non conosceva quasi nessuno nella sua città natale.

L'unica persona per cui aveva un certo rispetto era Dragan Armanskij. Faceva fatica a definire i suoi sentimenti per lui. Aveva sempre provato un certo stupore nel sentirsi vagamente attratta da quell'uomo. Se non fosse stato proprio così sposato, proprio così vecchio e proprio così conservatore nella sua visione dell'esistenza, avrebbe anche potuto pensare di tentare un approccio.

Alla fine aveva tirato fuori la sua agenda e aperto la sezione con le cartine. Non era mai stata in Australia o in Africa. Aveva letto delle piramidi e dei templi di Angkor ma non li aveva mai visti. Non era mai stata a Hong Kong e non aveva mai fatto snorkeling nei Caraibi o preso il sole su una spiaggia della Tailandia. A parte alcuni rapidi viaggi per motivi di lavoro, durante i quali aveva visitato le repubbliche baltiche e altri paesi nordici, e naturalmente Zurigo e Londra, non aveva quasi mai lasciato la Svezia in tutta la sua vita. In effetti, raramente aveva lasciato la stessa Stoccolma.

Non aveva mai potuto permetterselo.

Si era avvicinata alla finestra della sua camera d'albergo e aveva guardato fuori su via Garibaldi a Roma. Era una città che somigliava a un cumulo di rovine. Poi si era decisa, aveva infilato la giacca ed era scesa alla reception per chiedere se ci fosse un'agenzia di viaggi nelle vicinanze. Aveva prenotato un biglietto di sola andata per Tel Aviv e trascorso i giorni successivi a passeggiare nella città vecchia di Gerusalemme e a visitare la moschea di Al-Aqsa e il Muro del Pianto. Aveva osservato con sospetto soldati armati agli angoli delle vie e poi era volata a Bangkok. E aveva continuato a viaggiare per tutto il resto dell'anno.

C'era soltanto una cosa che doveva fare. Andò a Gibilterra due volte. La prima per fare ricerche approfondite sull'uomo che aveva scelto come gestore del suo denaro. La seconda per controllare che si stesse comportando bene.

Fu una sensazione strana girare la chiave nella serratura del proprio appartamento dopo così tanto tempo.

Appoggiò a terra nell'ingresso la borsa della spesa e la borsa da viaggio e digitò il codice di quattro cifre che disattivava l'allarme elettronico. Quindi si liberò di tutti gli indumenti bagnati lasciandoli cadere sul pavimento. Entrò nuda in cucina e avviò il frigorifero sistemandovi dentro le cibarie prima di raggiungere il bagno e trascorrere i successivi dieci minuti sotto la doccia. Consumò una cena consistente in una mela tagliata a fette e una Billys Pan Pizza che riscaldò nel forno a microonde. Aprì uno degli scatoloni del trasloco e trovò un cuscino, un lenzuolo e una coperta che aveva un odore un po' sospetto dopo essere rimasta chiusa lì dentro per un anno.

Preparò il letto sul materasso steso sul pavimento della stanza adiacente alla cucina.

Si addormentò nel giro di dieci secondi dopo avere appoggiato la testa sul cuscino e dormì quasi dodici ore, svegliandosi poco prima di mezzanotte. Si alzò, accese la macchina del caffè, si avvolse in una coperta e si sedette con il cuscino e una sigaretta nel vano di una finestra dalla quale poteva guardare verso Djurgården e il mare. Era affascinata dalle luci. Nell'oscurità cominciò a riflettere sulla propria vita.

Il giorno dopo il suo ritorno a casa, Lisbeth Salander aveva un'agenda piena di impegni. Chiuse a chiave la porta del suo appartamento alle sette del mattino. Prima di lasciare il piano aprì una finestra sulle scale e legò una chiave di riserva a un sottile filo di rame che fissò dietro una grondaia. Forte di precedenti esperienze, aveva ben presente l'utilità di avere sempre a comoda disposizione una chiave di riserva.

L'aria era gelida. Lisbeth indossava un paio di jeans vecchi e consunti che avevano un taglio sotto la tasca posteriore, attraverso il quale si intravedevano un paio di mutandine celesti. Si era infilata una T-shirt e una felpa calda a polo che cominciava a scucirsi sul collo. Inoltre aveva ripescato la sua vecchia giacca di pelle con le borchie sulle spalle. Constatò che avrebbe dovuto far riparare la fodera rotta e ormai quasi inesistente delle tasche. Ai piedi aveva calze pesanti e scarponcini robusti. Nel complesso stava discretamente calda.

Percorse a piedi St. Paulsgatan, raggiunse Zinkensdamm e proseguì fino al suo vecchio indirizzo di Lundagatan, dove cominciò col controllare che la sua Kawasaki fosse ancora al suo posto. Le diede una pacca sul sellino prima di salire nel suo ex appartamento, che trovò invaso dagli opuscoli pubblicitari.

Era stata incerta su cosa fare dell'appartamento. Prima di lasciare la Svezia la soluzione più semplice le era parsa quella di organizzare il pagamento automatico delle bollette. Nella casa c'erano ancora i suoi mobili, faticosamente raccolti da diversi container dei rifiuti, tazze da tè sbeccate, due vecchi computer e una gran quantità di carte. Ma niente di valore.

Andò a prendere un sacco nero della spazzatura in cucina e dedicò cinque minuti a separare la pubblicità dal resto della posta e a buttarla nel sacco. Aveva ricevuto poche lettere, quasi tutte estratti conto bancari e documentazioni fiscali della Milton Security, o pubblicità camuffate di vario genere. Uno dei vantaggi dell'avere un tutore era che non era mai stata costretta a dedicarsi alle questioni relative alle tasse. Per il resto, nell'arco di un anno intero aveva accumulato soltanto tre lettere di carattere personale.

La prima veniva da un certo avvocato Greta Molander, che era stata rappresentante legale della madre di Lisbeth. La lettera informava concisamente che l'inventario patrimoniale della madre era stato completato e che Lisbeth Salander e sua sorella Camilla Salander avevano ricevuto in eredità 9.312 corone ciascuna. Una somma di pari entità era stata versata sul conto della signorina Salander, che era pregata di dare quietanza. Lisbeth infilò la lettera nella tasca interna della giacca.

La seconda veniva dalla signora Mikaelsson, direttrice della casa di cura di Äppelviken, che le ricordava gentilmente che tenevano ancora in custodia uno scatolone contenente gli averi di sua madre e la pregava di essere così cortese da contattarla per darle istruzioni su cosa farne. Se non avessero sentito nulla da Lisbeth o dalla sorella (della quale non avevano nessun indirizzo) prima della fine dell'anno, l'avrebbero gettato via. Guardò la data, giugno, e tirò fuori il cellulare. In due minuti aveva appurato che lo scatolone non era ancora stato buttato. Chiese scusa per non essersi fatta viva prima, e promise che sarebbe passata a ritirarlo il giorno successivo.

L'ultima lettera personale era di Mikael Blomkvist. Rifletté un momento. Decise di non aprirla e la gettò nel sacco.

Riempì uno scatolone di oggetti e cianfrusaglie che voleva conservare e fece ritorno a Mosebacke in taxi. Si truccò, mise occhiali e una parrucca di capelli biondi che le arrivavano alle spalle e infilò nella borsa un passaporto norvegese a nome Irene Nesser. Si esaminò allo specchio e constatò che Irene Nesser era molto simile a Lisbeth Salander e al tempo stesso una persona completamente diversa.

Dopo una rapida colazione consistente in una baguette al brie e un caffè macchiato al caffè Eden di Götgatan, raggiunse a piedi un autonoleggio in Ringvägen dove Irene Nesser affittò una Nissan Micra. Andò all'Ikea in Kungens Kurva e trascorse tre ore a spulciare l'assortimento e annotare i codici di ciò che le occorreva. Prese un certo numero di veloci decisioni.

Scelse due divani rivestiti in tessuto color sabbia, cinque sedie pieghevoli, due tavolini da caffè rotondi in betulla laccata, un tavolino basso. Al reparto librerie e armadi ordinò due librerie, una mensola per la tv e un armadietto. Completò con un guardaroba a tre ante e due piccoli cassettoni.

La scelta del letto le richiese un po' di tempo e alla fine optò per un modello completo di materasso e accessori. Per sicurezza acquistò anche un letto da mettere nella stanza degli ospiti. Non faceva conto di avere ospiti, ma siccome aveva una stanza anche per loro tanto valeva arredarla.

Il bagno del suo nuovo appartamento era già completamente attrezzato con armadietti per gli asciugamani e gli articoli da toeletta e una lavatrice lasciata dai precedenti proprietari. Per cui scelse soltanto un cesto per la biancheria di tipo economico.

Ciò che invece proprio le occorreva erano i mobili da cucina. Dopo una certa esitazione si decise per un tavolo in faggio massiccio con il ripiano in vetro temperato e quattro sedie dai colori vivaci.

Aveva bisogno di mobili anche per il suo studio, ed esaminò perplessa alcune inverosimili "postazioni da lavoro" dotate di ingegnosi alloggiamenti per computer e tastiere. Alla fine scosse la testa e ordinò una normalissima scrivania con impiallacciatura in faggio, piano angolare e margini arrotondati e un grande armadio. Si prese tutto il tempo necessario per scegliere una sedia da ufficio – sulla quale verosimilmente avrebbe trascorso parecchie ore – e optò per una delle alternative più costose.

Infine fece un altro giro e mise insieme una considerevole quantità di lenzuola, federe, asciugamani, coperte, plaid, cuscini, posate e piatti, pentole, taglieri, tre grandi tappeti, diverse lampade da lavoro e una montagna di oggettistica da ufficio, cartellette, un cestino per la carta straccia, raccoglitori e cose simili.

Una volta terminato il giro andò con il suo elenco a una cassa. Pagò con la carta di credito intestata alla Wasp Enterprises e presentò un documento di Irene Nesser. Pagò anche per la consegna a domicilio e per il montaggio dei mobili. Il conto si fermò poco sopra le novantamila corone.

Alle cinque del pomeriggio era di ritorno. Fece in tempo a fare un salto da Axelssons dove comperò un televisore da diciotto pollici e una radio. Subito prima della chiusura riuscì a infilarsi anche in un negozio in Hornsgatan dove comperò un aspirapolvere. A Mariahallen aveva comperato strofinacci, sapone, un secchio, detersivo, uno spazzolino e una maxiconfezione di carta igienica.

Al termine della razzia era esausta ma soddisfatta. Cacciò tutti gli acquisti nella sua Nissan Micra e sprofondò in una sedia del caffè Java in Hornsgatan. Prese un giornale dal tavolino a fianco e constatò che i socialdemocratici erano ancora al governo e che nulla di particolarmente importante sembrava essere successo nel paese durante la sua lunga assenza.

Alle otto di sera era a casa. Col favore del buio scaricò le merci dalla macchina e le portò nell'appartamento di *V. Kul-*

la. Lasciò tutto ammonticchiato nell'ingresso e passò una mezz'ora a trovare un parcheggio per la macchina a noleggio in una traversa. Quindi aprì i rubinetti della vasca a idromassaggio dove avrebbero potuto trovare comodamente posto almeno tre persone. Pensò un attimo a Mikael Blomkvist. Era da mesi che non le succedeva, prima di vedere la sua lettera quel mattino. Si domandò se a quell'ora fosse a casa e se fosse in compagnia di Erika Berger.

Dopo un momento fece un lungo respiro e si voltò a pancia in giù, sprofondando sotto la superficie dell'acqua. Si chiuse la mani sui seni e pizzicò forte i capezzoli trattenendo il fiato per tre minuti, finché i polmoni cominciarono seriamente a farle male.

Erika Berger guardò con la coda dell'occhio l'orologio quando Mikael Blomkvist arrivò con quasi un quarto d'ora di ritardo al sacro incontro di pianificazione che si teneva alle dieci del secondo martedì di ogni mese. Era nel corso di quelle riunioni che si gettavano le basi del numero successivo e si prendevano decisioni a lungo termine sul contenuto di *Millennium*.

Mikael chiese scusa per il ritardo e borbottò una spiegazione che nessuno sentì o in ogni caso memorizzò. Alla riunione partecipavano, oltre a Erika, la segretaria di redazione Malin Eriksson, il socio e responsabile della grafica Christer Malm, la reporter Monika Nilsson e i collaboratori part-time Lottie Karim e Henry Cortez. Mikael Blomkvist notò subito che la praticante diciassettenne non c'era, e che al gruppo riunito intorno al tavolo della stanza di Erika si era aggiunto un volto nuovo. Era molto insolito che Erika lasciasse che degli esterni partecipassero alle riunioni di pianificazione.

«Questo è Dag Svensson» disse. «Free-lance. Compreremo un testo da lui.»

Mikael assentì e strinse la mano all'uomo. Dag Svensson era biondo, capelli cortissimi, occhi azzurri e una barba di tre giorni. Sulla trentina, aveva un fisico sfacciatamente atletico.

«Di solito facciamo uno o due numeri speciali l'anno» continuò Erika. «Questa inchiesta la vorrei mettere nel numero di maggio. La tipografia è prenotata per il 27 aprile. Abbiamo circa tre mesi per produrre il testo.»

«Quale sarebbe il tema?» domandò Mikael mentre si versava del caffè dalla caraffa termica.

«Dag Svensson è venuto da me la scorsa settimana con l'abbozzo di un'inchiesta. Gli ho chiesto di partecipare a questa riunione di redazione. Vuoi parlarne tu?» chiese Erika a Dag.

«*Trafficking*» disse lui. «Commercio di ragazze a scopo sessuale. In questo caso, principalmente dalle repubbliche baltiche e dall'Europa orientale. Per raccontare la storia dall'inizio sto scrivendo un libro, ed è per questo che ho contattato Erika. Se non erro adesso avete anche una piccola attività come casa editrice.»

Tutti assunsero un'aria divertita. La casa editrice Millennium aveva pubblicato fino a quel momento un unico libro, che era il tomo scritto un anno prima da Mikael Blomkvist sull'impero finanziario del miliardario Wennerström. In Svezia il libro era arrivato già alla sesta edizione e inoltre era uscito in norvegese, tedesco e inglese e stava per essere tradotto anche in francese. Un successo incomprensibile, dal momento che la storia era sotto ogni punto di vista già nota ed era stata pubblicata su innumerevoli giornali.

«Il nostro catalogo forse non è così sensazionale» disse Mikael con prudenza. Anche Dag Svensson stirò le labbra.

«Mi è sembrato di capirlo. Però avete una casa editrice.»

«Esistono case editrici più grandi» disse Mikael.

«Senza dubbio» disse Erika. «Ma è un anno intero che discutiamo se pubblicare dei titoli di nicchia a fianco della nostra normale attività. Abbiamo affrontato l'argomento in due riunioni del consiglio d'amministrazione e tutti erano orientati positivamente. Abbiamo in mente un catalogo molto contenuto, tre o quattro titoli l'anno, che a grandi linee comprenda solo reportage su argomenti diversi. Tipici prodotti giornalistici, in altre parole. Questo sarebbe un buon libro con cui cominciare.»

«Trafficking» disse Mikael Blomkvist. «Racconta.»

«È da quattro anni che me ne occupo. Ho cominciato a interessarmi della materia grazie alla ragazza con cui vivo, si chiama Mia Bergman ed è criminologa. Ha lavorato per il Consiglio per la prevenzione del crimine, ha fatto un'analisi della legge sul mercato del sesso.»

«Io la conosco» disse Malin Eriksson. «L'ho intervistata due anni fa quando ha pubblicato una relazione in cui metteva a confronto il trattamento riservato a uomini e donne nei tribunali.»

Dag Svensson annuì e sorrise.

«Suscitò un certo scalpore» disse. «Studia il trafficking da cinque o sei anni. È stato così che ci siamo conosciuti. Io stavo lavorando a un'inchiesta sul mercato del sesso in Internet e mi era stato detto che lei ne sapeva qualcosa. E altroché se era vero. Per farla breve, cominciammo anche a lavorare insieme, io come giornalista e lei come ricercatrice, e cominciammo anche a uscire insieme e un anno fa abbiamo messo su casa. Lei sta per prendere un dottorato e discuterà la tesi in primavera.»

«Perciò lei scrive una tesi di dottorato e tu...?»

«Io scrivo una versione popolare della tesi, corredata dalle mie ricerche personali. Oltre a una versione abbreviata in forma di articolo che ho già dato a Erika.»

«Okay, lavorate in squadra. E l'inchiesta?»

«Nel nostro paese abbiamo un governo che ha introdotto una legge coraggiosa sul mercato del sesso, abbiamo poliziotti che dovrebbero far osservare la legge e tribunali che dovrebbero condannare i trasgressori, chiamiamo quelli che vanno a puttane criminali del sesso perché comperare servizi sessuali è diventato un reato e abbiamo mezzi d'informazione che scrivono testi grondanti di indignazione morale sull'argomento e via dicendo. Ma al tempo stesso la Svezia è uno dei paesi che comperano il maggior numero pro capite di prostitute dalla Russia e dai paesi baltici.»

«E questo lo puoi dimostrare?»

«Non è certo un segreto. Non è nemmeno una notizia. La novità sta nel fatto che noi abbiamo parlato con una dozzina di ragazze che hanno avuto esperienze drammatiche. Per la maggior parte ragazze fra i quindici e i vent'anni, che vengono dalla miseria sociale degli stati dell'Est e sono attirate in Svezia dalla promessa di un lavoro di qualche genere ma finiscono nelle grinfie di una mafia del sesso assolutamente senza scrupoli. Le loro esperienze non si potrebbero descrivere nemmeno in un film.»

«Okay.»

«Questo è, per così dire, il punto focale della tesi di Mia. Ma non del libro.»

Tutti ascoltavano attentamente.

«Mia ha intervistato le ragazze. Io ho tracciato una mappa dei fornitori e della clientela.»

Mikael sorrise. Non aveva mai incontrato Dag Svensson prima, ma d'improvviso si rendeva conto che era proprio il tipo di giornalista che gli piaceva, uno che andava dritto all'essenziale di un'inchiesta. Per Mikael la regola d'oro del giornalismo era che ci fosse sempre qualcuno che ne fosse responsabile. *Bad guys.*

«E hai trovato dei dati interessanti?»

«Ad esempio sono in grado di documentare che un funzionario del ministero della Giustizia collegato all'elaborazione della legge sul mercato del sesso si è servito di almeno due ragazze arrivate qui in questo modo. Una aveva quindici anni.»

«Accidenti.»

«Sono anni che lavoro a questa inchiesta. Il libro conterrà informazioni sui clienti delle prostitute. Ci sono tre poliziotti, uno dei quali lavora alla buoncostume. Ci sono cinque avvocati, un pubblico ministero e un giudice. Ci sono anche un paio di giornalisti, uno dei quali ha scritto diversi articoli sull'industria del sesso. Nella vita privata si dedica a fantasie di stupro con una prostituta adolescente di Tallinn... e in questo caso non si tratta certo di un gioco erotico reciproco. Ho intenzione di fare nomi e cognomi. Ho una documentazione a prova di bomba.»

Mikael Blomkvist fischiò. Quindi smise di sorridere.

«Siccome sono di nuovo il direttore responsabile, credo che vorrò esaminare la documentazione con la lente d'ingrandimento» disse. «L'ultima volta che ho trascurato di controllare bene le fonti mi sono beccato tre mesi di galera.»

«Se siete interessati a pubblicare l'inchiesta, avrai tutta la documentazione che vorrai. Ma ho una condizione per venderla a *Millennium*.»

«Dag vuole che pubblichiamo anche il libro» intervenne Erika.

«Esatto. Voglio che faccia l'effetto di una bomba, e in questo momento *Millennium* è il giornale più attendibile e spregiudicato del paese. Mi è difficile credere che altri editori avrebbero il coraggio di pubblicare un libro di questo genere.»

«Quindi, niente libro, niente articolo» riassunse Mikael.

«A me suona come un'ottima idea» disse Malin Eriksson. Henry Cortez le fece eco con un mormorio di supporto.

«L'articolo e il libro sono due cose separate» disse Erika.

«Per il primo, il responsabile è Mikael. Per il libro, la responsabilità è dell'autore.»

«Lo so» disse Dag. «La cosa non mi preoccupa. Nell'attimo stesso in cui il libro sarà pubblicato, Mia denuncerà alla polizia tutte le persone delle quali avrò fatto il nome.»

«Scoppierà un bel pandemonio» disse Henry Cortez.

«Questa è solo metà della storia» continuò Dag. «Ho analizzato anche alcune delle reti che guadagnano denaro con l'industria del sesso. Si tratta di criminalità organizzata.»

«E lì chi hai trovato?»

«È questo che è tragico. La mafia del sesso è un'accozzaglia scalcagnata di nullità. Non so esattamente cosa mi aspettassi quando ho cominciato questa ricerca, ma in qualche modo noi, o almeno io, siamo stati indotti a credere che la "mafia" sia una banda glamour che se ne va in giro su automobili di lusso. Suppongo che un certo numero di film americani sull'argomento abbia contribuito a questa immagine. La tua inchiesta su Wennerström» lanciò uno sguardo con la coda dell'occhio a Mikael «dimostrava che in effetti era proprio così. Ma Wennerström in qualche modo faceva parte delle eccezioni. Quello che ho trovato io è una banda di inetti brutali e sadici che quasi non sanno leggere e scrivere e sono dei perfetti idioti quando si tratta di pianificazione ed elaborazione di strategie. Ci sono collegamenti a biker e a cerchie un po' meglio organizzate, ma nel complesso è una manica di somari quella che manda avanti l'industria del sesso.»

«Questo risulta molto chiaramente dal tuo articolo» disse Erika. «Abbiamo una legislazione, forze di polizia e un apparato giudiziario che finanziamo con milioni di corone di tasse ogni anno per contrastare questo mercato del sesso... e non riescono ad avere ragione di un branco di perfetti idioti.»

«È un unico lungo oltraggio ai diritti umani, le ragazze coinvolte occupano una posizione così bassa nella scala sociale da risultare prive di interesse giuridico. Non votano. Non sanno quasi lo svedese, a eccezione delle poche parole che servono per concludere una trattativa. Il novantanove virgola novantanove per cento di tutti i reati relativi al mercato del sesso non viene mai denunciato e ancora più raramente porta a una citazione in giudizio. È il più grosso iceberg nell'ambito della criminalità svedese. Provate a pensare che le rapine in banca venissero trattate con la stessa noncuranza: è semplicemente inimmaginabile. La mia conclusione è che questo losco affare non potrebbe andare avanti un solo giorno se non fosse che la giustizia molto semplicemente non lo vuole fermare. Le sevizie ai danni di teen-ager che vengono da Tallinn o Riga non sono una questione prioritaria. Una puttana è una puttana. Fa parte del sistema.»

«E questo non c'è bastardo che non lo sappia» disse Monika Nilsson.

«Perciò voi cosa dite?» domandò Erika.

«A me l'idea piace» disse Mikael Blomkvist. «Ci esporremo, con questa inchiesta, ed è esattamente questo lo scopo con cui abbiamo dato vita a *Millennium*.»

«Ed è per questo che io lavoro ancora al giornale. Il direttore responsabile deve fare un salto mortale di tanto in tanto» disse Monika.

Tutti risero, tranne Mikael.

«Lui era l'unico abbastanza pazzo da assumere l'incarico di direttore responsabile» disse Erika. «Faremo questa cosa a maggio. E contemporaneamente uscirà il tuo libro.»

«È già pronto?» volle sapere Mikael.

«No. Ho la scaletta ma sono arrivato a scriverne circa metà. Se accettate di pubblicarlo e mi date un anticipo, posso lavorarci a tempo pieno. Quasi tutta la parte delle ricerche è fatta. Quello che manca sono un po' di dettagli di completamento, in realtà solo la conferma di ciò che già sappiamo, e i confronti con i clienti che ho intenzione di denunciare.»

«Faremo come con il libro su Wennerström. Ci vogliono una settimana per preparare i lay-out» precisò Christer Malm «e due per stampare. I confronti li facciamo in marzo e aprile e li riassumiamo in quindici pagine di testo che scriveremo per ultime. Dunque il manoscritto completo ci serve per il 15 aprile, in modo da avere il tempo di controllare tutte le fonti.»

«Come facciamo con il contratto e il resto?»

«Non ho mai fatto contratti per libri e devo fare quattro chiacchiere con il nostro avvocato.» Erika corrugò la fronte. «Ma proporrei un contratto a progetto per quattro mesi, da febbraio a maggio. Non paghiamo cifre da capogiro.»

«Per me va bene. Ho bisogno solo di uno stipendio base per potermi dedicare a tempo pieno al libro.»

«Per il resto la regola è cinquanta e cinquanta sui ricavi delle vendite al netto delle spese. Cosa ti pare?»

«Mi sembra perfetto» disse Dag.

«Incarichi» disse Erika. «Malin, voglio che sia tu il redattore del numero speciale. Sarà il tuo incarico principale a partire dal prossimo mese, lavorerai con Dag Svensson alla redazione del manoscritto. Lottie, questo significa che voglio te come segretaria di redazione del giornale da febbraio a maggio compresi. Lavorerai a tempo pieno e Malin o Mikael ti aiuteranno in caso di necessità.»

Malin Eriksson annuì.

«Mikael, voglio che tu sia il redattore del libro.» Erika guardò Dag Svensson. «Mikael non lo dà a vedere, ma in effetti è un redattore dannatamente in gamba e inoltre è abile nelle ricerche. Passerà al microscopio ogni singola sillaba del tuo libro. Piomberà come un falco su ogni dettaglio. Io sono lusingata che tu voglia pubblicare il libro con noi, ma abbiamo dei problemi speciali a *Millennium*. Abbiamo un certo numero di nemici che non desiderano altro che ci rendiamo ridicoli. Quando ci esponiamo e pubblichiamo qualcosa, dev'essere vero al cento per cento. Non possiamo permetterci niente di diverso.»

«E io non vorrei che fosse altrimenti.»

«Bene. Ma ce la farai a sopportare qualcuno appollaiato sulla spalla e che ti farà le pulci tutto il tempo?»

Dag ghignò e guardò verso Mikael.

«Comincia pure.»

Mikael annuì.

«Se dev'essere un numero speciale, abbiamo bisogno di più articoli. Mikael, voglio che tu scriva qualcosa sull'economia del sesso. Di che giro di denaro si tratta? Chi ci guadagna e dove vanno a finire i soldi? Si può provare che una parte del denaro finisce nelle casse dello stato? Monika, farai controlli sugli abusi sessuali in generale. Parla con il servizio assistenza donne maltrattate e con ricercatori, medici, autorità. Voi due più Dag scriverete i testi principali. Henry, ci vuole un'intervista con la ragazza di Dag, Mia Bergman, e quella Dag non la può fare. Ritratto: chi è, su cosa fa ricerca e quali sono le sue conclusioni. Poi voglio che tu faccia degli studi di casi partendo da inchieste di polizia. Christer, le immagini. Non saprei come si possa illustrare questa cosa. Pensaci su.»

«Permettetemi di infilarci un'altra cosa» disse Dag Svensson. «C'è un piccolo numero di poliziotti che fa un lavoro ottimo. Potrebbe essere un'idea intervistare qualcuno di loro.»

«Hai dei nomi?» chiese Henry Cortez.

«E dei numeri di telefono» disse Dag annuendo.

«Bene» concluse Erika. «Il tema del numero di maggio sarà il mercato del sesso. Quello che dovrà risultare è che il trafficking è un crimine contro i diritti umani e che chi si macchia di questo crimine deve essere individuato e trattato come qualsiasi criminale di guerra o squadrone della morte o torturatore. E adesso al lavoro.»

5.
Mercoledì 12 gennaio - venerdì 14 gennaio

Äppelviken sembrò a Lisbeth un posto estraneo e sconosciuto quando per la prima volta dopo diciotto mesi svoltò nel viale d'accesso a bordo della sua Nissan Micra presa a noleggio. Da quando aveva quindici anni, era venuta regolarmente in visita un paio di volte l'anno nella casa di cura dove sua madre era stata istituzionalizzata dopo che era successo Tutto il Male. Äppelviken aveva costituito un punto fisso nella vita di Lisbeth. Era il luogo in cui sua madre aveva trascorso i suoi ultimi dieci anni e alla fine era morta solo quarantatreenne dopo un'ultima, fatale emorragia cerebrale.

Il nome della madre era Agneta Sofia Salander. I suoi ultimi quattordici anni di vita erano stati segnati da ripetute emorragie cerebrali di piccola entità che l'avevano resa incapace di badare a se stessa. Di tanto in tanto non era nemmeno lucida, e aveva difficoltà a riconoscere sua figlia.

Il pensiero della madre faceva sempre sorgere in Lisbeth un senso di disperazione e tenebre profonde. Negli anni dell'adolescenza aveva coltivato a lungo la fantasia che sarebbe guarita e avrebbero potuto creare una qualche forma di relazione. Ma razionalmente aveva sempre saputo che non sarebbe mai potuto accadere.

Sua madre era esile e piccola di statura, ma non con quell'aria da anoressica che caratterizzava Lisbeth. Al contrario, era addirittura bella e ben proporzionata. Proprio come la sorella di Lisbeth.

Camilla.

Lisbeth non pensava volentieri alla sorella.

Per lei era un'ironia della sorte che fossero così radicalmente diverse. Erano gemelle, nate nell'arco di venti minuti.

Lisbeth era venuta al mondo per prima. Camilla era bella.

Erano talmente diverse che pareva inverosimile che fossero cresciute nello stesso utero. Se qualcosa non fosse stato difettoso nel codice genetico di Lisbeth, anche lei avrebbe potuto avere la stessa strepitosa bellezza di sua sorella.

E probabilmente anche la stessa imbecillità.

Quando erano bambine, Camilla era estroversa, popolare e benvoluta a scuola, Lisbeth era chiusa e taciturna e rispondeva raramente alle domande degli insegnanti, cosa che si rifletteva in valutazioni diametralmente opposte. Già alle elementari Camilla aveva preso le distanze da Lisbeth, al punto che non facevano nemmeno la stessa strada per andare a scuola. Insegnanti e compagni notavano che le due bambine non giocavano mai insieme e non si sedevano mai vicine. A partire dalla terza avevano frequentato sezioni differenti. A partire dai dodici anni e dopo che Tutto il Male era successo, erano cresciute in famiglie affidatarie diverse. Non si erano più incontrate dal giorno del loro diciassettesimo compleanno, e quella volta l'incontro era finito con un occhio nero per Lisbeth e un labbro gonfio per Camilla. Lisbeth non sapeva dove si trovasse Camilla adesso, e non aveva fatto nessun tentativo per informarsi.

Non c'era affetto fra le sorelle Salander.

Agli occhi di Lisbeth Camilla era falsa, corrotta e manipolata. Però era Lisbeth che il tribunale aveva giudicato non del tutto in possesso delle proprie facoltà mentali.

Si fermò nel parcheggio dei visitatori e abbottonò la giacca di pelle consunta prima di dirigersi sotto la pioggia verso l'ingresso principale. Lungo il percorso si fermò davanti a una panchina del parco e si guardò intorno. Proprio in quel punto, proprio su quella panchina aveva visto sua madre per l'ultima volta diciotto mesi prima. Aveva fatto una visita fuori programma ad Äppelviken mentre era in viaggio verso nord per dare una mano a Mikael Blomkvist nella caccia a un serial killer folle. Sua madre era inquieta e sembrava non riconoscerla perfettamente, ma comunque non voleva lasciarla andare via. Le aveva trattenuto la mano guardandola con un'espressione confusa. Lisbeth era di fretta. Si era liberata dalla sua stretta, l'aveva abbracciata velocemente ed era scappata via sulla sua motocicletta.

La direttrice di Äppelviken, Agnes Mikaelsson, sembrò felice di vederla. La salutò amichevolmente e la accompagnò in un deposito dove recuperarono uno scatolone da trasloco. Lisbeth lo sollevò. Pesava un paio di chili e non conteneva granché come eredità di una vita.

«Non sapevo cosa fare delle cose di tua madre» disse Agnes Mikaelsson. «Ma me lo sentivo che un giorno saresti tornata.»

«Sono stata all'estero» rispose Lisbeth.

La ringraziò di avere conservato lo scatolone, lo portò alla macchina e lasciò Äppelviken per l'ultima volta.

Poco dopo mezzogiorno Lisbeth era di ritorno a Mosebacke. Portò lo scatolone nel suo appartamento, lo mise nel ripostiglio nell'ingresso senza aprirlo e uscì di nuovo.

Mentre apriva il portone, una macchina della polizia transitò a passo d'uomo. Lisbeth si fermò, ma siccome gli agenti non diedero nessun segno di interessarsi a lei, li lasciò proseguire.

Nel pomeriggio visitò due negozi H&M e KappAhl e si

rifece il guardaroba. Comperò un vasto assortimento di pantaloni, maglie e calze. Non era interessata a costosi capi firmati, ma provò un certo piacere nel comperare una mezza dozzina di paia di jeans contemporaneamente senza battere ciglio. Il suo acquisto più stravagante lo fece da Twilfit dove si procurò tutta una serie di slip e reggiseni. Dopo una mezz'oretta di imbarazzato cercare arraffò anche un completo che ai suoi occhi era "sexy" o quasi "porno" e che in precedenza non avrebbe mai pensato di mettersi. Ma quella sera provandoselo si sarebbe sentita infinitamente ridicola. Allo specchio avrebbe visto una ragazza abbronzata e tatuata con addosso degli indumenti grotteschi. Si sarebbe tolta il completo e lo avrebbe gettato nella spazzatura.

Comperò un paio di robuste scarpe invernali e due paia di scarpe più leggere da portare in casa. Dopo di che, d'impulso, scelse anche un paio di stivali neri col tacco alto che le regalavano qualche centimetro. Poi si procurò un bel giaccone invernale marrone di montone.

Trasportò a casa tutti i suoi acquisti e si preparò caffè e tramezzini prima di uscire di nuovo per riconsegnare la macchina. Tornò a casa a piedi e passò il resto della serata seduta al buio nel vano della finestra, a guardare l'acqua del Baltico.

Mia Bergman, dottoranda in criminologia, tagliò il dolce alla ricotta e lo decorò con una fetta di gelato al lampone. Servì Erika Berger e Mikael Blomkvist prima di prepararlo anche per Dag e per sé. Malin Eriksson lo aveva rifiutato risolutamente e si era accontentata di un caffè nero servito in una curiosa tazza di porcellana fiorita di gusto antico.

«Era il servizio di mia nonna» disse Mia quando vide che Malin studiava la tazza.

«Ha una paura folle che qualche tazza vada rotta» disse

Dag. «Le tira fuori solo quando abbiamo ospiti particolarmente di riguardo.»

Mia sorrise. «Ho trascorso diversi anni della mia infanzia in casa di mia nonna, e quel servizio è praticamente l'unica cosa che mi è rimasta di lei.»

«Sono bellissime» disse Malin. «Casa mia è al cento per cento Ikea.»

Mikael non badava alle tazzine ma in compenso guardava il dessert con occhio critico. Si chiese se non fosse il caso di allargare la cintura di un buco. Erika pensò la stessa cosa.

«Buon Dio, avrei dovuto rinunciare anch'io al dessert» disse, guardando con la coda dell'occhio Malin e afferrando al tempo stesso saldamente il cucchiaino.

In realtà avrebbe dovuto essere una semplice cena di lavoro, in parte per confermare la collaborazione stabilita, in parte per continuare a discutere l'impostazione del numero speciale di *Millennium*. Dag aveva proposto di trovarsi a casa sua a mangiare un boccone e Mia aveva servito il miglior pollo in agrodolce che Mikael avesse mai assaggiato. Avevano bevuto due bottiglie di robusto vino rosso spagnolo e al momento del dessert Dag aveva chiesto se qualcuno fosse interessato a un goccio di Tullamore Dew. Solo Erika fu tanto sciocca da dire di no e Dag tirò fuori i bicchieri.

Dag Svensson e Mia Bergman abitavano in un bilocale a Enskede. Stavano insieme da un paio d'anni ma da uno si erano decisi anche a vivere sotto lo stesso tetto.

La cena era iniziata alle sei e quando il dessert fu servito alle otto e mezza ancora non era stata detta una sola parola sullo scopo reale dell'incontro. Ma Mikael aveva scoperto che Dag e Mia gli piacevano e che stava bene in loro compagnia.

Fu Erika alla fine a condurre il discorso sull'argomento. Mia andò a prendere una copia della sua tesi e la mise sul tavolo davanti a Erika. Aveva un titolo sorprendentemente ironico, *Dalla Russia con amore*, che naturalmente si rifaceva al classico 007 di Ian Fleming. Il sottotitolo era *Trafficking, criminalità organizzata e contromisure della società*.

«Dovete fare una distinzione fra la mia tesi e il libro che sta scrivendo Dag» disse. «Il libro di Dag è una versione da agitatore che si concentra su quelli che traggono profitto dal trafficking. La mia tesi si basa su statistiche, studi sul campo, testi legislativi e un'analisi di come la società e i tribunali trattino le vittime.»

«Le ragazze, cioè.»

«Ragazze giovani, di solito fra i quindici e i vent'anni, figlie del proletariato, poco istruite. Spesso hanno situazioni familiari difficili e non di rado hanno subito qualche forma di abuso già in età infantile. Una delle cause che le porta qui in Svezia è naturalmente che qualcuno ha fatto loro credere una massa di menzogne.»

«I mercanti di sesso.»

«C'è una sorta di prospettiva di genere nella mia tesi. Capita raramente che un ricercatore possa fissare i ruoli con tanta precisione. Donne vittime, uomini colpevoli. A eccezione di qualche donna che trae anche lei profitto da questo commercio, non esiste nessun'altra forma di criminalità in cui i ruoli sessuali stessi siano un presupposto del reato. Non esiste nemmeno nessun'altra forma di criminalità in cui l'accettazione sociale sia così vasta e la società faccia così poco per reprimere l'illecito.»

«Se ho ben capito, la Svezia nonostante tutto ha una legislazione abbastanza buona contro trafficking e commercio del sesso» disse Erika.

«Ti prego, non farmi ridere. Non esiste una statistica precisa, ma ogni anno alcune centinaia di ragazze vengono portate in Svezia a fare le prostitute, cosa che in questo caso significa esporre il proprio corpo a sistematiche violenze. Da quando è stata introdotta, la legge sul trafficking è stata applicata solo in qualche raro caso. La prima volta nell'aprile del 2003, contro quella tenutaria pazza che aveva cambiato sesso. Che naturalmente è stata assolta.»

«Credevo che l'avessero condannata.»

«Come tenutaria del bordello sì. Ma è stata assolta dalle accuse di trafficking. Successe infatti che le ragazze che erano testimoni contro di lei sparirono nei loro paesi d'origine. Le autorità provarono a farle venire al processo, si mosse perfino l'Interpol. Ma dopo mesi di ricerche infruttuose si dovette constatare che era impossibile trovarle.»

«Cosa era accaduto?»

«Niente. Il programma televisivo *Insider* andò a Tallinn. Ai reporter bastò circa un pomeriggio per trovare due delle ragazze che erano tornate a vivere con i genitori. La terza si era trasferita in Italia.»

«In altre parole, la polizia di Tallinn non era stata particolarmente efficiente.»

«Da allora abbiamo effettivamente avuto un paio di sentenze di condanna, ma si è sempre trattato di soggetti che erano stati arrestati per altri reati oppure si erano comportati in una maniera così clamorosamente idiota che non era stato possibile non condannarli. Si tratta di una legge "cosmetica". Non viene applicata.»

«Okay.»

«Ma il reato in questo caso è lo stupro aggravato, spesso accompagnato da maltrattamenti, violenze aggravate e minacce di morte, e in taluni casi dal sequestro di persona» intervenne Dag.

«Questa è la prospettiva quotidiana per molte delle ragazze che, in minigonna e trucco pesante, vengono portate in qualche villa dei sobborghi. Il punto è che non hanno nessuna scelta. O vanno a letto con quei maiali, oppure rischiano di essere malmenate e torturate dai loro magnaccia.

Non possono scappare, non conoscono la lingua e non conoscono leggi e regolamenti, non sanno da che parte voltarsi. Non possono ritornare a casa. Una delle prime misure è privarle del passaporto, e nel caso della tenutaria del bordello erano anche segregate in un appartamento.»

«Sembra una condizione di schiavitù. Ma le ragazze ne traggono qualche forma di guadagno?»

«Certo» rispose Mia. «Come premio di consolazione ricevono una briciola della torta. In media lavorano qualche mese prima di ritornare a casa. Con sé hanno un bel gruzzolo, da venti a trentamila corone, il che in valuta russa corrisponde a un piccolo capitale. Disgraziatamente però il più delle volte hanno anche assunto delle pessime abitudini quanto ad alcol e droga e uno stile di vita che consuma in fretta il loro denaro. In tal modo il sistema si alimenta da solo: dopo un po' tornano a lavorare e, per così dire, si mettono di nuovo in balia dei loro aguzzini.»

«Qual è l'entità del giro d'affari annuo dell'attività?» domandò Mikael.

Mia guardò Dag con la coda dell'occhio e rifletté un attimo prima di rispondere.

«È difficile dare una risposta corretta a una domanda del genere. Abbiamo fatto calcoli per un bel po', ma molte delle nostre cifre diventano alla fin fine solo delle stime.»

«Ma così a spanne?»

«Okay, sappiamo che ad esempio la tenutaria del bordello, quella che è stata condannata per esercizio del lenocinio ma assolta dall'accusa di trafficking, in due anni ha portato qui trentacinque ragazze dell'Est. Che si sono fermate ognuna da qualche settimana a qualche mese. Durante il processo è risultato che in quei due anni aveva guadagnato due milioni di corone. Su questa base ho calcolato che ogni ragazza le aveva fruttato circa sessantamila corone. Di queste, circa quindicimila vanno in spese, viaggi, abbigliamento, alloggio eccetera. Non è affatto una vita lussuosa, spesso stanno ammassate in qualche appartamento messo a disposizione dall'organizzazione. Delle restanti quarantacinquemila corone, la banda se ne prende da venti a trentamila. Il capobanda ne intasca la metà, diciamo quindicimila, e divide il resto fra i suoi subordinati, autisti, esattori e altro. La ragazza riceve dalle quindici alle venticinquemila corone.»

«E la banda...»

«Diciamo che una banda abbia due o tre ragazze. L'introito è di circa duecentomila corone. Ogni banda è composta mediamente da due o tre persone che traggono da questo la loro sussistenza. Ecco più o meno come si configura l'economia dello stupro.»

«E di quanto si tratta... voglio dire in un calcolo complessivo.»

«Il fatturato totale in tutta la Svezia ammonta a circa sei milioni di corone al mese e quindi a circa settanta milioni all'anno. Parlando solo di ragazze vittime del trafficking.»

«Sembrerebbero spiccioli.»

«Sono spiccioli. E per raggranellarli le ragazze devono subire una tale violenza. È questo che mi rende furiosa.»

«Non sembrerebbe un problema ingestibile» disse Erika.

«Emaniamo leggi e ci indigniamo sui giornali, ma quasi nessuno ha mai parlato con una prostituta dell'Est o ha la benché minima idea della vita che fa.»

«Come funziona? Voglio dire, in pratica. Dovrebbe essere piuttosto difficile portare qui una sedicenne da Tallinn senza che nessuno se ne accorga. Come funziona quando arrivano da noi?» domandò Mikael.

«Quando ho cominciato a investigare credevo si trattasse di un'attività molto ben organizzata, una qualche forma di mafia professionale che in maniera più o meno elegante faceva passare le ragazze attraverso i confini.»

«Invece non è così?» intervenne Malin.

«L'attività è sì organizzata, ma alla fine si tratta di molte piccole bande piuttosto disorganizzate. Dimenticate i completi di Armani e le auto sportive. La banda media ha due o tre membri, metà russi o baltici, metà svedesi. Immaginatevi il capo: sui quarant'anni, se ne sta seduto in canottiera a bere birra e grattarsi la pancia. Non ha istruzione e in una certa misura può essere considerato socialmente sottosviluppato avendo avuto problemi per tutta la vita.»

«Romantico.»

«Ha una visione della donna da età della pietra. È violento, spesso ubriaco e ha la mano pesante con quelli che alzano la cresta. C'è un ordine di beccata molto chiaro nella banda e anche i suoi collaboratori spesso hanno paura di lui.»

La fornitura di mobili dell'Ikea arrivò tre giorni dopo alle nove e mezza. Due tipi grandi e grossi strinsero la mano alla bionda Irene Nesser che parlava vivacemente con cadenza norvegese. Quindi fecero la spola con l'ascensore sottodimensionato e passarono la giornata a montare il tutto. Erano spaventosamente efficienti e sembravano avere seguito la procedura già molte volte. Irene Nesser scese al mercato coperto di Söderhallarna, comperò del cibo greco e offrì loro il pranzo.

Alle cinque del pomeriggio i ragazzi dell'Ikea avevano finito il loro lavoro. Quando se ne furono andati, Lisbeth Salander si tolse la parrucca e gironzolò per l'appartamento domandandosi se si sarebbe trovata bene nella sua nuova casa. Il tavolo della cucina pareva un po' troppo elegante per essere del suo stile. Nella stanza adiacente, cui si accedeva sia dall'ingresso che dalla cucina stessa, aveva il suo nuovo soggiorno con divani di foggia moderna e un gruppo di poltrone intorno a un tavolo da caffè accanto alla finestra. Era soddisfatta della camera e si sedette con cautela sul letto provando il materasso.

Diede un'occhiata dentro lo studio che aveva la vista sul mare. *Sì, è perfetto. Qui potrò senz'altro lavorare.*

Esattamente a cosa però non lo sapeva, e per il resto si sentiva un po' critica e dubbiosa nei confronti dell'arredo.

Okay, vedremo cosa salterà fuori.

Lisbeth trascorse il resto della serata a togliere dalle confezioni e sistemare i suoi acquisti. Preparò i letti e ripose asciugamani, lenzuola e federe nell'armadio della biancheria. Aprì i sacchetti dei vestiti nuovi e li appese nel guardaroba. Nonostante le compere massicce, riuscì a riempire solo una piccola parte dello spazio. Mise ai loro posti le lampade e distribuì pentole, piatti e posate in cucina.

Esaminò con aria critica le pareti vuote e si rese conto che avrebbe dovuto acquistare poster o quadri o qualcosa del genere. Erano oggetti che le persone normali avevano alle pareti. Anche un vaso di fiori non avrebbe guastato.

Quindi aprì gli scatoloni del trasloco da Lundagatan e mise in ordine libri, giornali, ritagli e vecchie carte relative a ricerche che probabilmente avrebbe dovuto buttare. In compenso scartò con generosità vecchie T-shirt consunte e calze con i buchi. Inaspettatamente trovò un dildo, ancora chiuso nella sua confezione originale. Fece un sorriso storto. Era uno di quei pazzi regali di compleanno di Mimmi, e lei si era completamente dimenticata della sua esistenza. In effetti non l'aveva mai nemmeno provato. Decise di rimediare alla cosa e lo mise sul cassettone accanto al letto.

Poi si fece seria. *Mimmi.* Avvertì una fitta di cattiva coscienza. Aveva avuto una relazione piuttosto regolare con lei per un anno, dopo di che l'aveva lasciata per Mikael Blomkvist senza una parola di spiegazione. Non le aveva detto addio né le aveva fatto sapere che aveva intenzione di andarsene dalla Svezia. Allo stesso modo non aveva salutato né informato né Dragan Armanskij né le Evil Fingers. Dovevano avere creduto che fosse morta, o magari l'avevano dimenticata – non era mai stata un personaggio centrale. Era proprio come se avesse voltato le spalle a tutto e a tutti. Si rese conto d'improvviso di non avere nemmeno detto addio a George Bland a Grenada, e si chiese se stesse andando in giro per la spiaggia a cercarla. Pensò a quello che le aveva detto Mikael Blomkvist sull'amicizia, che si basa sul rispetto e sulla fiducia. *Io spergero le mie amicizie.* Si domandò se Mimmi fosse ancora là fuori da qualche parte e se avrebbe dovuto farsi viva con lei.

Per quasi tutta la serata e un bel po' della notte si dedicò a smistare scartoffie nello studio, a sistemare i suoi computer e a navigare in Internet. Tracciò un quadro generale di come si stavano comportando i suoi investimenti e scoprì di essere più ricca di un anno prima.

Fece un controllo di routine del computer dell'avvocato Nils Bjurman ma non trovò nulla di interessante nella sua corrispondenza, e ne dedusse che si stava comportando bene.

Non trovò nessun accenno a ulteriori contatti con la clinica di Marsiglia. Bjurman sembrava avere ridotto la sua attività, tanto professionale quanto privata, a uno zero vegetativo. Utilizzava raramente la posta elettronica e quando navigava in Internet visitava quasi solo siti pornografici.

Alle due si disconnesse. Andò in camera da letto, si spogliò e gettò i vestiti sulla sedia. Poi andò in bagno a lavarsi. Nell'ingresso c'erano due specchi ad angolo che andavano dal pavimento al soffitto. Rimase a lungo a guardare la propria immagine riflessa. Studiò il viso angoloso, i nuovi seni e il grande tatuaggio sulla schiena. Era bello, un lungo drago sinuoso rosso, verde e nero che iniziava sulla spalla e la cui coda sottile continuava attraverso la natica destra finendo sulla coscia. Nel corso dell'anno in cui aveva viaggiato per il mondo si era lasciata crescere i capelli fino alle spalle, ma a Grenada uno degli ultimi giorni aveva preso le forbici e se li era tagliati corti. Erano ancora sparati in tutte le direzioni.

D'un tratto sentì che qualcosa di fondamentale era accaduto o stava per accadere nella sua vita. Forse era il rischio di disporre di miliardi e di non dover pensare a ogni singola corona. Forse era il mondo adulto che alla fine si faceva sentire. Forse era la consapevolezza che con la morte di sua madre la sua infanzia si era definitivamente conclusa.

Nel corso dell'ultimo anno si era liberata di parecchi piercing. Alla clinica di Genova un anello al capezzolo era stato rimosso per ragioni squisitamente mediche in concomitanza con l'operazione. Più avanti si era fatta togliere un altro anello al labbro inferiore, e a Grenada uno al labbro sinistro della vulva – le faceva male e non avrebbe saputo dire perché una volta si fosse bucata proprio lì.

Spalancò la bocca e svitò l'asticella che aveva nella lingua da sette anni. La mise in una ciotola sulla mensola accanto al lavandino. D'improvviso le sembrò di avere la bocca vuota. A parte qualche cerchietto al lobo dell'orecchio, adesso le rimanevano solo due piercing, un anellino al sopracciglio destro e un monile all'ombelico.

Alla fine andò in camera da letto e si infilò sotto le coperte nuove. Scoprì che il letto che aveva comperato era enorme, e che lei ne occupava solo una minima parte. Le pareva di stare stesa ai margini di un campo da football. Si tirò le coperte intorno al corpo e meditò a lungo.

6.
Domenica 23 gennaio - sabato 29 gennaio

Lisbeth Salander prese l'ascensore dal garage fino al quinto piano del palazzo, l'ultimo dei tre piani di uffici a Slussen occupati dalla Milton Security. Aprì la porta dell'ascensore con una chiave pirata che aveva provveduto a procurarsi diversi anni prima. Quando mise piede nel corridoio immerso nel buio, gettò automaticamente un'occhiata all'orologio. Le tre e dieci di domenica mattina. La guardia notturna se ne stava alla centrale d'allarme al terzo piano e lei sapeva che con ogni probabilità sarebbe stata la sola su tutto il piano.

Come sempre era meravigliata che una società di sicurezza altamente professionale avesse delle falle così evidenti nel proprio sistema di sicurezza.

Nel corridoio del quinto piano non c'erano stati molti cambiamenti nell'anno trascorso. Lisbeth cominciò col visitare la sua stessa stanza, un piccolo cubo dietro una parete di vetro. La porta era aperta. Non le occorsero molti secondi per constatare che nel suo ufficio non era cambiato assolutamente nulla, al di là del fatto che qualcuno aveva sistemato uno scatolone pieno di cartacce appena dentro la porta. Nella stanza c'erano un tavolo, una sedia da ufficio, un cestino della carta straccia e una libreria vuota. E uno stupido Toshiba del 1997 dotato di un hard disk ridicolo.

Lisbeth non trovò nulla che lasciasse supporre che Dragan avesse ceduto la stanza a qualcun altro. Lo interpretò come un buon segno, ma al tempo stesso era consapevole che non significava poi granché. L'ufficio era un bugigattolo di quattro metri quadrati scarsi che non poteva avere nessun utilizzo sensato.

Lisbeth chiuse la porta e percorse in silenzio tutto il corridoio, controllando che nessuno stacanovista notturno stesse lavorando in qualche stanza. Era sola. Si fermò al distributore automatico del caffè e si prese un cappuccino prima di proseguire verso l'ufficio di Dragan Armanskij, che aprì con la chiave pirata.

Nell'ufficio di Armanskij regnava come sempre un ordine quasi fastidioso. Lisbeth fece un breve giro della stanza passando in rivista il materiale sulle mensole prima di andarsi a sedere alla scrivania e accendere il computer.

Tirò fuori un cd dalla tasca interna del suo nuovo montone e lo inserì. Lanciò un programma che si chiamava Asphyxia 1.3. L'aveva ideato lei stessa, e la sua unica funzione era di aggiornare Internet Explorer nell'hard disk di Armanskij. La procedura richiese circa cinque minuti.

Quando ebbe terminato, estrasse il cd e riavviò il computer con la nuova versione di Internet Explorer. Il programma appariva e si comportava esattamente come la versione originale, ma aveva dimensioni leggermente maggiori ed era un microsecondo più lento. Tutto il resto era identico all'originale, compresa la data di installazione. Del nuovo file non si vedeva traccia.

Inserì un indirizzo ftp di un server in Olanda, e si aprì una finestra di comando. Cliccò su copy, scrisse *Armanskij/MiltSec*, cliccò su ok. Il computer cominciò immediatamente a copiare l'hard disk di Dragan Armanskij sul server olandese. Un orologio informò che il procedimento avrebbe richiesto trentacinque minuti.

Mentre il trasferimento era in corso, Lisbeth recuperò la chiave di riserva della scrivania di Armanskij che lui teneva dentro un vaso decorativo su una mensola della libreria. Dedicò la mezz'ora successiva ad aggiornarsi su ciò che c'era nel cassetto superiore destro, dove Armanskij raccoglieva sempre le pratiche in corso e le urgenze. Quando un segnale sonoro avvertì che il computer aveva terminato il trasferimento, rimise al loro posto le cartellette esattamente nell'ordine in cui le aveva estratte.

Dopo di che spense il computer e la lampada sulla scrivania e prese con sé il bicchiere di plastica del cappuccino. Lasciò la Milton Security come ci era arrivata. Quando entrò nell'ascensore erano le quattro e dodici.

Tornò a casa a Mosebacke a piedi, si sedette davanti al suo PowerBook, si collegò al server in Olanda e lanciò una copia di Asphyxia 1.3. Si aprì una finestra in cui si chiedeva di scegliere un hard disk. Aveva una quarantina di alternative. Scese con il cursore lungo lo schermo. Passò l'icona *NilsEBjurman*, che controllava all'incirca una volta ogni due mesi. Si fermò un secondo accanto a *MikBlom/laptop* e *MikBlom/office*. Non le cliccava da più di un anno e considerò vagamente la possibilità di cancellarle. Per una questione di principio decise tuttavia di conservarle – dal momento che già una volta si era data la pena di manipolare i due computer, sarebbe stato stupido eliminarle per poi magari essere costretta a rifare tutto il lavoro un'altra volta. Lo stesso valeva per l'icona *Wennerström*, anche se il titolare era morto. L'icona *Armanskij/MiltSec* era l'ultima creata ed era in fondo alla lista.

Avrebbe potuto copiare il suo hard disk già prima, ma non si era mai curata di farlo dal momento che lavorava alla Milton e poteva comunque mettere le mani su qualsiasi informazione Armanskij volesse nascondere al mondo esterno. L'intrusione nel suo computer non era dettata da cattive intenzioni. Voleva semplicemente sapere a cosa stesse lavorando l'azienda e come andassero le cose. Cliccò e subito si aprì una cartella denominata *Armanskij HD*. Constatò che tutti i file erano al loro posto.

Rimase seduta al computer fino alle sette del mattino, a leggere le relazioni di Armanskij, i suoi rendiconto economici e la sua posta elettronica. Alla fine annuì con aria meditabonda e spense il computer. Andò in bagno a lavarsi i denti e poi raggiunse la camera da letto, dove si spogliò lasciando cadere i vestiti in un mucchio sul pavimento. Si infilò sotto le coperte e dormì fino alle dodici e mezza.

L'ultimo venerdì di gennaio si tenne l'assemblea annuale del consiglio d'amministrazione di *Millennium*. Alla riunione partecipavano il cassiere della società, un revisore contabile esterno, i quattro soci Erika Berger (trenta per cento), Mikael Blomkvist (venti per cento), Christer Malm (venti per cento) e Harriet Vanger (trenta per cento). Era stata invitata a partecipare all'incontro anche la segretaria di redazione, Malin Eriksson, come rappresentante del personale e rappresentante sindacale. Al sindacato erano iscritti anche Lottie Karim, Henry Cortez, Monika Nilsson e il direttore marketing Sonny Magnusson. Era la prima volta che Malin partecipava a un consiglio d'amministrazione.

La riunione si aprì alle quattro e terminò circa un'ora più tardi. Una buona parte del tempo fu dedicata alla presentazione del resoconto economico e del rapporto del revisore contabile. L'assemblea poté constatare che *Millennium* disponeva di una base economica stabile in confronto alla crisi che aveva colpito la società due anni prima. Il rapporto del revisore contabile documentava un profitto di due milioni e centomila corone, di cui un milione all'incirca era costituito dagli introiti del libro di Mikael Blomkvist sull'affare Wennerström.

Su proposta di Erika Berger fu deciso che un milione andasse a costituire un fondo di copertura per eventuali crisi future, che duecentocinquantamila corone fossero destinate a necessarie riparazioni nei locali della redazione e all'acquisto di nuovi computer e altre attrezzature tecniche, e che trecentomila corone fossero utilizzate per un generale aumento dei salari e per offrire a Henry Cortez una collaborazione a tempo pieno. Quanto alla somma restante, Erika propose una distribuzione di cinquantamila corone a ognuno dei soci e l'elargizione di un bonus di centomila corone da suddividersi equamente fra i quattro collaboratori fissi indipendentemente dal fatto che lavorassero a tempo pieno o part-time. Il direttore marketing Sonny Magnusson non ebbe nessun bonus. Per contratto aveva diritto a una percentuale sugli spazi pubblicitari che vendeva, cosa che in alcuni momenti faceva di lui il collaboratore più lautamente remunerato. La proposta fu accettata all'unanimità.

L'ipotesi di Mikael di ridurre il budget per i free-lance a favore della futura assunzione di un altro reporter part-time diede luogo a una breve discussione. Mikael stava pensando a Dag Svensson, che così avrebbe anche potuto utilizzare *Millennium* come base per la sua attività di free-lance e nel tempo ottenere magari un impiego stabile. La proposta incontrò l'opposizione di Erika, convinta che il giornale non potesse farcela senza avere a disposizione un numero relativamente ampio di testi di free-lance. Erika ebbe l'appoggio di Harriet Vanger, mentre Christer Malm si astenne. Fu deciso che il budget per i free-lance non sarebbe stato toccato ma che si sarebbe studiato qualche aggiustamento di altre voci di spesa. Tutti avrebbero visto bene Dag Svensson come collaboratore almeno a tempo parziale.

Dopo una breve discussione su impegni futuri e progetti di sviluppo, Erika Berger fu riconfermata presidente del consiglio d'amministrazione per l'anno a venire. Dopo di che la riunione fu dichiarata conclusa.

Malin Eriksson non aveva detto una sola parola. Aveva fatto un calcolo mentale e constatato che i collaboratori avrebbero avuto un bonus di venticinquemila corone, dunque più che una mensilità extra. Non vedeva nessun motivo di protestare.

Immediatamente dopo la conclusione dell'assemblea annuale, Erika Berger convocò una riunione extra dei soci. Questo comportò che lei, Mikael, Christer e Harriet si fermarono, mentre gli altri lasciarono la sala riunioni. Non appena la porta si richiuse dietro le loro spalle, Erika dichiarò aperta la riunione.

«Abbiamo un unico punto all'ordine del giorno. Harriet, in base all'accordo che abbiamo stipulato con Henrik Vanger, la quota sarebbe stata vostra per due anni. Ora siamo giunti alla scadenza del contratto. Dobbiamo dunque decidere cosa ne sarà di questa quota.»

Harriet annuì.

«Sappiamo tutti che la decisione di Henrik fu dettata da un impulso nato da una situazione molto speciale» disse Harriet. «Quella situazione non esiste più. Cosa proponete voi?»

Christer Malm era infastidito. Era l'unico nella stanza a non sapere in cosa consistesse quella situazione speciale. Sapeva che Mikael ed Erika gli nascondevano qualcosa, ma Erika gli aveva spiegato che si trattava di una faccenda molto personale che riguardava Mikael e che lui non voleva per nessun motivo discutere. Christer non era tanto stupido da non avere capito che il silenzio di Mikael aveva qualcosa a che fare con Hedestad e Harriet Vanger. Si rendeva comunque conto che non gli occorreva sapere per prendere una decisione in linea di principio, e aveva abbastanza rispetto per Mikael da non dare troppa importanza alla cosa.

«Noi tre abbiamo discusso la faccenda e siamo giunti a una decisione comune» disse Erika. «Ma prima di dire come la pensiamo vogliamo sapere come la pensi tu.»

Harriet guardò a uno a uno Erika, Mikael e Christer. Il suo sguardo si soffermò un momento su Mikael, ma non riuscì a leggere nulla sui loro volti.

«Se volete liquidare la mia parte, vi costerà circa tre milioni di corone più gli interessi, il che corrisponde a quanto la famiglia Vanger ha investito in *Millennium*. Potete permettervelo?» domandò in tono pacato.

«Sì, possiamo» disse Mikael, e sorrise.

Aveva ricevuto cinque milioni di corone da Henrik Vanger per il lavoro che aveva svolto. Di questo lavoro faceva parte, ironia della sorte, anche il ritrovamento della scomparsa Harriet Vanger.

«In tal caso la decisione è nelle vostre mani» disse Harriet. «Il contratto dice che potete liberarvi della quota Vanger a partire da oggi. Anche se personalmente io non lo avrei stipulato così, come invece ha fatto Henrik.»

«Siamo in grado di liquidarti, se necessario» disse Erika. «La questione è dunque cosa vuoi fare *tu*. Sei alla guida di un gruppo industriale, anzi di due. L'intero nostro budget annuo corrisponde a quanto voi realizzate nel tempo in cui bevete un caffè. Che interesse hai a sprecare il tuo tempo in qualcosa di tanto marginale come *Millennium*? Teniamo un consiglio d'amministrazione una volta al trimestre e tu hai partecipato puntualmente a ogni riunione fin da quando sei entrata in sostituzione di Henrik.»

Harriet Vanger fissò il suo presidente con sguardo benigno. Rimase in silenzio un lungo momento. Poi guardò Mikael e rispose.

«Sono stata proprietaria di qualcosa dal giorno in cui sono nata. E passo le mie giornate a guidare un gruppo in cui ci sono più intrighi che in un romanzo d'amore di quattrocento pagine. La prima volta che entrai a far parte di un consiglio d'amministrazione fu per adempiere a doveri cui non mi potevo sottrarre. Ma sapete una cosa? Ho scoperto che mi trovo meglio in questo che in tutti gli altri messi insieme.»

Mikael annuì meditabondo. Harriet spostò lo sguardo su Christer.

«Qui i problemi sono pochi e comprensibili. La società naturalmente vuole ottenere profitti e guadagnare denaro, questo è un presupposto. Ma voi date all'attività tutt'altro scopo, voi volete realizzare qualcosa.»

Bevve un sorso dal bicchiere di acqua minerale e puntò lo sguardo su Erika.

«Cosa sia esattamente questo *qualcosa* non è molto chiaro. Voi non siete un partito politico o una società d'affari. Non avete la necessità di essere leali verso nessuno tranne che voi stessi. Ma mettete in luce le deficienze della società e attaccate volentieri personaggi pubblici che non vi piacciono. Spesso tentate di cambiare qualcosa. Anche se voi tutti fingete di essere cinici e nichilisti, è solo la vostra morale a indirizzare il giornale e io ho sperimentato in svariate occasioni che si tratta di una morale piuttosto speciale. Non so come lo si possa esprimere, ma *Millennium* ha un'anima. Questo è l'unico consiglio d'amministrazione del quale in effetti sono fiera di far parte.»

Harriet aveva finito, e rimase in silenzio così a lungo che Erika scoppiò in una risata.

«Bene. Però non hai ancora risposto alla mia domanda.»

«Con voi mi trovo bene e far parte di questo consiglio d'amministrazione mi ha giovato moltissimo. È una delle cose più matte che mi sia capitato di fare. Se voi volete che rimanga, ebbene rimango volentieri.»

«Okay» disse Christer. «Abbiamo discusso in lungo e in largo e siamo tutti d'accordo. Risolviamo il contratto e ti liquidiamo.»

Gli occhi di Harriet si dilatarono leggermente.

«Volete liberarvi di me?»

«Quando abbiamo sottoscritto il contratto eravamo con il collo sul ceppo del boia, in attesa che calasse la mannaia. Non avevamo scelta. Ma abbiamo cominciato già allora a contare i giorni che ci separavano dal momento in cui avremmo potuto liquidare Henrik Vanger.»

Erika aprì una cartelletta e mise sul tavolo delle carte che spinse verso Harriet insieme a un assegno dell'importo esatto da lei menzionato. Harriet diede una scorsa al contratto. Senza una parola prese una penna dal tavolo e firmò.

«Bene» disse Erika. «È stato indolore. Desidero ringraziare Henrik Vanger per ciò che è stato e per tutto quello che ha fatto per *Millennium*. Spero che tu glielo dica da parte nostra.»

«Lo farò» rispose Harriet in tono neutro. Non dava minimamente mostra di ciò che provava, ma si sentiva ferita e profondamente delusa perché le avevano lasciato dire che desiderava continuare a far parte del consiglio d'amministrazione per poi sbatterla fuori come se niente fosse. *Non era proprio necessario.*

«E al tempo stesso vorrei cercare di interessarti a un contratto del tutto diverso» disse Erika.

Tirò fuori una nuova serie di carte che passò a Harriet attraverso il tavolo.

«Ci chiediamo se non avresti voglia di diventare socio di *Millennium*. La cifra è la stessa che hai appena ricevuto. La differenza nel contratto è che non ci sono limiti temporali o clausole di esclusione. Tu entreresti come socio effettivo, con la nostra stessa responsabilità e i nostri stessi doveri.»

Harriet inarcò le sopracciglia.

«Perché questo procedimento complicato?»

«Perché prima o poi andava fatto» disse Christer. «Avremmo potuto rinnovare il vecchio contratto di anno in anno fino al primo grosso scontro nel consiglio d'amministrazione in occasione del quale ti avremmo buttata fuori. Ma era comunque un contratto che andava risolto.»

Harriet si appoggiò sui gomiti e lo scrutò con occhio indagatore. Spostò lo sguardo su Mikael e quindi su Erika.

«Il punto è che stipulammo il contratto con Henrik per motivi economici» disse Erika. «Con te invece lo faremmo perché lo vogliamo. E a differenza di prima non sarebbe più tanto facile darti il benservito in futuro.»

«Per noi fa un'enorme differenza» disse Mikael a bassa voce.

Fu il suo unico contributo alla discussione.

«Succede semplicemente che pensiamo che tu signifchi qualcosa per *Millennium* oltre alle garanzie economiche che il nome Vanger comporta» disse Erika. «Sei saggia e intelligente e proponi sempre soluzioni costruttive. Finora hai mantenuto un basso profilo, più o meno come un ospite in visita. Ma tu dai a questo consiglio d'amministrazione una stabilità e una direzione che non abbiamo mai avuto prima. Tu gli affari li conosci. Una volta hai chiesto se potevi fidarti di me e io mi sono chiesta grossomodo la stessa cosa di te. A questo punto, tutte e due conosciamo la risposta. Mi piaci e ho fiducia in te, e questo vale per noi tutti. Non vogliamo averti sulla base di una condizione eccezionale e di una costruzione assurda. Ti vogliamo come socia a pieno titolo.»

Harriet tirò verso di sé il contratto e lo lesse attentamente riga per riga per cinque minuti. Alla fine alzò gli occhi.

«E su questo siete tutti e tre d'accordo?» domandò.

Tre teste annuirono. Harriet prese la penna e firmò. Rispedì l'assegno al mittente attraverso il tavolo. Mikael lo stracciò.

I soci di *Millennium* cenarono insieme al Samirs Gryta di Tavastgatan. Fu una cena tranquilla con buon vino e cuscus d'agnello per festeggiare il nuovo assetto della società. La conversazione era rilassata e Harriet Vanger palesemente confusa. Sembrava un po' come un primo appuntamento in cui le parti sentono che qualcosa succederà, ma non sanno esattamente cosa.

Già alle sette e mezza Harriet prese congedo dalla compagnia. Si scusò dicendo che non vedeva l'ora di andare in albergo e infilarsi a letto. Erika doveva tornare a casa da suo marito e le fece compagnia per un tratto di strada. A Slussen si separarono.

Mikael e Christer erano rimasti ancora un po' a poltrire al ristorante finché Christer si era scusato dicendo che anche lui doveva tornare a casa.

Harriet Vanger prese un taxi per lo Sheraton e raggiunse la sua stanza al settimo piano. Si spogliò e fece un bagno, dopo di che si infilò la vestaglia dell'albergo. Poi si sedette davanti alla finestra e guardò fuori verso Riddarholmen. Aprì un pacchetto di Dunhill e accese una sigaretta. Fumava circa tre o quattro sigarette al giorno, così poche da permetterle di non considerarsi una fumatrice e di godersi qualche boccata di fumo senza sensi di colpa.

Alle nove bussarono alla porta. Lei aprì e fece entrare Mikael Blomkvist.

«Mascalzone» gli disse.

Mikael sorrise e la baciò sulla guancia.

«Per un attimo ho creduto che aveste davvero intenzione di buttarmi fuori.»

«Non l'avremmo mai fatto a quel modo. Hai capito perché abbiamo voluto riadattare il contratto?»

«Sì. È ragionevole.»

Mikael le aprì la vestaglia, le mise una mano sul seno e strinse piano.

«Mascalzone» ripeté lei.

Lisbeth Salander si fermò davanti alla porta con il nome Wu. Dalla strada aveva visto che la finestra era illuminata e adesso sentiva la musica al di là della porta. Il nome era giusto. Lisbeth trasse la conclusione che Miriam Wu abitava ancora nel monolocale di Tomtebogatan nei pressi di St. Eriksplan. Era venerdì sera e aveva quasi sperato che Mimmi fosse fuori a divertirsi da qualche parte e l'appartamento fosse immerso nel buio. Le uniche domande a cui mancava una risposta erano se Mimmi volesse ancora saperne di lei e se fosse sola e disponibile.

Suonò il campanello.

Mimmi aprì la porta e corrugò la fronte stupefatta. Poi si appoggiò contro lo stipite e mise una mano sul fianco.

«Salander. Credevo che fossi morta o qualcosa del genere.»

«Qualcosa del genere» disse Lisbeth.

«Cosa vuoi?»

«Ci sono molte risposte a questa domanda.»

Miriam Wu si guardò intorno prima di fissare di nuovo lo sguardo su Lisbeth.

«Prova a dirne qualcuna.»

«Be', informarmi se sei ancora single e se vuoi avere compagnia stanotte.»

Mimmi assunse un'aria esterrefatta per qualche secondo prima di cominciare a ridere di gusto.

«Conosco soltanto una persona a cui potrebbe venire in mente di suonare alla mia porta dopo un anno e mezzo di silenzio per chiedermi se voglio scopare.»

«Vuoi che me ne vada?»

Mimmi smise di ridere. Per qualche secondo rimase in silenzio.

«Lisbeth... Santo cielo, stai dicendo sul serio...»

Lisbeth aspettò.

Alla fine Mimmi sospirò e aprì completamente la porta.

«Entra. In ogni caso posso offrirti un caffè.»

Lisbeth la seguì dentro casa e si sedette su uno dei due sgabelli dell'angolo-pranzo che Mimmi aveva allestito nell'ingresso, subito accanto alla porta. L'appartamento era di soli ventiquattro metri quadrati e consisteva di una stanza angusta e un ingresso arredato alla bell'e meglio. La cucina era dentro un armadio in un angolo dell'ingresso, e Mimmi vi aveva portato l'acqua dal bagno con un tubo.

Mentre Mimmi preparava il caffè, Lisbeth la osservava con la coda dell'occhio. Miriam Wu aveva una mamma che veniva da Hong Kong e un papà di Boden. Lisbeth sapeva che i suoi genitori erano ancora sposati e abitavano a Parigi. Lei studiava sociologia a Stoccolma, la sorella maggiore antropologia negli Stati Uniti. I geni materni si notavano nei capelli nerissimi e dritti tagliati corti e nei lineamenti vagamente orientali. Il papà aveva contribuito con gli occhi azzurri che le conferivano un aspetto del tutto particolare. Aveva la bocca larga e due fossette che non venivano né dal padre né dalla madre.

Mimmi aveva trentun anni. Le piaceva paludarsi in abiti di vernice e frequentare club in cui si facevano performance-show, ai quali lei stessa talvolta partecipava. Lisbeth non era più stata in un club da quando aveva compiuto sedici anni.

A parte gli studi, Mimmi aveva un lavoro una volta alla settimana come commessa alla Domino Fashion in una traversa di Sveavägen. Clienti che necessitavano di abiti del tipo "uniforme da infermiera in lattice" oppure "corredo da strega in pelle nera" frequentavano la Domino che li disegnava oltre che venderli. Mimmi era socia della boutique insieme ad alcune amiche, il che comportava una modesta aggiunta di qualche migliaio di corone al mese al prestito per gli studi. Lisbeth Salander l'aveva vista per la prima volta a un bizzarro show nel corso del Pride Festival quasi tre anni prima, e poi l'aveva incontrata più avanti nella notte sotto un tendone dove servivano birra. Mimmi indossava un singolare vestito di plastica color giallo limone che mostrava più di quanto nascondesse. Lisbeth aveva avuto qualche problema a cogliere sfumature erotiche in quell'abbigliamento, ma era sufficientemente sbronza da provare una voglia improvvisa di rimorchiare una ragazza travestita da limone. Con grande stupore di Lisbeth, il limone le aveva dato un'occhiata, aveva riso, l'aveva baciata senza imbarazzo e aveva detto: *È te che voglio.* Erano andate a casa di Lisbeth e avevano fatto sesso per tutta la notte.

«Io sono come sono» disse Lisbeth. «Sono partita per allontanarmi da tutto e da tutti. Ma avrei dovuto almeno salutarti.»

«Credevo che ti fosse successo qualcosa. Ma non eravamo state assiduamente in contatto negli ultimi tempi.»

«Avevo da fare.»

«Sei così misteriosa. Non parli mai di te e io non so nemmeno dove lavori o a chi avrei dovuto telefonare quando non rispondevi al cellulare.»

«Al momento non sto facendo nulla. E comunque tu sei esattamente uguale a me. Volevi fare sesso ma non eri particolarmente interessata a una relazione. O sbaglio?»

Mimmi guardò Lisbeth.

«È vero» rispose alla fine.

«Ed era lo stesso per me. Non ti ho mai promesso nulla.»

«Sei cambiata» disse Mimmi.

«Non molto.»

«Hai un'aria più adulta. Più matura. Sei vestita diversamente. E hai imbottito il reggiseno con qualcosa.»

Lisbeth non disse nulla, ma cambiò posizione sullo sgabello. Mimmi aveva proprio messo il dito su quello che la imbarazzava e che trovava difficile decidere come spiegare. Mimmi l'aveva vista nuda e non avrebbe potuto fare a meno di notare che c'era stato un cambiamento. Alla fine Lisbeth abbassò gli occhi e mormorò: «Mi sono rifatta le tette.»

«Che hai detto?»

Lisbeth sollevò lo sguardo e alzò la voce, dandole anche un tono ribelle ma senza accorgersene.

«Sono andata in una clinica italiana e mi sono fatta rifare le tette. È per questo che sono sparita. Poi ho semplicemente continuato a viaggiare. Adesso sono tornata a casa.»

«Stai scherzando?»

Lisbeth guardò Mimmi con occhi privi di espressione.

«Quanto sono stupida. Tu non scherzi mai, *dottor Spock*» concluse Mimmi.

«Non ho intenzione di chiederti scusa. Sono stata onesta con te. Se vuoi che me ne vada, non hai che da dirmelo.»

«Davvero ti sei fatta rifare le tette?»

Lisbeth annuì. Mimmi scoppiò in una risata. Lisbeth si rabbuiò.

«In ogni caso non voglio che tu te ne vada senza prima avermele fatte vedere. Per favore. *Please.*»

«Fare sesso con te mi è sempre piaciuto. Non ti è mai importato un fico secco di cosa facessi e se ero occupata ti trovavi qualcun altro. E te ne infischi altamente di cosa pensa la gente di te.»

Mimmi annuì. Si era resa conto di essere lesbica già al liceo e dopo una serie di esitanti e imbarazzanti tentativi era stata infine introdotta ai misteri dell'erotismo a diciassette anni quando per puro caso aveva accompagnato una conoscente a una festa organizzata dal Rfsl, il movimento per la parità degli omosessuali, a Göteborg. Da allora non aveva più preso in considerazione nessun altro stile di vita. Un'unica volta, a ventitré anni, aveva provato a fare sesso con un uomo. Aveva avuto un rapporto completo e fatto tutto ciò che ci si aspettava facesse. Ma non le aveva dato nessun piacere. Mimmi faceva anche parte della minoranza nella minoranza che non era affatto interessata a matrimonio e fedeltà e tranquille serate in casa davanti al caminetto.

«Sono tornata in Svezia da qualche settimana. Voglio sapere se devo andare fuori a rimorchiare oppure se sei ancora interessata.»

Mimmi si alzò e si avvicinò a Lisbeth. Si chinò e le diede un bacio leggero sulla bocca.

«Stasera avevo pensato di studiare.»

Aprì il primo bottone della camicetta di Lisbeth.

«Ma all'inferno...»

La baciò di nuovo e aprì un altro bottone.

«Questa cosa semplicemente non posso fare a meno di vederla.»

La baciò di nuovo.

«Bentornata.»

Harriet Vanger si addormentò alle due del mattino mentre Mikael Blomkvist giaceva sveglio ad ascoltare il suo respiro. Alla fine Mikael si alzò e prese una Dunhill dal pacchetto che c'era nella borsa di Harriet. Si sedette nudo su una sedia accanto al letto e guardò la donna addormentata.

Mikael non aveva programmato di diventare l'amante di Harriet. Al contrario, dopo il periodo di Hedestad aveva quasi sentito il bisogno di tenersi un po' alla larga dalla famiglia Vanger. Aveva incontrato Harriet a qualche riunione del consiglio d'amministrazione la primavera precedente, e mantenuto una cortese distanza. Conoscevano l'uno i segreti dell'altro ma, a parte le responsabilità di Harriet in seno al consiglio d'amministrazione di *Millennium*, i loro affari potevano dirsi in ogni senso conclusi.

Durante le vacanze di Pentecoste di un anno prima, Mikael era andato per la prima volta dopo mesi nella sua casetta di Sandhamn solo per potersene stare in pace, seduto sul pontile a leggere un buon poliziesco. Il venerdì pomeriggio, qualche ora dopo il suo arrivo, aveva fatto una passeggiata fino al chiosco per comperare le sigarette e si era imbattuto in Harriet. Lei aveva sentito la necessità di allontanarsi da Hedestad e aveva prenotato un week-end presso l'unico albergo di Sandhamn, un posto dove andava quando era bambina. Aveva sedici anni quando era fuggita dalla Svezia e cinquantatré quando vi aveva fatto ritorno. Era stato Mikael a rintracciarla.

Dopo un po' di convenevoli, Harriet aveva taciuto, imbarazzata. Mikael conosceva la sua storia. E lei sapeva che lui aveva fatto violenza ai propri principi per coprire gli spaventosi segreti della famiglia Vanger. Fra l'altro l'aveva fatto per lei.

Dopo un momento Mikael l'aveva invitata a vedere la sua casetta. Aveva preparato il caffè e si erano seduti fuori sul pontile, rimanendovi a chiacchierare per ore. Era la prima volta che si parlavano seriamente da quando lei era tornata in Svezia. Mikael era stato costretto a farle una domanda.

«Cosa ne avete fatto di quello che c'era nella cantina di Martin Vanger?»

«Davvero lo vuoi sapere?»

Lui aveva annuito.

«Ho fatto pulizia personalmente. Ho bruciato tutto quello che si poteva bruciare. Ho fatto demolire la casa. Non potevo abitarci e non potevo nemmeno venderla e lasciare che qualcun altro ci abitasse. Per me era legata solo al male. Ho intenzione di costruire una nuova casa su quel terreno, un piccolo chalet.»

«Nessuno è rimasto perplesso quando hai fatto demolire la casa? Era pur sempre una villa elegante e molto moderna.»

Lei aveva sorriso.

«Dirch Frode mise in giro la voce che la casa aveva gravi danni derivanti dall'umidità e che sarebbe stato troppo costoso ripararli.»

Dirch Frode era l'avvocato di famiglia dei Vanger.

«Come sta Frode?»

«Presto compirà settant'anni. Ma io lo tengo occupato.»

Avevano cenato insieme e Mikael si era reso conto d'improvviso che Harriet gli stava raccontando i dettagli più intimi della propria vita. Quando l'aveva interrotta domandandole perché, lei aveva riflettuto un momento e aveva risposto che probabilmente non esisteva nessun altro al mondo al quale non avesse motivo di nascondere qualcosa. E che inoltre le era difficile resistere a un marmocchio al quale circa quarant'anni prima aveva fatto da baby-sitter.

Aveva fatto sesso con tre uomini nella sua vita. Il primo era stato suo padre, seguito da suo fratello. Aveva ammazzato il padre ed era fuggita dal fratello. In qualche modo era riuscita a sopravvivere e aveva incontrato un uomo con il quale si era costruita una nuova vita.

«Lui era tenero e affettuoso. Onesto e rassicurante. Con lui ero felice. Rimanemmo insieme circa vent'anni prima che si ammalasse.»

«Non ti sei mai risposata. Perché?»

Lei aveva alzato le spalle.

«Ero madre di due figli in Australia e proprietaria di una grande azienda agricola. Non potevo assentarmi di nascosto per un romantico week-end. E non ho mai sentito la mancanza del sesso.»

Erano rimasti seduti in silenzio.

«È tardi. Dovrei tornare in albergo.»

Mikael aveva annuito.

«Vorresti forse sedurmi?»

«Sì» aveva risposto lui.

Mikael si era alzato e le aveva preso la mano, erano entrati in casa ed erano saliti sul soppalco. D'un tratto lei lo aveva fermato.

«Non so bene come comportarmi» aveva detto. «Non le faccio tutti i giorni queste cose.»

Avevano passato il week-end insieme e poi si erano incontrati una notte ogni tre mesi in corrispondenza delle riunioni del consiglio d'amministrazione di *Millennium*. Non era una relazione pratica o solida. Harriet Vanger lavorava tutto il giorno e spesso era in viaggio. Trascorreva un mese su due in Australia. Ma palesemente apprezzava gli incontri occasionali con Mikael.

Due ore più tardi Mimmi stava facendo il caffè mentre Lisbeth rimaneva stesa nuda e sudata sopra le lenzuola. Fumò una sigaretta osservando Mimmi attraverso la porta. Invidiava il suo fisico. Aveva muscoli che facevano impressione. Andava in palestra tre sere la settimana, una delle quali per fare thai-boxing o una qualche specie di karate che le aveva dato un corpo sfacciatamente ben allenato.

Era semplicemente deliziosa. Non una bellezza da fotomodella, ma attraente in maniera genuina. Adorava provocare. Quando si vestiva per una festa poteva attirare l'interesse di chiunque. Lisbeth non capiva nemmeno perché Mimmi si curasse di una come lei.

Ma era felice che lo facesse. Fare sesso con Mimmi era talmente liberatorio che a Lisbeth non restava che rilassarsi e godersela e ricevere e dare a sua volta.

Mimmi tornò in camera con due tazze che mise su uno sgabello accanto al letto. Si chinò su Lisbeth e le mordicchiò un capezzolo.

«Okay, funzionano» disse.

Lisbeth non disse nulla. Guardava i seni di Mimmi che aveva davanti agli occhi. Anche quelli erano piuttosto piccoli, ma sul suo corpo parevano del tutto naturali.

«Detto onestamente, Lisbeth, stai benissimo.»

«Lo so che è stupido. Le tette non ti cambiano la vita, ma adesso in ogni caso ce le ho.»

«Tu sei talmente fissata col tuo corpo!»

«Senti chi parla, tu che ti alleni come una pazza.»

«Io mi alleno come una pazza perché godo nel farlo. È uno stimolo, quasi altrettanto forte del sesso. Dovresti provare.»

«Io tiro di boxe» disse lei.

«Balle, tu tiravi di boxe una volta ogni due mesi al massimo, e solo perché ti esaltavi a picchiare quei ragazzini arroganti. Questo non è allenarsi per stare bene.»

Lisbeth alzò le spalle. Mimmi le si mise a cavalcioni.

«Lisbeth, tu sei così sconfinatamente egocentrica e fissata con il tuo corpo. Cerca di capire che mi piace averti nel letto non per l'aspetto che hai ma per come ti comporti. Ai miei occhi sei maledettamente sexy.»

«Anche tu. È per questo che sono tornata da te.»

«Non per amore?» domandò Mimmi con voce fintamente ferita.

Lisbeth scosse la testa.

«Stai con qualcuno al momento?»

Mimmi esitò un attimo prima di annuire.

«Forse. In un certo senso. Può darsi. È un po' complicato.»

«Non voglio farmi gli affari tuoi.»

«Lo so. Ma io non ho nulla in contrario a raccontare. È una che lavora all'università, ed è un po' più vecchia di me. È sposata da vent'anni e ci vediamo, per così dire, alle spalle di suo marito. Sobborgo residenziale, villa e tutto questo genere di cose. È una lesbica della domenica, ecco.»

Lisbeth annuì.

«Suo marito viaggia parecchio così noi ci vediamo di quando in quando. La storia va avanti dall'autunno scorso e comincia a diventare un tantino noiosa. Ma lei è un vero bocconcino. E poi frequento il solito giro, si capisce.»

«Quello che mi chiedevo è se posso venire a trovarti di nuovo.»

Mimmi annuì.

«Mi farebbe un gran piacere se ti rifacessi viva.»

«Anche se dovessi sparire per altri sei mesi?»

«Teniamoci in contatto allora. Io lo voglio sapere, se sei viva o no. E in ogni caso mi ricordo del tuo compleanno.»

«Niente condizioni?»

Mimmi sospirò e sorrise.

«Sai, tu in effetti sei una con cui potrei anche pensare di convivere. Mi lasceresti in pace quando voglio essere lasciata in pace.»

Lisbeth rimase in silenzio.

«A parte il fatto che non sei una lesbica vera e propria. Piuttosto sei bisessuale, forse. O sessuale, il sesso ti piace e in realtà non ti importa con chi lo fai. Sei un fattore antropico di caos.»

«Io non lo so cosa sono» disse Lisbeth. «Ma sono di nuovo a Stoccolma e molto a corto di relazioni. A dire la verità, non conosco proprio nessuno qui. Tu sei la prima persona con cui parlo da quando sono tornata a casa.»

Mimmi la scrutò con espressione seria.

«Davvero vuoi conoscere gente? Sei la persona più anonima e più riservata che conosca.»

Rimasero in silenzio.

«Ma le tue nuove tette sono uno schianto.»

Mise un dito sotto un capezzolo e ne tese la pelle.

«Ti stanno a pennello. Né troppo grosse né troppo piccole.»

Lisbeth tirò un sospiro di sollievo constatando che le recensioni in ogni caso erano state positive.

«E sembrano proprio vere.»

Mimmi le strizzò i seni così forte che Lisbeth trattenne il

respiro e aprì la bocca. Si guardarono. Poi Mimmi si chinò e diede a Lisbeth un bacio profondo. Lisbeth ricambiò e la circondò con le braccia. Il caffè si raffreddò senza essere stato toccato.

7.
Sabato 29 gennaio - domenica 13 febbraio

Un gigante biondo arrivò a Svavelsjö, fra Järna e Vagnhä-
rad, alle undici di sabato mattina. L'abitato consisteva di circa quindici case. Si fermò accanto all'ultima costruzione, più
o meno centocinquanta metri fuori dal villaggio stesso. Si
trattava di un ex capannone industriale malmesso, un tempo sede di una tipografia, che adesso si fregiava dell'insegna
del Motoclub Svavelsjö. Benché il traffico fosse inesistente,
l'uomo si guardò intorno con attenzione prima di aprire la
portiera e scendere. L'aria era fredda. Si infilò un paio di
guanti di pelle marrone e prese un borsone sportivo nero dal
bagagliaio.

Non si preoccupava particolarmente di essere osservato.
La vecchia tipografia era situata in modo tale che era quasi
impossibile che qualcuno parcheggiasse una macchina nelle vicinanze senza essere notato. Se qualche autorità statale
avesse voluto metterla sotto sorveglianza, avrebbe dovuto
fornire ai suoi collaboratori tute mimetiche militari e dislo-
carli nel fossato dall'altra parte del campo. La manovra sarebbe stata presto notata dagli abitanti del villaggio che ne
avrebbero fatto oggetto di chiacchiere, e siccome tre delle
case del villaggio appartenevano a membri del Motoclub
Svavelsjö la cosa si sarebbe rapidamente risaputa anche al-
l'interno del circolo.

Tuttavia, il gigante non entrò nel deposito. In qualche occasione la polizia aveva fatto delle ispezioni nella sede del club, e nessuno poteva essere sicuro che non vi avesse installato qualche discreto apparecchio di intercettazione.

Ciò comportava che le conversazioni quotidiane all'interno del club trattavano principalmente di donne e motori, e talvolta di quali azioni fossero più adatte per un investimento, ma raramente di segreti di qualche importanza.

Il gigante biondo attese quindi paziente che Carl-Magnus Lundin uscisse sullo spiazzo. Magge Lundin, trentasei anni, era il presidente del club. Aveva un'ossatura piuttosto esile, ma nel giro di qualche anno aveva messo su così tanti chili che adesso mostrava una bella pancetta. Aveva i capelli biondo chiaro legati a coda di cavallo e portava stivali, jeans neri e un giaccone pesante. Nel suo curriculum aveva cinque condanne. Due per infrazioni minori alla legge sugli stupefacenti, una per ricettazione e una per furto d'auto e guida in stato di ebbrezza. La quinta condanna, quella più severa, gli era costata un anno di prigione per violenza aggravata, dopo che diversi anni prima, ubriaco, aveva distrutto un locale nel centro di Stoccolma.

Magge Lundin e il gigante si strinsero la mano e presero a passeggiare lentamente lungo la recinzione che circondava lo spiazzo.

«È passato qualche mese dall'ultima volta» disse Magge.

Il gigante biondo annuì.

«Abbiamo in corso un affare. 3.060 grammi di metamfetamina.»

«Stessi accordi dell'ultima volta?»

«Cinquanta e cinquanta.»

Magge Lundin frugò nel taschino e ne estrasse un pacchetto di sigarette. Annuì. Gli piaceva fare affari con il gigante biondo. La metamfetamina aveva un prezzo al dettaglio oscillante fra le centosessanta e le duecentotrenta corone al grammo, a seconda della disponibilità. 3.060 grammi corrispondevano a un valore medio di seicentomila corone, anche se il Motoclub Svavelsjö avrebbe distribuito i tre chili in parti di circa duecentocinquanta grammi ai suoi rivenditori fissi. Così il prezzo sarebbe sceso a circa centoventi centotrenta corone al grammo, il che avrebbe ridotto l'introito complessivo.

Per il Motoclub Svavelsjö si trattava di affari eccezionalmente vantaggiosi. A differenza di tutti gli altri fornitori il gigante non faceva mai storie per pagamenti anticipati o prezzi fissi, consegnava la merce e chiedeva il cinquanta per cento, una quota assolutamente ragionevole. Sapevano a spanne quanto avrebbe reso un chilo di metamfetamina, la cifra esatta dipendeva dal modo in cui Magge Lundin sarebbe riuscito a venderla. Poteva esserci una differenza di qualche migliaio di corone in più o in meno rispetto alla cifra sperata. Ma ad affare concluso il gigante biondo avrebbe incassato una somma ammontante a circa centonovantamila corone, e il Motoclub Svavelsjö altrettanto.

Nel corso degli anni avevano fatto parecchi affari, sempre con lo stesso sistema. Magge Lundin sapeva che il gigante biondo avrebbe potuto raddoppiare i suoi guadagni facendosi carico direttamente della distribuzione. Sapeva anche perché accettasse di tenere un profilo basso: poteva rimanere nascosto sullo sfondo mentre il Motoclub Svavelsjö si assumeva tutti i rischi. Il gigante biondo otteneva così un introito minore ma relativamente sicuro. E a differenza di tutti gli altri fornitori di cui avesse mai sentito parlare, stabiliva un rapporto fondato sul senso degli affari e sulla fiducia. Niente parole dure, niente storie e niente minacce.

In occasione di una fornitura di armi che era andata in malora, il gigante biondo aveva perfino digerito una perdita di quasi centomila corone. Magge Lundin non cono-

sceva nessun altro nel ramo che avrebbe incassato una simile perdita senza fiatare. Lui stesso era quasi terrorizzato all'idea di dover rendere conto di ciò che era accaduto. Aveva spiegato in dettaglio perché l'affare fosse sfu-
mato e come un poliziotto del centro per la prevenzione
del crimine avesse inferto un duro colpo ai danni di un
membro della Fratellanza ariana del Värmland. Ma il gigante non aveva neppure alzato un sopracciglio. Anzi si
era quasi mostrato comprensivo. Erano cose che potevano succedere. Magge Lundin non aveva ottenuto nessun
profitto e il cinquanta per cento di niente era zero. Caso
archiviato.

Magge Lundin non era uno stupido. Capiva benissimo
che un introito minore ma discretamente privo di rischi era
molto semplicemente un buon affare.

Non aveva mai nemmeno concepito l'idea di fregare il gigante biondo. Sarebbe stata una caduta di stile. Il gigante
biondo e i suoi compari accettavano un profitto più basso
purché i conti fossero in chiaro. Se li avesse imbrogliati, il
gigante sarebbe andato a trovarlo e Magge Lundin era convinto che non sarebbe sopravvissuto a quella visita. Di conseguenza sull'argomento non c'era da discutere.

«Quando puoi consegnare la merce?»

Il gigante biondo lasciò cadere il borsone per terra.

«Già consegnata.»

Magge Lundin non si prese la briga di aprire il borsone
e controllare il contenuto. Invece tese la mano come segno
che avevano un contratto che lui aveva intenzione di rispettare.

«C'è ancora una cosa» disse il gigante.

«Sarebbe?»

«Vorremmo affidarti un incarico speciale.»

«Sentiamo.»

Il gigante biondo tirò fuori una busta dalla tasca interna

della giacca. Magge Lundin la aprì e ne estrasse una foto da passaporto e un foglio con dei dati personali. Inarcò le sopracciglia in un'espressione interrogativa.

«Si chiama Lisbeth Salander e abita in Lundagatan nel quartiere di Södermalm a Stoccolma.»

«Okay.»

«Al momento probabilmente si trova all'estero, ma prima o poi tornerà nei paraggi.»

«Okay.»

«Il mio committente vuole avere un colloquio privato e indisturbato con lei. Il soggetto deve quindi essere consegnato vivo. Preferibilmente in quel deposito dalle parti dell'Yngern. Poi avremo bisogno anche di qualcuno che ripulisca tutto dopo il colloquio. Il soggetto deve sparire senza lasciare traccia.»

«Dovremmo riuscire a organizzare la faccenda. Come facciamo a sapere quando tornerà a casa?»

«Te lo comunicherò io.»

«Quanto sborsate?»

«Che ne dici di dieci bigliettoni tutto compreso? È un lavoro piuttosto semplice. Vai a Stoccolma, la prelevi, la porti da me.»

Si strinsero di nuovo la mano.

Nel corso della sua seconda visita in Lundagatan, Lisbeth si sedette sul vecchio divano spelacchiato e rifletté. Doveva prendere una serie di decisioni strategiche e una di queste era se tenere l'appartamento oppure no.

Accese una sigaretta, soffiò una nuvola di fumo verso il soffitto e fece cadere la cenere in una lattina di Coca-Cola vuota.

Non aveva nessun motivo per amare quella casa. Ci era andata ad abitare con sua madre e sua sorella quando aveva quattro anni. Sua madre dormiva in soggiorno, mentre lei e Camilla dividevano la piccola camera da letto. Quando aveva dodici anni ed era successo Tutto il Male, in un primo tempo era stata ricoverata in una clinica psichiatrica e poi, dopo il compimento del quindicesimo anno, era stata affidata a diverse famiglie. L'appartamento era stato subaffittato dal suo tutore, Holger Palmgren, che aveva anche fatto in modo che le venisse restituito quando, compiuti diciotto anni, aveva avuto bisogno di un tetto.

L'appartamento era stato un punto fermo per gran parte della sua vita. Sebbene ormai non le occorresse più, non le andava l'idea di abbandonarlo al suo destino. Non avrebbe sopportato che degli estranei gironzolassero in quelle stanze.

Il problema consisteva nel fatto che tutta la sua corrispondenza ufficiale – nella misura in cui ne riceveva – arrivava all'indirizzo di Lundagatan. Se avesse ceduto l'appartamento, sarebbe stata costretta a procurarsi un altro indirizzo. Lisbeth Salander non voleva essere una persona nota, inserita in diversi registri. Era un po' paranoica e non aveva molti motivi per fidarsi delle autorità, o di qualcun altro del resto.

Guardò fuori dalla finestra e vide il muro tagliafuoco del cortile che aveva visto per tutta la vita. D'improvviso si sentì sollevata per avere preso la decisione di lasciare quella casa. Non si era mai sentita al sicuro lì. Ogni volta che svoltava in Lundagatan e si avvicinava al suo portone – sobria o anche un po' alticcia – faceva sempre attenzione alle macchine parcheggiate o a chi passava in quel momento sul marciapiede. Era a buon diritto convinta che da qualche parte là fuori ci fosse gente che le voleva male, e la cosa più probabile era che avrebbe cercato di attaccarla mentre entrava o usciva da casa sua.

Questi attacchi tuttavia non si erano verificati. Ma ciò non significava che lei avesse abbassato la guardia. L'indirizzo di

Lundagatan era in tutti i registri ufficiali e nel corso degli anni lei non aveva mai avuto risorse sufficienti per alzare il livello di sicurezza, al di là dell'essere costantemente vigile. Però ora la situazione era diversa. Non voleva assolutamente che qualcuno venisse a conoscenza del suo nuovo indirizzo di Mosebacke. Il suo istinto la esortava a rimanere nel massimo anonimato possibile.

Ma questo non risolveva il problema di cosa avrebbe dovuto fare dell'appartamento. Ci pensò su un po', quindi tirò fuori il cellulare e telefonò a Mimmi.

«Ciao, sono io.»

«Ciao Lisbeth. Mi stai dicendo che ti fai viva già dopo una settimana, questa volta?»

«Sono qui in Lundagatan.»

«Okay.»

«Mi stavo chiedendo se non ti andrebbe di subentrare nell'appartamento.»

«Subentrare?»

«Tu abiti in una scatola da scarpe.»

«Qui mi trovo bene. Stai per traslocare?»

«L'ho già fatto. L'appartamento è vuoto.»

Dall'altra parte del telefono Mimmi esitò.

«E ti chiedi se non vorrei subentrare. Lisbeth, io non me lo posso permettere.»

«È stato completamente pagato. Le spese condominiali sono di 1.480 corone al mese, il che probabilmente è meno di quanto paghi tu per la scatola da scarpe. Ed è già stata pagata per tutto l'anno prossimo.»

«Ma hai intenzione di vendere? Voglio dire, deve valere più di un milione.»

«Circa un milione e mezzo, se devo credere agli annunci immobiliari.»

«Io non me lo posso permettere.»

«Non ho intenzione di vendere. Puoi trasferirti qui già

stasera, e abitarci per quanto tempo vuoi, e per un anno non hai nemmeno da pagare le rate del condominio. Io non posso subaffittare ma posso farti registrare nel contratto come mia convivente.»

«Ma Lisbeth... Stai chiedendo la mia mano?» disse Mimmi ridendo.

Lisbeth invece era seria come non mai.

«L'appartamento non mi serve e non voglio venderlo.»

«Potrei abitarci gratis, praticamente. Dici sul serio?»

«Sì.»

«Per quanto tempo?»

«Per tutto il tempo che vuoi. Ti interessa?»

«Ovvio. Non mi capita tutti i giorni di ricevere l'offerta di un appartamento gratis a Södermalm.»

«C'è un piccolo dettaglio.»

«Lo immaginavo.»

«Tu puoi abitare in casa mia fino a quando ti pare, ma io continuerò a figurare come residente qui e a ricevere la mia posta qui. Tutto quello che dovresti fare è ritirare la posta per me e avvisarmi se arriva qualcosa di importante.»

«Lisbeth, sei la ragazza più stramba che io conosca. Di cosa ti occupi in realtà? E dove abiterai tu?»

«Ne parliamo poi» rispose Lisbeth sfuggente.

Si accordarono per incontrarsi più tardi nel pomeriggio così che Mimmi potesse esaminare per bene l'appartamento. Terminata la conversazione Lisbeth si sentì subito di umore molto migliore. Guardò l'ora e constatò che aveva un largo margine prima che Mimmi la raggiungesse. Lasciò la casa e scese alla Handelsbanken di Hornsgatan dove prese un numero e attese pazientemente il proprio turno.

Mostrò un documento e spiegò che era stata all'estero per un lungo periodo e che desiderava conoscere il saldo del suo conto. Il suo capitale ammontava a 79.312 corone. Il conto non era stato toccato per più di un anno a eccezione di un bonifico di 9.312 corone fatto in autunno. Era l'eredità di sua madre.

Lisbeth Salander prelevò una somma in contanti corrispondente all'eredità ricevuta. Rifletté un momento. Voleva usare quel denaro per qualcosa che avrebbe fatto piacere a sua madre. Qualcosa di adatto. Raggiunse a piedi l'ufficio postale di Rosenlundsgatan e versò anonimamente la somma sul conto di uno dei servizi d'emergenza per donne maltrattate di Stoccolma. Non sapeva esattamente perché lo facesse.

Erano le otto di venerdì sera quando Erika Berger spense il computer e si stiracchiò. Aveva trascorso le ultime nove ore a dare i ritocchi finali al numero di marzo di *Millennium*, e siccome Malin Eriksson lavorava a tempo pieno al numero speciale di Dag Svensson aveva dovuto occuparsi di persona di una buona parte del lavoro redazionale. Henry Cortez e Lottie Karim avevano dato il loro contributo, ma erano più che altro giornalisti e ricercatori e non erano abituati a fare i redattori.

Di conseguenza Erika si sentiva stanca e con il fondoschiena piatto, ma nel complesso era contenta della giornata e della vita in generale. L'economia del giornale era stabile, le curve puntavano nella direzione giusta, i testi arrivavano entro i termini stabiliti o in ogni caso senza ritardi drammatici, il personale era soddisfatto e dopo più di un anno risentiva ancora positivamente dell'iniezione di adrenalina che l'affare Wennerström aveva comportato.

Dopo avere dedicato un momento a cercare di massaggiarsi la nuca, constatò che aveva bisogno di una doccia e valutò se utilizzare quella nel bagno accanto al cucinino. Ma si sentiva troppo pigra e invece mise i piedi sulla scrivania. Di lì a tre mesi avrebbe compiuto quarantacinque anni e quel futuro di cui si parlava tanto cominciava a stendersi sempre più dietro le sue spalle. Le era comparsa una rete sottile di rughe e di solchi intorno agli occhi e alle labbra, ma sapeva di avere ancora un bell'aspetto. Faceva due durissime sedute di palestra la settimana, ma aveva notato che durante le lunghe uscite in barca a vela con il marito le era sempre più difficile arrampicarsi fino in cima all'albero di maestra. Anche se era lei che all'occorrenza doveva farlo – Greger soffriva terribilmente di vertigini.

I suoi primi quarantacinque anni comunque, nonostante un certo numero di alti e bassi, erano stati nel complesso felici. Aveva denaro, una posizione, una casa magnifica e un lavoro che le piaceva. Aveva un marito affettuoso che l'adorava e del quale, dopo quindici anni di matrimonio, era ancora innamorata. E inoltre un amante piacevole e apparentemente indistruttibile, che magari non soddisfaceva la sua anima ma il suo corpo sì, quando ne aveva bisogno.

Sorrise pensando a Mikael Blomkvist. Si domandò quando avrebbe avuto il coraggio di farla partecipe del segreto della storia con Harriet Vanger. Né Mikael né Harriet avevano fatto il minimo accenno, ma Erika non era mica scema. Che ci fosse qualcosa nell'aria l'aveva capito durante una riunione del consiglio d'amministrazione, in agosto, quando aveva colto uno scambio di occhiate fra i due. Per puro dispetto aveva cercato di chiamare sia Harriet che Mikael sul cellulare più avanti nella serata, e senza grande stupore aveva constatato che entrambi l'avevano spento. Non era una prova, è vero, ma anche in occasione delle riunioni successive aveva notato che Mikael la sera non era raggiungibile. Era stato quasi divertente vedere come Harriet se ne fosse andata in fretta dal ristorante dove avevano cenato dopo l'assemblea annuale, adducendo come vaga scusa che aveva bisogno di tornare in albergo per andare a dormire. Erika non ficcava il naso e non era gelosa. Però aveva intenzione, quando se ne fosse presentata l'occasione, di canzonare un po' tutti e due per la faccenda.

Non si intrometteva minimamente nelle relazioni di Mikael con le altre donne, ma sperava che la sua storia con Harriet non provocasse problemi all'interno del consiglio d'amministrazione. Tuttavia non era una preoccupazione molto forte. Mikael aveva alle spalle diverse relazioni concluse, ma era ancora in buoni rapporti con le donne in questione, e solo in pochi casi si era trovato in difficoltà.

Personalmente, Erika era felicissima di essere l'amica e la confidente di Mikael. Per certi versi era imbecille e per certi altri intelligente quasi come un oracolo. Mikael invece non aveva mai capito il suo amore per il marito. Molto semplicemente non si era mai capacitato del perché lei considerasse Greger una persona incantevole, calda, interessante, generosa, e soprattutto priva di tanti dei vizi che lei detestava tanto cordialmente in molti uomini. Greger era l'uomo con il quale voleva invecchiare. Avrebbe voluto avere dei figli da lui, ma non era stato possibile. Comunque non poteva immaginarsi un'alternativa migliore e più stabile – Greger era una persona di cui poteva fidarsi senza riserve ed era sempre lì per lei quando ne aveva bisogno.

Con Mikael era diverso. Lui era un uomo dai tratti caratteriali così mutevoli che a volte sembrava una personalità multipla. Come professionista era cocciuto e quasi patologicamente concentrato sui propri compiti. Addentava un'inchiesta e con impegno la conduceva al punto in cui tutti i fili convergevano e risultava praticamente perfetta. Quando era al meglio era brillante e quando era sottotono era comunque molto sopra la media. Sembrava possedere la dote naturale di intuire in quale inchiesta ci fosse sotto qualcosa, e quale invece sarebbe diventata solo merce dozzinale di scarso interesse. Erika non si era mai e poi mai pentita di avere iniziato una collaborazione di lavoro con Mikael.

Non si era mai pentita di essere diventata la sua amante.

L'unico che aveva capito il bisogno di Erika di fare sesso con Mikael Blomkvist era suo marito, e questo perché lei aveva il coraggio di discutere delle proprie esigenze con lui. Non si trattava di infedeltà ma di necessità. Il sesso con Mikael Blomkvist le dava una carica che nessun altro uomo era capace di darle, Greger incluso.

Il sesso era importante per Erika. Aveva perso la verginità a quattordici anni e dedicato buona parte della sua adolescenza a cercare, invano, soddisfazione. Aveva provato di tutto, dalle pomiciate pesanti con i compagni di classe a una complicata avventura con un maturo insegnante, dal sesso telefonico a quello morbido con un nevrotico. Aveva provato la maggior parte delle cose che le interessavano in campo erotico. Aveva giocato col bondage ed era stata membro del Club Xtreme che organizzava feste di un genere non proprio socialmente accettabile. In diverse occasioni aveva provato il sesso con altre donne e constatato delusa che non faceva per lei e che le donne non riuscivano a eccitarla nemmeno una frazione di quanto sapeva fare un uomo. O due. Insieme a Greger aveva sperimentato il sesso con altri due uomini – uno dei quali era un noto gallerista – e scoperto sia che suo marito aveva una forte inclinazione bisessuale, sia che lei stessa restava quasi paralizzata dal piacere quando due uomini la accarezzavano e la soddisfacevano contemporaneamente, così come provava un piacere difficile da definire nel vedere suo marito accarezzato da un altro uomo. Quella sensazione esaltante lei e Greger l'avevano riprovata con lo stesso successo insieme a un paio di partner che incontravano con una certa regolarità.

La sua vita con Greger non era di conseguenza né noiosa né insoddisfacente. Ma restava il fatto che Mikael Blomkvist le dava qualcosa di totalmente diverso.

Lui aveva talento. A letto era semplicemente un mago.

Quindi le pareva di avere raggiunto l'equilibrio ottimale con Greger come marito e Mikael come amante all'occorrenza. Non poteva fare a meno di nessuno dei due e non aveva intenzione di scegliere fra loro.

Ed era questo che suo marito aveva capito, che lei aveva delle necessità che andavano oltre quello che lui poteva offrirle in forma di esercizi sempre più ingegnosi e acrobatici nella Jacuzzi.

Ciò che Erika apprezzava di più nella relazione con Mikael era che lui quasi non avvertiva il bisogno di controllarla. Non era per nulla geloso e anche lei, che pure aveva avuto diversi scatti di gelosia quando avevano cominciato a frequentarsi una ventina di anni prima, aveva scoperto che con lui non aveva bisogno di essere gelosa. La loro relazione si fondava sull'amicizia e lui in tema di amicizia era sconfinatamente leale. Era un rapporto capace di sopravvivere alle prove più dure.

Erika Berger era consapevole di avere scelto uno stile di vita che probabilmente non sarebbe stato ben visto dall'Associazione casalinghe cristiane di Skövde. Ma la cosa non la turbava. Già in età adolescenziale aveva deciso, cosa faceva a letto e come viveva la sua vita non riguardava nessun altro che lei. Ma la irritava che così tanti dei suoi conoscenti parlassero e sparlassero della sua relazione con Mikael Blomkvist e sempre alle sue spalle.

Mikael era un uomo. Poteva saltare da un letto all'altro senza che nessuno avesse niente da obiettare. Lei era una donna e il fatto che avesse un unico amante con il tacito consenso del marito e che fosse fedele al suo amante da vent'anni era oggetto delle più interessanti conversazioni da salotto.

Fottetevi pensò, quindi alzò il ricevitore per chiamare suo marito.

«Ciao tesoro. Che stai facendo?»

«Scrivo.»

Greger Backman non era soltanto un artista, era soprattutto un docente di storia dell'arte e l'autore di parecchi libri in materia. Partecipava a dibattiti pubblici e collaborava con noti studi di architettura. Nell'ultimo anno aveva lavorato a un libro sull'importanza della decorazione artistica degli edifici e sul perché la gente si trovasse a suo agio in alcuni e nient'affatto in altri. Il libro aveva cominciato ad assumere la connotazione di un attacco contro il funzionalismo che (sospettava Erika) avrebbe quasi sicuramente sollevato un polverone nel dibattito estetico.

«Come sta andando?»

«Bene. Scorre. E tu?»

«Ho appena finito di sistemare l'ultimo numero. Andrà in tipografia giovedì.»

«Congratulazioni.»

«Mi sento completamente svuotata.»

«Suona un po' come se avessi in mente qualcosa.»

«Hai qualche programma per stasera? Rimarresti terribilmente male se non tornassi a casa?»

«Di' a Blomkvist che sta sfidando il destino» disse Greger.

«Non credo che gliene importi.»

«Okay. Allora digli che sei una strega incontentabile e che finirà per invecchiare anzitempo.»

«Questo lo sa già.»

«In tal caso non mi resta che il suicidio. Andrò avanti a scrivere fino a quando crollerò addormentato. Divertiti.»

Si salutarono, quindi Erika telefonò a Mikael. Lui era a casa di Dag Svensson e Mia Bergman a Enskede e stava giusto terminando una discussione su alcuni intricati dettagli nel libro di Dag. Lei gli chiese se era impegnato per quella notte o poteva fare un massaggio a una schiena dolente.

«Hai le chiavi» disse Mikael. «Fa' come se fossi a casa tua.»

«D'accordo» disse Erika. «Ci vediamo fra un'oretta.»

Le occorsero dieci minuti per raggiungere a piedi Bellmansgatan. Si spogliò e fece la doccia, e si preparò un espresso con la macchina di Mikael. Poi si infilò nel suo letto, in attesa, nuda e speranzosa.

La situazione ottimale per lei sarebbe stata un triangolo con suo marito e Mikael Blomkvist, ma era sicura quasi al cento per cento che non si sarebbe mai realizzata. Mikael era così inflessibile che lei addirittura lo canzonava accusandolo di essere omofobo. Il suo interesse verso gli uomini era pari a zero. Chiaramente, a questo mondo non si può avere tutto.

Il gigante biondo era infastidito mentre per prudenza riduceva la velocità percorrendo i circa quindici chilometri di una strada boschiva così malridotta che per un momento aveva creduto di avere interpretato male le indicazioni. Era appena cominciato a imbrunire quando la strada si allargò e poté finalmente scorgere la casa. Parcheggiò, spense il motore e si guardò intorno. Mancavano ancora una cinquantina di metri.

Si trovava nelle vicinanze di Stallarholmen, non lontano da Mariefred. La casa era uno chalet degli anni cinquanta in mezzo al bosco. Fra i tronchi poteva intravedere una striscia più chiara di ghiaccio sul Mälaren.

Non riusciva proprio a capire perché qualcuno volesse passare il suo tempo libero in un posto così isolato. Quando richiuse la portiera si sentì tutto d'un tratto a disagio. Il bosco gli sembrava minaccioso e incombente. Si sentiva osservato. Cominciò a incamminarsi verso lo spiazzo davanti alla casa ma udì un fruscio che lo fece fermare di botto.

Fissò il bosco. C'era silenzio e calma di vento. Rimase immobile per due minuti con i nervi tesi al massimo prima di scorgere con la coda dell'occhio una sagoma che si muoveva con cautela fra gli alberi. Quando mise a fuoco lo sguardo, la sagoma era ferma, perfettamente immobile, trenta metri circa all'interno del bosco, e lo fissava.

Il gigante biondo avvertì un vago panico. Cercò di distinguere i dettagli. Vide una specie di volto ossuto. La creatura sembrava un nano alto all'incirca un metro, e si mimetizzava dentro qualcosa che somigliava a un vestito fatto di rami d'abete e muschio. Un folletto dei boschi bavarese? Un leprechaun irlandese? Quanto poteva essere pericolosa?

Il gigante biondo trattenne il fiato. Sentì i capelli rizzarsi sulla nuca.

Poi batté ripetutamente le palpebre e scosse la testa. Quando guardò di nuovo, la creatura si era spostata di circa dieci metri verso destra. *Non c'era niente laggiù*. Sapeva che era solo immaginazione. Eppure poteva distinguere così chiaramente la creatura fra gli alberi. D'improvviso si mosse e si avvicinò. Sembrava spostarsi rapidamente e a scatti, descrivendo un semicerchio per portarsi in posizione di attacco.

Il gigante biondo si affrettò a superare l'ultimo tratto di strada che lo separava dalla casa. Bussò un po' troppo energicamente alla porta. Non appena sentì dei movimenti umani all'interno dello chalet, il panico si stemperò. Si guardò alle spalle con la coda dell'occhio. *Non c'era niente laggiù.*

Ma tirò il fiato solo quando la porta si aprì. L'avvocato Nils Bjurman lo salutò gentilmente e lo invitò ad accomodarsi.

Miriam Wu si fermò a riprendere fiato. Aveva trascinato anche l'ultimo sacco della spazzatura con le cose rimaste di Lisbeth Salander nel deposito dei rifiuti ingombranti in cantina. L'appartamento era pulito da cima a fondo e profumava di sapone, pittura fresca e caffè appena fatto. A quest'ultimo aveva pensato Lisbeth. Era seduta su uno sgabello e osservava pensierosa quello spazio nudo in cui tende, tappeti, buoni sconto sul frigorifero e tutto il suo solito ciarpame erano spariti come per magia. Era stupita di come sembrasse grande adesso.

Miriam Wu e Lisbeth Salander non avevano gli stessi gusti né in fatto di vestiti e di arredamento, né in fatto di stimoli intellettuali. O meglio, Miriam Wu aveva gusti e punti di vista precisi su come voleva che fosse la sua casa, quali mobili voleva avere e quali vestiti si voleva mettere. Lisbeth Salander in generale non aveva gusto, riteneva Mimmi.

Dopo avere ispezionato l'appartamento di Lisbeth in Lundagatan con gli occhi di un probabile acquirente e avere ragionato un po' con Lisbeth, Mimmi aveva constatato che la maggior parte delle cose andava eliminata. In particolare quel disastroso divano marrone sporco che c'era in soggiorno. Lisbeth voleva conservare qualcosa? *No.* Mimmi aveva passato qualche giorno libero e qualche ora ogni sera per due settimane a gettare vecchi mobili, pulire stipetti e armadietti, lavare pavimenti, raschiare la vasca da bagno, ridipingere le pareti in cucina, soggiorno, camera da letto e ingresso, verniciare il parquet del soggiorno.

Lisbeth non provava nessun interesse per tali pratiche ma era passata di lì qualche volta e aveva osservato Mimmi affascinata. Quando tutto fu pronto, l'appartamento era completamente vuoto fatta eccezione per un piccolo tavolo da cucina in legno massiccio, un po' malconcio, che Mimmi aveva intenzione di scartavetrare e laccare, due solidi sgabelli su cui Lisbeth aveva messo le mani in occasione del repulisti di una soffitta, e una robusta libreria in soggiorno che Mimmi riteneva di poter riutilizzare in qualche modo.

«Mi trasferisco qui questo fine settimana. Sei sicura di non voler cambiare idea?»

«L'appartamento a me non serve.»

«Ma è una vera cannonata. Voglio dire, è chiaro che ci sono appartamenti più grandi e più belli, ma questo è in centro a Södermalm e i costi sono irrisori. Lisbeth, ti perdi una fortuna a non vendere.»

«Ho soldi abbastanza per tirare avanti.»

Mimmi tacque, incerta su come interpretare il succinto commento di Lisbeth.

«E dove abiterai?»

Lisbeth non rispose.

«È possibile venirti a trovare?»

«Per il momento no.»

Lisbeth aprì la borsa e tirò fuori delle carte che spinse verso Mimmi.

«Ho preparato il contratto. La cosa più semplice è farti figurare come mia convivente e venderti metà dell'appartamento. Il prezzo pattuito è di una corona. Devi sottoscrivere il contratto.»

Mimmi prese la penna che Lisbeth le porgeva e appose nome e data di nascita.

«È tutto?»

«È tutto.»

«Lisbeth, a dire il vero ho sempre pensato che fossi un po' strana, ma ti rendi conto che in questo preciso momento hai ceduto metà di questo appartamento a me? Io sono ben contenta di averlo, ma non voglio trovarmi in una situazione in cui tu magari tutto d'un tratto ti penti e così sorgono storie anche fra noi.»

«Non sorgeranno storie. Io voglio davvero che tu abiti qui. Mi fa piacere.»

«Ma gratis? Senza pagare niente? Sei proprio matta.»

«Tu ti prendi cura della mia posta. È questa la condizione.»

«Mi porterà via circa quattro secondi la settimana. Hai intenzione di passare a trovarmi ogni tanto per fare sesso?»

Lisbeth fissò Mimmi e rimase un momento in silenzio.

«Lo farò volentieri, ma non rientra nel contratto. Puoi rifiutare quando vuoi.»

Mimmi sospirò.

«E io che cominciavo già a rallegrarmi all'idea di essere una *kept woman*. Lo sai, no, con qualcuno che mi paga l'appartamento e ogni tanto viene qui di nascosto per rotolarsi nel letto con me.»

Rimasero in silenzio tutte e due. Poi Mimmi si alzò risolutamente e andò in soggiorno a spegnere la lampadina che pendeva nuda dal soffitto.

«Vieni qui.»

Lisbeth la seguì.

«Non ho mai fatto sesso sul pavimento in una casa ridipinta di fresco in cui non c'è neanche un mobile. Ma ho visto un film con Marlon Brando una volta, su una coppia a Parigi che lo faceva.»

Lisbeth guardò il pavimento con la coda dell'occhio.

«Mi va di giocare. Hai voglia?»

«Io ho quasi sempre voglia.»

«Stasera voglio essere una stronza dominante. Decido io. Spogliati.»

Lisbeth fece un sorriso storto. Si spogliò. Ci mise circa dieci secondi.

«Stenditi sul pavimento. Prona.»

Lisbeth fece come le aveva ordinato Mimmi. Il parquet era gelido e le venne subito la pelle d'oca. Mimmi usò la T-shirt di Lisbeth con la scritta *Hai il diritto di rimanere in silenzio* per legarle le mani dietro la schiena.

Lisbeth pensò che era stato in una maniera simile che l'avvocato *Nils Bastardo Schifoso Bjurman* l'aveva legata circa due anni prima.

Le somiglianze però si fermavano lì.

Con Mimmi Lisbeth provava soltanto un solleticante senso di attesa. Si mostrò quindi docilmente collaborativa quando la voltò sulla schiena e le divaricò le gambe. La seguì con lo sguardo nella penombra mentre si sfilava la maglietta e rimase affascinata dai suoi morbidi seni. Poi Mimmi legò la propria T-shirt come una benda sugli occhi di Lisbeth. Lei sentì un fruscio di vestiti. Qualche secondo più tardi avvertì la lingua di Mimmi sulla pancia e le sue dita sull'interno delle cosce. Da molto tempo non si eccitava così. Chiuse forte gli occhi sotto la benda e lasciò a Mimmi il compito di decidere il ritmo.

8.
Lunedì 14 febbraio - sabato 19 febbraio

Dragan Armanskij alzò lo sguardo quando sentì il leggero bussare sullo stipite della porta, e vide Lisbeth Salander sulla soglia del suo ufficio. Teneva in equilibrio sulla mano due bicchieri di plastica presi dal distributore automatico del caffè. Appoggiò lentamente la penna e allontanò da sé il rapporto che stava leggendo.

«Ciao» disse lei.

«Ciao» rispose Armanskij.

«Sono qui in veste di amica» disse lei. «Posso entrare?»

Dragan Armanskij chiuse gli occhi un secondo. Poi le indicò la sedia dei visitatori. Con la coda dell'occhio guardò l'ora. Erano le sei e mezza di sera. Lisbeth Salander gli passò uno dei bicchieri e si sedette. Si studiarono a vicenda per un momento.

«Più di un anno» disse Armanskij.

Lisbeth fece cenno di sì.

«Sei arrabbiato?»

«Dovrei esserlo?»

«Non ti ho neanche salutato.»

Armanskij sporse le labbra. Era scioccato, ma al tempo stesso sollevato nel constatare che Lisbeth Salander almeno non era morta. D'improvviso avvertì anche una forte irritazione e una grande stanchezza.

«Non so cosa dire» rispose. «In realtà non hai nessun obbligo di venire a raccontarmi cosa fai. Che vuoi?»

La sua voce era più fredda di quanto avesse voluto.

«Non lo so esattamente. Forse volevo darti un saluto.»

«Hai bisogno di lavorare? Non ho intenzione di affidarti altri incarichi.»

Lei scosse la testa.

«Lavori da qualche altra parte?»

Lei scosse di nuovo la testa. Sembrava che stesse cercando di formulare delle parole. Armanskij attese.

«Ho viaggiato» disse lei alla fine. «Sono tornata in Svezia da poco.»

Armanskij annuì pensieroso e la scrutò. Lisbeth Salander era cambiata. C'era una nuova specie di... maturità nei suoi abiti e nei suoi atteggiamenti. E aveva imbottito il reggiseno con qualcosa.

«Sei cambiata. Dove sei stata?»

«Un po' qua un po' là...» rispose lei evasiva, ma notando il suo sguardo infastidito continuò. «Sono andata in Italia e ho proseguito per il Medio Oriente, e poi per Hong Kong via Bangkok. Sono stata per un po' in Australia e in Nuova Zelanda e ho saltellato fra le isole del Pacifico. Sono stata un mese a Tahiti. Poi ho attraversato gli Stati Uniti e gli ultimi mesi li ho passati ai Caraibi.»

Lui annuì.

«Non so perché non sono venuta a salutarti.»

«Perché a te, detto sinceramente, non importa un fico secco delle altre persone» disse Dragan Armanskij.

Lisbeth si morse il labbro inferiore. Rifletté un momento. Ciò che aveva detto forse era vero, ma lei sentiva comunque l'accusa come ingiusta.

«Di solito alla gente non importa un fico secco di me.»

«Balle» rispose Armanskij. «Sei tu che hai un problema e

tratti quelli che effettivamente cercano di esserti amici come delle merde. Tutto qui.»

Silenzio.

«Vuoi che me ne vada?»

«Fa' come ti pare. L'hai sempre fatto. Ma se te ne vai di nuovo non voglio rivederti mai più.»

D'improvviso Lisbeth ebbe paura. Una persona che lei rispettava stava per ripudiarla. Non sapeva più cosa dire.

«Sono passati due anni da quando Holger Palmgren ha avuto l'ictus. E tu non sei andata a trovarlo neanche una volta» continuò Armanskij implacabile.

Lisbeth lo fissò scioccata.

«Palmgren è vivo?»

«Quindi non sai nemmeno se è vivo o morto.»

«I medici dicevano che...»

«I medici hanno detto un sacco di cose di lui» tagliò corto Armanskij. «Stava molto male e non era in grado di comunicare con il mondo esterno. Ma nell'ultimo anno si è ristabilito parecchio. Ha difficoltà a parlare e bisogna ascoltare con attenzione per capire quello che dice. Ha bisogno di aiuto per molte cose ma riesce perfino ad andare alla toilette da solo. La gente che ci tiene a lui lo va anche a trovare.»

Lisbeth era ammutolita. Era lei che aveva trovato Palmgren quando aveva avuto l'ictus due anni prima. Aveva chiamato l'ambulanza e i medici avevano scosso la testa e constatato che la situazione non era confortante. Lei era rimasta fissa in ospedale per tutta la prima settimana, ma poi uno dei medici aveva detto che Palmgren era in coma e che era estremamente improbabile che si risvegliasse. In quell'attimo lei aveva smesso di angustiarsi e l'aveva cancellato dalla propria vita. Si era alzata e aveva lasciato l'ospedale senza guardarsi indietro. E senza controllare i dati di fatto.

Corrugò la fronte. Nello stesso periodo le era capitato fra capo e collo l'avvocato Nils Bjurman, che aveva fagocitato buona parte della sua attenzione. Ma nessuno, nemmeno Armanskij, le aveva mai detto che Palmgren era vivo, e ancor meno che forse era anche in via di miglioramento. Personalmente non aveva mai nemmeno preso in considerazione quella possibilità.

Tutto d'un tratto si sentì gli occhi pieni di lacrime. In vita sua non le era mai capitato di sentirsi come un piccolo verme egoista. E mai prima di allora aveva ricevuto una strigliata tanto pacata e al tempo stesso tanto furiosa. Abbassò la testa.

Rimasero seduti un momento in silenzio. Fu Armanskij a romperlo.

«Come va?»

Lisbeth alzò le spalle.

«Come ti mantieni? Hai un lavoro?»

«No, non ho nessun lavoro e non so nemmeno cosa vorrei fare. Ma ho quanto basta per cavarmela.»

Armanskij la studiò con occhio indagatore.

«Sono passata solo per darti un saluto... non cerco lavoro. Non so... forse vorrei fare comunque qualcosa per te, se hai bisogno di me qualche volta, se è qualcosa di interessante.»

«Suppongo che tu non voglia raccontarmi cosa è successo su a Hedestad.»

Lisbeth restò in silenzio.

«Qualcosa è successo. Martin Vanger è andato a schiantarsi dopo che tu eri stata qui a prendere in prestito delle apparecchiature di sorveglianza perché qualcuno minacciava di uccidervi. E sua sorella è resuscitata dai morti. Un caso sensazionale, a dir poco.»

«Ho promesso di non raccontare nulla.»

Armanskij annuì.

«E suppongo che tu non voglia nemmeno raccontarmi niente del ruolo che hai avuto nell'affare Wennerström.»

«Ho aiutato *Kalle Blomkvist* con le ricerche.» D'un tratto la sua voce era molto più fredda. «Tutto qui. Non voglio essere coinvolta.»

«Mikael Blomkvist ti ha cercata come un pazzo. Si è fatto vivo almeno una volta al mese a chiedere se sapevo qualcosa di te. Anche lui è uno che si preoccupa.»

Lisbeth rimase in silenzio ma Armanskij notò che la sua bocca si era trasformata in una linea sottile.

«Non so se quell'uomo mi piace» continuò Armanskij. «Ma in effetti anche lui si cura di te. L'ho incontrato una volta lo scorso autunno. Neanche lui voleva parlare di Hedestad.»

Lisbeth Salander non voleva discutere di Mikael Blomkvist.

«Sono passata solo per salutarti e per dirti che sono tornata in città. Non so se mi fermerò. Questo è il mio nuovo numero di cellulare e questo è il mio nuovo indirizzo di posta elettronica, nel caso avessi bisogno di contattarmi.»

Lisbeth gli diede un foglietto e si alzò. Lui lo prese. Lei era già sulla porta quando lui la chiamò.

«Aspetta un secondo. Cosa farai adesso?»

«Andrò a trovare Holger Palmgren.»

«Okay. Ma voglio dire... cosa farai di lavoro?»

Lei lo guardò pensierosa.

«Non lo so.»

«Ma in qualche modo devi pur mantenerti.»

«Ti ho già detto che ho i mezzi per cavarmela.»

Armanskij si appoggiò allo schienale e rifletté. Quando si trattava di Lisbeth Salander non sapeva mai esattamente come interpretare le sue parole.

«Ero così arrabbiato con te che avevo quasi deciso di non affidarti più nessun incarico.» Fece una smorfia. «Sei talmente inaffidabile. Però sei anche maledettamente in gamba. Forse ho per le mani qualcosa di adatto a te.»

Lei scosse la testa. Ma ritornò alla scrivania.

«Non voglio lavori da te. Voglio dire, non ho bisogno di soldi. Dico sul serio. Sotto il profilo economico sono indipendente.»

Armanskij mostrò un'espressione dubbiosa, ma alla fine assentì.

«Okay, sei indipendente, qualsiasi cosa significhi. Ti credo sulla parola. Ma se avessi bisogno...»

«Dragan, tu sei la seconda persona che vado a trovare da quando sono tornata a casa. Non ho bisogno dei tuoi soldi. Ma da molti anni sei una delle poche persone che ho imparato a rispettare.»

«Okay. Ma tutti devono lavorare per mantenersi.»

«Mi dispiace, ma non sono più interessata a fare indagini personali per te. Fatti vivo se ti imbatti in qualche problema.»

«Che genere di problemi?»

«Problemi dei quali non riesci a venire a capo. Quando ti blocchi e non sai cosa fare. Se devo lavorare per te, mi devi proporre qualcosa di interessante. Magari un incarico operativo.»

«Un incarico operativo? A te? Che sparisci nel nulla quando ti fa comodo?»

«Balle. Non ho mai trascurato un lavoro che avevo accettato.»

Dragan Armanskij la guardò disarmato. Il termine "operativo" era gergale, stava per "sul campo". Poteva trattarsi di qualsiasi cosa, dal fare la guardia del corpo all'avere speciali incarichi di sorveglianza. Il suo personale operativo era costituito da veterani stabili e tranquilli, spesso con un passato da poliziotti. Inoltre il novanta per cento di loro erano uomini. Lisbeth Salander aveva le caratteristiche opposte a quelle che lui richiedeva per il personale delle unità operative della Milton Security.

«Mmm...» disse esitante.

«Non occorre che ti sforzi. Io prendo solo lavori che mi interessano, per cui la probabilità che dica di no è piuttosto alta. Fatti vivo se ti capita un problema veramente difficile. Io con gli enigmi ci so fare.»

Girò i tacchi e scomparve. Dragan Armanskij scosse la testa. *È matta. È proprio matta.*

Un secondo dopo Lisbeth Salander era di nuovo sulla porta.

«Fra parentesi... hai due ragazzi che hanno dedicato un mese di lavoro a proteggere quell'attrice, Christine Ruterford, dal pazzo che le scrive lettere anonime piene di minacce. E sei convinto che ci sia un insider dal momento che il mittente sembra conoscere così tanti dettagli della sua vita.»

Dragan Armanskij la fissò. Si sentì percorrere da una scossa elettrica. *L'ha fatto di nuovo.* Aveva buttato lì una frase su un argomento del quale non poteva sapere assolutamente nulla. *Non poteva sapere.*

«Sì...?»

«Dimenticalo. È una finzione. Sono lei stessa e il suo ragazzo che hanno scritto le lettere per attirare l'attenzione. Riceverà una nuova lettera nei prossimi giorni e la prossima settimana i media lo sapranno tramite una soffiata. C'è il rischio concreto che lei accusi la Milton di avere lasciato trapelare qualcosa. Eliminala dalla lista dei tuoi clienti.»

Prima che Dragan Armanskij avesse fatto in tempo a replicare, Lisbeth era sparita di nuovo. Lui rimase a fissare il rettangolo vuoto della porta. Lisbeth ragionevolmente non poteva sapere nulla del caso. Doveva averlo lei un insider che le passava informazioni e la teneva aggiornata. Ma solo quattro o cinque persone alla Milton erano a conoscenza di quel caso – Armanskij stesso, il direttore operativo, e i pochissimi che investigavano sulle minacce... che erano tutti professionisti stabili e affermati. Armanskij si massaggiò il mento.

Abbassò lo sguardo sulla scrivania. La cartelletta con il caso Ruterford era chiusa a chiave nel cassetto. L'ufficio era dotato di sistema d'allarme. Diede di nuovo un'occhiata all'orologio e pensò che Harry Fransson, capo della sezione tecnica, era già andato a casa. Avviò il programma di posta e mandò un messaggio a Fransson pregandolo di salire nel suo ufficio il giorno dopo a installare una telecamera di sorveglianza nascosta.

Lisbeth Salander tornò a piedi fino a Mosebacke, allungò il passo spinta dalla sensazione che ci fosse fretta.

Da casa telefonò all'ospedale di Södersjukhuset e dopo avere discusso con diversi centralinisti riuscì a localizzare Holger Palmgren. Da quattordici mesi era ricoverato nella clinica riabilitativa di Erstaviken. Lisbeth si vide improvvisamente davanti agli occhi Äppelviken. Quando chiamò le fu detto che stava dormendo ma che certamente avrebbe potuto andarlo a trovare il giorno dopo.

Lisbeth trascorse la serata a camminare avanti e indietro per il suo appartamento. Si sentiva a disagio. Andò a letto presto e si addormentò quasi subito. Si svegliò alle sette, fece la doccia e fece colazione al 7-Eleven. Alle otto si avviò a piedi verso l'autonoleggio in Ringvägen. *Devo procurarmi una macchina mia.* Noleggiò la stessa Nissan Micra con la quale era andata a Äppelviken qualche settimana prima.

Quando parcheggiò davanti alla clinica fu colta da un nervosismo improvviso ma si fece coraggio ed entrò, e all'accettazione chiese di poter vedere Holger Palmgren.

Una donna con il nome Margit sulla targhetta consultò le sue carte e le spiegò che al momento l'avvocato si trovava nella palestra e non sarebbe stato disponibile prima delle undici. Lisbeth poteva accomodarsi in sala d'attesa oppure ritornare più tardi. Lei tornò al parcheggio e si sedette in macchina. Fumò tre sigarette mentre aspettava. Alle undici ritornò all'accettazione. Le fu indicato come raggiungere la sala da pranzo, attraverso il corridoio a destra e quindi a sinistra.

Si fermò sulla porta e vide Holger Palmgren in una sala semivuota. Stava rivolgendo tutta la propria attenzione al piatto che aveva davanti. Teneva goffamente la forchetta nel pugno chiuso e si portava il cibo alla bocca con aria concentrata. All'incirca una volta su tre l'operazione non gli riusciva e il boccone cadeva.

Era accasciato, sembrava un vecchio di cent'anni. Il suo viso era curiosamente rigido. Sedeva su una sedia a rotelle. Fu solo in quell'attimo che Lisbeth Salander capì che era vivo davvero e che Armanskij non le aveva mentito.

Holger Palmgren imprecò fra sé mentre per la terza volta cercava di raccogliere un po' di pasticcio di maccheroni sulla forchetta. Accettava il fatto di non riuscire a camminare correttamente e di non riuscire a fare anche molte altre cose. Ma detestava di non essere capace di mangiare come si deve e di sbavare a volte come un poppante.

Sapeva benissimo come doveva fare. Abbassare la forchetta con l'angolazione giusta, spingere avanti, sollevare e portare alla bocca. Ma c'erano dei problemi di coordinazione. La mano sembrava vivere una vita propria. Quando lui le ordinava di sollevare, quella scivolava lentamente di lato. Quando la guidava verso la bocca, la mano cambiava direzione all'ultimo momento e puntava contro la guancia o contro il mento.

Però sapeva anche che la riabilitazione dava dei risultati. Fino a sei mesi prima la sua mano tremava così forte che lui non riusciva a raccogliere nemmeno un boccone. Adesso invece i pasti andavano sì per le lunghe, ma in ogni caso era in grado di mangiare da solo. E non aveva nessuna intenzione di arrendersi prima di avere riacquistato il pieno controllo delle proprie membra.

Stava abbassando la forchetta per raccogliere ancora un po' di cibo quando una mano gli spuntò da dietro le spalle e gli sottrasse delicatamente la posata. Vide che raccoglieva un po' di pasticcio di maccheroni e lo sollevava. Riconobbe immediatamente la piccola mano da bambola e girando la testa incontrò gli occhi di Lisbeth Salander a meno di dieci centimetri dal proprio viso. Il suo sguardo era pieno di attesa. Sembrava angustiata.

Palmgren rimase seduto immobile a fissarla. Tutto d'un tratto il cuore gli batteva in un modo assurdo. Poi aprì la bocca e accolse il cibo.

Lei continuò a imboccarlo. Palmgren detestava essere assistito a tavola, ma capì il bisogno di Lisbeth. Non si trattava del fatto che lui era un povero essere inerme. Lei lo imboccava in un gesto di umiltà – nel suo caso, una manifestazione molto insolita. Faceva i bocconi della giusta dimensione e aspettava che finisse di masticare. Quando lui indicò il bicchiere di latte con la cannuccia, glielo sollevò piano così che potesse bere.

Non scambiarono una sola parola per tutta la durata del pranzo. Quando lui ebbe inghiottito l'ultimo boccone, lei mise giù la forchetta e lo guardò interrogativa. Lui scosse la testa. *No, non voglio il bis.*

Holger Palmgren si lasciò andare contro lo schienale della sedia a rotelle e fece un profondo respiro. Lisbeth prese il tovagliolo e gli asciugò la bocca. Palmgren si sentiva improvvisamente come un boss mafioso di un film americano a cui un capo di tutti i capi mostrava la propria deferenza. Si immaginò che lei si chinasse a baciargli la mano e rise fra sé di quell'assurda fantasia.

«Credi che si possa avere una tazza di caffè in questo posto?» domandò Lisbeth.

Lui barbugliò. Labbra e lingua non volevano formare i suoni correttamente.

«Ul tvlo dieo ngolo.» *Sul tavolo dietro l'angolo.*

«Ne vuoi anche tu? Latte e niente zucchero come al solito?»

Lui annuì. Lei tolse di mezzo il vassoio e ritornò dopo qualche minuto con due tazze di caffè. Lui notò che beveva il caffè nero: era inusuale. Sorrise nel vedere che aveva tenuto da parte la cannuccia del latte per metterla nella tazza del caffè. Stavano seduti in silenzio. Palmgren avrebbe voluto dire mille cose ma non riusciva a formulare nemmeno una sillaba. I loro occhi continuavano a incontrarsi. Lisbeth sembrava terribilmente oppressa dai sensi di colpa. Alla fine ruppe il silenzio.

«Credevo che fossi morto» disse. «Non sapevo che eri vivo. Se l'avessi saputo non avrei mai... sarei venuta a trovarti molto prima.»

Lui annuì.

«Perdonami.»

Lui annuì di nuovo. Sorrise. Il suo sorriso era storto, una piega delle labbra.

«Eri in coma, e i medici dicevano che saresti morto. Erano convinti che sarebbe successo di lì a poco e così io me ne sono andata. Mi dispiace. Perdonami.»

Palmgren sollevò una mano e la mise su quella minuta di lei. Lisbeth gliela strinse forte e fece un respiro profondo.

«Ri sprita.» *Eri sparita.*

«Hai parlato con Dragan Armanskij?»

Lui annuì.

«Ho viaggiato. Avevo bisogno di allontanarmi. Non ho salutato nessuno, sono partita e basta. Sei stato in pensiero?»

Lui scosse la testa.

«Non dovrai mai e poi mai preoccuparti per me.»

«Io nn sno m stat prcupto. Tu tl cvi smpr. M Armskij r

prcupto.» *Io non sono mai stato preoccupato. Tu te la cavi sempre. Ma Armanskij era preoccupato.*

Per la prima volta, lei sorrise e Palmgren si rilassò. Era il suo solito sorriso storto. Lui la scrutò, confrontò l'immagine che ricordava di lei con la ragazza che aveva davanti. Era cambiata. Era in ordine, curata e ben vestita. Si era tolta l'anello al labbro e... mmm... anche il tatuaggio della vespa sul collo era sparito. Aveva un'aria più adulta. Rise per la prima volta dopo molto tempo. Sembrava un attacco di tosse.

Lisbeth sorrise ancora più storto e si sentì invadere il cuore da un calore che non provava più da tanto tempo.

«Tl sei cvta bne.» *Te la sei cavata bene.*

Indicò i suoi vestiti. Lei annuì.

«Me la cavo magnificamente.»

«Cm l nvo tutre?» *Com'è il nuovo tutore?*

Holger Palmgren vide il viso di Lisbeth incupirsi. La sua bocca si stirò d'improvviso. Lei lo guardò con un'espressione innocente.

«È okay... riesco a gestirlo.»

Palmgren assunse un atteggiamento interrogativo. Lisbeth si guardò intorno nella sala da pranzo e cambiò argomento.

«Da quanto tempo sei qui?»

Palmgren non era un ingenuo. Aveva avuto un ictus e faceva fatica a parlare e a coordinare i movimenti, ma le sue facoltà mentali erano intatte e il suo radar notò immediatamente una tonalità falsa nella voce di Lisbeth. Negli anni in cui l'aveva frequentata era arrivato a capire che lei non gli mentiva mai veramente ma non sempre era del tutto sincera. Il suo modo di mentirgli consisteva nel distrarlo. Era evidente che c'erano dei problemi con il suo nuovo tutore. E questo non lo stupiva.

D'improvviso provò un profondo rimorso. Quante volte

aveva pensato di contattare il suo collega Nils Bjurman per informarsi di come andassero le cose a Lisbeth, ma poi non l'aveva fatto. E perché non si era occupato della sua dichiarazione di incapacità giuridica mentre ancora ne aveva le forze? Conosceva la risposta – aveva voluto egoisticamente mantenere il contatto con lei. Voleva bene a quella ragazzina maledettamente difficile come alla figlia che non aveva mai avuto, e voleva avere un motivo per conservare la relazione. E ora ricominciare a lavorare sarebbe stato troppo complicato e troppo pesante per una specie di pacco postale ricoverato in una clinica che trovava difficile perfino aprirsi la patta le volte che raggiungeva barcollando la toilette. Gli sembrava quasi di essere stato lui a tradire Lisbeth. *Ma lei se la cava sempre... È la persona più in gamba che abbia mai incontrato.*

«Trbnl.»

«Non ho capito.»

«Trbnale.»

«Il tribunale? Cosa vuoi dire?»

«Dvo cprm dl t dchirzn incpc...»

Il viso di Palmgren si contrasse diventando rosso per la frustrazione di non riuscire a formulare le parole. Lisbeth gli appoggiò una mano sul braccio e glielo strinse piano.

«Holger... non angustiarti per me. Ho in progetto di occuparmi personalmente della mia dichiarazione di incapacità nell'immediato futuro. Non è più compito tuo preoccuparti, ma non è improbabile che mi occorra il tuo aiuto. È okay? Sarai il mio avvocato se avrò bisogno di te?»

Lui scosse la testa.

«Trpo vechio.» Picchiò con le nocche sul tavolo. «Stpdo... vechio.»

«Sì, sei proprio uno stupido vecchio se assumi questo atteggiamento. Io ho bisogno di un avvocato. E voglio te. Forse non potrai discutere una causa nell'aula di un tribunale,

185

ma potrai darmi dei consigli quando sarà il momento. Okay?»

Lui scosse di nuovo la testa. Ma poi annuì.

«Lvr?»

«Non capisco.»

«Cs fai? Nn lvr pr Rmski.» *Cosa fai? Non lavori per Armanskij.*

Lisbeth esitò un minuto mentre rifletteva su come spiegargli la sua situazione. Era complicato.

«Holger, non lavoro più per Armanskij. Non ho più bisogno di lavorare per lui per mantenermi. Ho risorse mie e me la cavo bene.»

Le sopracciglia di Palmgren si aggrottarono di nuovo.

«D'ora in avanti verrò a trovarti molto spesso. Ti racconterò tutto... ma non adesso. Adesso voglio fare qualcos'altro.»

Si chinò, sollevò una borsa e ne estrasse una scacchiera.

«Sono due anni che non gioco con te.»

Lui si rassegnò. La ragazza stava tramando qualcosa di cui non voleva parlare. Era convinto che avrebbe avuto almeno qualcosa da obiettare, ma aveva abbastanza fiducia in lei da sapere che qualsiasi cosa stesse facendo, anche se forse giuridicamente non corretta, non avrebbe violato le leggi divine. A differenza della maggior parte delle persone, Palmgren era certo che Lisbeth Salander avesse una morale. Anche se la sua morale non sempre coincideva con quanto stabiliva la legge.

Lisbeth gli sistemò i pezzi davanti e lui si rese conto che era la sua stessa scacchiera. *Lei doveva averla sottratta dall'appartamento dopo che lui si era ammalato. Un souvenir?* Gli assegnò i bianchi. Tutto d'un tratto, Palmgren era felice come un bambino.

Lisbeth si fermò da Holger Palmgren per due ore. L'aveva battuto tre volte quando un'infermiera interruppe i loro amichevoli battibecchi scacchistici e disse che era l'ora della seduta pomeridiana di ginnastica riabilitativa. Lisbeth raccolse i pezzi e ripiegò la scacchiera.

«Può spiegarmi come funziona la ginnastica riabilitativa?» chiese all'infermiera.

«Si tratta di esercizi di forza e coordinazione. E stiamo facendo progressi, non è vero?»

L'ultima domanda era indirizzata a Palmgren. Lui annuì.

«Già adesso riesce a camminare da solo per qualche metro. Entro l'estate sarà in grado di passeggiare per il parco. Questa qui è sua figlia?»

Gli sguardi di Lisbeth e di Palmgren si incontrarono.

«Dottiva.» *Adottiva.*

«Come sei stata gentile a venire.» *Dove diavolo sei stata tutto questo tempo?* Lisbeth ignorò la critica sottintesa. Si chinò e baciò Palmgren sulla guancia.

«Verrò a trovarti di nuovo venerdì.»

Holger Palmgren si alzò faticosamente dalla sedia a rotelle. Lei lo accompagnò fino a un ascensore, e lì si separarono. Non appena le porte dell'ascensore si furono chiuse, Lisbeth scese all'accettazione e chiese di poter parlare con il responsabile dei pazienti. Fu indirizzata a un certo dottor A. Sivarnandan, che trovò in un ufficio in fondo al corridoio. Si presentò e spiegò che era la figlia adottiva di Holger Palmgren.

«Voglio sapere come sta e quali sono le sue prospettive.»

Il dottor Sivarnandan aprì la cartella clinica di Holger Palmgren e lesse le prime pagine. Aveva la faccia butterata e dei baffetti sottili che irritavano Lisbeth. Alla fine alzò gli occhi. Con grande stupore di Lisbeth, parlava con un marcato accento finlandese.

«Non ci sono annotazioni sul fatto che il signor Palmgren abbia una figlia naturale o adottiva. In realtà, il suo parente più prossimo pare sia un cugino ottantaseienne che abita nello Jämtland.»

«Si è preso cura di me da quando avevo tredici anni fino a quando ha avuto l'ictus. All'epoca io ne avevo ventiquattro.»

Frugò nella tasca interna della giacca e gettò una penna sulla scrivania davanti al dottor Sivarnandan.

«Mi chiamo Lisbeth Salander. Inserisca il mio nome nella cartella clinica. Sono la congiunta più prossima che ha a questo mondo.»

«È possibile» disse Sivarnandan inflessibile. «Ma se è la congiunta più prossima, ebbene mi sembra che abbia aspettato non poco prima di farsi viva. Da quanto ne so, Palmgren ha ricevuto solo qualche rara visita da una persona che non è imparentata con lui ma alla quale dobbiamo rivolgerci in caso di peggioramento o di decesso.»

«Dovrebbe trattarsi di Dragan Armanskij.»

Il dottor Sivarnandan inarcò le sopracciglia e annuì pensieroso.

«Esatto. Lo conosce?»

«Potete telefonargli e verificare chi sono.»

«Non ce n'è bisogno. Le credo. Mi hanno detto che è stata due ore a giocare a scacchi con il signor Palmgren. Ma non posso comunque discutere delle sue condizioni di salute senza il suo permesso.»

«È un permesso che quel vecchio testardo non le darà mai. Infatti nutre l'errata convinzione di non dovermi caricare dei suoi problemi, e di avere ancora delle responsabilità nei miei confronti, invece del contrario. La verità è che per due anni ho creduto che Palmgren fosse morto. Soltanto ieri ho saputo che era ancora vivo. Se avessi... è complicato da spiegare, ma vorrei sapere se tornerà di nuovo a stare bene.»

Il dottor Sivarnandan prese la penna e scrisse accuratamente il nome di Lisbeth Salander nella cartella clinica di

Holger Palmgren. Le chiese il suo codice fiscale e il numero di telefono.

«Okay, ora è formalmente la sua figlia adottiva. Tutto questo forse non è esattamente secondo le regole, ma visto e considerato che lei è la prima persona che viene a trovarlo dal Natale scorso, quando il signor Armanskij passò a dargli un saluto... Oggi è stata con lui e avrà potuto constatare lei stessa che ha problemi di coordinazione e difficoltà a parlare. Ha avuto un ictus.»

«Lo so. Sono stata io a trovarlo e a chiamare l'ambulanza.»

«Aha. Allora sappia che ha passato tre mesi in terapia intensiva. È rimasto in coma per un periodo molto lungo. Pochi pazienti si risvegliano da un coma del genere, ma a volte succede. Lui evidentemente non era pronto a morire. È stato trasferito in un cronicario per pazienti del tutto incapaci di badare a se stessi, ma contro ogni aspettativa ha mostrato segni di miglioramento ed è stato trasferito qui in riabilitazione nove mesi fa.»

«Che futuro lo aspetta?»

Il dottor Sivarnandan allargò le braccia.

«Ha per caso una sfera di cristallo migliore della mia? Detto sinceramente, non ne ho idea. Può morire stanotte per un'emorragia cerebrale. Oppure può vivere una vita relativamente normale per altri vent'anni. Non so. Si può ben dire che sarà Dio a decidere.»

«E se dovesse vivere per altri vent'anni?»

«È una riabilitazione faticosa, ed è solo da pochi mesi che ci sono chiari miglioramenti. Sei mesi fa ancora non era in grado di mangiare da solo. Solo un mese fa riusciva a malapena ad alzarsi dalla sedia, il che dipende fra le altre cose anche dal fatto che i suoi muscoli si sono atrofizzati per tutto il tempo passato a letto. Adesso riesce almeno a percorrere qualche breve tratto.»

«E potrà migliorare?»

«Sì. E anche parecchio. Era il primo passo quello difficile, ora notiamo progressi ogni giorno che passa. Ha perduto quasi due anni della sua vita. Spero che per quest'estate sia in grado di passeggiare nel parco qui fuori.»

«La parola?»

«Il suo problema è che sia la capacità di parlare sia quella di muoversi avevano subito un blocco. Ha dovuto riprendere il controllo del proprio corpo e reimparare a parlare. Ha difficoltà a ricordare quali parole deve utilizzare e deve imparare i vocaboli da capo. Ma al tempo stesso non è come insegnare a parlare a un bambino. Lui capisce il significato delle parole, ma non riesce a formularle. Gli dia ancora un paio di mesi e si accorgerà che la sua capacità di esprimersi sarà migliorata rispetto a oggi. Lo stesso vale per la capacità di orientamento. Nove mesi fa trovava difficile distinguere fra destra e sinistra, o fra su e giù in ascensore.»

Lisbeth annuì pensierosa. Si soffermò a riflettere per un paio di minuti. Scoprì che le piaceva il dottor Sivarnandan, con quel suo aspetto indiano e quel suo accento finlandese.

«Per cosa sta la sua A?» domandò d'improvviso.

Lui la guardò divertito.

«Anders.»

«Anders?»

«Sono nato nello Sri Lanka, ma mi ha adottato una coppia di Åbo quando avevo appena qualche mese.»

«Okay Anders, come posso essere d'aiuto?»

«Venga a trovarlo. Gli dia degli stimoli intellettuali.»

«Posso venire anche tutti i giorni.»

«Non voglio che lo faccia. Se lui le vuole bene, voglio che aspetti con ansia le sue visite e non che gli vengano a noia.»

«Esiste qualche terapia speciale che potrebbe aumentare le sue possibilità di recupero? Pagherei io.»

Sivarnandan le sorrise ma poi si fece subito serio.

«Mi sa che siamo noi la terapia speciale. Vorrei ovviamente che avessimo più risorse e che non fossimo costretti a tutte queste limitazioni, ma le assicuro che comunque sta ricevendo cure molto appropriate.»

«E se non dovesse preoccuparsi dei fondi, cosa potrebbe offrirgli?»

«L'ideale per pazienti come Holger Palmgren sarebbe naturalmente un personal trainer a tempo pieno. Ma ne è passato del tempo da quando avevamo questo genere di risorse in Svezia.»

«Ne assuma uno.»

«Prego?»

«Assuma un personal trainer per Holger Palmgren. Si procuri il migliore sulla piazza. Lo faccia già domattina. E provveda perché gli sia messo a disposizione tutto ma proprio tutto ciò che gli occorre in termini di attrezzature tecniche. Io farò in modo che già alla fine di questa settimana ci sia un fondo con il denaro necessario a pagare il suo stipendio e le attrezzature che gli servono.»

«Sta scherzando?»

Lisbeth fissò il dottor Anders Sivarnandan con il suo sguardo duro e diretto.

Mia Bergman frenò e accostò la sua Fiat al marciapiede fuori dalla stazione del metrò di Gamla Stan. Dag Svensson aprì la portiera e scivolò sul sedile del passeggero con la macchina ancora in movimento. Si chinò e le stampò un bacio sulla guancia mentre lei si infilava dietro un autobus delle linee urbane.

«Ciao» disse lei senza distogliere lo sguardo dal traffico. «Hai un'aria così seria. È successo qualcosa?»

Dag sospirò e si allacciò la cintura di sicurezza.

«No, niente di grave. Qualche problema con il testo, tutto qui.»

«Sarebbe?»

«Manca poco alla consegna. Ho fatto nove dei ventidue confronti che avevamo programmato. Ma ho dei problemi con Björck della Säpo, servizi segreti. È in malattia e non risponde al telefono di casa.»

«Può essere all'ospedale?»

«Non lo so. Hai mai cercato di avere informazioni dai servizi segreti? Non ammettono neppure che lui lavori lì.»

«Hai provato con i suoi genitori?»

«Morti entrambi. È scapolo. Ha un fratello in Spagna. Molto semplicemente non so come fare a contattarlo.»

Mia guardò con la coda dell'occhio il suo compagno mentre procedeva attraverso Slussen verso il tunnel per Nynäsvägen.

«Nel peggiore dei casi dovremo togliere il capitolo su Björck. Blomkvist pretende che tutti quelli che accusiamo abbiano la possibilità di dire la loro prima di essere messi alla gogna.»

«E sarebbe un peccato perdere un rappresentante dei servizi segreti che va a puttane. Cosa pensi di fare?»

«Trovarlo, si capisce. Tu come stai? Niente nervosismo?»

Le posò una mano sulla gamba.

«Sinceramente no. Il mese prossimo discuterò la tesi, mi sento tranquilla come un papa.»

«Conosci la materia. Perché essere nervosi?»

«Guarda sul sedile posteriore.»

Dag si voltò e vide un sacchetto.

«Mia... È stampata!» esclamò.

Tirò fuori la tesi stampata e la guardò ammirato.

Dalla Russia con amore
Trafficking, criminalità organizzata
e contromisure della società
di Mia Bergman

«Credevo che non sarebbe stata pronta prima della prossima settimana. Accidenti... dobbiamo stappare una bottiglia di vino quando arriviamo a casa. Congratulazioni, dottoressa!»

Si chinò in avanti e la baciò di nuovo sulla guancia.

«Calma, sarò dottoressa solo fra tre settimane. E tieni le mani a posto mentre guido.»

Dag rise. Poi si fece nuovamente serio.

«Fra parentesi, non per fare il guastafeste e via dicendo... tu qualche anno fa hai intervistato una ragazza che si chiamava Irina P., vero?»

«Irina P., ventidue anni, di San Pietroburgo. Venne qui la prima volta nel 1999 ma poi tornò altre volte. Perché?»

«Oggi ho incontrato Gulbrandsen. L'agente che seguiva l'indagine sui bordelli a Södertälje. Hai letto che hanno trovato il corpo di una ragazza nel canale di Södertälje? Era Irina P.»

«No. È spaventoso.»

Passarono in silenzio davanti a Skanstull.

«Parlo anche di lei nella tesi» disse Mia Bergman. «Con lo pseudonimo di Tamara.»

Dag aprì *Dalla Russia con amore* al capitolo delle interviste e sfogliò fino a trovare Tamara. Lesse concentrato mentre Mia superava Gullmarsplan e il Globen.

«Era stata portata qui da qualcuno che chiami Anton.»

«Non posso usare i nomi veri. Mi hanno messa in guardia, sarò attaccabile in sede di discussione, ma non posso fare i nomi delle ragazze. Rischierebbero di essere eliminate. E di conseguenza non posso nemmeno fare i nomi dei clienti, dal momento che potrebbero scoprire con quali ragazze ho parlato. Perciò in tutti gli studi di casi concreti ci sono solo pseudonimi e persone non identificabili, nessun dettaglio.»

«Chi è questo Anton?»

«Probabilmente si chiama Zala. Non sono riuscita a identificarlo, ma credo sia polacco o jugoslavo e che in realtà abbia un altro nome. Ho parlato con Irina P. cinque volte ed è stato solo durante l'ultimo incontro che l'ha menzionato. Stava per mettere ordine nella sua vita ed era intenzionata a smettere, ma aveva davvero paura di lui.»

«Mmm...» fece Dag Svensson.

«Che c'è?»

«Mi stavo giusto chiedendo... Qualche settimana fa mi sono imbattuto anch'io nel nome Zala.»

«E in quale contesto?»

«Stavo interrogando Sandström, quel maledetto porco di giornalista. Cazzo. È un autentico bastardo.»

«In che senso?»

«In realtà non è un vero giornalista. Fa giornaletti pubblicitari per le aziende. Ma ha delle fantasie davvero distorte su stupri che poi mette in pratica con quella ragazza...»

«Lo so. Sono io che l'ho intervistata.»

«Lo sapevi che ha fatto il lay-out per un opuscolo informativo sulle malattie sessualmente trasmissibili per conto dell'Istituto superiore di sanità?»

«Questo non lo sapevo.»

«Ho avuto un colloquio con lui la scorsa settimana. Ovviamente è rimasto annichilito quando ho tirato fuori tutta la documentazione e gli ho domandato perché si rivolge alle prostitute minorenni dell'Est per dare vita alle sue fantasie di stupro. A poco a poco ho avuto una sorta di spiegazione.»

«Ah sì?»

«Sandström non solo era un cliente ma svolgeva anche delle commissioni per la mafia del sesso. Mi ha dato i nomi che conosceva, fra cui quello di Zala. Non ha detto niente di particolare su di lui, ma è comunque un nome piuttosto insolito.»

Mia lo guardò con la coda dell'occhio.

«Tu non sai chi possa essere?» chiese Dag.

«No. Non sono mai riuscita a identificarlo. È solo un nome che compare di tanto in tanto. Le ragazze sembrano avere una paura maledetta di lui e nessuna ha mai voluto raccontare di più.»

9.
Domenica 6 marzo - venerdì 11 marzo

Il dottor Sivarnandan si bloccò, mentre stava entrando in sala da pranzo, quando vide Holger Palmgren in compagnia di Lisbeth Salander. Erano chini sopra una scacchiera. La ragazza aveva preso l'abitudine di venire una volta alla settimana, quasi sempre di domenica. Arrivava alle tre e trascorreva almeno un paio d'ore a giocare a scacchi con lui. Lo lasciava verso le otto di sera, quando per lui era ora di andare a letto. Il dottore aveva notato che Lisbeth non trattava minimamente Palmgren con deferenza o come un malato – al contrario sembravano sempre intenti a bisticciare e lei permetteva volentieri che lui facesse il cavaliere andando a prenderle il caffè.

Il dottor Sivarnandan corrugò la fronte. Non riusciva a capire quella strana ragazza che si considerava la figlia adottiva di Holger Palmgren. Aveva un aspetto davvero singolare e sembrava guardare il mondo circostante con il massimo sospetto. Scherzare con lei era assolutamente impossibile.

Sembrava anche pressoché impossibile conversare in maniera normale con lei. Quando in un'occasione le aveva domandato che lavoro facesse, non aveva risposto.

Qualche giorno dopo la sua prima visita, era tornata con un fascio di carte che spiegavano che era stata istituita una fondazione con lo scopo dichiarato di aiutare la clinica nel lavoro di riabilitazione di Holger Palmgren. Il presidente della fondazione era un avvocato con un indirizzo di Gibilterra. Il consiglio direttivo comprendeva un solo membro, anche lui un avvocato con un indirizzo di Gibilterra, e un revisore di nome Hugo Svensson di Stoccolma. La fondazione metteva a disposizione due milioni e mezzo di corone. Il dottor Sivarnandan poteva disporne a proprio piacimento per fornire a Holger Palmgren tutte le cure possibili. Per poter utilizzare il fondo, il dottor Sivarnandan doveva richiedere il denaro al revisore, il quale avrebbe provveduto ai pagamenti.

Era un arrangiamento insolito, per non dire unico.

Sivarnandan aveva riflettuto qualche giorno sulla possibilità che ci fosse qualcosa di poco pulito nella faccenda. Ma non era riuscito a formulare obiezioni fondate, perciò aveva deciso di assumere Johanna Karolina Oskarsson, trentanove anni, in qualità di assistente e personal trainer di Palmgren. Era una fisioterapista diplomata con una specializzazione in psicologia e un'esperienza pluriennale in fatto di terapie riabilitative. Formalmente risultava assunta dalla fondazione e con grande stupore di Sivarnandan la sua prima mensilità era stata versata in anticipo non appena il contratto d'assunzione era stato firmato. Fino a quel momento si era vagamente domandato se non fosse tutto un bluff.

La cosa comunque sembrava dare dei risultati. Le capacità di movimento di Holger Palmgren e le sue condizioni generali erano decisamente migliorate, come si poteva constatare dai test cui veniva sottoposto ogni settimana. Il dottor Sivarnandan si chiedeva quanta parte del miglioramento dipendesse dalla fisioterapia e quanta da Lisbeth Salander. Non v'era alcun dubbio sul fatto che Palmgren si impegnava al massimo e attendeva con ansia ogni sua visita con l'entusiasmo di un bambino. Sembrava divertirsi a essere regolarmente battuto a scacchi.

Il dottor Sivarnandan aveva fatto loro compagnia in un'occasione. Era stata una partita alquanto singolare. Palmgren giocava con i bianchi e aveva fatto un'apertura siciliana in piena regola.

Aveva meditato a lungo e studiato con cura ogni mossa. A prescindere dagli handicap fisici comportati dall'ictus, il suo acume intellettuale non mostrava il minimo difetto.

Lisbeth leggeva un libro su un argomento bizzarro, la calibratura di frequenza dei radiotelescopi in condizione di assenza di gravità. Era seduta su un cuscino per arrivare meglio al livello del tavolo. Quando Palmgren aveva fatto la sua mossa, alzava distrattamente gli occhi e spostava un pezzo, all'apparenza senza riflettere, dopo di che ritornava alla sua lettura. Palmgren aveva capitolato dopo la ventisettesima mossa. Lisbeth aveva alzato lo sguardo, osservando con la fronte corrugata la scacchiera per un paio di secondi.

«No» aveva detto. «Puoi ancora fare partita nulla.»

Palmgren aveva sospirato e dedicato cinque minuti a riflettere. Alla fine aveva puntato gli occhi addosso a Lisbeth Salander.

«Dimostralo.»

Lei aveva ruotato la scacchiera e preso i suoi pezzi. Dopo trentanove mosse la partita era nulla.

«Santo Iddio» era stato il commento di Sivarnandan.

«Lei è fatta così. Non giochi mai a soldi con questa ragazza» lo aveva ammonito Palmgren.

Anche Sivarnandan giocava a scacchi da quando era bambino, e da adolescente aveva partecipato al torneo scolastico di Åbo, piazzandosi al secondo posto. Si considerava un dilettante con una certa competenza, ma intuiva che Lisbeth Salander era una scacchista di eccezionale talento. Non aveva potuto fare a meno di domandarsi se fosse congenito e se in tal caso ne avesse altri che potessero interessare uno psicologo.

Ma non aveva fatto domande. Si era limitato a constatare che Holger Palmgren sembrava stare meglio che mai da quando lei aveva fatto la sua comparsa a Ersta.

L'avvocato Nils Bjurman tornò a casa tardi quella sera. Aveva trascorso quattro settimane di fila nella sua casa di campagna fuori Stallarholmen. Era giù di morale. Non era successo nulla che avesse cambiato sostanzialmente la sua situazione. Al di là del fatto che il gigante biondo aveva fatto sapere che erano interessati alla sua proposta – gli sarebbe costata centomila corone.

Una montagna di corrispondenza si era accumulata sul pavimento sotto la buca delle lettere. La raccolse e la mise sul tavolo della cucina. Aveva sviluppato un totale disinteresse per tutto quanto avesse a che fare con il lavoro e con il mondo esterno, e solo più avanti nella serata il suo sguardo cadde sul fascio di posta. Cominciò a passarla distrattamente.

Una delle lettere veniva dalla Handelsbanken. Aprì la busta, e fu un vero shock per lui scoprire che conteneva la contabile di un prelievo corrispondente a 9.312 corone dal conto di Lisbeth Salander.

Era tornata.

Andò nel suo studio e mise il documento sulla scrivania. Lo guardò con occhi carichi d'odio per oltre un minuto mentre radunava i pensieri. Si mise a cercare il numero di telefono. Poi alzò il ricevitore e compose il numero di un cellulare. Il gigante biondo rispose con il suo accento.

«Sì?»

«Sono Nils Bjurman.»

«Cosa vuole?»

«È tornata in Svezia.»

Dall'altra parte ci fu un breve silenzio.

«Bene. Non telefoni più a questo numero.»

«Ma...»

«Le faremo sapere fra breve.»

Con sua grande irritazione, la conversazione fu interrotta. Bjurman imprecò fra sé. Andò al mobile-bar e si versò due dita di bourbon Kentucky. Svuotò il contenuto del bicchiere in due sorsate. *Devo cercare di bere di meno* pensò. Dopo di che si versò altre due dita di bourbon e si portò il bicchiere alla scrivania, dove guardò di nuovo la comunicazione della banca.

Miriam Wu stava massaggiando energicamente la schiena e il collo di Lisbeth Salander già da venti minuti. Lisbeth di tanto in tanto produceva qualche sospiro di godimento. Farsi massaggiare da Mimmi era grandioso, si sentiva come un gattino che voleva solo giocare e fare le fusa.

Soffocò un sospiro di delusione quando Mimmi le diede una pacca sul sedere e disse che poteva bastare. Per un momento rimase stesa immobile nella vana speranza che andasse avanti, ma quando la sentì prendere il proprio bicchiere di vino si girò sulla schiena.

«Grazie» disse.

«Stai seduta immobile davanti al computer tutto il giorno. È per quello che ti viene mal di schiena.»

«Mi sono solo stirata un muscolo.»

Erano tutte e due stese nude sul letto di Mimmi in Lundagatan. Bevevano vino rosso e ridacchiavano, un po' su di giri. Da quando Lisbeth aveva ricominciato a frequentare Mimmi, era come se non fosse mai sazia di lei. Aveva preso il vizio di telefonarle tutti i santi giorni – una follia. Guardò Mimmi e ricordò a se stessa che non doveva concedersi di attaccarsi di nuovo a qualcuno in maniera eccessiva. Qualcuno avrebbe potuto farsi male.

Miriam Wu si protese improvvisamente oltre il bordo del letto e aprì un cassetto del comodino. Tirò fuori un piccolo pacchetto piatto in una carta da regalo fiorita con un fiocco dorato e lo gettò addosso a Lisbeth.

«Cos'è?»

«Il tuo regalo di compleanno.»

«Ma manca ancora più di un mese.»

«Il tuo regalo di compleanno dell'anno scorso. Non avevo potuto dartelo. L'ho trovato quando ho fatto il trasloco.»

Lisbeth rimase in silenzio.

«Devo aprirlo?»

«Bah, se ne hai voglia.»

Mise giù il bicchiere e scosse il pacchetto, poi lo aprì con cautela. Tirò fuori un bel portasigarette con il coperchio in smalto blu e nero e una piccola scritta in cinese come decorazione.

«Dovresti smettere di fumare» disse Miriam Wu. «Ma se proprio vuoi continuare, puoi almeno tenere le sigarette in qualcosa di un po' più carino.»

«Grazie» disse Lisbeth. «Tu sei l'unica persona che mi faccia regali di compleanno. Cosa significa la scritta?»

«Come faccio a saperlo? Non lo so il cinese. È una cosuccia che ho trovato a un mercatino delle pulci.»

«È un bell'oggetto.»

«È una cianfrusaglia. Ma sembrava fatta per te. Abbiamo finito il vino. Andiamo fuori a farci una birra?»

«Significa che dobbiamo alzarci dal letto e vestirci?»

«Temo di sì. Ma che senso ha abitare a Söder se non si va in qualche locale di tanto in tanto?»

Lisbeth sospirò.

«Avanti» disse Miriam Wu, premendo con un dito sul monile all'ombelico di Lisbeth. «Possiamo tornare qui, dopo.»

Lisbeth sospirò di nuovo e mise un piede sul pavimento, allungandosi per recuperare i suoi slip.

Dag Svensson era seduto alla sua provvisoria scrivania in un angolo della redazione di *Millennium* quando d'un tratto sentì un rumore di ferraglia nella serratura della porta d'ingresso. Guardò l'ora e si rese conto che erano già le nove di sera. Anche Mikael Blomkvist parve stupito di scoprire che c'era qualcuno in redazione.

«Una cosa tira l'altra. Ciao Micke. Stavo riguardando il libro e ho dimenticato di controllare l'ora. Che ci fai tu qui?»

«Dovevo solo prendere un libro che avevo dimenticato. Procede tutto bene?»

«Mmm, sì, be', ecco, no... Ho perso tre settimane a cercare di rintracciare quel dannato Björck della Säpo. È come se fosse stato rapito dai servizi segreti di qualche paese straniero. È sparito nel nulla.»

Dag raccontò delle sue tribolazioni. Mikael prese una sedia e si sedette a riflettere.

«Hai provato con il trucco della lotteria?»

«Eh?»

«Inventa un nome e comunicagli con una lettera che ha vinto un telefono cellulare con navigatore gps o qualsiasi altra cavolata. Stampala in modo che sembri vera e inviala per posta al suo indirizzo. Lui dunque ha già vinto il cellulare. Inoltre è una delle venti persone che possono continuare e vincere centomila corone. Tutto quello che deve fare è prestarsi a una ricerca di mercato. L'intervista durerà un'ora e sarà curata da un intervistatore professionista. E dopo... bah.»

Dag fissò Mikael a bocca aperta.

«Stai dicendo sul serio?»

«Perché no? Tu hai già provato tutto il resto, e anche un agente dei servizi segreti è in grado di calcolare che le probabilità di vincere centomila corone sono piuttosto alte se sei già uno dei venti prescelti.»

Dag scoppiò a ridere.

«Tu sei matto. Ma è legale?»

«Ho qualche difficoltà a credere che sia illegale regalare un telefono cellulare.»

«Sei proprio matto da legare.»

Dag continuava a ridere. Mikael esitò un istante. In realtà era diretto a casa e frequentava raramente i locali, ma la compagnia di Dag gli piaceva.

«Ti andrebbe una birra?» chiese.

Dag guardò l'ora.

«Certo» disse. «Volentieri. Una birretta veloce. Lasciami solo fare uno squillo a Mia. È fuori con delle amiche e passa a prendermi al ritorno.»

Andarono al Kvarnen, più che altro perché era comodo e vicino. Dag Svensson ridacchiava mentre scriveva mentalmente la lettera per Björck. Mikael guardava un po' dubbioso il suo divertito collaboratore. Ebbero la fortuna di trovare un tavolino subito vicino all'ingresso e ordinarono ognuno una birra grande. Cominciarono a brindare al lavoro, che al momento occupava Dag a tempo pieno.

Mikael non si accorse che Lisbeth Salander era in piedi al banco del bar in compagnia di Miriam Wu. Lisbeth fece un passo indietro in modo da avere Mimmi fra sé e Mikael. Lo sbirciava da dietro la spalla di Mimmi.

Era la prima volta che andava in un locale da quando era tornata e naturalmente doveva inciampare in quell'uomo. *Kalle Dannato Blomkvist.*

Era la prima volta che lo vedeva da più di un anno.

«Cosa c'è che non va?» chiese Mimmi.

«Niente» disse Lisbeth.

Continuarono a chiacchierare. O per essere più precisi, Mimmi continuò a raccontare la storia di una lesbica che aveva incontrato nel corso di un viaggio a Londra alcuni anni prima. Si trattava di una visita a una galleria d'arte e della situazione sempre più spassosa che si era venuta a creare quando Mimmi aveva cercato di rimorchiarla. Lisbeth annuiva di tanto in tanto, e come di consueto le sfuggiva il senso della storia.

Mikael Blomkvist non era molto cambiato, constatò. Aveva un aspetto vergognosamente attraente: spigliato e rilassato ma con un'espressione seria in volto. Ascoltava ciò che gli stava dicendo il suo compagno di tavolo e annuiva a intervalli regolari. Sembrava una conversazione impegnativa.

Lisbeth spostò lo sguardo sull'uomo che stava con lui. Un tipo biondo con i capelli a spazzola, qualche anno più giovane di Mikael, che parlava con espressione concentrata e sembrava intento a spiegare qualcosa. Non l'aveva mai visto prima e non aveva idea di chi potesse essere.

Tutto d'un tratto un intero gruppetto di persone si avvicinò al tavolo di Mikael per stringergli la mano. Mikael ricevette anche un buffetto sulla guancia da una donna che disse qualcosa che provocò una risata generale. Mikael assunse un'aria imbarazzata ma rise anche lui.

Lisbeth Salander alzò un sopracciglio.

«Non stai ascoltando quello che dico» disse Mimmi.

«Ma sì che ti ascolto.»

«Sei proprio un disastro come compagnia al bar. Mi arrendo. Andiamo a casa a scopare, piuttosto?»

«Fra un momento» rispose Lisbeth.

Si accostò un po' di più a Mimmi e le mise una mano sul fianco. Mimmi abbassò lo sguardo su di lei.

«Ho voglia di baciarti sulla bocca.»

«Non farlo.»

«Hai paura che la gente creda che sei lesbica?»

«È solo che non voglio attirare l'attenzione.»

«Andiamo a casa, allora.»

«Non ancora. Aspetta un attimo.»

Non dovettero aspettare a lungo. Già venti minuti dopo che erano arrivati l'uomo in compagnia di Mikael ricevette una telefonata sul cellulare. Vuotarono i bicchieri di birra e si alzarono insieme.

«Guarda» disse Mimmi. «Quello è Mikael Blomkvist. È diventato più famoso di una rock star dopo l'affare Wennerström.»

«Ah sì?» fece Lisbeth.

«Ti sei persa la storia? È successo più o meno quando te ne sei andata all'estero.»

«Ne ho sentito parlare.»

Lisbeth fece passare altri cinque minuti prima di guardare Mimmi in faccia.

«Volevi baciarmi sulla bocca.»

Mimmi la guardò esterrefatta.

«Stavo solo scherzando.»

Lisbeth si mise in punta di piedi, abbassò il viso di Mimmi al proprio livello e le diede un lungo bacio profondo. Quando si separarono ricevettero un applauso.

«Tu sei svitata» disse Mimmi.

Lisbeth Salander non fece ritorno a casa che alle sette del mattino. Si sfilò la T-shirt e annusò lo scollo. Valutò se fare una doccia ma poi se ne infischiò e abbandonò i vestiti in un mucchio sul pavimento, dopo di che andò a letto. Dormì fino alle quattro del pomeriggio, poi si alzò e scese a fare colazione al mercato coperto di Söderhallarna.

Rifletté su Mikael Blomkvist e sulla propria reazione nel trovarsi tutto d'un tratto nello stesso locale con lui. Era rimasta infastidita dalla sua presenza, ma constatò anche che vederlo non le faceva più male. Si era trasformato in un piccolo *blip* all'orizzonte, un disturbo di entità minore nell'esistenza.

C'erano disturbi ben più consistenti.

Le sarebbe piaciuto avere il coraggio di avvicinarsi a lui e salutarlo.

O magari di rompergli le ossa, non sapeva bene quale delle due.

In ogni caso, d'un tratto era curiosa di sapere di cosa si stesse occupando.

Sbrigò qualche commissione nel corso del pomeriggio e ritornò a casa verso le sette, connesse il suo PowerBook e lanciò Asphyxia 1.3. L'icona *MikBlom/laptop* era ancora sul server in Olanda. Cliccò due volte e aprì la copia dell'hard disk di Mikael Blomkvist. Era la prima volta che entrava nel suo computer da quando aveva lasciato la Svezia più di un anno prima. Notò soddisfatta che non era ancora passato all'ultimo MacOs, cosa che avrebbe comportato l'eliminazione di Asphyxia e la conseguente interruzione del bugging. Pensò comunque che avrebbe dovuto modificare il programma così che non fosse disturbato da nessun upgrading.

Il volume dell'hard disk era aumentato di quasi 6.9 gigabyte dalla sua visita precedente, in gran parte file in formato pdf e documenti Quark. I documenti non occupavano molto spazio, ma le immagini sì, nonostante fossero compresse. Da quando era tornato in carica come direttore responsabile, aveva evidentemente cominciato ad archiviare una copia di ogni numero di *Millennium*.

Sistemò il contenuto dell'hard disk in ordine cronologico con i documenti più vecchi in alto e notò che Mikael aveva dedicato gli ultimi mesi a una cartella denominata *Dag Svensson* che palesemente costituiva il progetto di un libro. Poi aprì la sua posta ed esaminò accuratamente l'elenco degli indirizzi della sua corrispondenza.

Un indirizzo la fece sobbalzare. Il 26 gennaio Mikael aveva ricevuto una mail da *Harriet Dannata Vanger*. Aprì il messaggio e lesse qualche riga su una prossima assemblea annuale di *Millennium*. La mail si chiudeva con l'informazione che Harriet aveva prenotato la stessa stanza d'albergo della volta precedente.

Lisbeth digerì l'informazione. Poi alzò le spalle e scaricò la posta di Mikael, il manoscritto del libro di Dag Svensson che aveva come titolo provvisorio *Le sanguisughe* e come sottotitolo *I sostenitori dell'industria della prostituzione*. Trovò anche una copia di una tesi di dottorato, *Dalla Russia con amore*, autrice una donna di nome Mia Bergman.

Si disconnesse e andò in cucina ad accendere la macchina del caffè. Poi si sedette con il suo PowerBook sul nuovo divano del soggiorno. Aprì il portasigarette di Mimmi e accese una Marlboro Light. Il resto della serata lo passò a leggere.

Alle nove aveva finito la tesi di Mia Bergman. Si mordicchiò meditabonda il labbro inferiore.

Alle undici aveva terminato anche il libro di Dag Svensson. Si rese conto che entro breve *Millennium* avrebbe occupato di nuovo i titoli dei giornali.

Alle undici e mezza stava finendo di leggere la posta elettronica di Mikael Blomkvist quando d'improvviso sobbalzò e sbarrò gli occhi.

Le vennero i brividi.

Era una mail da Dag Svensson a Mikael Blomkvist.

Svensson diceva che aveva delle idee a proposito di un gangster dell'Est europeo di nome Zala, cui eventualmente avrebbe potuto dedicare un capitolo a parte, ma constatava che mancava davvero poco alla scadenza per la consegna. Mikael non aveva risposto al messaggio.

Zala.

Lisbeth Salander rimase seduta immobile a riflettere, finché non entrò in funzione il salvaschermo.

Dag Svensson mise da parte il blocnotes e si grattò la testa. Fissò meditabondo l'unica parola che compariva in cima al foglio. Quattro lettere.

Zala.

Confuso, dedicò tre minuti a disegnare una serie di labirinti intorno al nome. Poi si alzò e andò a prendere una tazza di caffè nel cucinino. Guardò con la coda dell'occhio l'orologio e pensò che avrebbe dovuto andare a casa a dormire, ma aveva scoperto che si trovava a suo agio a lavorare nella redazione di *Millennium* nelle ore notturne, quando nei locali c'erano quiete e silenzio. Il termine ultimo per la consegna si avvicinava inesorabilmente. Aveva il controllo del manoscritto, ma per la prima volta da quando aveva dato inizio al progetto avvertiva un vago senso di dubbio. Si domandò se non mancasse un particolare essenziale.

Zala.

Fino a quel momento era stato impaziente di portare a termine la stesura del manoscritto e vedere il libro pubblicato. Ora tutto d'un tratto avrebbe voluto avere a disposizione altro tempo.

Ripensò al verbale dell'autopsia che l'ispettore Gulbrandsen della polizia giudiziaria gli aveva lasciato leggere. Irina P. era stata rinvenuta nel canale di Södertälje. Aveva subito brutali percosse e presentava fratture al volto e alla cassa toracica. La causa della morte era il collo spezzato, ma almeno altre due lesioni erano mortali. Aveva sei costole rotte e il polmone sinistro perforato, e la milza spappolata. Le lesioni erano di difficile interpretazione. L'anatomopatologo aveva ipotizzato che fosse stata impiegata una mazza di legno avvolta in un tessuto. Perché un assassino dovesse avvolgere un'arma del delitto in un pezzo di stoffa non era chiaro, ma le fratture non presentavano nessuna caratteristica riconducibile ad altro.

L'omicidio era ancora senza un colpevole e Gulbrandsen

aveva constatato che le probabilità di risolvere il caso non erano molte.

Il nome Zala era comparso in quattro occasioni nel materiale che Mia aveva messo insieme durante gli ultimi anni, ma sempre ai margini, sempre di sfuggita, quasi come quello di un fantasma. Nessuno sapeva chi fosse o addirittura se esistesse davvero. Alcune delle ragazze l'avevano citato come una minaccia indefinita che costituiva un pericolo per chi non obbediva. Dag Svensson aveva dedicato una settimana a cercare di scoprire qualcosa di più su Zala e aveva fatto domande a poliziotti, giornalisti e diverse altre fonti connesse all'industria del sesso che era riuscito a scovare.

Aveva anche ricontattato Per-Åke Sandström, il giornalista che voleva denunciare nel libro. Sandström a quel punto aveva cominciato a intuire la gravità della situazione. L'aveva pregato e supplicato di avere pietà. Gli aveva offerto del denaro. Ma Dag Svensson non aveva nessuna intenzione di recedere dal suo proposito. Anzi, aveva sfruttato la sua posizione per spremere a Sandström informazioni su Zala.

Il risultato fu deludente. Sandström era un bastardo corrotto che faceva il galoppino per la mafia del sesso. Non aveva mai incontrato Zala, ma aveva parlato con lui al telefono e sapeva che esisteva. Forse. No, non aveva nessun numero telefonico. No, non poteva rivelare chi avesse stabilito il contatto.

Dag aveva intuito che Per-Åke Sandström era spaventato. Era una paura che andava oltre quella di essere esposto al pubblico. Era spaventato a morte. *Perché?*

10.
Lunedì 14 marzo - domenica 20 marzo

Raggiungere la clinica in cui era ricoverato Holger Palmgren a Erstaviken portava via un sacco di tempo con i mezzi pubblici, ed era quasi altrettanto complicato noleggiare ogni volta una macchina. A metà marzo Lisbeth Salander decise di comperarsene una e cominciò col procurarsi un posto dove parcheggiarla. Cosa assai più difficile che trovare la macchina.

Aveva un posto nel garage a Mosebacke ma non voleva che la macchina potesse essere collegata con l'appartamento. Molti anni prima però si era messa in lista d'attesa per un posto nel garage del suo vecchio condominio di Lundagatan. Telefonò per sapere a che punto fosse arrivata e le fu detto che era in cima alla lista e che a partire dal mese successivo ci sarebbe stato anche un posto libero. Che colpo di fortuna. Telefonò a Mimmi e la pregò di sottoscrivere immediatamente il contratto. Il giorno dopo cominciò a dare la caccia alla macchina.

Aveva abbastanza denaro per potersi permettere una Rolls-Royce o una Ferrari color mandarino, ma non voleva niente di appariscente. Fece visita a due autosaloni di Nacka e optò per una Honda color vinaccia con il cambio automatico vecchia di quattro anni. Le occorse un'ora per esaminare cocciutamente ogni singolo dettaglio del motore, con grande disperazione del venditore. Per principio tirò sul prezzo facendosi fare uno sconto di qualche migliaio di corone e pagò in contanti.

Dopo di che portò la Honda in Lundagatan e lasciò a Mimmi le chiavi di riserva. Certo, Mimmi poteva usarla se gliela chiedeva per tempo. Siccome il posto in garage non si sarebbe liberato che alla fine del mese, Lisbeth l'aveva parcheggiata in strada.

Mimmi stava andando al cinema con un'amica che Lisbeth non aveva mai sentito nominare. Siccome era pesantemente truccata e abbigliata in modo bizzarro con qualcosa che ricordava un collare per cani come ornamento, Lisbeth suppose che si trattasse di una delle sue fiamme, e quando Mimmi le chiese se voleva aggregarsi declinò l'invito. Non aveva il minimo desiderio di finire in un triangolo insieme a qualcuna delle sue amiche dalle lunghe gambe che di sicuro sarebbe stata infinitamente sexy e l'avrebbe fatta sentire un'idiota. Lisbeth aveva invece una commissione da sbrigare in città, quindi andarono insieme in metrò fino a Hötorget dove si separarono.

Lisbeth raggiunse a piedi il negozio OnOff su Sveavägen e fece in tempo a entrare due minuti prima della chiusura. Comperò un toner per la sua stampante laser, che infilò senza scatola nello zainetto.

Quando uscì dal negozio aveva sete e fame. Camminò fino a Stureplan dove decise per il caffè Hedon, un posto in cui non era mai stata e di cui non aveva mai sentito parlare. Ma riconobbe subito il profilo dell'avvocato Nils Bjurman e fece un brusco dietrofront sulla porta. Si piazzò accanto alla grande vetrina affacciata sul marciapiede e allungò il collo in modo da poter osservare il suo tutore da dietro un bancone portavivande.

La vista di Bjurman non destò nessuna sensazione sconvolgente in Lisbeth, né rabbia, né odio, né paura. Per lei il mondo sarebbe stato indubbiamente un posto migliore senza di lui, ma lui era ancora vivo perché lei aveva deciso che le serviva di più a quel modo. Spostò lo sguardo sull'uomo seduto di fronte a Bjurman e dilatò gli occhi quando si alzò in piedi. *Clic.*

Era un tipo di un'imponenza singolare, alto almeno due metri e ben proporzionato. Eccezionalmente ben proporzionato. Aveva un viso dai lineamenti morbidi e i capelli corti biondo chiaro, ma nel complesso dava un'impressione di grande potenza.

Lisbeth vide il gigante biondo chinarsi in avanti e dire qualche parola a Bjurman, che annuì. Si strinsero la mano e Lisbeth vide che Bjurman ritraeva rapido la sua.

Chi diavolo sei e cosa hai a che fare con Bjurman?

Lisbeth percorse a passo spedito un tratto di strada e si piazzò accanto a un tabaccaio. Finse di leggere una locandina quando il gigante biondo uscì dal caffè Hedon e senza guardarsi intorno svoltò a sinistra. Passò a meno di trenta centimetri dalla schiena di Lisbeth. Lei gli diede quindici metri di vantaggio e poi cominciò a seguirlo.

Non fu una passeggiata molto lunga. Il gigante biondo andò alla stazione del metrò di Birger Jarlsgatan e fece il biglietto alla barriera. Raggiunse la pensilina dei treni che andavano verso sud – in ogni caso la direzione che avrebbe dovuto prendere anche Lisbeth – e salì su quello per Norsborg. Scese a Slussen e cambiò prendendo la linea verde per Farsta ma scese già a Skanstull e raggiunse a piedi il caffè Blombergs in Götgatan.

Lisbeth Salander si fermò all'esterno. Studiò meditabonda l'uomo in compagnia del quale il gigante si sedette. *Clic.* Concluse rapidamente che doveva esserci in ballo qualcosa di losco. L'uomo era sovrappeso, con il viso magro e il ventre tondo da bevitore di birra. Aveva i capelli raccolti in una coda e un paio di baffi biondi. Portava jeans e giacca neri e stivaletti col tacco alto. Sul dorso della mano destra aveva un tatuaggio che Lisbeth non riusciva a distinguere. Portava una catena d'oro intorno al polso e fumava Lucky Strike. Lo sguardo era fisso, come quello di chi è spesso sotto l'effetto di stupefacenti. Lisbeth notò anche che sotto la giacca di jeans indossava un gilet. Non riusciva a vederlo bene, ma intuì che il tizio era un biker.

Il gigante biondo non ordinò nulla. Aveva l'aria di spiegare qualcosa. L'uomo in giacca di jeans annuiva a intervalli regolari ma non sembrava contribuire alla conversazione. Lisbeth ricordò a se stessa che doveva decidersi a comperare un microfono a distanza.

Dopo meno di cinque minuti il gigante biondo si alzò e lasciò il caffè. Lisbeth arretrò di qualche passo ma lui non guardò nemmeno dalla sua parte. Camminò per una quarantina di metri e poi infilò le scale che conducevano in Allhelgonagatan, dove si avvicinò a una Volvo bianca di cui aprì la portiera. Avviò il motore e si immise con prudenza in strada. Lisbeth fece appena in tempo a registrare il numero della targa prima che la Volvo sparisse dietro l'angolo all'incrocio successivo.

Fece dietrofront e ritornò a passo svelto al caffè Blombergs. Era stata via meno di tre minuti ma il tavolino era già vuoto. Si girò a guardare su e giù lungo il marciapiede ma non vide l'uomo con la coda di cavallo. Poi guardò dall'altra parte della strada e lo scorse proprio nell'attimo in cui apriva la porta del McDonald's.

Fu costretta a entrare anche lei per non perderlo di vista. Era seduto in fondo al locale in compagnia di un altro uomo vestito in maniera quasi identica. Questo però portava il gilet sopra la giacca di jeans. Lisbeth lesse la scritta. *Mc Svavelsjö.* La decorazione era una ruota da moto stilizzata che pareva una croce celtica con una scure.

Lisbeth lasciò il locale e rimase ferma in Götgatan per un minuto, indecisa, prima di muoversi verso nord. Aveva la sensazione che tutto il suo sistema d'allarme interno d'improvviso si fosse messo in stato di massima allerta.

Si fermò al 7-Eleven e acquistò la sua scorta settimanale di Billys Pan Pizza, tre gratin di pesce e tre pasticci al bacon surgelati, un chilo di mele, due filoni di pane, mezzo chilo di formaggio, latte, caffè, una stecca di Marlboro Light e i giornali della sera. Salì a Mosebacke lungo Svartensgatan e si guardò intorno con la massima attenzione prima di digitare il codice che apriva il portone. Infilò uno dei pasticci al bacon nel microonde e bevve il latte direttamente dal contenitore. Accese la macchina del caffè e quindi si sedette davanti al computer, lanciò Asphyxia 1.3 ed entrò nella copia dell'hard disk dell'avvocato Bjurman. Passò la mezz'ora successiva a esaminare con cura tutto il contenuto del suo computer.

Non trovò proprio nulla di interessante. Bjurman sembrava utilizzare molto raramente la posta elettronica. Lisbeth lesse una dozzina di brevi messaggi personali per e da conoscenti. Nessuno aveva a che fare con Lisbeth Salander.

Trovò una nuova cartella con immagini porno che lasciava chiaramente intendere che l'avvocato aveva ancora una spiccata predilezione per le donne umiliate in contesti sadici. Ma tecnicamente non costituiva un'infrazione alla sua disposizione di non frequentare nessuna donna.

Aprì la cartella con i documenti relativi all'incarico di Bjurman come tutore di Lisbeth Salander e lesse con cura ogni relazione mensile. Corrispondevano alle copie che lui come da istruzioni aveva inoltrato a uno dei suoi molti indirizzi hotmail.

Tutto perfettamente normale.

O forse una piccola mancanza... Aprendo le informazioni sul file delle relazioni mensili aveva constatato che l'avvocato solitamente le scriveva uno dei primi giorni del mese impiegandoci mediamente quattro ore e poi le inviava puntualmente all'ufficio tutorio il 20 di ogni mese. Adesso erano già a metà marzo e lui non aveva ancora iniziato la nuova. *Era una trascuratezza? Era in ritardo? Era occupato con altro? Tramava qualcosa?* Una ruga si formò sulla fronte di Lisbeth.

Spense il computer e si sedette nel vano della finestra, aprì il portasigarette di Mimmi. Accese una sigaretta e guardò fuori nel buio. Era stata negligente nel sorvegliare Bjurman. *Quell'uomo è sfuggente come un'anguilla.*

Avvertiva una profonda inquietudine. *Prima Kalle Dannato Blomkvist, poi il nome di Zala, e adesso Nils Lurido Porco Bjurman insieme a un energumeno gonfio di anabolizzanti con contatti in un club fuorilegge.* Nell'arco di pochi giorni erano comparsi diversi elementi di disturbo nell'esistenza ordinata che Lisbeth Salander stava cercando di creare intorno a sé.

Alle due e mezza della stessa notte, Lisbeth aprì il portone del palazzo di Upplandsgatan vicino a Odenplan dove abitava l'avvocato Nils Bjurman. Si fermò fuori dalla porta del suo appartamento, aprì con cautela la buca delle lettere e infilò dentro un microfono estremamente sensibile ai rumori che aveva acquistato al Counterspy Shop nel quartiere londinese di Mayfair. Poi sistemò l'auricolare e regolò il volume.

Udì il sordo brontolio di un frigorifero e il ticchettio marcato di almeno due orologi, uno dei quali era appeso in soggiorno a sinistra della porta d'ingresso. Regolò meglio il volume e ascoltò senza respirare. Sentiva ogni possibile scricchiolio e brusio ma nessun rumore di attività umana. Le occorse un minuto per distinguere il debole suono prodotto da un respiro pesante e regolare.

Nils Bjurman dormiva.

Lisbeth recuperò il microfono e lo ripose nella tasca interna della giacca di pelle. Portava un paio di jeans scuri e scarpe da ginnastica con la suola di para. Infilò la chiave nella serratura senza fare rumore e socchiuse la porta. Prima di spalancarla completamente tirò fuori la pistola elettrica dalla tasca della giacca. Non aveva portato con sé nessun'altra arma. Non aveva bisogno di ulteriori rinforzi per gestire Bjurman.

Entrò nell'ingresso, richiuse la porta e si diresse in punta di piedi verso la camera da letto dell'avvocato. Si fermò di colpo scorgendo la luce di una lampada accesa, ma a quel punto poteva già sentire il rumore del suo russare. Riprese subito a muoversi e scivolò dentro la stanza. Davanti alla finestra c'era una lampada accesa. *Che ti succede, Bjurman? Un po' di paura del buio?*

Si piazzò accanto al suo letto e rimase a guardarlo per diversi minuti. Era invecchiato e aveva un'aria trascurata. Dall'odore che aleggiava nella stanza era facile intuire che l'avvocato non curava granché la propria igiene personale.

Lisbeth non provò la benché minima compassione. Per un secondo lampeggiò nei suoi occhi un accenno di odio spietato. Notò la presenza di un bicchiere sul comodino e si chinò ad annusare. Liquore.

Alla fine lasciò la camera da letto. Fece un breve giro d'ispezione in cucina senza trovare niente di particolare, continuò attraverso il soggiorno, si fermò sulla soglia dello studio. Infilò la mano nella tasca della giacca e tirò fuori una dozzina di piccoli pezzi di galletta che seminò con cura sul parquet. Se qualcuno avesse attraversato di soppiatto il soggiorno, lo scricchiolio l'avrebbe avvertita.

Si sedette alla scrivania dell'avvocato Nils Bjurman e appoggiò la pistola elettrica davanti a sé. Cominciò a esaminare metodicamente il contenuto dei cassetti e passò tutta la corrispondenza bancaria di Bjurman. Notò che era più trascurato nei suoi affari, ma non trovò nulla di interessante.

Il cassetto più basso era chiuso a chiave. Lisbeth aggrottò le sopracciglia. All'ultima sua visita, un anno prima, i cassetti erano tutti aperti. Il suo sguardo si fece sfuocato mentre andava con la mente al contenuto del cassetto. Dentro c'erano una macchina fotografica, un teleobiettivo, un piccolo registratore tascabile Olympus, un album di fotografie rilegato in pelle, una scatoletta contenente una collana e altri monili e un anello d'oro con l'iscrizione *Tilda e Jacob Bjurman 23 aprile 1951*. Lisbeth sapeva che erano i nomi dei genitori di Bjurman, e che entrambi erano morti. Supponeva che fosse un anello di matrimonio, conservato come ricordo.

Ergo, l'avvocato teneva sotto chiave le cose che riteneva preziose.

Passò a esaminare lo stipetto a persianetta dietro la scrivania e tirò fuori i due raccoglitori che contenevano l'incartamento relativo al suo incarico di tutore. Per un quarto d'ora sfogliò con cura la documentazione. Le relazioni erano inappuntabili e lasciavano intendere che Lisbeth Salander era una ragazza brava e diligente. Quattro mesi prima l'avvocato aveva inserito l'osservazione che ai suoi occhi appariva così razionale e competente da dare spazio all'ipotesi di discutere seriamente, in occasione dell'esame dell'anno successivo, se davvero sussistessero ancora validi motivi per la tutela. La cosa era elegantemente formulata e costituiva il primo passo verso la cancellazione della sua dichiarazione di incapacità.

Il raccoglitore conteneva anche delle annotazioni scritte a mano che dimostravano che Bjurman era stato contattato da una certa Ulrika von Liebenstaahl dell'ufficio del giudice tutelare per un colloquio sulle condizioni generali di Lisbeth. Le parole "è necessaria una valutazione psichiatrica" erano sottolineate.

Lisbeth sporse le labbra e rimise a posto i raccoglitori, poi si guardò intorno.

Non aveva trovato nulla su cui obiettare. Bjurman sembrava muoversi in perfetta conformità con le sue istruzioni. Si mordicchiò il labbro inferiore. Aveva la sensazione che ci fosse qualcosa che non andava.

Si era alzata dalla sedia e stava per spegnere la lampada della scrivania quando si fermò di colpo. Tirò fuori di nuovo i raccoglitori e diede un'altra scorsa alle carte. Era confusa.

Il contenuto avrebbe dovuto essere più voluminoso. Un anno prima c'era un riassunto della sua evoluzione redatto dall'ufficio del giudice tutelare. Ora mancava. *Perché Bjurman avrebbe dovuto togliere delle carte dalla documentazione?* Non riusciva a trovare nessun valido motivo. A meno che lui non avesse raccolto altre carte da un'altra parte. Fece scorrere lo sguardo dallo stipetto al cassetto più basso.

Non aveva con sé un grimaldello, perciò tornò in punta di piedi nella camera da letto di Bjurman e pescò il suo mazzo di chiavi dalla giacca appesa sull'attaccapanni in legno. Nel cassetto c'erano gli stessi oggetti di un anno prima, ma la raccolta si era arricchita di una scatola piatta con l'effigie di una Colt 45 Magnum.

Lisbeth ripercorse mentalmente la ricerca su Bjurman che aveva fatto quasi due anni prima. L'avvocato era un tiratore ed era membro del club di tiro della polizia. Secondo il registro pubblico delle armi, aveva una licenza per una Colt 45 Magnum.

Giunse di malavoglia alla conclusione che non era strano che tenesse il cassetto chiuso a chiave.

La situazione non le piaceva ma non riusciva a trovare nessun pretesto per svegliare Bjurman e usare la mano pesante.

Mia Bergman si svegliò alle sei e mezza. Sentì la tv a basso volume nel soggiorno e il profumo del caffè appena fatto. Sentì anche il ticchettio della tastiera dell'iBook di Dag. Sorrise.

Non aveva mai visto Dag lavorare con così tanto impegno a un'inchiesta. Quella di *Millennium* era stata una buona mossa. Di solito Dag era troppo pieno di sé, e sembrava che la frequentazione di Blomkvist, di Erika Berger e degli altri stesse avendo un effetto positivo su di lui. Sempre più spesso tornava a casa avvilito dopo che Blomkvist gli aveva fatto osservare delle mancanze o gli aveva affondato qualche ragionamento. E ogni volta si rimetteva a lavorare con impegno raddoppiato.

Si chiese se fosse il momento giusto per disturbare la sua concentrazione. Aveva un ritardo di tre settimane. Ma non era sicura, e non aveva ancora fatto nessun test di gravidanza.

Si domandò se fosse il caso.

Presto avrebbe compiuto trent'anni. Fra meno di un mese avrebbe discusso la tesi. Dottoressa Bergman. Sorrise di nuovo e decise di non dire nulla a Dag prima di essere sicura. E magari avrebbe aspettato che il suo libro fosse terminato e che la sua tesi fosse stata alle spalle.

Indugiò una decina di minuti, poi si alzò e andò in soggiorno con un lenzuolo avvolto intorno al corpo. Lui alzò gli occhi.

«Non sono ancora le sette» disse lei.

«Blomkvist sta facendo di nuovo il gradasso» rispose lui.

«È stato cattivo con te? Ben ti sta. Lui ti piace, non è vero?»

Dag si appoggiò allo schienale del divano e incontrò il suo sguardo. Dopo un momento annuì.

«*Millennium* è un buon posto dove lavorare. Ho parlato con Mikael al Kvarnen, prima che tu passassi a prendermi l'altra sera. Mi ha chiesto cosa farò quando questo progetto sarà concluso.»

«Aha. E tu cos'hai risposto?»

«Che non lo so. Sono così tanti anni che lavoro come freelance. Vorrei avere qualcosa di più stabile.»

«*Millennium*.»

Lui annuì.

«Micke ha sondato il terreno e mi ha chiesto se sarei interessato a un part-time. Lo stesso contratto di Henry Cortez e Lottie Karim. Avrei una scrivania e una paga base da *Millennium* e potrei raggranellare il resto per conto mio.»

«È quello che vuoi?»

«Se mi faranno un'offerta concreta, credo che accetterò.»

«Okay, ma in ogni caso non sono ancora le sette e oggi è sabato.»

«Pensavo di gingillarmi un po' col testo.»

«Io invece pensavo che potevi tornare a letto a gingillarti un po' con qualcos'altro.»

Gli scoccò un sorriso e scostò un lembo del lenzuolo. Lui mise il computer in stand-by.

Lisbeth Salander dedicò gran parte delle successive ventiquattr'ore a fare ricerche sul suo PowerBook. Si muoveva in più direzioni, non aveva ben chiaro cosa stesse cercando.

Una parte della raccolta dati fu semplice. Dagli archivi dei giornali mise insieme la storia del Motoclub Svavelsjö. Il club compariva per la prima volta nel 1991 sotto il nome di Tälje Hog Riders, a proposito di un'irruzione della polizia nella sede, all'epoca situata in un edificio scolastico dismesso alla periferia di Södertälje. L'intervento era stato provocato dal fatto che dei vicini avevano sentito degli spari all'interno della vecchia scuola. La polizia era intervenuta in forze e aveva interrotto un festino a base di birra degenerato in una gara di tiro con un Ak4, risultato poi rubato agli inizi degli anni ottanta al disciolto reggimento I20 del Västerbotten.

Secondo un resoconto pubblicato da un giornale della sera, il Motoclub Svavelsjö aveva sei o sette membri e una dozzina di seguaci. Tutti i membri ufficiali erano stati condannati almeno una volta per reati diversi, più che altro da dilettanti ma non di rado violenti. Due persone spiccavano dal mucchio. Il presidente era un certo Carl-Magnus "Magge" Lundin, il cui ritratto compariva in una edizione in rete dell'*Aftonbladet* del 2001, in relazione a un'irruzione della polizia nei locali del club. Lundin era stato condannato in cinque occasioni a cavallo degli anni ottanta e novanta. Quattro processi erano stati per furto, ricettazione e violazione della legge sugli stupefacenti. La quinta sentenza, che riguardava reati più gravi fra cui una violenza privata, gli era costata diciotto mesi. Lundin era uscito nel 1995 e poco tempo dopo era diventato presidente del Tälje Hog Riders, che ora si chiamava Motoclub Svavelsjö.

Il numero due del club, secondo l'unità della polizia specializzata in bande più o meno criminali, era un certo Sonny Nieminen, trentasette anni, che compariva in non meno di ventitré schede del casellario giudiziario. L'uomo aveva inaugurato la sua carriera a sedici anni, quando era stato condannato alla libertà vigilata per maltrattamenti e furto. Nel corso dei dieci anni successivi, Sonny Nieminen era stato condannato cinque volte per furto, una per furto aggravato, due per minacce, due per infrazioni alla legge sugli stupefacenti, estorsione, violenza contro pubblico ufficiale, due per possesso abusivo di armi, una per possesso abusivo aggravato e guida in stato di ebbrezza e sei per violenza privata. Era stato condannato alla libertà vigilata, a multe e a ripetuti soggiorni di uno o due mesi in carcere, finché nel 1989 era stato improvvisamente condannato a dieci mesi di prigione per violenza aggravata e rapina. Qualche mese più tardi era già fuori. Si era mantenuto tranquillo fino all'ottobre del 1990, quando nel corso di una serata in un locale di Södertälje era rimasto coinvolto in una rissa conclusasi con un omicidio e una condanna a sei anni di galera. Nieminen era uscito di nuovo nel 1995, stavolta come amico inseparabile di Magge Lundin. Nel 1996 era stato arrestato per complicità in una rapina a mano armata ai danni di un portavalori. Non aveva preso parte direttamente alla rapina, ma aveva fornito a tre giovani le armi per realizzarla. Era stato condannato a quattro anni e rimesso in libertà nel 1999. Dopo di che Nieminen aveva miracolosamente evitato di essere catturato dalla polizia per altri reati. Secondo un articolo di giornale del 2001, nel quale lui non veniva menzionato esplicitamente ma lo sfondo era così dettagliato da lasciare pochi dubbi su chi fosse la persona in questione, era stato sospettato di complicità in almeno un omicidio ai danni di un membro di un club fuorilegge concorrente.

Lisbeth cercò le foto del passaporto di Nieminen e Lundin. Nieminen aveva un viso bellissimo incorniciato di riccioli scuri e occhi penetranti dallo sguardo pericoloso. Magge Lundin aveva l'aria del perfetto idiota. Lisbeth non ebbe nessuna difficoltà a identificare Lundin come l'uomo che aveva incontrato il gigante biondo al caffè Blombergs, e Nieminen come l'uomo che lo aspettava al McDonald's.

Tramite il pubblico registro automobilistico rintracciò il proprietario della Volvo bianca a bordo della quale il gigante biondo si era allontanato. L'auto risultò appartenere all'autonoleggio Auto-Expert di Eskilstuna. Lisbeth prese il telefono e parlò con un certo Refik Alba.

«Mi chiamo Gunilla Hansson. Ieri il mio cane è stato investito da una persona che se l'è filata. Il bastardo guidava una macchina noleggiata da voi. Era una Volvo bianca.»

Gli diede il numero di targa.

«Sono spiacente.»

«Non mi basta. Voglio il nome di quel bastardo per potergli chiedere un risarcimento.»

«Ha denunciato il fatto alla polizia?»

«No, preferirei sistemare la faccenda in via amichevole.»

«Mi rincresce, ma non posso fornire i nomi dei nostri clienti senza una regolare denuncia alla polizia.»

La voce di Lisbeth Salander si incupì. Si chiedeva se fosse una buona politica aziendale costringerla a denunciare alla polizia un cliente anziché favorire un accomodamento amichevole. Refik Alba si dichiarò ancora una volta dispiaciuto, ma ripeté che purtroppo non poteva farci nulla. Lei argomentò per un altro paio di minuti ma non riuscì a ottenere il nome del gigante biondo.

Il nome Zala si rivelò un altro vicolo cieco. Con due interruzioni per consumare altrettante Billys Pan Pizza, Lisbeth Salander trascorse la maggior parte della giornata davanti al computer. La sua unica compagnia era una bottiglia da un litro e mezzo di Coca-Cola.

Trovò centinaia di persone che portavano il nome Zala – da un atleta italiano a un musicista argentino. Ma non trovò nulla di ciò che cercava.

Provò con Zalachenko ma non trovò niente di interessante.

Frustrata, raggiunse barcollando il suo letto e dormì dodici ore di fila. Quando si svegliò erano le undici del mattino. Accese la macchina del caffè e aprì i rubinetti della Jacuzzi. Versò nell'acqua il bagnoschiuma, portò in bagno caffè e tramezzini e fece colazione a mollo. Avrebbe voluto che Mimmi fosse lì con lei. Non le aveva ancora rivelato dove abitava.

A mezzogiorno uscì dalla vasca, si asciugò e si infilò una vestaglia. Riaccese il computer.

I nomi Dag Svensson e Mia Bergman diedero migliori risultati. Tramite Google riuscì a mettere velocemente insieme un breve riassunto di ciò che avevano fatto negli anni precedenti. Scaricò alcuni degli articoli di Dag e trovò anche una sua foto. Senza grande stupore constatò che si trattava dell'uomo che aveva visto in compagnia di Mikael Blomkvist al Kvarnen qualche sera prima. Il nome adesso aveva un volto e viceversa.

Trovò diversi testi su o di Mia Bergman. Qualche anno addietro aveva suscitato un certo scalpore con un rapporto sulla diversità di trattamento fra uomini e donne nei tribunali. La cosa aveva dato origine a un certo numero di editoriali e a interventi nei forum di diverse organizzazioni femminili. Mia Bergman stessa vi aveva contribuito. Lisbeth lesse con attenzione. Alcune femministe ritenevano che le conclusioni della Bergman fossero importanti, mentre altre la accusavano di "diffondere illusioni borghesi". In cosa consistessero esattamente queste illusioni borghesi tuttavia non era chiaro.

Verso le due del pomeriggio lanciò Asphyxia 1.3, ma anziché *MikBlom/laptop* scelse *MikBlom/office*, il computer fisso di Mikael alla redazione di *Millennium*. Sapeva per esperienza che il computer che Mikael aveva in ufficio non conteneva quasi nulla di interessante. Lo utilizzava per navigare in Internet, per lavorare aveva il suo iBook. Ma Mikael era l'amministratore della rete interna di *Millennium*, dunque Lisbeth ne ricavò la password.

Per poter entrare in altri computer della redazione però l'hard disk copiato sul server olandese non bastava, anche l'originale di *MikBlom/office* doveva essere acceso e collegato alla rete interna. Ebbe fortuna. Mikael Blomkvist si trovava al suo posto di lavoro e aveva il computer fisso in funzione. Lisbeth aspettò dieci minuti ma non notò alcun segno di attività. Forse Mikael aveva acceso il computer quando era arrivato in ufficio, dopo di che l'aveva lasciato acceso mentre faceva altro o lavorava sul portatile.

Doveva procedere con cautela. Nel corso dell'ora successiva Lisbeth passò con circospezione da un computer all'altro e scaricò la posta elettronica di Erika Berger, di Christer Malm e di una collaboratrice a lei sconosciuta di nome Malin Eriksson. Alla fine trovò il computer fisso di Dag Svensson, secondo l'informazione di sistema un vecchio Macintosh PowerPc con un hard disk di soli 750 megabyte, dunque una vecchia scatola di latta con ogni probabilità utilizzata solo da collaboratori occasionali. Era collegato, il che significava che Dag Svensson in quel momento si trovava nella redazione di *Millennium*. Scaricò la sua posta ed esaminò l'hard disk. Trovò una cartella che molto semplicemente era stata battezzata *Zala*.

Il gigante biondo era di malumore e si sentiva insoddisfatto. Aveva appena ritirato duecentotremila corone in contanti, una somma cospicua per i tre chili di metamfetamina che aveva fornito a Magge Lundin alla fine di gennaio. Era un buon guadagno per qualche ora di lavoro – andare a ritirare la merce dal corriere, conservarla per un po' e consegnarla a Lundin, e poi incassare il cinquanta per cento del profitto. Non c'era nessun dubbio che il Motoclub Svavelsjö fosse in grado di procurargli quella somma ogni mese, e la banda di Magge Lundin era soltanto una di tre operazioni equivalenti – le altre due erano nelle mani di bande della zona di Göteborg e di Malmö. Insieme le tre bande riuscivano a fargli incassare più di mezzo milione di corone al mese.

Eppure provava un tale senso di insoddisfazione che si fermò e spense il motore. Non dormiva da quasi trenta ore e si sentiva confuso. Aprì la portiera, si sgranchì le gambe e urinò sul bordo della strada. Il freddo era intenso, il cielo limpido e stellato. Era in piedi lungo un campo non lontano da Järna.

La richiesta sul mercato svedese era indiscutibilmente grande. Era questione di logistica – come trasportare il prodotto dal punto A al punto B, o per essere più precisi, da un ufficio in un seminterrato di Tallinn a Frihamnen a Stoccolma.

Questo problema ricorrente – come destreggiarsi per garantire un trasporto regolare dall'Estonia alla Svezia – era il punto cruciale, il vero anello debole, dal momento che dopo molti anni di sforzi doveva ancora improvvisare.

Negli ultimi tempi erano sorte davvero troppe frizioni. Anche se il gigante biondo era orgoglioso delle proprie capacità organizzative. Nell'arco di qualche anno aveva creato una macchina ben oliata di contatti che erano stati coltivati con dosi ben calibrate di bastone e di carota. Era lui che aveva avviato il lavoro, identificato i partner, condotto le trattative e provveduto affinché le consegne arrivassero dove dovevano.

La carota era l'incitamento che ricevevano i subfornitori come Magge Lundin – un profitto ragionevolmente buono e senza rischi. Il sistema era impeccabile. Lundin non aveva bisogno di alzare un dito per ricevere la merce – niente viaggi complicati né trattative con persone che avrebbero potuto essere di tutto, da poliziotti della narcotici a scagnozzi della mafia russa più che in grado di fregarlo. Lundin sapeva che il gigante biondo avrebbe consegnato, lui sapeva che avrebbe incassato il suo cinquanta per cento.

Il bastone serviva quando sorgevano delle complicazioni, come negli ultimi tempi era accaduto sempre più spesso. Uno spacciatore di strada chiacchierone che sapeva davvero troppo era stato lì lì per coinvolgere il Motoclub Svavel-sjö. Il gigante era stato costretto a intervenire e punire.

Il gigante biondo era bravo a punire.

Sospirò.

Intuiva che l'intera attività stava per diventare troppo difficile da controllare. Molto semplicemente, era troppo sfaccettata.

Accese una sigaretta e si sgranchì le gambe lungo la strada.

La metamfetamina era un'ottima, discreta e gestibile fonte di guadagni – grandi profitti contro piccoli rischi. Gli affari con le armi erano in certa misura accettabili se si potevano evitare le deviazioni imprudenti. Ma pensando ai rischi non era difendibile sotto il profilo economico fornire due armi da fuoco per qualche biglietto da mille a un paio di mocciosi svitati che intendevano rapinare il chiosco dietro l'angolo.

Singoli casi di spionaggio industriale o di contrabbando di componenti elettronici verso l'Est – anche se il mercato si era molto ridotto negli ultimi anni – avevano ancora un certo senso.

Invece le puttane dai paesi baltici erano un affare del tutto insostenibile dal punto di vista economico. Rendevano poco e in realtà erano solo una complicazione che in qualsiasi momento poteva dare origine a polemiche ipocrite sui mass-media e a dibattiti in quella bizzarra entità politica che andava sotto il nome di Parlamento svedese, le cui regole del gioco agli occhi del gigante biondo erano nel migliore dei casi oscure. Il vantaggio con le puttane era che sotto l'aspetto giudiziario erano potenzialmente prive di rischi. A tutti piacciono le puttane – pubblici ministeri, giudici, sbirri e anche qualche parlamentare. Nessuno avrebbe scavato troppo a fondo per far cessare l'attività.

Nemmeno una puttana morta avrebbe provocato complicazioni politiche. O la polizia riusciva a beccare nel giro di poche ore un sospetto con i vestiti macchiati di sangue, e il tutto si concludeva con una condanna e qualche anno di galera o di recupero in qualche istituto, o l'esperienza insegnava che avrebbe trovato ben presto qualcosa di più importante di cui occuparsi.

Però a lui il commercio delle puttane non piaceva. Non gli piacevano le puttane con le facce impiastricciate e le risate stridule da ubriache. Erano sudicie. Erano un capitale umano del genere che costava tanto quanto faceva incassare. E siccome si trattava di capitale umano esisteva sempre il rischio che qualcuna andasse fuori di testa e si mettesse in mente di disertare o andare a spettegolare con la polizia o i giornalisti o altri estranei. Allora sarebbe stato costretto a intervenire e punire. E rivelazioni sufficientemente chiare avrebbero potuto mettere in moto il meccanismo della pubblica accusa e della polizia – altrimenti sarebbe montato un gran casino in quel dannato Parlamento. Il commercio delle puttane era solo un gran pasticcio.

I fratelli Atho e Harry Ranta erano un buon esempio di pasticcio. Due inutili parassiti che avevano avuto accesso a un numero davvero esagerato di informazioni riguardanti l'attività. Avrebbe preferito avvolgerli in una catena e buttarli nelle acque del porto. Invece li aveva portati al traghetto per l'Estonia e aveva aspettato pazientemente che salissero a bordo. La forzata vacanza era motivata dal fatto che un dannato giornalista aveva cominciato a ficcare il naso nei loro affari e perciò era stato deciso che dovessero diventare invisibili finché le acque non si fossero calmate.

Sospirò nuovamente.

Soprattutto, al gigante biondo non andavano a genio i binari morti come Lisbeth Salander. Ai suoi occhi quella tizia era assolutamente priva di interesse. Non costituiva nessun vantaggio.

Non gli piaceva l'avvocato Nils Bjurman e non riusciva a capire perché mai si fosse deciso ad accontentarlo. Ma ormai la ruota aveva cominciato a girare. L'ordine era partito, il compito era stato appaltato al Motoclub Svavelsjö.

Ma la faccenda non gli piaceva per niente. Aveva dei brutti presentimenti.

Alzò gli occhi e lasciò correre lo sguardo sul campo immerso nel buio, poi gettò il mozzicone nel fossato. Tutto d'un tratto colse un movimento con la coda dell'occhio e rabbrividì. Mise a fuoco lo sguardo. Non c'era illuminazione a parte una debole falce di luna, ma riuscì comunque a distinguere una sagoma nera che avanzava strisciando verso di lui a circa trenta metri dalla strada. La creatura si muoveva lenta e faceva piccole pause.

Il gigante biondo sentì d'improvviso la fronte imperlata di sudore freddo.

Odiava la creatura sul campo.

Per più di un minuto restò quasi paralizzato a fissare stregato l'avanzata lenta ma determinata della creatura. Quando fu così vicina da poterne vedere gli occhi scintillanti nell'oscurità, fece un brusco dietrofront e raggiunse di corsa la macchina. Spalancò la portiera e armeggiò con le chiavi. Sentì crescere il panico fino a quando finalmente riuscì ad avviare il motore e ad accendere gli abbaglianti. La creatura era sulla strada e il gigante biondo poté distinguerne i dettagli. Sembrava un enorme tritone che si trascinava in avanti. Aveva un pungiglione simile a quello degli scorpioni.

Una cosa era chiara. Non era di questo mondo. Era un mostro salito dagli inferi.

Il gigante biondo riuscì a ingranare una marcia e partì sgommando. Quando le passò vicino, vide la creatura tentare un attacco senza però arrivare alla macchina. Solo parecchi chilometri dopo smise di tremare.

Lisbeth dedicò la notte a studiare il lavoro di Dag Svensson e *Millennium* sul trafficking. A poco a poco arrivò ad avere una panoramica relativamente buona ancorché basata su frammenti criptici messi insieme attraverso il contenuto della posta elettronica.

Erika Berger chiedeva a Mikael Blomkvist come procedevano i confronti, lui rispondeva brevemente che avevano dei problemi a trovare l'uomo della Čeka. Lisbeth ne dedusse che una delle persone che sarebbero state sbattute in prima pagina nel reportage lavorava per i servizi segreti. Malin Eriksson inviava un riassunto di una ricerca collaterale a Dag Svensson e in copia a Blomkvist ed Erika Berger. Sia Svensson che Blomkvist rispondevano con commenti e proposte. Mikael e Dag si scambiavano messaggi più volte nell'arco di ogni giornata. Dag inviava una relazione sul colloquio avuto con un giornalista di nome Per-Åke Sandström.

Dalla posta elettronica di Dag Svensson poté constatare che il giornalista comunicava anche con una persona di nome Gulbrandsen a un indirizzo yahoo. Le ci volle un momento per capire che Gulbrandsen era un poliziotto e che lo scambio di messaggi avveniva *off the record*, attraverso un indirizzo non ufficiale. Di conseguenza, l'uomo doveva essere una fonte.

La cartella *Zala* aveva un'estensione limitata in maniera frustrante e conteneva soltanto tre documenti. Il più lungo, *Irina P*, conteneva una descrizione frammentaria della vita di una prostituta. Era chiaro che la donna era morta. Lisbeth lesse con attenzione il riassunto del verbale dell'autopsia fatto da Dag Svensson.

Da quanto poteva capire, Irina P. aveva subito violenze talmente pesanti che ben tre delle ferite che le erano state inferte erano di per sé mortali.

Riconobbe nel testo una citazione letterale dalla tesi di Mia Bergman. Nella tesi era riferita a una donna di nome

Tamara. Lisbeth ne dedusse che Irina P. e Tamara erano la stessa persona e rilesse con la massima attenzione il capitolo della tesi con l'intervista.

L'altro documento, *Sandström*, era molto più breve. Conteneva lo stesso riassunto che Svensson aveva spedito a Blomkvist. Un giornalista di nome Per-Åke Sandström era uno dei clienti che si erano serviti di una ragazza proveniente dalle repubbliche baltiche, inoltre aveva svolto incarichi per conto della mafia russa ricevendone compensi in forma di droga o sesso. Sandström, oltre a realizzare giornali aziendali, aveva anche scritto come free-lance per un quotidiano diversi articoli in cui condannava indignato il commercio del sesso e svelava che un uomo d'affari svedese di cui non faceva il nome aveva fatto visita a un bordello di Tallinn.

Il nome di Zala non compariva né in *Sandström* né in *Irina P* ma Lisbeth trasse la conclusione che, siccome entrambi i documenti si trovavano in una cartella denominata *Zala*, un collegamento doveva esserci. Il terzo e ultimo documento della cartella si chiamava proprio *Zala*. Era articolato in più punti ma molto conciso.

Secondo Dag Svensson, il nome Zala era comparso in nove occasioni in relazione ad affari di droga, armi o prostituzione a partire dalla metà degli anni novanta. Nessuno sembrava sapere chi fosse questo Zala, ma fonti diverse lo davano per jugoslavo, polacco o ceco. Tutte le informazioni venivano da fonti di seconda mano, nessuna delle persone con cui Dag Svensson aveva parlato lo aveva mai incontrato personalmente.

Dag Svensson ne aveva discusso ampiamente con la fonte G. (forse Gulbrandsen) e aveva elaborato la teoria che Zala potesse essere responsabile della morte di Irina P. Non risultava cosa pensasse G. di tale teoria, ma Zala un anno prima era stato l'oggetto di una discussione nel corso di un incontro con uno speciale gruppo d'indagine sulla criminalità organizzata. Il nome era saltato fuori così tante volte che la polizia aveva cercato di farsi un'idea se questo Zala esistesse davvero oppure no.

Da quanto Svensson era riuscito a scoprire, il nome Zala era comparso per la prima volta in relazione a una rapina ai danni di un portavalori a Örkelljunga nel 1996. I rapinatori avevano messo le mani su quasi tre milioni e mezzo di corone, ma si erano comportati in una maniera così goffa che in un solo giorno la polizia aveva identificato e catturato tutta la banda. Il giorno dopo aveva catturato anche un'altra persona. Era il delinquente di professione Sonny Nieminen, membro del Motoclub Svavelsjö, che a quanto si diceva aveva fornito le armi utilizzate per la rapina e che più tardi era stato condannato a quattro anni di reclusione.

Nel giro di una settimana, altre tre persone erano state arrestate per complicità. Il garbuglio comprendeva con ciò otto persone, sette delle quali si erano cocciutamente rifiutate di parlare con la polizia. L'ottavo, un ragazzo di soli diciannove anni di nome Birger Nordman, era crollato e aveva cantato. Il processo era stato una passeggiata per la pubblica accusa, con il risultato che (così sospettava la fonte di Dag Svensson) due anni più tardi Birger Nordman era stato trovato sepolto in una cava di sabbia nel Värmland dopo che non era rientrato da un permesso.

Secondo la fonte G., la polizia sospettava che Sonny Nieminen fosse il capo dell'intera banda. Sospettava anche che Nordman fosse stato ucciso su suo ordine, ma non aveva nessuna prova. Nieminen tuttavia era considerato particolarmente pericoloso e senza scrupoli. In galera il suo nome era collegato alla Fratellanza ariana, un'organizzazione nazista che a sua volta aveva legami con la Fratellanza Wolfpack, a club fuorilegge nel mondo dei motociclisti e a diverse organizzazioni neonaziste.

Ciò che interessava a Lisbeth Salander era tuttavia qualcosa di completamente diverso. Una delle informazioni che il defunto rapinatore Birger Nordman aveva fornito nel corso degli interrogatori era che le armi usate per la rapina provenivano da Nieminen, che a sua volta le aveva avute da uno jugoslavo di nome Zala.

Siccome nei registri dell'anagrafe non compariva nessuna persona di nome Zala, Svensson aveva ipotizzato che quello potesse essere un soprannome, o che potesse trattarsi di un accorto delinquente che compariva sotto falso nome.

L'ultimo punto del documento conteneva un breve resoconto delle informazioni avute da Sandström su Zala. Non molto. Secondo Dag Svensson, Sandström in un'occasione aveva parlato al telefono con una persona con quel nome. Dalle annotazioni non risultava quale fosse stato il contenuto della conversazione.

Alle quattro del mattino, Lisbeth spense il suo Power-Book e si piazzò nel vano della finestra, a guardare verso il mare. Rimase seduta immobile così per due ore, a fumare pensierosa una sigaretta dopo l'altra. Era costretta a prendere una serie di decisioni strategiche e a fare un'analisi delle conseguenze.

Si rendeva conto che avrebbe dovuto rintracciare Zala e concludere una volta per tutte la loro controversia.

La sera di sabato della settimana prima di Pasqua, Mikael Blomkvist andò a trovare una vecchia fiamma che abitava in Slipgatan a Hornstull. Eccezionalmente, aveva accettato un invito a una festa. La sua ex ragazza al momento era sposata e nient'affatto interessata a una relazione intima con Mikael, però lavorava nel giro dei media e si salutavano sempre volentieri quando di tanto in tanto s'imbattevano l'uno nell'altro. Lei aveva appena terminato di scrivere un libro che era stato in gestazione per almeno dieci anni e trattava di un argomento così singolare come il punto di vista femminile all'interno dei mass-media. In un'occasione Mikael aveva contribuito al libro con del materiale, e questo era il motivo per cui era stato invitato.

Il ruolo di Mikael era consistito semplicemente nel fare una ricerca su una banale questione. Aveva tirato fuori le regole sulla parità che Tt, *Dagens Nyheter*, *Rapport* e un certo numero di altri media si fregiavano di seguire e poi aveva marcato con un segno quanti uomini e donne ci fossero nelle rispettive direzioni aziendali a livelli superiori a quello di segretario di redazione. Il risultato era stato imbarazzante. Amministratore delegato: uomo. Presidente del consiglio d'amministrazione: uomo. Caporedattore centrale: uomo. Responsabile della sezione estero: uomo. Caporedattore vicario: uomo... e così via finché non compariva la prima donna, il più delle volte come eccezione.

La festa era privata e gli ospiti erano quasi tutti persone che in un modo o nell'altro avevano aiutato la padrona di casa con il libro.

Era una serata allegra con buon cibo e conversazioni rilassate. Mikael aveva pensato di tornarsene a casa relativamente presto, ma la maggior parte degli ospiti erano vecchi conoscenti che incontrava di rado. Inoltre nessuno della compagnia aveva insistito sull'affare Wennerström. La festa era andata per le lunghe e solo alle due della domenica mattina gli irriducibili avevano levato le tende. Erano arrivati insieme fino a Långholmsgatan e lì si erano separati.

Mikael si vide passare sotto il naso l'autobus notturno prima di fare in tempo a raggiungere la fermata, ma la notte era tiepida e così decise di andare a casa a piedi anziché aspettare quello successivo. Seguì Högalidsgatan fino alla chiesa e poi svoltò in Lundagatan, che immediatamente risvegliò in lui dei ricordi.

Aveva mantenuto la promessa fatta a se stesso in dicembre di smettere di andare in Lundagatan nella ridicola speranza che Lisbeth Salander comparisse di nuovo all'orizzonte. Ma quella notte si fermò sull'altro lato della strada di fronte al suo portone. Ebbe l'impulso di attraversare e suonare alla sua porta, ma si rese conto di quanto fosse improbabile che lei fosse tornata e avesse voglia di parlare di nuovo con lui.

Alla fine si strinse nelle spalle e continuò la passeggiata verso Zinkensdamm. Aveva percorso all'incirca sessanta metri quando sentì un rumore, voltò la testa e il suo cuore sobbalzò. Era difficile sbagliarsi su quel corpo mingherlino. Lisbeth Salander era appena uscita in strada e si stava allontanando nella direzione opposta verso una macchina parcheggiata.

Mikael aprì la bocca per chiamarla ma la voce gli si bloccò in gola. D'improvviso vide una sagoma staccarsi da una delle altre automobili parcheggiate lungo il marciapiede. Era un uomo che scivolò alle spalle di Lisbeth. A Mikael sembrava alto e con il ventre prominente. Aveva una coda di cavallo.

Lisbeth sentì un rumore e colse un movimento con la coda dell'occhio nell'attimo stesso in cui stava per aprire la portiera della sua Honda color vinaccia. L'uomo le stava arrivando alle spalle leggermente di lato e lei ruotò su se stessa un secondo prima che le fosse addosso. Lo identificò immediatamente come quel Carl-Magnus "Magge" Lundin, trentasei anni, Motoclub Svavelsjö, che qualche giorno prima aveva incontrato il gigante biondo al caffè Blombergs.

Registrò Magge Lundin come pesante circa centoventi chili e aggressivo. Utilizzò le chiavi come tirapugni e non esitò una frazione di secondo a lacerargli la guancia dalla radice del naso all'orecchio con un movimento fulmineo. L'uomo afferrò l'aria quando Lisbeth, dopo averlo colpito, parve sprofondare nel nulla.

Mikael Blomkvist vide Lisbeth far scattare il pugno. Nell'attimo stesso in cui colpì il suo aggressore, si buttò a terra e rotolò fra le ruote sotto la macchina.

In pochi secondi Lisbeth era in piedi dall'altra parte, pronta alla lotta o alla fuga. Incrociò lo sguardo del nemico sopra il cofano e decise immediatamente per la seconda alternativa. L'uomo sanguinava dalla guancia. Prima ancora che avesse avuto il tempo di metterla a fuoco, lei si era già avviata lungo Lundagatan in direzione della chiesa di Högalid.

Mikael era ancora lì paralizzato e a bocca aperta quando l'aggressore d'improvviso si mosse e prese a rincorrere Lisbeth. Pareva un carro armato che dava la caccia a un'automobilina di latta.

Lisbeth infilò le scale che conducevano alla parte alta di Lundagatan, facendo due gradini alla volta. Giunta in cima si diede un'occhiata alle spalle e vide l'inseguitore mettere il piede sul primo gradino. *È veloce.* Stava per inciampare ma all'ultimo momento aveva registrato il caos di segnali di pericolo e mucchi di sabbia nel punto in cui la manutenzione stradale aveva disselciato.

Magge Lundin era quasi arrivato in cima quando Lisbeth Salander entrò di nuovo nel suo campo visivo. Ebbe il tempo di notare che gli stava lanciando contro qualcosa prima che il blocchetto di porfido lo colpisse sulla fronte. Un tiro non preciso ma abbastanza potente da procurargli un'altra ferita. Sentì che perdeva l'appoggio e che il mondo andava a gambe all'aria quando cadde all'indietro rotolando giù dalle scale. Riuscì a interrompere la caduta afferrando il corrimano ma ormai aveva perso parecchi secondi.

La paralisi di Mikael si allentò quando l'uomo scomparve lungo le scale. Gli urlò dietro di fermarsi.

Lisbeth sentì la voce di Mikael Blomkvist. *Che diavolo...?* Cambiò direzione e sbirciò oltre la ringhiera. Lo vide tre metri sotto di lei giù sulla strada. Esitò un decimo di secondo prima di rimettersi in movimento.

Nell'attimo stesso in cui cominciò a correre verso le scale, Mikael registrò che un Dodge Van si stava staccando dal marciapiede davanti al portone di Lisbeth, subito accanto alla macchina che lei aveva cercato di aprire. Il veicolo gli passò davanti in direzione di Zinkensdamm. Riuscì a scorgere un viso ma la targa era illeggibile nella fioca illuminazione notturna.

Seguì il furgone con lo sguardo, indeciso, ma preferì rincorrere l'uomo che stava inseguendo Lisbeth. Lo raggiunse in cima alle scale. L'uomo si era fermato dandogli la schiena e si stava guardando intorno.

Proprio quando Mikael gli fu accanto si girò su se stesso e lo colpì in faccia con un violento manrovescio. Mikael era del tutto impreparato. Scivolò giù per le scale con la testa in avanti.

Lisbeth udì il grido semisoffocato di Mikael e quasi si fermò. *Cosa diavolo sta succedendo?* Poi si diede un'occhiata alle spalle e vide Magge Lundin a circa quaranta metri, che si stava lanciando contro di lei. *Lui è più veloce. Riuscirà a raggiungermi.*

Deviò a sinistra, salendo più in fretta che poteva lungo un paio di scale che portavano a una terrazza fra le case. Arrivò a un cortile che non offriva il benché minimo nascondiglio e superò il tratto fino all'angolo successivo in un tempo che avrebbe fatto invidia a Carolina Klüft. Svoltò a destra ma si rese conto che si stava dirigendo verso un vicolo cieco e tornò indietro. Proprio mentre raggiungeva l'edificio successivo intravide Lundin in cima alle scale che davano sul cortile. Continuò fuori del suo campo visivo per qualche altro metro e si tuffò in una fila di cespugli di rododendro che crescevano lungo l'edificio.

Sentì i passi pesanti di Magge Lundin senza riuscire a vederlo. Stava assolutamente immobile dentro il cespuglio, schiacciata contro il muro.

Lundin passò davanti al suo nascondiglio e si fermò meno di cinque metri più in là. Indugiò dieci secondi e poi riprese a correre lungo il cortile. Dopo qualche minuto ritornò indietro. Si fermò nello stesso punto di prima. Questa volta rimase immobile per trenta secondi. Lisbeth mise in tensione tutti i muscoli, pronta a una fuga immediata nel caso fosse stata scoperta. Poi l'uomo si mosse. Le passò davanti a meno di due metri. Sentì i suoi passi allontanarsi attraverso il cortile.

Mikael aveva male alla nuca e alle mascelle quando, disorientato e stordito, si rimise faticosamente in piedi. Sentiva in bocca il sapore del sangue di un labbro spaccato. Cercò di muovere qualche passo ma inciampò. Raggiunse di nuovo la cima delle scale e si guardò intorno. Vide l'assalitore correre cento metri più giù lungo la strada. L'uomo con la coda di cavallo si fermò e cercò con lo sguardo fra le case, dopo di che riprese a correre lungo la strada. Mikael si portò fino all'angolo per vedere dove andava. Lo scorse attraversare velocemente Lundagatan e salire sul Dodge Van che era davanti al portone di Lisbeth. Il veicolo scomparve immediatamente dietro l'angolo in direzione di Zinkensdamm.

Mikael camminò lentamente lungo la parte alta di Lundagatan, alla ricerca di Lisbeth Salander. Non riusciva a vederla. In generale non riusciva a vedere anima viva e si stupì di quanto poteva essere improvvisamente deserta una strada di Stoccolma alle tre del mattino di una domenica di marzo. Fece ritorno al portone di Lisbeth nella parte bassa di Lundagatan. Superando la macchina accanto alla quale aveva avuto luogo l'aggressione calpestò qualcosa. Il mazzo di chiavi di Lisbeth. Quando si chinò per raccoglierlo vide la sua borsa sotto la macchina.

Mikael rimase ad aspettare, incerto sul da farsi. Alla fine raggiunse il portone e cercò di infilare le chiavi. Non erano quelle giuste.

Lisbeth Salander si fermò al riparo dei cespugli per un quarto d'ora senza fare alcun movimento se non per sbirciare l'orologio. Subito dopo le tre sentì una porta che si apriva e si chiudeva e un rumore di passi che si dirigevano verso il portabiciclette nel cortile.

Quando non sentì più nessun rumore si mise lentamente in ginocchio e sporse la testa sopra i cespugli. Esaminò ogni angolo del cortile ma non vide traccia di Magge Lundin. Più in silenzio che poté tornò sulla strada, pronta a fare dietrofront e a scappare. Stava passando in rassegna la parte bassa di Lundagatan quando scorse Mikael Blomkvist davanti al suo portone. Aveva in mano la sua borsa.

Restò immobile, nascosta dietro un lampione, quando lui si girò dalla sua parte. Non la vide.

Mikael rimase ad aspettare fuori dal portone per quasi mezz'ora. Lei lo osservò pazientemente senza muoversi fino a che lui non si arrese e cominciò a scendere verso Zinkensdamm. Quando fu scomparso dalla vista aspettò ancora un po' prima di cominciare a riflettere su quanto accaduto.

Mikael Blomkvist.

Non riusciva proprio a capire come avesse fatto a comparire sulla scena così, dal nulla. Per il resto, l'aggressione non lasciava spazio a molte interpretazioni.

Carl Maledetto Magnus Lundin.

Magge Lundin aveva incontrato il gigante biondo che lei aveva visto in compagnia dell'avvocato Nils Bjurman.

Nils Porco Maledetto Bjurman.

Quel bastardo ha assoldato qualche dannato energumeno per farmi del male. Nonostante io gli avessi spiegato maledettamente bene quali sarebbero state le conseguenze.

Di colpo Lisbeth Salander si sentì ribollire dentro. Era così furibonda che sentiva in bocca il sapore del sangue. Adesso sarebbe stata costretta a punirlo.

Parte terza

Equazioni assurde
23 marzo - 3 aprile

$$(a + b)\,(a - b) = a^2 - b^2 + 1$$

Le equazioni senza senso, che non sono giuste per nessun valore, vengono dette assurde.

11.
Mercoledì 23 marzo - 24 marzo, Giovedì Santo

Mikael Blomkvist puntò la matita rossa sul margine del manoscritto di Dag Svensson, tracciò un punto interrogativo con intorno un cerchio e scrisse "nota a piè di pagina". Voleva fosse inserita l'indicazione della fonte di una certa affermazione.

Era mercoledì, e la redazione di *Millennium* era più o meno in ferie per tutta la settimana di Pasqua. Monika Nilsson era all'estero. Lottie Karim era andata in montagna con suo marito. Henry Cortez era stato qualche ora in ufficio per rispondere al telefono, ma Mikael l'aveva mandato a casa dal momento che non telefonava nessuno e che lui stesso in ogni caso sarebbe rimasto lì. Henry sorridendo felice si era dileguato per andare a raggiungere la sua ultima fiamma.

Dag Svensson non si era visto. Mikael era solo e lavorava con la massima attenzione al manoscritto. Alla fine avevano deciso che il libro sarebbe stato di dodici capitoli per un totale di duecentonovanta pagine. Dag aveva consegnato la versione definitiva di nove dei dodici capitoli e Mikael aveva esaminato minuziosamente il testo rimandandoglielo con le sue richieste di spiegazioni o proposte di cambiamenti.

Secondo Mikael, Dag era comunque un abile scrittore e i suoi interventi redazionali si limitavano generalmente a osservazioni marginali. Doveva sforzarsi per trovare qualcosa che veramente non andasse. Durante le settimane in cui il cumulo di fogli del manoscritto era andato crescendo sulla scrivania di Mikael, erano stati in totale disaccordo solo su un passaggio di una pagina che Mikael voleva eliminare e che Dag aveva lottato per conservare. Ma si trattava di un'inezia.

Quello che contava era che *Millennium* aveva una cannonata di libro che presto sarebbe arrivato in tipografia. Sul fatto che avrebbe dato origine a una serie di titoloni Mikael non aveva nessun motivo di dubitare. Dag Svensson era così spietato quando parlava dei clienti delle prostitute e intrecciava i fili dell'inchiesta, che nessuno avrebbe potuto non capire che c'era qualcosa che non andava nel sistema in sé. E quella parte era letteratura. L'altra parte erano i fatti, che costituivano l'ossatura stessa del libro. Una ricerca giornalistica del genere che avrebbe meritato il marchio di qualità.

Mikael aveva imparato tre cose di Dag. Era un giornalista scrupoloso che non lasciava fili sciolti. I suoi pezzi mancavano della pesante retorica caratteristica di tanti altri reportage sociali che finivano per risultare solo pretenziosi. Il suo libro era qualcosa di più di un reportage, era una dichiarazione di guerra. Mikael sorrise fra sé. Dag Svensson aveva all'incirca quindici anni meno di lui, ma Mikael riconosceva la passione che lui stesso aveva speso quando era sceso in campo contro squallidi giornalisti economici e aveva messo insieme un libro-scandalo che in certe redazioni ancora non era stato perdonato.

Ma il libro di Dag doveva tenere fino in fondo. Un reporter che si espone in quel modo deve essere in una botte di ferro al cento per cento oppure astenersi dal pubblicare. Dag Svensson lo era al novantotto per cento. C'erano punti deboli che andavano spulciati, affermazioni che andavano documentate.

Alle cinque e mezza aprì il cassetto della scrivania e tirò fuori una sigaretta. Erika aveva introdotto il divieto assoluto di fumare nei locali della redazione, ma non c'era nessuno e nessuno ci sarebbe stato durante le feste. Continuò a lavorare per altri quaranta minuti prima di raccogliere tutti i fogli e metterli sulla scrivania di Erika per un'attenta rilettura. Dag aveva promesso di mandare via mail una versione definitiva dei tre ultimi capitoli il mattino dopo, il che avrebbe dato a Mikael la possibilità di esaminare il materiale durante il fine settimana. Per il martedì dopo Pasqua era già in programma una riunione in cui Dag, Erika, Mikael e la segretaria di redazione Malin Eriksson avrebbero fissato la versione definitiva sia del libro sia degli articoli per *Millennium*. Dopo di che rimanevano solo il lay-out, che toccava a Christer Malm, e l'invio alla tipografia. Mikael non aveva nemmeno chiesto altri preventivi – aveva già deciso di affidarsi ancora una volta alla Hallvigs Reklam di Morgongåva, che aveva stampato il suo libro sull'affare Wennerström e offriva prezzi e servizi che poche altre tipografie erano in grado di eguagliare.

Mikael guardò l'ora e si concedette di fumare di nascosto un'altra sigaretta. Si sedette accanto alla finestra e guardò giù in Götgatan. Passò pensieroso la punta della lingua sulla ferita all'interno del labbro. Stava guarendo. Si domandò per la millesima volta cosa fosse realmente successo fuori dal portone di Lisbeth in Lundagatan.

L'unica cosa che sapeva per certo era che Lisbeth Salander era ancora viva e che era tornata in città.

Negli ultimi giorni aveva quotidianamente cercato di mettersi in contatto con lei. Aveva inviato messaggi all'indirizzo di posta elettronica che Lisbeth usava più di un anno prima, ma senza ricevere risposta. Era andato in Lundagatan. Ora cominciava a disperare.

Il nome sulla targhetta della porta era stato cambiato in Salander-Wu. Nei registri dell'anagrafe c'erano duecento-

trenta persone che di cognome facevano Wu, e circa centoquaranta risiedevano nella provincia di Stoccolma. Ma nessuna in Lundagatan. Mikael non aveva la minima idea di
quale fra questi Wu fosse andato ad abitare con Lisbeth, né
sapeva se si fosse trovata un ragazzo o avesse subaffittato
l'appartamento. Nessuno gli aveva aperto quando aveva
bussato.

Alla fine si era seduto alla scrivania e le aveva scritto una
normale lettera, come si usava una volta.

Cara Sally,

non so cosa sia successo un anno fa ma a questo punto per-
fino un povero ottuso come il sottoscritto ha capito che hai in-
terrotto ogni contatto con me. È tuo diritto e tuo privilegio
decidere chi vuoi frequentare e non ho nessuna intenzione di
discutere di questo. Mi limito a constatare che io ti considero
ancora mia amica, che mi manca la tua compagnia e che pren-
derei volentieri una tazza di caffè con te in caso anche tu ne
avessi voglia.

Non so in cosa tu ti sia andata a cacciare, ma il casino in
Lundagatan ha destato in me una certa preoccupazione. Se hai
bisogno di aiuto puoi telefonarmi in qualsiasi momento. Co-
me sappiamo, sono sempre in debito con te.

Inoltre ho la tua borsetta. Se la vuoi, non hai che da farti
viva. Se non vuoi incontrarmi, è sufficiente che mi indichi un
indirizzo dove possa recapitarla. Non verrò a cercarti dal mo-
mento che così chiaramente hai fatto capire che non vuoi più
avere a che fare con me.

Mikael

Naturalmente non aveva ricevuto nessun cenno di riscontro.

Quando era tornato a casa alle prime luci dell'alba dopo
l'aggressione in Lundagatan aveva aperto la borsa di Lisbeth

e rovesciato il contenuto sul tavolo. C'erano un portafoglio con un documento d'identità, circa seicento corone svedesi in contanti e duecento dollari americani, un abbonamento mensile dei trasporti urbani di Stoccolma. C'erano anche un pacchetto di Marlboro Light aperto, tre accendini, una scatoletta di pasticche per la gola, un pacchetto di fazzoletti di carta già iniziato, uno spazzolino da denti, un dentifricio, tre tamponi in uno scomparto laterale, un pacchetto ancora intatto di preservativi con un'etichetta che dichiarava che erano stati acquistati all'aeroporto londinese di Gatwick, un blocnotes rilegato con la copertina rigida nera, cinque penne biro, una bomboletta di gas lacrimogeno, un sacchettino con rossetto e make-up, una radio con auricolari ma senza batterie e l'*Aftonbladet* del giorno prima.

L'oggetto più affascinante contenuto nella borsa era un martello infilato in uno scomparto esterno facilmente accessibile. L'aggressione tuttavia era stata talmente improvvisa che Lisbeth non aveva fatto in tempo a servirsi né del martello né del gas lacrimogeno. Era riuscita solo a utilizzare le chiavi a mo' di tirapugni – c'erano tracce evidenti di sangue e di pelle.

Il mazzo era composto da sei chiavi. Tre erano tipiche chiavi da appartamento – portone, porta di casa e chiave della serratura di sicurezza. Tuttavia non aprivano il portone di Lundagatan.

Mikael aveva sfogliato il blocnotes pagina per pagina. Riconosceva la calligrafia ordinata e lo stile conciso, e poté constatare quasi subito che non si trattava esattamente del diario segreto di una fanciulla. Più o meno tre quarti del taccuino erano pieni di quelli che parevano essere scarabocchi matematici. In alto sulla prima pagina c'era un'equazione che perfino Mikael riconosceva.

$$x^3 + y^3 = z^3$$

Mikael Blomkvist non aveva mai avuto difficoltà con i numeri. Era uscito dal liceo con il massimo dei voti in matematica, il che tuttavia non significava affatto che fosse un bravo matematico, era solo stato capace di assimilare quanto gli avevano insegnato. Le pagine del taccuino di Lisbeth contenevano scarabocchi di un genere che Mikael non comprendeva né aveva l'ambizione di comprendere. Un'equazione si estendeva su un'intera doppia pagina e terminava con cancellazioni e cambiamenti. Gli era perfino difficile stabilire se si trattasse davvero di formule matematiche e calcoli seri, ma siccome conosceva le stranezze di Lisbeth suppose che le equazioni fossero corrette e avessero qualche significato esoterico.

Sfogliò il blocnotes avanti e indietro per un po'. Quelle equazioni gli erano comprensibili tanto quanto gli ideogrammi cinesi. Però capiva cosa stesse cercando di fare. $x^3 + y^3 = z^3$. Era rimasta affascinata dall'enigma di Fermat, un classico del quale perfino Mikael aveva sentito parlare. Fece un profondo sospiro.

L'ultima pagina del taccuino conteneva un'annotazione estremamente concisa e criptica che non aveva assolutamente nulla a che fare con la matematica ma che comunque aveva l'aspetto di una formula.

Blondie + Magge = N.E.B.

Era sottolineata e chiusa in un cerchio e non spiegava un fico secco. In fondo alla pagina c'era il numero di telefono dell'autonoleggio Auto-Expert di Eskilstuna.

Mikael non fece nessun tentativo di interpretare gli appunti. Giunse alla conclusione che fossero solo degli scarabocchi che Lisbeth aveva tracciato mentre pensava a qualcosa.

Spense la sigaretta e si infilò la giacca, inserì l'allarme e raggiunse a piedi la stazione degli autobus a Slussen, dove prese quello per la riserva yuppie di Stäket a Lännersta. Era invitato a cena a casa di sua sorella Annika Blomkvist, coniugata Giannini, che compiva quarantadue anni.

Erika Berger iniziò le sue vacanze pasquali con tre chilometri di jogging forsennato fino al pontile del vaporetto di Saltsjöbaden. Negli ultimi mesi aveva trascurato la palestra e si sentiva rigida e fuori allenamento. Tornò indietro camminando normalmente. Suo marito doveva tenere una conferenza al Museo d'arte moderna e non sarebbe rincasato prima delle otto. Erika aveva in mente di aprire una bottiglia di buon vino, accendere la sauna e sedurlo. In ogni caso l'avrebbe distolta dal problema su cui stava riflettendo al momento.

Quattro giorni prima era stata invitata a colazione dall'amministratore delegato di una delle più grandi agenzie di comunicazione svedesi. Davanti all'insalata lui aveva spiegato con voce serissima la sua intenzione di reclutarla come caporedattore per il maggior quotidiano del gruppo. *Il consiglio d'amministrazione ha discusso diversi nomi e siamo tutti d'accordo che lei sarebbe una grande risorsa per il giornale. È lei che vogliamo.* L'offerta comprendeva uno stipendio che faceva apparire i suoi guadagni con *Millennium* come uno scherzo.

Era stato un fulmine a ciel sereno che l'aveva lasciata senza parole. *Perché proprio io?*

Lui era stato stranamente vago ma a poco a poco era arrivata la spiegazione che lei era conosciuta, rispettata e che era un capo notoriamente capace. Il suo modo di tirare fuori *Millennium* dalle sabbie mobili in cui si era trovato due anni prima aveva fatto impressione. Anche il "grande drago" aveva bisogno di rinnovarsi. Il giornale aveva una patina vecchia che faceva sì che il numero degli abbonati giovani fosse in continua diminuzione. Erika era nota come giornalista impavida. Aveva le unghie e sapeva graffiare. Mettere una donna, e femminista per giunta, a capo dell'istituzione più conservatrice della Svezia maschile era una sfida audace e sfacciata. Erano tutti d'accordo. Be', quasi tutti. Quelli che contavano comunque lo erano.

«Ma io non condivido la visione politica di base del giornale.»

«Chi se ne importa. Non sarà un'avversaria. Lei sarà il capo, non un controllore politico, e gli articoli di fondo andranno avanti da soli.»

Lui non l'aveva detto, ma era anche una questione di classe sociale. Erika veniva dall'ambiente giusto.

Lei aveva risposto che la proposta l'attraeva ma non poteva rispondere subito. Doveva pensarci molto seriamente ed erano rimasti d'accordo che avrebbe dato una risposta nell'immediato futuro. L'amministratore delegato le aveva spiegato che, se era il compenso a condizionare la sua esitazione, ebbene lei era in una posizione tale da poter trattare al rialzo. Inoltre era compresa anche una clausola paracadute eccezionalmente cospicua. *È ora che cominci a pensare alla pensione.*

Aveva quasi quarantacinque anni. Aveva sgobbato a lungo come praticante e sostituta. Aveva messo insieme *Millennium* ed era diventata caporedattore per merito. Il momento in cui sarebbe stata costretta a prendere in mano il telefono e dire sì oppure no si avvicinava inesorabile e lei non sapeva ancora come rispondere. Nella settimana appena trascorsa aveva pensato più volte di discutere la faccenda con Mikael Blomkvist ma senza decidersi. Così le sembrava di averlo tenuto all'oscuro, il che le creava dei rimorsi.

C'erano degli evidenti svantaggi. Un sì avrebbe comportato che la società con Mikael si sarebbe sciolta. Lui non l'avrebbe mai seguita al "grande drago", per quanto allettante fosse l'offerta. Mikael non aveva bisogno di soldi e si trovava a meraviglia a trafficare con i propri testi in tutta tranquillità.

Erika era soddisfatta del suo ruolo di caporedattore a *Millennium*. Le aveva conferito uno status nell'ambiente del giornalismo che le sembrava quasi di non meritare. Era stata redattrice ma non realizzatrice delle notizie. Non era il suo campo – non riteneva di scrivere particolarmente bene. Per contro era una brava giornalista nel parlato, alla radio come alla tv, e soprattutto era un'ottima redattrice. Inoltre le piaceva il lavoro che la posizione di caporedattore a *Millennium* comportava.

Però Erika era tentata. Non tanto dallo stipendio quanto dal fatto che il lavoro avrebbe significato la sua definitiva trasformazione in uno degli attori più importanti del paese nel mondo dell'informazione. *È un'offerta che non sarà mai più ripetuta* aveva detto l'amministratore delegato.

In un qualche punto sotto il Grand Hotel di Saltsjöbaden si rese conto con orrore che non avrebbe potuto dire di no. E temeva il momento in cui sarebbe stata costretta a dirlo a Mikael Blomkvist.

Come sempre, la cena a casa della famiglia Giannini si svolse in un simpatico caos. Annika aveva due figlie, Monica di tredici anni e Jennie di dieci. Suo marito Enrico Giannini, che era il direttore per la Scandinavia di una multinazionale delle biotecnologie, aveva l'affidamento di Antonio, sedici anni, nato da un precedente matrimonio. Altri ospiti erano la mamma di Enrico, Antonia, suo fratello Pietro, la moglie di lui, Eva-Lotta, e i loro figli, Peter e Nicola. Inoltre la sorella di Enrico, Marcella, che abitava con quattro figli nello stesso quartiere. Alla cena erano stati invitati anche la zia di Enrico, Angelina, considerata dalla famiglia matta da legare o in ogni caso estremamente eccentrica, e il suo nuovo compagno.

Il fattore caos era di conseguenza piuttosto alto intorno alla tavola generosamente imbandita. La conversazione si svolgeva in una scoppiettante mescolanza di svedese e italiano, a volte usati contemporaneamente, e Angelina dedicò la serata a discutere del perché Mikael fosse ancora scapolo e a proporre una serie di perfette candidate tra le figlie della sua cerchia di conoscenze. Alla fine Mikael spiegò che sposarsi non gli sarebbe dispiaciuto ma che la sua amante purtroppo era già coniugata. Sicché anche Angelina rimase in silenzio.

Alle sette e mezza il cellulare di Mikael si mise a squillare. Pensava di averlo spento e stava per perdere la chiamata mentre si arrabattava a recuperarlo dalla tasca interna della giacca che qualcuno aveva appeso nell'ingresso. Era Dag Svensson.

«Disturbo?»

«Non particolarmente. Sono a cena da mia sorella con un plotone di parenti di suo marito. Che succede?»

«Due cose. Ho cercato di contattare Christer Malm ma non risponde al telefono.»

«Lui e il suo amico sono a teatro stasera.»

«Accidenti. Gli avevo promesso di fare un salto in redazione domani mattina, con le foto e le illustrazioni da mettere nel libro. Christer voleva darci un'occhiata durante le vacanze di Pasqua. Ma Mia si è messa in testa tutto d'un tratto di andare dai suoi genitori in Dalecarlia per Pasqua per mostrargli la sua tesi. Dobbiamo partire domattina di buon'ora.»

«Okay.»

«Sono foto cartacee, non posso mandargliele via mail. Ti dispiace se le porto a te questa sera?»

«Va bene, ma io adesso sono a Lännersta. Mi fermo qui ancora un po' e poi torno in città. Enskede è quasi di strada. Posso fare io un salto da te. Va bene verso le undici?»

Dag non aveva nulla in contrario.

«L'altra cosa... credo che non ti piacerà.»

«Spara.»

«Sono inciampato in una faccenda che vorrei fare in tempo a controllare prima che il libro vada in stampa.»

«Di che si tratta?»

«Zala, con la Z iniziale.»

«Cosa sarebbe?»

«Zala è un gangster, probabilmente di qualche stato dell'Est, forse polacco. L'avevo nominato in una mail che ti avevo mandato circa una settimana fa.»

«Mi dispiace, non me lo ricordo.»

«Quel nome fa capolino qua e là nel materiale. La gente sembra terrorizzata da lui e non ne vuole parlare.»

«Aha.»

«Un paio di giorni fa mi ci sono imbattuto di nuovo. Credo che si trovi in Svezia e che dovrebbe esserci nell'elenco dei clienti al capitolo sette.»

«Dag, non puoi tirare fuori materiale nuovo tre settimane prima di mandare il libro in tipografia.»

«Lo so. Ma questo è un po' un azzardo. Ho parlato con un poliziotto che ha sentito parlare di Zala anche lui e... credo che valga la pena dedicare qualche giorno della prossima settimana a fare dei controlli.»

«Perché mai? Di farabutti ne hai già un bel numero nel libro.»

«Questo sembra un farabutto piuttosto speciale. Nessuno sa esattamente chi sia. Ho la sensazione che valga la pena scavare ancora un po'.»

«Mai trascurare le sensazioni» disse Mikael. «Ma detto sinceramente... non possiamo ritardare la consegna. La tipografia è già prenotata e il libro deve uscire in contemporanea con *Millennium*.»

«Lo so» rispose Dag scoraggiato.

Mia Bergman aveva appena preparato il caffè e l'aveva versato nella caraffa termica quando suonarono alla porta. Mancavano pochi minuti alle nove. Dag era il più vicino alla porta e nella convinzione che Mikael Blomkvist fosse arrivato prima del previsto aprì senza guardare dallo spioncino. Invece di Mikael Blomkvist si trovò davanti una ragazza minuta come un'adolescente. Pareva una bambola.

«Cerco Dag Svensson e Mia Bergman» disse la ragazza.

«Sono io Dag Svensson» disse lui.

«Vorrei parlare con voi.»

Dag gettò automaticamente un'occhiata all'orologio. Mia arrivò nell'ingresso e si piazzò curiosa dietro il suo compagno.

«Non le sembra un po' tardi per una visita?» disse Dag.

La ragazza lo guardò in paziente silenzio.

«Di cosa ci vorrebbe parlare?» continuò lui.

«Del libro che ha intenzione di pubblicare.»

Dag e Mia si scambiarono un'occhiata.

«E lei chi è?»

«Una persona interessata all'argomento. Posso entrare o dobbiamo discuterne qui sulle scale?»

Dag esitò un secondo. La ragazza era una completa estranea, e l'ora della visita alquanto bizzarra, ma sembrava sufficientemente inoffensiva per consentirle di entrare. La guidò al tavolo da pranzo in soggiorno.

«Vuole un caffè?» chiese Mia.

Dag guardò irritato la sua compagna con la coda dell'occhio.

«Che ne dice di rispondere alla mia domanda sulla sua identità?» disse.

«Sì grazie. Per il caffè. Mi chiamo Lisbeth Salander.»

Mia aprì la caraffa termica. Aveva già messo in tavola le tazze in attesa della visita di Mikael Blomkvist. «E cosa la induce a credere che abbia intenzione di pubblicare un libro?» domandò Dag.

Tutto d'un tratto si era fatto sospettoso, ma la ragazza lo ignorò e invece guardò Mia. Fece una smorfia che poteva essere interpretata come un sorriso storto.

«Interessante tesi di dottorato» disse.

Mia assunse un'aria stupefatta.

«Come fa a sapere della mia tesi?»

«Casualmente ne ho avuto una copia» rispose criptica la ragazza.

L'irritazione di Dag aumentò.

«Adesso faccia la cortesia di spiegarmi cosa vuole» insisté.

La ragazza incontrò il suo sguardo. Solo allora lui notò che le sue iridi erano così scure che alla luce diventavano nere come il carbone. Si rese conto che doveva avere sbagliato a valutare la sua età – era più adulta di quanto avesse inizialmente creduto.

«Voglio sapere perché se ne va in giro a fare domande su Zala. Alexander Zala» disse Lisbeth. «E soprattutto voglio sapere esattamente cosa sa di lui.»

Alexander Zala pensò Dag turbato. Non aveva mai sentito prima il suo nome di battesimo.

Dag studiò la ragazza che aveva di fronte. Lei sollevò la tazza e bevve un sorso di caffè senza distogliere lo sguardo da lui. I suoi occhi non avevano nessun calore. D'improvviso Dag avvertì un vago disagio.

A differenza di Mikael e degli altri adulti della compagnia, e nonostante fosse lei la festeggiata, Annika Giannini aveva bevuto solo birra leggera durante la cena, rinunciando sia al vino sia ai superalcolici. Di conseguenza alle dieci e mezza era perfettamente sobria, e siccome per certi aspetti considerava suo fratello un perfetto idiota del quale ogni tanto occorreva prendersi cura si offrì generosamente di accompagnarlo fino a casa passando per Enskede. Aveva comunque già programmato di portarlo in macchina fino alla fermata dell'autobus in Värmdövägen e non ci sarebbe voluto tanto di più fino in città.

«Perché non ti comperi un'automobile anche tu?» si lamentò comunque mentre Mikael si allacciava la cintura di sicurezza.

«Perché a differenza di te posso andare al lavoro a piedi e la macchina mi serve più o meno una volta all'anno. Inoltre non avrei potuto comunque guidare dal momento che tuo marito ha offerto acquavite della Scania.»

«Comincia a svedesizzarsi. Dieci anni fa avrebbe offerto grappa italiana.»

Spesero il tragitto in chiacchiere da fratello e sorella. A parte una tenace zia paterna, due zie materne un po' meno tenaci e qualche lontano cugino, Mikael e Annika erano gli unici rimasti della famiglia. La differenza di età di tre anni li aveva tenuti abbastanza lontani nel periodo dell'adolescenza, ma in compenso si erano ritrovati da adulti.

Annika aveva studiato giurisprudenza e Mikael la considerava la testa pensante dei due. Aveva completato gli studi brillantemente e lavorato qualche anno in una pretura, poi era entrata nello studio di uno degli avvocati più noti di tutta la Svezia, prima di licenziarsi e mettersi in proprio. Si era specializzata in diritto di famiglia, cosa che col tempo si era trasformata in un impegno per la parità. Si era impegnata come avvocato difensore di donne maltrattate, aveva scritto un libro sull'argomento ed era diventata un nome rispettato. Come se non bastasse, si era impegnata politicamente con i socialdemocratici, per cui Mikael la canzonava definendola "controllore politico". Personalmente, Mikael già da giovane aveva deciso che non sarebbe riuscito a combinare l'appartenenza a un partito con la possibilità di conservare una qualche credibilità come giornalista. Non andava quasi mai a votare, e le rare volte che l'aveva fatto si era rifiutato di svelare chi aveva scelto perfino a Erika Berger.

«Come stai?» gli chiese Annika quando passarono Sku-rubron.

«Sì, sì, tutto bene.»

«Allora qual è il problema?»

«Il problema?»

«Io ti conosco, Mikael. Hai avuto un'aria pensierosa per tutta la sera.»

Mikael restò un momento in silenzio.

«È una storia complicata. In questo preciso momento di problemi ne ho due. Il primo è una ragazza che ho conosciuto due anni fa e che mi ha aiutato nell'affare Wennerström, dopo di che è scomparsa semplicemente dalla mia vita senza spiegazioni. Non l'avevo più rivista, prima della settimana scorsa.»

Mikael raccontò dell'aggressione in Lundagatan.

«Hai fatto denuncia alla polizia?» chiese subito Annika.

«No.»

«E perché?»

«Quella ragazza è estremamente riservata. Era lei l'oggetto dell'aggressione. Perciò tocca a lei fare un'eventuale denuncia.»

Cosa che, sospettava Mikael, presumibilmente non era uno dei punti all'ordine del giorno di Lisbeth Salander.

«Testone» disse Annika, dandogli un buffetto sulla guancia. «Devi sempre gestire tutto da solo. Qual è il secondo problema?»

«Stiamo mettendo insieme un'inchiesta a *Millennium* che provocherà dei titoloni. Sono stato tutta la sera a meditare se consultarti o no. Come avvocato, intendo.»

Annika guardò sorpresa il fratello con la coda dell'occhio.

«Consultarmi!» esclamò. «Questa sì che è nuova.»

«L'inchiesta tratta di trafficking e violenze contro le donne. Tu lavori in questo campo e sei avvocato. È vero che non ti occupi di libertà di stampa, ma vorrei tanto che dessi un'occhiata al testo prima che vada in stampa. Si tratta di articoli per la rivista e di un libro, c'è da leggere un bel po'.»

Annika rimase in silenzio mentre svoltava in Hammarby Fabriksväg e superava Sikla Sluss. Si infilò in un dedalo di stradine parallele a Nynäsvägen finché poté svoltare su Enskedevägen.

«Sai Mikael, io sono stata veramente arrabbiata con te un'unica volta in tutta la mia vita.»

«Ah sì?» disse Mikael stupito.

«Quando sei stato accusato da Wennerström e condannato a tre mesi di reclusione per diffamazione. Ero così furiosa con te che stavo per scoppiare.»

«Perché? Perché avevo fatto una figuraccia?»

«Hai fatto tante figuracce. Ma quella volta avevi bisogno di un avvocato e l'unica persona a cui non ti sei rivolto sono stata io. Sei rimasto lì inerte a farti infangare sui mass-media e in tribunale. Non ti sei neppure difeso. Io ero sul punto di schiattare.»

«Erano circostanze eccezionali. Tu non avresti potuto fare nulla.»

«Certo, però questo l'ho capito solo un anno più tardi quando *Millennium* è ritornato in pista e ha fatto piazza pulita di Wennerström. Fino a quel momento ero maledettamente delusa di te.»

«Non c'era niente che avresti potuto fare per vincere quel processo.»

«Tu non cogli il punto, fratellone. Lo so anch'io che era un caso disperato. Ho letto la sentenza. Ma il punto è che tu non sei venuto da me a chiedere aiuto. Tipo: *Ciao sorellina, ho bisogno di un avvocato.* È per questo che non sono mai venuta al processo.»

Mikael rifletté sulla cosa.

«Mi dispiace. Avrei dovuto farlo, suppongo.»

«Sì, avresti dovuto.»

«In quel periodo non funzionavo. Non avevo la forza di parlare proprio con nessuno. Volevo solo stendermi da qualche parte e morire.»

«Cosa che non hai fatto.»

«Perdonami.»

D'improvviso Annika Giannini sorrise.

«Bello. Delle scuse con due anni di ritardo. Okay. Leggerò volentieri i tuoi testi. C'è urgenza?»

«Sì. Stiamo per andare in stampa. Svolta a sinistra qui avanti.»

Annika Giannini parcheggiò dall'altra parte della strada rispetto al portone di Björneborgsvägen dove abitavano Dag Svensson e Mia Bergman. «Ci vorrà solo un minuto» disse Mikael. Attraversò di corsa e digitò il codice sul citofono. Ma non appena fu dentro si rese conto che qualcosa non andava. Sentì delle voci concitate echeggiare nell'androne e salì a piedi. Solo quando arrivò al piano si rese conto che si trattava proprio del loro appartamento. Cinque vicini erano assembrati sul pianerottolo. La porta di Dag e Mia era socchiusa.

«Che succede?» chiese Mikael più con curiosità che con preoccupazione.

Le voci tacquero. Cinque paia di occhi lo fissarono. Tre donne e due uomini, tutti in età da pensione. Una delle donne era in camicia da notte.

«Sembravano degli spari.» L'uomo che aveva risposto era sulla settantina e indossava una vestaglia marrone.

«Spari?» disse Mikael con aria tonta.

«Proprio un attimo fa. Si sono sentiti degli spari all'interno dell'appartamento. La porta era aperta.»

Mikael si fece largo e suonò il campanello mettendo piede al tempo stesso nell'appartamento.

«Dag? Mia?» chiamò a gran voce.

Non ebbe risposta.

D'improvviso avvertì un brivido gelido corrergli lungo la schiena. Aveva sentito odore di zolfo. Raggiunse a grandi passi la porta del soggiorno. La prima cosa che vide fu *queltesorodiragazzacciodiDag* steso bocconi in un'enorme pozza di sangue davanti al tavolo dove lui ed Erika avevano cenato solo un paio di mesi prima.

Mikael gli fu subito accanto, mentre al tempo stesso prendeva il cellulare e chiamava il 112. Gli risposero subito.

«Mi chiamo Mikael Blomkvist. Servono un'ambulanza e la polizia.»

Diede l'indirizzo.

«Di cosa si tratta?»

«Un uomo. Sembra che gli abbiano sparato alla testa. È esanime.»

Mikael si chinò e cercò di sentire il polso. Poi vide l'enorme cratere nella nuca di Dag e si rese conto che stava calpestando qualcosa che doveva essere una parte consistente della sua materia cerebrale. Ritirò lentamente la mano.

Nessuna ambulanza al mondo avrebbe potuto salvare Dag Svensson.

Tutto d'un tratto vide i frammenti di una delle tazze da caffè che Mia Bergman aveva ereditato da sua nonna e alle quali teneva così tanto. Si alzò di scatto e si guardò intorno.

«Mia!» gridò.

Il vicino in vestaglia era entrato nell'ingresso al suo seguito. Mikael si voltò sulla porta del soggiorno e tese il braccio verso l'uomo.

«Si fermi lì» intimò. «Torni fuori sulle scale.»

All'inizio il vicino pareva voler protestare, ma poi obbedì all'ordine. Mikael rimase immobile per quindici secondi. Poi aggirò la pozza di sangue superando Dag in direzione della camera da letto.

Mia Bergman giaceva a terra supina ai piedi del letto. *NonononononancheMiaperl'amordiDio.* Le avevano sparato in pieno volto. La pallottola era penetrata sotto l'orecchio sinistro. Il foro d'uscita sulla tempia era grande come un'arancia e la sua cavità oculare destra era un buco vuoto. La quantità di sangue fuoriuscito era, se possibile, ancora maggiore che nel caso del suo compagno. La spinta della pallottola era stata talmente violenta che la parete dietro la testata del letto, a diversi metri da Mia, era piena di schizzi di sangue.

Mikael si accorse che stava stringendo il cellulare in una morsa convulsa, con il 112 ancora in linea, e che stava trattenendo il fiato. Inspirò una boccata d'aria e si portò il telefono all'orecchio.

«Abbiamo bisogno della polizia. Ci sono due persone colpite da un'arma da fuoco. Credo che siano morte. Fate in fretta.»

Sentì una voce dire qualcosa ma non fu in grado di capire le parole. D'improvviso gli sembrava che il suo udito avesse qualcosa che non andava. Intorno a lui il silenzio era totale. Non sentiva il suono della sua voce quando cercava di dire qualcosa. Spense il cellulare e uscì dall'appartamento. Quando uscì sulle scale si rese conto che stava tremando da capo a piedi e che il cuore gli batteva in una maniera strana. Senza dire una parola si fece largo attraverso il gruppo impietrito dei vicini e si sedette per terra. Sentì in lontananza i vicini fargli delle domande. *Cosa è successo? Sono feriti? È successo qualcosa?* Il suono delle loro voci sembrava provenire da un tunnel.

Mikael era come stordito. Capiva di trovarsi in stato di shock. Chinò la testa fra le ginocchia. Poi cominciò a pensare. *Santo Iddio. Sono stati ammazzati. Gli hanno appena sparato. L'assassino potrebbe essere ancora nell'appartamento... no, in tal caso l'avrei visto. L'appartamento è solo cin-*

quantacinque metri quadrati. Non riusciva a smettere di tremare. Dag era steso a terra prono e non l'aveva visto in faccia, ma l'immagine del viso dilaniato di Mia non riusciva a cancellarla.

Di colpo l'udito gli ritornò come se qualcuno avesse girato la manopola del volume. Si mise in piedi e guardò il vicino con la vestaglia marrone.

«Lei» disse. «Si piazzi qui e faccia in modo che nessuno entri nell'appartamento. Polizia e ambulanza stanno per arrivare. Io scendo ad aprire il portone.»

Mikael scese le scale tre gradini alla volta. Al pianterreno gettò per caso lo sguardo verso le scale della cantina e si fermò di colpo. Scese qualche gradino. A metà delle scale c'era un revolver, perfettamente visibile. Mikael constatò che doveva trattarsi di una Colt 45 Magnum – un'arma come quella utilizzata per l'omicidio Palme.

Soffocò l'impulso di raccoglierla e la lasciò dov'era. Invece raggiunse il portone, lo aprì completamente e rimase dritto e immobile nell'aria notturna. Fu solo quando sentì il breve tocco di clacson che si ricordò che sua sorella lo stava aspettando. Attraversò la strada.

Annika Giannini aprì la bocca per dire qualcosa di sarcastico sulla lentezza del fratello. Poi vide l'espressione sul suo viso.

«Hai visto uscire qualcuno?» domandò Mikael.

La sua voce era roca e suonava innaturale.

«No. Chi avrei dovuto vedere? Cosa è successo?»

Mikael rimase in silenzio per qualche secondo mentre si guardava intorno. In strada tutto era tranquillo. Frugò nella tasca della giacca e trovò un pacchetto sgualcito con dentro una sigaretta avanzata. Quando l'accese sentì l'urlo lontano delle sirene che si stavano avvicinando. Guardò l'ora. Erano le undici e diciassette.

«Annika, questa sarà una notte molto lunga» disse senza guardarla quando la macchina della polizia svoltò nella strada.

I primi ad arrivare furono gli agenti Magnusson e Ohlsson. Erano in Nynäsvägen per un allarme che si era rivelato fasullo. Magnusson e Ohlsson erano seguiti dal commissario in servizio, Oswald Mårtensson, che si trovava a Skanstull quando era stato diramato l'allarme dalla centrale. Arrivarono quasi contemporaneamente e videro un uomo in jeans e giacca scura in mezzo alla strada, che alzava la mano segnalando loro di fermarsi. Nello stesso momento una donna scese da una macchina parcheggiata a qualche metro dall'uomo.

Tutti e tre i poliziotti aspettarono qualche secondo. La centrale aveva riferito che due persone erano state colpite da un'arma da fuoco, e l'uomo stringeva un oggetto scuro nella mano sinistra. Quando si furono accertati che si trattava di un cellulare, gli agenti scesero dalle macchine contemporaneamente, si sistemarono i cinturoni e andarono a dare un'occhiata più da vicino alle due figure. Mårtensson assunse subito il comando.

«È lei che ha dato l'allarme?»

L'uomo annuì. Sembrava profondamente scosso. Stava fumando una sigaretta e la mano gli tremava ogni volta che se la portava alla bocca.

«Come si chiama?»

«Mi chiamo Mikael Blomkvist. Due persone sono state uccise a colpi d'arma da fuoco solo qualche minuto fa in questa palazzina. Si chiamano Dag Svensson e Mia Bergman. Sono al terzo piano. Ci sono alcuni vicini fuori dalla loro porta.»

«Santo Iddio» disse la donna.

«Chi è lei?» domandò Mårtensson.

«Mi chiamo Annika Giannini.»

«Abitate qui?»

«No» rispose Mikael Blomkvist. «Io dovevo fare visita alla coppia che è stata aggredita. Questa è mia sorella che mi ha dato un passaggio dopo una cena.»

«Lei dunque sostiene che due persone sono state colpite con un'arma da fuoco. Ha visto come è successo?»

«No. Le ho solo trovate.»

«Andiamo su a vedere» disse Mårtensson.

«Aspettate» disse Mikael. «Secondo i vicini, i colpi sono stati esplosi solo un attimo prima che io arrivassi. Io stesso ho dato l'allarme un minuto dopo essere arrivato qui. Da allora sono passati meno di cinque minuti. L'assassino deve essere ancora nei dintorni.»

«Non ha connotati da fornirci?»

«Noi non abbiamo visto nessuno. Ma è possibile che qualcuno dei vicini abbia visto qualcosa.»

Mårtensson fece un cenno a Magnusson che prese la sua ricetrasmittente e cominciò a bassa voce a fare rapporto alla centrale. Poi si rivolse a Mikael.

«Può mostrarci la strada?» disse.

Quando ebbero superato il portone Mikael si fermò e indicò in silenzio le scale della cantina. Mårtensson si chinò ed esaminò l'arma. Scese le scale fino in fondo e provò ad aprire la porta della cantina. Era chiusa a chiave.

«Ohlsson, fermati qui e tienila d'occhio» disse Mårtensson.

Fuori dalla porta di Dag e Mia la piccola folla di vicini si era diradata, due erano tornati nel proprio appartamento. Ma l'uomo in vestaglia teneva ancora la sua postazione e quando vide le uniformi parve sollevato.

«Non ho fatto entrare nessuno» dichiarò.

«Molto bene» dissero contemporaneamente Mikael e Mårtensson.

«Sembrano esserci tracce di sangue sulle scale» disse l'agente Magnusson.

Tutti guardarono le impronte. Mikael guardò i propri mocassini italiani.

«Probabilmente sono delle mie scarpe» disse. «Sono stato dentro l'appartamento. C'è una notevole quantità di sangue.»

Mårtensson fissò Mikael con sguardo indagatore. Usò una penna per spingere la porta dell'appartamento e constatò la presenza di altre tracce di sangue nell'ingresso.

«A destra. Dag Svensson è in soggiorno e Mia Bergman in camera da letto.»

Mårtensson fece una rapida ispezione dell'appartamento e dopo qualche secondo uscì. Con la ricetrasmittente chiese rinforzi agli agenti di turno. Mentre stava parlando arrivò il personale dell'ambulanza. Mårtensson li fermò nell'attimo stesso in cui chiudeva la chiamata.

«Due persone. Per quanto ho potuto vedere, già morte. Uno di voi può dare un'occhiata senza toccare nulla?»

Non ci volle molto perché il personale dell'ambulanza si rendesse conto di essere superfluo. Il medico di turno disse che non era necessario trasportare i corpi all'ospedale per un eventuale tentativo di rianimazione. Ormai non c'era più niente da fare. Mikael si sentì improvvisamente molto male e si rivolse a Mårtensson.

«Io esco. Ho bisogno di aria.»

«Purtroppo non posso lasciarla andare.»

«Tranquillo» disse Mikael. «Vado solo a sedermi sui gradini fuori dal portone.»

«Posso vedere la sua carta d'identità?»

Mikael tirò fuori il portafoglio e mise il documento nella mano di Mårtensson. Poi si voltò senza dire una parola, scese le scale e andò a sedersi fuori dalla palazzina, dove Annika era ancora in attesa in compagnia dell'agente Ohlsson. La sorella andò a sedersi accanto a lui.

«Micke, cos'è successo?» domandò.

«Due persone che apprezzavo molto sono state assassinate. Mia Bergman e Dag Svensson. Era il suo manoscritto che volevo farti leggere.»

Annika Giannini si rese conto che non era il momento di fare altre domande. Invece mise un braccio intorno alle spalle del fratello e lo tenne stretto mentre altre macchine della polizia arrivavano sul posto. Una manciata di nottambuli si era già radunata sul marciapiede dall'altra parte della strada. Mikael li osservava muto mentre la polizia cominciava a disporre le transenne. Un'indagine per omicidio stava muovendo i primi passi.

Erano quasi le tre del mattino quando Mikael e Annika poterono finalmente lasciare il commissariato. Avevano trascorso un'ora nell'automobile di Annika fuori dalla palazzina di Enskede in attesa che il pubblico ministero di turno arrivasse e desse inizio alle indagini preliminari. Dopo di che – dal momento che Mikael era stato buon amico delle due vittime e le aveva trovate e aveva dato l'allarme – erano stati pregati di seguire gli agenti alla centrale di Kungsholmen, per collaborare all'inchiesta, come si diceva in gergo.

Lì avevano dovuto aspettare a lungo prima di essere interrogati dall'ispettore di turno Anita Nyberg della polizia giudiziaria. Era bionda come una spiga e sembrava un'adolescente.

Sto cominciando a diventare vecchio, pensò Mikael.

Aveva bevuto così tante tazze di caffè stantio che era perfettamente sveglio ma con la nausea. Tutto d'un tratto era stato costretto a sospendere l'interrogatorio per correre in bagno, dove aveva vomitato con l'immagine del viso dilaniato di Mia Bergman impressa nella mente. Poi aveva bevuto più bicchieri d'acqua e si era sciacquato più volte il viso prima di ritornare da Anita Nyberg. Aveva cercato di raccogliere i pensieri e rispondere il più diffusamente possibile alle sue domande.

Dag Svensson e Mia Bergman avevano dei nemici?
No, non che io sappia.
Avevano ricevuto minacce?
Non che io sappia.
Com'era la loro relazione?
Sembravano innamorati. Una volta Dag mi aveva raccontato che avevano intenzione di mettere in cantiere un figlio dopo che Mia avesse preso il dottorato.
Facevano uso di stupefacenti?
Non ne ho idea. Ma non credo, e se lo facevano era al livello di uno spinello per festeggiare in qualche occasione speciale.
Come mai era andato a casa loro così tardi?
Mikael spiegò il contesto.
Non era insolito per lei andare a casa loro così tardi?
Sì. Certamente. Era la prima volta che succedeva.
Come mai li conosceva?
Per ragioni di lavoro.
Mikael spiegò il contesto per l'ennesima volta.

E domande e ancora domande per fissare uno schema temporale.

Gli spari si erano sentiti in tutta la palazzina. Erano stati esplosi a intervalli di meno di cinque secondi. Il settantenne in vestaglia marrone era il coinquilino più vicino ed era un maggiore dell'artiglieria costiera in pensione. Stava guardando la tv e dopo il secondo sparo si era alzato dal divano ed era uscito immediatamente sul pianerottolo. Calcolando che aveva problemi con le anche e di conseguenza faceva fatica ad alzarsi, stimava di avere impiegato circa trenta secondi per aprire la porta del proprio appartamento. Né lui né nessun altro vicino avevano visto un possibile autore degli omicidi.

A detta di tutti i vicini, Mikael era arrivato davanti alla porta dell'appartamento meno di due minuti dopo che si erano sentiti gli spari.

Calcolando che lui e Annika avevano avuto la strada sotto controllo per almeno trenta secondi mentre Annika si avvicinava in macchina, parcheggiava e scambiava qualche parola con Mikael prima che lui attraversasse la strada ed entrasse, c'era dunque un arco temporale valutabile fra i trenta e i quaranta secondi. In questo intervallo, un duplice omicida aveva fatto in tempo a lasciare l'appartamento, scendere le scale, abbandonare l'arma al pianterreno, uscire dalla palazzina e sparire alla vista prima che Annika frenasse di fronte al portone. E tutto questo senza che una sola persona ne avesse visto l'ombra.

Tutti pensarono che Mikael e Annika dovevano avere mancato l'assassino per una manciata di secondi.

Per un attimo vertiginoso Mikael si rese conto che l'ispettore Anita Nyberg si stava gingillando con il pensiero che Mikael stesso potesse essere il colpevole, sceso di un piano per fingere di arrivare all'appartamento con i vicini già radunati sul pianerottolo. Ma Mikael aveva un alibi, costituito dalla sorella. E le sue mosse, inclusa la conversazione telefonica con Dag Svensson, potevano essere confermate da un buon numero di membri della famiglia Giannini.

Alla fine Annika si impose. Mikael aveva dato tutto l'aiuto possibile e immaginabile. Era palesemente stanco e non si sentiva bene. Era ora di smetterla e di consentirgli di andare a casa. Ricordò a tutti che era l'avvocato di suo fratello e che anche lui aveva dei diritti, stabiliti da Nostro Signore se non dal Parlamento.

Quando uscirono in strada rimasero fermi in silenzio per un po' accanto alla macchina di Annika.

«Va' a casa e dormi» disse lei.

Mikael scosse la testa.

«Devo andare da Erika» disse. «Anche lei li conosceva.

Non posso dirglielo per telefono, e non voglio che lo venga a sapere dal notiziario quando si sveglia.»

Annika Giannini esitò un momento ma si rese conto che suo fratello aveva ragione.

«Saltsjöbaden, dunque» disse.

«Te la senti?»

«A cosa servono le sorelle minori sennò?»

«Se mi dai un passaggio fino a Nacka Centrum posso prendere un taxi o aspettare un autobus.»

«Chiacchiere. Sali, che ti ci porto io.»

12.
24 marzo, Giovedì Santo

Anche Annika era palesemente stanca e Mikael riuscì a convincerla a rinunciare alla lunga deviazione intorno a Lännerstalunden e a farlo scendere a Nacka Centrum. La baciò sulla guancia, la ringraziò per tutto l'aiuto che gli aveva dato durante quell'interminabile nottata e aspettò che invertisse la marcia e sparisse verso casa prima di chiamare un taxi.

Erano passati più di due anni dall'ultima volta che Mikael era stato a Saltsjöbaden. Aveva fatto visita a Erika e al marito solo qualche rara volta. Supponeva che fosse un segno di immaturità.

Mikael Blomkvist non aveva la più pallida idea di come funzionasse esattamente il matrimonio di Erika e Greger. Conosceva Erika Berger fin dai primi anni ottanta. Ed era intenzionato a portare avanti la relazione con lei fino a quando non fosse stato troppo vecchio per alzarsi dalla sedia a rotelle. La loro relazione si era interrotta soltanto per un breve periodo alla fine degli anni ottanta quando sia lui sia lei si erano sposati. La pausa era durata più di un anno, ma poi entrambi erano diventati infedeli ai rispettivi coniugi.

Per Mikael, ne era derivato un divorzio. Per Erika invece, Greger Backman aveva pensato che una passione così duratura probabilmente era talmente forte che sarebbe stato assurdo sperare che le convenzioni o la morale comune li tenessero lontani dai rispettivi letti. Greger non voleva rischiare di perdere Erika come Mikael aveva perso sua moglie.

Quando Erika aveva ammesso la propria infedeltà, Greger era andato a bussare alla porta di Mikael Blomkvist. Mikael aveva aspettato e temuto la sua visita – si sentiva un verme. Invece di tirargli un pugno in faccia però, Greger gli aveva proposto un giro per bar. Ne avevano passati tre a Södermalm prima di essere abbastanza alticci per una conversazione seria, cosa che avvenne su una panchina di Mariatorget alle prime luci dell'alba.

Mikael aveva avuto difficoltà a credere a Greger quando gli aveva detto con franchezza che se avesse cercato di sabotare il suo matrimonio con Erika sarebbe tornato a fargli visita sobrio e armato di randello, ma se si fosse trattato solo di piaceri carnali insaziabili e incontrollabili allora per lui era okay.

Mikael ed Erika avevano continuato la loro relazione senza cercare di nascondergli nulla, e lui aveva fatto buon viso. Per quanto ne sapeva Mikael, quello di Greger ed Erika era ancora un matrimonio felice. Lui accettava che Greger accettasse la loro relazione, fino al punto che a Erika, quando era dell'umore, bastava alzare il telefono e dire al marito che pensava di trascorrere la notte da Mikael, cosa che accadeva con una certa regolarità.

Greger non aveva mai criticato Mikael. Al contrario, sembrava convinto che la relazione fra Erika e Mikael fosse qualcosa di positivo e che il suo stesso amore per Erika fosse reso più profondo dal fatto di non poterla mai dare per scontata.

Per contro Mikael non si era mai sentito a proprio agio in compagnia di Greger, il che rappresentava un memento del fatto che anche le relazioni più libere hanno un prezzo. Di conseguenza era stato a Saltsjöbaden solo qualche rara volta in occasione di feste alle quali la sua assenza sarebbe stata interpretata come un atto dimostrativo.

Adesso era fermo davanti alla loro villa di duecentocinquanta metri quadrati. Nonostante il disagio di essere portatore di cattive notizie, mise risolutamente il dito sul campanello e lo tenne premuto per quasi quaranta secondi finché non sentì un rumore di passi. Greger Backman aprì, con un asciugamano intorno ai fianchi e un'espressione di ira assonnata sul volto, che si mutò in stupore quando vide sulla porta l'amante di sua moglie.

«Salve Greger» disse Mikael.

«Buon giorno, Blomkvist. Che cazzo di ore sono?»

Greger Backman era biondo e magro. Aveva il petto molto peloso ma la testa quasi calva. Aveva la barba di una settimana e il sopracciglio destro attraversato da una brutta cicatrice, ricordo di un serio incidente di vela accaduto molti anni prima.

«Le cinque passate da poco» disse Mikael. «Puoi svegliare Erika? Le devo parlare.»

Greger Backman suppose che, se Mikael Blomkvist aveva vinto la sua riluttanza a incontrarlo, doveva essere accaduto qualcosa di veramente fuori dell'ordinario. Inoltre Mikael sembrava avere un gran bisogno di un cordiale o almeno di un letto nel quale dormire a sazietà. Perciò aprì completamente la porta e lo fece entrare.

«Cosa è successo?» chiese.

Prima che Mikael facesse in tempo a rispondere, Erika stava già scendendo le scale annodandosi la cintura di un accappatoio di spugna bianco. Si bloccò a metà strada scorgendo Mikael nell'ingresso.

«Cosa...?»

«Dag Svensson e Mia Bergman» disse Mikael.

Il suo viso svelava da solo quale notizia fosse venuto a portare.

«No.» Erika si mise una mano sulla bocca.

«Arrivo adesso dalla polizia. Dag e Mia sono stati uccisi stanotte.»

«Uccisi?» dissero Erika e Greger contemporaneamente.

Erika guardò Mikael con espressione esitante.

«Ma è vero?»

Mikael annuì stanco.

«Qualcuno è entrato nel loro appartamento a Enskede e li ha uccisi a colpi d'arma da fuoco. Sono stato io a trovarli.»

Erika si sedette sulle scale.

«Non volevo che venissi a saperlo dal notiziario stamattina» disse Mikael.

Mancava un minuto alle sette di mattina del Giovedì Santo quando Mikael ed Erika misero piede nella redazione di *Millennium*. Erika aveva telefonato, svegliandoli, a Christer Malm e a Malin Eriksson, informandoli che Dag e Mia erano stati assassinati durante la notte. Christer e Malin abitavano vicino alla redazione per cui erano già arrivati e avevano acceso la macchina del caffè nel cucinino.

«Cosa diavolo sta succedendo?» domandò Christer.

Malin fece cenno di tacere e alzò il volume del notiziario delle sette.

Due persone, un uomo e una donna, sono state uccise a colpi d'arma da fuoco nella tarda serata di ieri in un appartamento di Enskede. La polizia afferma che si tratta di un doppio omicidio. Nessuna delle due vittime aveva precedenti. Non è chiaro cosa possa esserci dietro l'atto criminoso. La nostra inviata Hanna Olofsson si trova sul posto.

«Mancava poco alla mezzanotte quando alla polizia è arrivata la segnalazione che dei colpi d'arma da fuoco erano sta-

ti esplosi in una palazzina di Björneborgsvägen qui a Enske-
de. Secondo un vicino, gli spari sono stati numerosi. Non si
conosce il movente del duplice omicidio e non è stato ancora
effettuato nessun fermo. La polizia ha messo i sigilli all'ap-
partamento in cui sono in corso i rilievi tecnici.»

«Un servizio conciso» disse Malin, abbassando il volume.
Poi cominciò a piangere. Erika le si avvicinò e le mise un
braccio intorno alle spalle.

«Dannazione» disse Christer a tutti e a nessuno.

«Sedetevi» disse Erika in tono deciso. «Mikael...»

Mikael raccontò ancora una volta ciò che era accaduto
durante la notte. Parlò con voce monotona e utilizzò un lin-
guaggio concreto, da giornalista, per descrivere come aveva
trovato Dag e Mia.

«Dannazione» ripeté Christer. «È una cosa pazzesca.»

Malin fu sopraffatta di nuovo dall'emozione. Riprese a
piangere senza far nulla per nascondere le lacrime.

«Scusatemi» disse.

«Io mi sento nello stesso stato» disse Christer.

Mikael si domandò perché non riuscisse a piangere. Sentiva solo un gran vuoto, come se fosse stato narcotizzato.

«Quello che sappiamo finora non è granché» disse Erika.
«Ma adesso dobbiamo parlare di due cose. Anzitutto siamo
a tre settimane dalla consegna in tipografia del materiale di
Dag Svensson. Pensiamo ancora di pubblicarlo? Possiamo
ancora pubblicarlo? Questa è una cosa. L'altra è una questione che io e Mikael abbiamo discusso venendo qui.»

«Non sappiamo perché siano stati uccisi» disse Mikael.
«Può trattarsi di qualcosa di privato nella vita di Dag e Mia
oppure può essere il gesto di un folle. Ma non possiamo
escludere che abbia a che fare con il loro lavoro.»

Nella stanza scese il silenzio. Alla fine Mikael si schiarì la
voce.

«Come si diceva siamo in procinto di pubblicare un'inchiesta dannatamente pesante in cui facciamo i nomi di persone che hanno il terrore di essere coinvolte. Dag aveva cominciato con i confronti due settimane fa. Dunque se qualcuno di quei...»

«Aspetta» disse Malin. «Mettiamo alla gogna tre poliziotti, uno dei servizi segreti e due della buoncostume, diversi avvocati, un pubblico ministero e un giudice, e anche un paio di giornalisti. Qualcuno di loro avrebbe dunque commesso un duplice omicidio per impedire la pubblicazione?»

«Mah, non lo so» disse Mikael pensieroso. «Certo hanno un bel po' da perdere, ma a pelle direi che dovrebbero essere maledettamente ingenui per credere di poter mettere a tacere un'inchiesta del genere ammazzando un giornalista. Però denunciamo anche un certo numero di protettori, e anche se usiamo nomi fittizi non è poi così difficile identificarli. Alcuni di loro sono già stati condannati in precedenza per reati contro la persona.»

«Okay» disse Christer. «Ma tu hai descritto l'omicidio di Dag e Mia come una vera e propria esecuzione. Se ho colto il succo dell'inchiesta di Dag Svensson, quelli invece non sono tipi particolarmente in gamba. Sarebbero davvero capaci di commettere un duplice omicidio e di farla franca?»

«Quanto bisogna essere in gamba per sparare due colpi?» domandò Malin.

«In questo momento stiamo facendo speculazioni su qualcosa di cui non sappiamo niente» intervenne Erika. «Ma effettivamente è necessario porsi la domanda. Se gli articoli di Dag, o anche la tesi di Mia se è per questo, sono stati la causa degli omicidi, allora dobbiamo alzare il livello di guardia qui in redazione.»

«E ancora una cosa» disse Malin. «Dobbiamo andare alla polizia con i nomi? Cosa hai detto agli agenti stanotte?»

«Ho risposto a tutte le domande che mi hanno fatto. Ho

raccontato a che genere di inchiesta stava lavorando Dag, ma non mi hanno chiesto dettagli e io non ho fatto nomi.»

«Probabilmente dovremmo farlo» disse Erika.

«Non è proprio detto» rispose Mikael. «Magari potremmo fornire loro una lista di nomi. Ma cosa facciamo se la polizia comincia a fare domande su come ce li siamo procurati? Non possiamo rivelare le fonti che vogliono rimanere anonime. E questo vale per molte delle ragazze con cui Mia ha parlato.»

«Che pasticcio» disse Erika. «Siamo tornati alla prima domanda. Dobbiamo pubblicare?»

Mikael alzò la mano.

«Aspetta. Possiamo anche mettere ai voti la cosa, ma si dà il caso che il direttore responsabile sono io e per la prima volta nella storia del giornale voglio fare di testa mia. La risposta è no. Non possiamo pubblicare. Sarebbe assurdo andare avanti come se niente fosse.»

Nella stanza scese di nuovo il silenzio.

«Mi piacerebbe moltissimo andare avanti, ma il materiale è da risistemare. Erano Dag e Mia ad avere la documentazione, e l'inchiesta si reggeva anche sul fatto che Mia avrebbe sporto denuncia alla polizia contro le persone che noi avremmo citato per nome. Lei aveva competenze da esperta. Ma noi le abbiamo?»

La porta d'ingresso sbatté e Henry Cortez comparve sulla soglia.

«Si tratta di Dag e Mia?» domandò col fiatone.

Tutti annuirono.

«Diavolo. È pazzesco.»

«Come l'hai saputo?» gli chiese Mikael.

«Ero fuori con la mia ragazza, stavamo tornando a casa, l'abbiamo sentito alla radio del taxi. La polizia chiedeva informazioni sulle corse in quella strada. Ho riconosciuto l'indirizzo. Non potevo non venire.»

Henry appariva così scosso che Erika si alzò e andò ad abbracciarlo prima di invitarlo a sedersi con loro. Dopo di che riprese.

«Io credo che Dag vorrebbe che pubblicassimo la sua inchiesta.»

«E sono convinto che lo faremo. Almeno il libro. Ma la situazione al momento ci impone di rimandarne l'uscita.»

«Per cui cosa facciamo adesso?» chiese Malin. «Non è solo un articolo che dev'essere sostituito, è un intero numero speciale. C'è da rifare tutto il giornale.»

Erika rimase in silenzio un momento. Poi fece il primo stanco sorriso della giornata.

«Avevi pensato di essere libera per Pasqua, Malin?» domandò. «Scordatelo. Facciamo così... Tu, io e Christer ci mettiamo a programmare un numero completamente nuovo senza Dag Svensson. Possiamo provare ad anticipare qualche pezzo che avevamo programmato per il numero di giugno. Mikael, quanto materiale aveva fatto in tempo a consegnarti Dag?»

«Ho la versione definitiva di nove capitoli su dodici. E la versione quasi definitiva dei capitoli dieci e undici. Dag doveva spedirmi via mail la versione definitiva. Adesso controllo la posta. Ma ho solo una traccia del capitolo conclusivo, il dodicesimo. È lì che doveva tirare le somme e trarre le conclusioni.»

«Ma tu e Dag avevate discusso tutti i capitoli?»

«So cosa aveva intenzione di scrivere, se è questo che intendi.»

«Okay, tu ti occuperai dei testi, sia del libro sia degli articoli. Voglio sapere quanto manca e se possiamo ricostruire ciò che Dag non ha fatto in tempo a consegnarci. Pensi di poter dare un giudizio obiettivo già in giornata?»

Mikael annuì.

«Voglio anche che tu rifletta su cosa dobbiamo dire alla

polizia. Fino a dove possiamo spingerci e dove cominciamo a rischiare di non proteggere più le fonti. Nessuno al giornale deve dire niente senza la tua approvazione.»

«Mi sembra giusto» disse Mikael.

«Credi seriamente che dietro gli omicidi possa esserci l'inchiesta di Dag?»

«Oppure la tesi di Mia... non lo so. Ma non possiamo trascurare la possibilità.»

Erika rifletté un momento.

«No, non possiamo. La condurrai tu.»

«Cosa?»

«L'inchiesta.»

«Quale inchiesta?»

«La nostra, per la miseria!» Erika alzò improvvisamente la voce. «Dag Svensson era un giornalista e lavorava per *Millennium*. Se è stato ucciso per questo, ebbene voglio saperlo. Perciò dovremo scavare in ciò che è successo. E sarai tu a occupartene. Comincia con l'esaminare tutto il materiale che Dag ci ha dato e prova a capire se può essere il movente dell'omicidio.»

Guardò con la coda dell'occhio Malin Eriksson.

«Malin, se mi aiuti ad abbozzare il nuovo numero oggi, poi il grosso del lavoro lo facciamo io e Christer. Ma tu hai lavorato moltissimo sia con Dag sia sugli altri testi del numero speciale. Voglio che tu tenga d'occhio gli sviluppi dell'inchiesta sull'omicidio insieme a Mikael.»

Malin annuì.

«Henry... puoi lavorare oggi?»

«Ovvio.»

«Telefona agli altri collaboratori di *Millennium* e spiegagli come stanno le cose. Poi fai un giro di telefonate alla polizia e informati su cosa sta succedendo. Cerca di sapere se ci sarà qualche conferenza stampa e cose del genere. Dobbiamo tenerci aggiornati.»

«Okay. Chiamo i collaboratori e poi faccio un salto a casa a fare doccia e colazione. Sono di ritorno in tre quarti d'ora, se non vado direttamente alla polizia a Kungsholmen.»

«Teniamoci in contatto durante la giornata.»

Un breve silenzio si creò intorno al tavolo.

«Okay» disse Mikael alla fine. «Siamo pronti?»

«Suppongo di sì» disse Erika. «Hai fretta?»

«Sì. Devo fare una telefonata.»

Harriet Vanger stava facendo colazione con caffè, pane tostato, formaggio e marmellata d'arance nella veranda chiusa della casa di Henrik Vanger a Hedeby, quando il suo cellulare squillò. Rispose senza guardare il display.

«Buon giorno, Harriet» disse Mikael Blomkvist.

«Santo cielo. Credevo che fossi uno di quelli che non si alzano mai prima delle otto.»

«In effetti no, se sono andato a letto. Cosa che non ho fatto stanotte.»

«È successo qualcosa?»

«Non hai sentito il notiziario?»

Mikael le raccontò concisamente gli avvenimenti di quella notte.

«È spaventoso» disse Harriet. «Tu come stai?»

«Grazie dell'interessamento. Sono stato meglio. Ma il motivo per cui ti chiamo è che fai parte del consiglio d'amministrazione di *Millennium* e devi essere informata. Probabilmente qualche giornalista scoprirà che sono stato io a trovare Dag e Mia, il che darà il via a certe speculazioni. Quando si saprà che Dag stava lavorando a questa inchiesta per nostro conto, qualcuno potrebbe farti delle domande.»

«E tu vuoi farmi capire che devo essere preparata. Okay. Cosa posso dire?»

«Di' la verità. Che sei informata di ciò che è successo. Ovviamente sei sconvolta per il brutale duplice omicidio, ma non sei coinvolta nel lavoro redazionale dunque non hai nessun commento da fare. Condurre le indagini è compito della polizia, non di *Millennium*.»

«Grazie di avermi avvertita. C'è niente che posso fare?»

«Non in questo momento. Ma se mi viene in mente qualcosa mi faccio vivo.»

«Bene. E, Mikael... tienimi informata, per favore.»

13.
24 marzo, Giovedì Santo

Già alle sette del mattino del Giovedì Santo la responsabilità formale dell'istruzione dell'inchiesta sul duplice omicidio di Enskede era arrivata sulla scrivania del giudice Richard Ekström. Il pubblico ministero di turno la notte del crimine, relativamente giovane e inesperta, si era resa conto che quell'omicidio andava al di là del consueto. Aveva telefonato, svegliandolo, al procuratore aggiunto della provincia, che a sua volta aveva svegliato il capo della polizia giudiziaria provinciale. Insieme avevano deciso di passare la palla a un giudice istruttore diligente ed esperto. La scelta era caduta su Richard Ekström, quarantadue anni.

Ekström era un ometto magro e scattante alto centosessantasette centimetri, con sottili capelli biondi e il pizzetto. Era sempre vestito in maniera impeccabile e per via della sua bassa statura portava scarpe con i tacchi. Aveva iniziato la sua carriera come pubblico ministero aggiunto a Uppsala, dopo di che era stato reclutato come analista al ministero della Giustizia dove aveva lavorato per allineare la legislazione svedese a quella dell'Unione Europea, dimostrandosi così in gamba da essere nominato capo unità. Aveva fatto scalpore con un'indagine sulle carenze organizzative in fatto di sicurezza che sollecitava un incremento di efficienza andando così contro le pretese di maggiori risorse avanzate da certe autorità di polizia. Dopo quattro anni al ministero della Giustizia era passato alla Procura di Stoccolma, dove si era occupato di processi relativi a crimini di un certo risalto.

All'interno della pubblica amministrazione era ritenuto un socialdemocratico, ma nella realtà Ekström era totalmente disinteressato alla politica. Anche se cominciava ad attirare una certa attenzione mediatica e nei corridoi del potere le alte sfere lo tenevano d'occhio. Era un potenziale candidato per incarichi d'alto rango e grazie alla sua presunta vena ideologica aveva una vasta rete di contatti nelle sfere politiche così come nella polizia. Fra i poliziotti correvano voci contrastanti sulle capacità di Ekström. Le sue inchieste al ministero della Giustizia non avevano favorito quelle cerchie che sostenevano la necessità di reclutare più poliziotti. D'altro canto Ekström si era distinto per la sua mancanza di indulgenza in tribunale.

Dopo un rapido riassunto degli avvenimenti della notte fatto dagli agenti di turno, Ekström si rese conto velocemente che quella era una faccenda esplosiva che senza dubbio avrebbe creato turbolenza nei mass-media. Non si trattava di un omicidio qualunque. Le due vittime erano una dottoranda in criminologia e un giornalista – termine, quest'ultimo, che il procuratore odiava o amava a seconda della situazione.

Subito dopo le sette Ekström ebbe una rapida consultazione telefonica con il capo della polizia giudiziaria provinciale. Alle sette e un quarto alzò il ricevitore e svegliò l'ispettore Jan Bublanski, meglio conosciuto fra i colleghi con il soprannome di "agente Bubbla". Bublanski era in ferie, per recuperare una montagna di straordinari che aveva accumulato durante l'anno precedente, ma Ekström gli chiese di interromperle e di presentarsi immediatamente alla centrale per assumere il comando delle indagini sul duplice omicidio di Enskede.

Bublanski aveva cinquantadue anni, e lavorava in polizia da più di metà della sua vita, da quando ne aveva ventitré. Era stato per sei anni agente di pattuglia e aveva passato diversi reparti prima di seguire il corso di formazione ed entrare nella squadra della polizia giudiziaria che si occupava dei reati contro la persona. Negli ultimi dieci anni aveva collaborato a trentatré inchieste per omicidio volontario o colposo. In diciassette era stato a capo delle indagini, e quattordici le aveva risolte. Altre due erano considerate risolte dal punto di vista della polizia, vale a dire si sapeva chi fosse il colpevole ma non si avevano prove sufficienti per incastrarlo. In un unico caso, vecchio di sei anni, Bublanski e i suoi collaboratori avevano fallito. Si trattava di un noto alcolista attaccabrighe che era stato accoltellato a morte nella sua abitazione a Bergshamra. La scena del delitto era un incubo di impronte digitali e tracce di dna appartenenti a diverse dozzine di persone che nel corso degli anni erano andate lì a bere e ad accapigliarsi. Bublanski e i suoi colleghi erano convinti che le ricerche andassero portate avanti nella vasta cerchia di conoscenze della vittima, costituita per lo più da alcolisti e tossicodipendenti, ma nonostante un intenso lavoro d'indagine l'assassino aveva continuato a tenere in scacco la polizia. In pratica, l'inchiesta era stata ormai archiviata.

Nel complesso Bublanski poteva vantare una buona percentuale di casi risolti, e i suoi colleghi consideravano la sua reputazione ben meritata.

Tuttavia Bublanski era considerato un tantino strano, e questo in parte dipendeva dal fatto che era ebreo e in occasione di certe solennità religiose era stato visto girare per i corridoi della polizia con lo zucchetto. Una volta la cosa aveva suscitato un commento da parte di un commissario, che riteneva inopportuno che un poliziotto portasse lo zucchetto alla centrale così come avrebbe ritenuto inopportuno che se ne fosse andato in giro col turbante. Ulteriori dibattiti sulla questione tuttavia non ce n'erano stati. Un giornalista aveva raccolto al volo il commento e cominciato a fare domande, ma il commissario si era rapidamente ritirato nella sua stanza.

Bublanski era osservante e ordinava cibo vegetariano quando non c'era cibo kasher. Tuttavia non era così ortodosso da non lavorare il sabato. Anche lui si era subito reso conto che per il duplice omicidio di Enskede non sarebbe bastata un'indagine di routine. Richard Ekström l'aveva preso da parte non appena era arrivato alla centrale subito dopo le otto.

«Sembra una storia spinosa» esordì Ekström. «Le due vittime sono un giornalista e una criminologa. E come se non bastasse, sono state trovate da un altro giornalista.»

Bublanski annuì. Era praticamente garantito che gli sviluppi sarebbero stati tenuti costantemente d'occhio e passati al setaccio dai mass-media.

«E tanto per spargere altro sale sulla ferita, il giornalista che ha trovato la coppia è Mikael Blomkvist di *Millennium*.»

«Ooops» fece Bublanski.

«Noto per il circo nato intorno all'affare Wennerström.»

«Sappiamo qualcosa del movente?»

«Al momento non una virgola. Nessuno dei due era noto alla polizia. A quanto pare, era una coppia perbene. La ragazza doveva discutere la tesi di dottorato fra qualche settimana. A questo caso dev'essere data la massima priorità.»

Bublanski annuì. Per lui gli omicidi avevano sempre la massima priorità.

«Costituiremo un gruppo. Mettiti al lavoro prima che puoi e io provvederò a farti avere tutte le risorse. Avrai come aiuto Hans Faste e Curt Svensson. E potrai anche contare su Jerker Holmberg. Sta lavorando all'omicidio di Rinkeby ma a quanto pare il colpevole si è dileguato all'estero. Holmberg è un eccellente investigatore della scena del crimine. Al bisogno, puoi anche servirti di qualcuno della polizia di stato.»

«Voglio con me Sonja Modig.»

«Non è un po' troppo giovane?»

Bublanski alzò le sopracciglia e guardò Ekström sorpreso.

«Ha trentanove anni, dunque è solo poco più giovane di te. Inoltre è molto acuta.»

«Okay, decidi tu, ma sbrigati. I capi ci stanno già col fiato sul collo.»

Bublanski la considerò una piccola esagerazione. A quell'ora del mattino i capi di sicuro non si erano ancora alzati dal tavolo della prima colazione.

L'inchiesta cominciò con la riunione convocata poco prima delle nove. L'ispettore Bublanski aveva radunato la sua truppa in una sala conferenze nella sede della polizia provinciale. Osservò l'assemblea. Non era del tutto soddisfatto della composizione del gruppo.

Sonja Modig era la persona che godeva maggiormente della sua fiducia. Lavorava in polizia da dodici anni, da quattro nella squadra per i reati contro la persona, e aveva partecipato a diverse inchieste guidate da Bublanski. Era precisa e metodica, ma Bublanski aveva notato quasi subito che possedeva anche la qualità che per lui era la più preziosa nelle indagini difficili. Aveva fantasia e capacità di associazione. In almeno due inchieste complicate, Sonja Modig era riuscita a scovare collegamenti insoliti che ad altri erano sfuggiti e che avevano condotto a una svolta determinante nelle indagini. Inoltre, Sonja possedeva un fresco humour intellettuale che Bublanski apprezzava molto.

Era contento anche di avere Jerker Holmberg. Holmberg

aveva cinquantacinque anni ed era originario dell'Ånger-manland. Era un tipo quadrato e noioso, che mancava completamente di quella fantasia che rendeva impagabile Sonja. Ma Bublanski riteneva che Holmberg fosse forse il miglior investigatore di scene del crimine di tutta la polizia svedese. Nel corso degli anni avevano lavorato fianco a fianco in diverse inchieste e Bublanski nutriva la ferma convinzione che se c'era qualcosa da trovare sul luogo del delitto, Holmberg l'avrebbe trovato. Il suo compito era di assumere il comando di tutto il lavoro che si stava facendo nell'appartamento di Enskede.

Il collega Curt Svensson gli era relativamente sconosciuto. Si trattava di un uomo taciturno e robusto, con i capelli biondi tagliati così corti che da lontano pareva calvo. Svensson aveva trentotto anni ed era appena arrivato da Huddinge, dove aveva lavorato per anni alle inchieste sui reati delle bande. Aveva fama di essere un duro, un giro di parole per dire che forse usava metodi non del tutto in linea con i regolamenti della polizia. In un'occasione, dieci anni prima, era stato denunciato per percosse, ma al termine dell'indagine era stato assolto da ogni accusa.

La sua fama però si basava su un avvenimento di tutt'altra natura. Nell'ottobre del 1999 Curt Svensson si era recato in compagnia di un collega ad Alby per prelevare un teppista locale per un interrogatorio. Il teppista era già noto alla polizia. Per molti anni aveva terrorizzato i vicini di casa ed era stato oggetto di lagnanze e denunce per le sue minacce. Adesso, in seguito a una soffiata, era sospettato di avere rapinato un negozio di video a Norsborg. Per la polizia si sarebbe trattato di un intervento di routine, se il teppista avesse seguito docilmente gli agenti. Invece tirò fuori un coltello, ferì con più colpi alle mani il collega che tentava di difendersi e gli mozzò un pollice, e poi rivolse la sua attenzione a Svensson, che per la prima volta nella sua carriera fu costretto a usare l'arma di servizio. Esplose tre colpi. Il primo era stato di avvertimento. Il secondo aveva mancato il bersaglio, cosa strana dal momento che la distanza era inferiore a tre metri. La terza pallottola centrò l'aorta, provocando la morte per dissanguamento del teppista nel giro di pochi minuti. La conseguente inchiesta aveva sollevato Svensson da qualsiasi responsabilità, scatenando però un dibattito mediatico sul monopolio statale della violenza.

Inizialmente Bublanski aveva avuto parecchi dubbi su Curt Svensson, ma dopo sei mesi ancora non aveva rilevato nulla che motivasse critiche dirette. Al contrario, aveva cominciato col tempo a nutrire un certo rispetto per la sua taciturna competenza.

L'ultimo era Hans Faste, quarantasette anni, un veterano, da quindici anni nella squadra per i reati contro la persona. Era lui il motivo per cui Bublanski non era completamente soddisfatto della composizione del gruppo. Faste aveva un punto in più e uno in meno. Il punto in più consisteva nel fatto che aveva pratica di inchieste complicate. Ma Bublanski riteneva che fosse un egocentrico dotato di uno humour rozzo che poteva disturbare le persone normali, e in ogni caso disturbava lui. In Faste c'erano caratteristiche personali che a Bublanski molto semplicemente non andavano a genio. Ma okay, a tenerlo saldamente per le briglie era un investigatore competente. Faste inoltre era diventato una sorta di mentore per Svensson, che non sembrava avere nulla da ridire sulla sua rozzezza. I due lavoravano spesso in coppia.

Alla riunione era stato inoltre invitato l'ispettore Anita Nyberg, per informarli sugli interrogatori cui aveva sottoposto Mikael Blomkvist durante la notte, come pure il commissario Oswald Mårtensson, per aggiornarli su ciò che era accaduto sul posto in seguito all'allarme. Entrambi erano sfiniti e avrebbero voluto andare a casa a dormire il più presto possibile, ma Anita Nyberg aveva già fatto in tempo a ottenere delle foto della scena del crimine, che furono fatte girare.

Dopo trenta minuti di conversazione tutti si erano fatti un'idea chiara del corso degli eventi. Bublanski riassunse.

«Con le dovute riserve, visto che l'esame tecnico della scena del crimine è ancora in corso, sembra dunque che le cose siano andate come segue... Un soggetto ignoto, che nessuno dei vicini o nessun testimone oculare ha notato, si è introdotto in un appartamento di Enskede e ha ucciso la coppia Svensson-Bergman.»

«Non sappiamo ancora se l'arma rinvenuta sia la stessa dell'omicidio, ma è già stata inviata all'Skl, il laboratorio centrale» intervenne Anita Nyberg. «Massima priorità. Abbiamo anche rinvenuto una porzione relativamente intatta di una pallottola, quella che ha colpito Dag Svensson, nel muro verso la camera da letto. Il proiettile che ha colpito Mia Bergman è invece così frammentato che dubito possa essere utilizzabile.»

«Grazie. Una Colt Magnum è una dannata pistola da cowboy che dovrebbe essere assolutamente proibita. Abbiamo qualche numero di serie?»

«Non ancora» disse Mårtensson. «Ho mandato l'arma e il frammento di pallottola all'Skl. Ho pensato fosse meglio che se ne occupassero loro piuttosto che pasticciarli io.»

«Bene. Non ho ancora fatto in tempo a dare un'occhiata alla scena del crimine, ma voi due ci siete stati. Quali sono le vostre conclusioni?»

Anita Nyberg e Oswald Mårtensson si scambiarono un'occhiata. Anita Nyberg lasciò al collega più anziano il compito di parlare a nome di entrambi.

«Crediamo che sia stato un solo assassino ad agire. È stata una vera e propria esecuzione. Ho la sensazione che si tratti di una persona che aveva un movente molto forte e che ha agito con grande determinazione.»

«E su cosa si basa questa sensazione?» volle sapere Hans Faste.

«L'appartamento era perfettamente in ordine. Non si tratta di una rapina o di un'aggressione o qualcosa del genere. Sono stati esplosi solo due colpi. Entrambi hanno centrato il bersaglio alla testa con grande precisione. Si tratta dunque di qualcuno che sa maneggiare le armi.»

«Okay.»

«Se date un'occhiata al disegno... l'uomo, Dag Svensson, dev'essere stato colpito molto da vicino, probabilmente con il revolver premuto contro la testa. Intorno al foro d'ingresso ci sono segni evidenti di bruciatura. E probabilmente è stato colpito lui per primo. Svensson è stato scagliato contro il tavolo del soggiorno. L'assassino dev'essere stato sulla soglia o appena dentro.»

«Okay.»

«Secondo le testimonianze, i colpi sono stati esplosi nell'arco di qualche secondo. Mia Bergman è stata colpita da una certa distanza. Probabilmente si trovava sulla soglia della camera da letto e ha cercato di allontanarsi. La pallottola l'ha centrata sotto l'orecchio sinistro ed è uscita subito sopra l'occhio destro. La forza dell'urto l'ha gettata all'interno della camera da letto dove è stata trovata. Dev'essere caduta contro il bordo del letto e poi dev'essere scivolata a terra.»

«Un tiratore abituato a maneggiare le armi» concordò Faste.

«E non solo. Non ci sono impronte che lascino intendere che l'assassino sia entrato in camera da letto per controllare di avere ucciso la donna. Sapeva di avere colpito il bersaglio e ha fatto dietrofront abbandonando l'appartamento. Dunque: due colpi, due morti e poi fuori. Inoltre...»

«Sì?»

«Senza voler anticipare i risultati dell'esame tecnico, sospetto che l'assassino abbia usato munizioni da caccia. La morte dev'essere stata istantanea. Entrambe le vittime presentavano delle ferite spaventose.»

Un momento di silenzio si creò intorno al tavolo. Si trattava di un dibattito che nessuno dei presenti gradiva essere costretto a ricordare. Esistono due tipi di munizioni: pallottole dure a mantello intero che passano attraverso il corpo e causano danni relativamente modesti, e pallottole morbide che si espandono nel corpo e causano danni molto estesi. C'è un'enorme differenza fra una pallottola con un diametro di nove millimetri e una che si espande fino ad arrivare a un diametro di due, forse anche tre centimetri. Le munizioni del secondo tipo sono da caccia e hanno lo scopo di provocare una massiccia perdita di sangue, cosa che viene comunemente ritenuta accettabile nella caccia, per esempio all'alce, nella misura in cui si mira ad abbattere la preda al più presto limitandone al massimo la sofferenza. Per contro, l'uso delle munizioni da caccia è proibito in guerra dalla legislazione internazionale, dato che il poveretto che viene centrato da una pallottola a espansione quasi infallibilmente muore, a prescindere dal punto del corpo in cui è stato colpito.

Nella sua saggezza la polizia svedese aveva tuttavia inserito due anni prima le munizioni da caccia nel suo arsenale. Il perché non era ben chiaro, ma era chiarissimo che se, per esempio, l'ormai celebre dimostrante Hannes Westberg durante i disordini di Göteborg nel 2001 fosse stato colpito con una munizione da caccia non sarebbe sopravvissuto.

«In altre parole, lo scopo era di uccidere» disse Curt Svensson.

Si riferiva a Enskede, ma al tempo stesso svelava il suo punto di vista rispetto al tacito dibattito che si stava svolgendo intorno al tavolo.

Sia Anita Nyberg che Oswald Mårtensson annuirono.

«E poi abbiamo un improbabile schema temporale» disse Bublanski.

«Esatto. Dopo gli spari l'assassino ha lasciato immediatamente l'appartamento, è sceso per le scale, ha abbandonato l'arma ed è svanito nella notte. Poco dopo, questione di una manciata di secondi, sono arrivati Blomkvist e la sorella in macchina.»

«Mmm» fece Bublanski.

«Una possibilità è che l'assassino sia fuggito dalla cantina. C'è un ingresso laterale che può avere utilizzato: è uscito in cortile, ha attraversato un prato ed è sbucato su una strada parallela. Ma per farlo doveva avere la chiave della porta della cantina.»

«C'è qualche elemento che lasci supporre che l'assassino sia scomparso così?»

«No.»

«Inoltre non abbiamo la benché minima descrizione da cui partire» disse Sonja. «Ma perché ha gettato via l'arma? Se l'avesse portata con sé, o se solo l'avesse abbandonata a una certa distanza dalla palazzina, ci avremmo messo più tempo a trovarla.»

Tutti alzarono le spalle. Era una questione che nessuno poteva risolvere.

«Cosa dobbiamo credere di Blomkvist?» domandò Hans Faste.

«Era palesemente sotto shock» disse Mårtensson. «Ma ha agito in maniera corretta e lucida e ha dato l'impressione di essere una persona degna di fiducia. La sorella ha confermato la conversazione al telefono e il viaggio in macchina. Non credo che possa essere implicato.»

«È un giornalista famoso» disse Sonja.

«Questa storia diventerà un circo mediatico» concordò Bublanski. «Ragione in più per risolvere il caso il più velocemente possibile. Okay... Jerker, tu naturalmente puoi cominciare a occuparti della scena del crimine e dei vicini. Faste, tu e Curt lavorate sulle vittime. Chi erano, di cosa si occupavano, chi frequentavano, chi poteva avere motivo di ucciderli. Sonja, tu e io esaminiamo le testimonianze raccolte stanotte. Dopo di che dovrai cercare di ricomporre lo schema temporale di ciò che Dag Svensson e Mia Bergman hanno fatto nelle ultime ventiquattr'ore. Ci riuniamo di nuovo alle due e mezza.»

Mikael Blomkvist cominciò il suo lavoro sedendosi alla scrivania della redazione che era stata messa a disposizione di Dag Svensson. Per un po' restò seduto immobile come se non riuscisse a iniziare. Poi avviò il computer.

Dag aveva un laptop personale e lavorava soprattutto da casa, ma aveva passato in redazione un paio di giorni la settimana e nell'ultimo periodo ci andava sempre più spesso.

A *Millennium* disponeva di un vecchio PowerMac G3, un computer che stava sulla scrivania e poteva essere usato dai collaboratori occasionali. Mikael lo mise in funzione. Nel computer c'erano appunti sparsi su cui Dag stava lavorando. Aveva usato il vecchio G3 principalmente per navigare in Internet, ma c'erano anche delle cartelle che aveva copiato dal suo portatile. Dag aveva anche un back-up completo salvato su due dischi che teneva sotto chiave nel cassetto della scrivania. Ogni giorno faceva una copia del materiale aggiornato. Però non era stato in redazione negli ultimi giorni, dunque l'ultimo salvataggio risaliva alla sera della domenica. Mancavano tre giorni.

Mikael fece una copia del disco e la mise nella cassetta di sicurezza della sua stanza. Quindi dedicò tre quarti d'ora a passare rapidamente in rassegna il contenuto del disco originale. Conteneva una trentina di cartelle e un'infinità di sottocartelle. Il tutto costituiva quattro anni di indagini sul trafficking. Lesse i nomi dei documenti in cerca di qualcosa che potesse contenere materiale segreto – ad esempio i nomi delle fonti protette. Notò che Dag era stato molto preciso – tutto il materiale relativo era in un documento che era stato battezzato *Fonti/segreto*. La cartella conteneva centotrentaquattro documenti di varie dimensioni, la maggior parte piuttosto piccoli. Mikael selezionò tutti i documenti e li cancellò. Non li gettò nel cestino, li spostò sull'icona del programma Burn che eliminava i documenti byte per byte.

Quindi aprì la posta di Dag. Gli era stato assegnato un indirizzo su *millennium.se*, che utilizzava sia in redazione sia sul suo portatile. Aveva anche una password, la qual cosa tuttavia non costituiva un problema dal momento che Mikael come amministratore poteva accedere al server. Scaricò una copia della posta di Dag e la trasferì su un cd.

Infine attaccò la montagna di carte, appunti, ritagli di

giornale, sentenze e corrispondenza che Dag aveva accumulato nel tempo. Per non correre rischi andò alla fotocopiatrice e fece una copia di tutto quello che aveva l'aria di essere importante. Si trattava di quasi duemila pagine, gli ci vollero circa tre ore.

Mikael selezionò tutto il materiale che in qualche modo poteva avere un collegamento con una fonte segreta. Ne risultò un mazzetto di una quarantina di pagine, principalmente annotazioni da un blocco che Dag aveva tenuto chiuso a chiave nella scrivania. Mikael lo infilò in una busta che portò nella sua stanza. Quindi rimise tutto il restante materiale al suo posto sulla scrivania.

Solo dopo avere finito riprese fiato e scese al 7-Eleven, dove bevve un caffè e mangiò una fetta di pizza. Supponeva che la polizia sarebbe comparsa da un momento all'altro per passare al setaccio la scrivania di Dag Svensson.

Bublanski vide le indagini fare un inatteso progresso già poco dopo le dieci del mattino, quando ricevette una telefonata dal professor Lennart Granlund dell'Skl di Linköping.

«Si tratta del duplice omicidio di Enskede.»

«Di già?»

«Abbiamo ricevuto l'arma stamattina di buon'ora e non ho ancora terminato le analisi, ma ho delle informazioni che credo vi potrebbero interessare.»

«Bene. Mi dica» lo esortò pazientemente l'agente Bubbla.

«L'arma è una Colt 45 Magnum, fabbricata negli Stati Uniti nel 1981.»

«Aha.»

«Abbiamo fissato impronte digitali e forse tracce di dna, ma per quello ci vorrà un po' di tempo. Abbiamo anche dato un'occhiata alle pallottole con cui è stata uccisa la coppia. Non è stata una sorpresa constatare che venivano dall'arma rinvenuta. Di solito succede, quando troviamo un'arma sulle scale dell'edificio in cui è stato commesso un omicidio. Le pallottole sono molto frammentate ma abbiamo un pezzetto con cui fare il confronto. È verosimile che quella sia proprio l'arma del delitto.»

«Un'arma illegale, suppongo. Avete un numero di serie?»

«L'arma è perfettamente legale. Appartiene a un certo avvocato Nils Erik Bjurman, ed è stata acquistata nel 1983. Bjurman è membro del club di tiro della polizia. L'indirizzo è Upplandsgatan angolo Odenplan.»

«Cosa cosa?»

«Come stavo dicendo, abbiamo anche trovato diverse impronte digitali sull'arma. Appartengono ad almeno due persone.»

«Aha.»

«Possiamo ovviamente supporre che una serie di impronte rimandi allo stesso Bjurman, se l'arma non è stata rubata oppure venduta. Ma su questo punto non ho altro.»

«Aha. In altre parole, abbiamo un indizio.»

«Per quanto riguarda l'altra persona, abbiamo un riscontro nel casellario. Impronte di pollice e indice della mano destra.»

«Chi?»

«Una donna nata il 30 aprile 1978. È stata fermata per percosse a Gamla Stan nel 1995 e in quell'occasione le sono state prese le impronte.»

«Ha anche un nome?»

«Certo. Si chiama Lisbeth Salander.»

L'agente Bubbla corrugò la fronte e annotò nome e data di nascita su un blocnotes che aveva sulla scrivania.

Quando Mikael Blomkvist fece ritorno in redazione dopo pranzo, andò direttamente nella sua stanza e chiuse la porta, segno che non voleva essere disturbato. Ancora non aveva il tempo per mettersi a controllare tutte le informazioni collaterali contenute nelle mail e negli appunti di Dag Svensson. Era costretto a sedersi e a fare un riesame sia del libro sia degli articoli con occhi totalmente nuovi, ossia col presupposto che l'autore non c'era più e quindi non poteva rispondere a nessuna domanda.

Doveva decidere se il libro poteva essere pubblicato in futuro. Doveva anche stabilire se c'era qualcosa nel materiale che poteva costituire un movente per l'omicidio. Avviò il computer e cominciò a lavorare.

Jan Bublanski ebbe una breve conversazione con il responsabile delle indagini preliminari Richard Ekström per informarlo di ciò che avevano scoperto all'Skl. Fu deciso che Bublanski e Sonja Modig sarebbero andati a trovare l'avvocato Bjurman per un colloquio – che avrebbe potuto trasformarsi in un interrogatorio o anche in un fermo se ne fosse sorto il motivo – mentre i colleghi Hans Faste e Curt Svensson si sarebbero concentrati su Lisbeth Salander per farsi spiegare come mai le sue impronte digitali fossero sull'arma del delitto.

La ricerca dell'avvocato Bjurman inizialmente non comportò nessun particolare problema. Il suo indirizzo compariva nei registri tributari, in quello delle armi e in quello automobilistico, e inoltre era pubblicamente accessibile sull'elenco telefonico. Bublanski e Sonja Modig si recarono a Odenplan e riuscirono a infilarsi nel portone del palazzo di Upplandsgatan mentre un giovanotto ne stava uscendo.

Poi però la faccenda si complicò. Quando suonarono alla porta nessuno andò ad aprire. Perciò proseguirono verso lo studio dell'avvocato in St. Eriksplan e ripeterono la procedura, ma con lo stesso deprimente risultato.

«Magari è in tribunale» disse l'ispettore Sonja Modig.

«O magari è fuggito in Brasile dopo avere commesso un duplice omicidio» disse Bublanski.

Sonja annuì e guardò con la coda dell'occhio il collega. Si trovava bene in sua compagnia. Non avrebbe avuto nulla in contrario a flirtare con lui se non fosse stato che era madre di due bambini e che sia lei sia Bublanski erano felicemente sposati. Diede un'occhiata alle altre targhe d'ottone sul pianerottolo e constatò che gli appartamenti confinanti ospitavano un dentista, Norman, una società, la N-Consulting, e un altro avvocato, Rune Håkansson.

Bussarono alla porta di quest'ultimo.

«Salve, mi chiamo Sonja Modig e questo è l'ispettore Bublanski, polizia giudiziaria. Abbiamo l'incarico di contattare il suo collega, l'avvocato Bjurman, qui a fianco. Non sa dove lo si possa trovare?»

Håkansson scosse la testa.

«L'ho visto di rado negli ultimi tempi. Due anni fa è stato molto male e ha quasi completamente cessato l'attività. Sulla porta c'è ancora la targa ma lui di fatto viene qui solo una volta ogni due mesi o giù di lì.»

«Molto malato?» domandò Bublanski.

«Non saprei. Era sempre molto attivo e poi si è ammalato. Cancro, suppongo. Io lo conosco solo superficialmente.»

«Lo sa per certo o lo suppone, che si sia ammalato di cancro?» domandò Sonja.

«Be'... non saprei. Aveva una segretaria, Britt Karlsson, Nilsson, un nome del genere. Una donna di una certa età. Fu licenziata e mi raccontò che l'avvocato si era ammalato, ma non so altro. Questo nella primavera del 2003. Non l'ho rivisto che alla fine dell'anno, sembrava dieci anni più vecchio, smagrito e tutto grigio... ho tratto le mie conclusioni. E allora? Ha fatto qualcosa?»

«Non che ci risulti» rispose Bublanski. «Comunque lo stiamo cercando per una questione urgente.»

Ritornarono a Odenplan e bussarono di nuovo alla porta di Bjurman. Ancora nessuna risposta. Bublanski fece il numero del cellulare di Bjurman. *L'abbonato al momento non è raggiungibile, la preghiamo di riprovare più tardi.*

Provò a chiamare il numero del telefono fisso di casa. Lo sentirono suonare dall'altra parte della porta prima che entrasse in funzione una segreteria telefonica che li pregava di lasciare un messaggio. Si guardarono e alzarono le spalle.

Era l'una del pomeriggio.

«Caffè?»

«Meglio un hamburger.»

Raggiunsero a piedi il Burger King in Odenplan. Sonja mangiò un whopper e Bublanski prese un hamburger vegetariano prima di fare ritorno alla centrale.

Il procuratore Ekström radunò il gruppo nel suo ufficio alle due del pomeriggio. Bublanski e Sonja Modig presero posto uno accanto all'altra vicino alla finestra. Curt Svensson arrivò due minuti più tardi e si sedette di fronte. Jerker Holmberg entrò con un vassoio di bicchieri di carta colmi di caffè. Aveva fatto una breve visita a Enskede e intendeva tornarci più tardi nel pomeriggio, quando i tecnici avessero terminato il loro lavoro.

«Dov'è Faste?» chiese Ekström.

«È ai servizi sociali, ha chiamato cinque minuti fa e ha detto che avrebbe tardato» rispose Curt Svensson.

«Okay. Noi in ogni caso cominciamo. Cosa abbiamo?» esordì Ekström senza troppe cerimonie. Indicò per primo Bublanski.

«Siamo andati a cercare l'avvocato Nils Bjurman. Non era a casa e nemmeno in ufficio. Secondo un collega si è ammalato due anni fa e in pratica ha interrotto la sua attività professionale.»

Sonja Modig continuò.

«Bjurman ha cinquantacinque anni e non compare nel casellario giudiziario. È principalmente un avvocato d'affari. Non ho ancora avuto il tempo di esaminare in modo più approfondito i suoi precedenti.»

«Ma è il proprietario dell'arma che è stata usata a Enskede.»

«Esatto. Ha il porto d'armi ed è membro del club di tiro della polizia» disse Bublanski. «Ho parlato con Gunnarsson, si occupa di armi ed è anche il presidente del club, conosce Bjurman molto bene. È entrato a far parte del club nel 1978 ed è stato anche cassiere dal 1984 al 1992. Gunnarsson lo descrive come un tiratore eccellente, calmo e prudente, senza grilli.»

«Interessato alle armi?»

«Gunnarsson ha detto che Bjurman gli pareva più interessato alla vita sociale del club che allo sparare in sé. Gli piaceva gareggiare ma non era un feticista delle armi. Nel 1983 aveva partecipato al campionato nazionale piazzandosi al tredicesimo posto. Ma negli ultimi dieci anni aveva un po' abbandonato l'attività, comparendo solo all'assemblea annuale e in occasioni del genere.»

«Possiede altre armi?»

«Ha avuto la licenza per quattro armi in tutto da quando è entrato a far parte del club. Oltre alla Colt, una Beretta, una Smith & Wesson e una Rapid da gara. Ma queste tre sono state tutte vendute dieci anni fa all'interno del club e le licenze sono passate ad altri membri. Nessuna stranezza.»

«Ma non sappiamo dove sia.»

«Esatto. Ma abbiamo cominciato a cercarlo solo dopo le dieci e magari è a farsi una passeggiata a Djurgården, o è all'ospedale, o chissà dove.»

In quell'attimo entrò Hans Faste. Sembrava affannato.

«Scusate il ritardo. Posso intervenire?»

Ekström fece segno di sì con la mano.

«Lisbeth Salander è un soggetto davvero interessante. Ho passato la giornata ai servizi sociali e all'ufficio tutorio.» Si tolse la giacca di pelle e l'appese allo schienale della sedia prima di sedersi e aprire un blocnotes.

«Ufficio tutorio?» domandò Ekström aggrottando la fronte.

«Si tratta di una ragazza alquanto disturbata» disse Hans Faste. «È stata interdetta e messa sotto tutela. E indovinate chi è il suo tutore.» Fece una pausa a effetto. «L'avvocato Nils Bjurman, che è anche il legale possessore dell'arma usata giù a Enskede.»

Tutti i presenti sollevarono le sopracciglia.

A Hans Faste occorsero quindici minuti per riferire tutto ciò che aveva appreso su Lisbeth Salander.

«Per riassumere» disse Ekström quando Faste ebbe concluso, «abbiamo sull'arma del delitto le impronte digitali di una donna che da adolescente è andata dentro e fuori dalle cliniche psichiatriche, che presumibilmente si mantiene facendo la prostituta, che è stata interdetta e che ha un'inclinazione comprovata alla violenza. Cosa diavolo ci fa allora in giro per le strade?»

«Mostrava inclinazioni alla violenza già ai tempi dell'asilo» disse Faste. «Sembra essere un vero e proprio caso psichiatrico.»

«Ma non abbiamo ancora niente che la colleghi direttamente alla coppia di Enskede.» Ekström tamburellò con la punta delle dita. «Okay, questo duplice omicidio forse non sarà poi così difficile da risolvere. Abbiamo un indirizzo di Lisbeth Salander?»

«È domiciliata in Lundagatan a Södermalm. E per un certo periodo ha ricevuto uno stipendio dalla Milton Security, una società di sicurezza.»

«E cosa cavolo faceva per loro?»

«Non lo so. Ma si tratta di introiti piuttosto modesti, per qualche anno. Magari faceva le pulizie o qualcosa del genere.»

«Mmm» fece Ekström. «Non sarà difficile scoprirlo. Ma in questo momento ho la sensazione che sia urgente trovarla.»

«Sono d'accordo» disse Bublanski. «Ci occuperemo dei dettagli man mano. Ora almeno abbiamo un sospetto. Faste, tu e Curt andate in Lundagatan e cercate di portare qui Lisbeth Salander. Siate prudenti, non sappiamo se abbia altre armi e fino a che punto sia pazza.»

«Okay.»

«Bubbla» intervenne Ekström. «Il capo della Milton Security si chiama Dragan Armanskij. L'ho conosciuto in occasione di un'inchiesta qualche anno fa. È una persona affidabile. Va' da lui e chiedigli di Lisbeth Salander. Cerca di arrivare in tempo prima che vada a casa.»

Bublanski aveva un'aria irritata, la qual cosa dipendeva dal fatto che Ekström l'aveva chiamato col suo nomignolo e aveva formulato la proposta come un ordine. Ma fece un breve cenno d'assenso con il capo e spostò lo sguardo su Sonja Modig.

«Sonja, tu continua a cercare l'avvocato Bjurman. Bussa alle porte dei vicini. Credo sia urgente trovare anche lui.»

«Okay.»

«Dobbiamo collegare Lisbeth Salander alla coppia di Enskede. E dobbiamo collocarla giù a Enskede al momento dell'omicidio. Jerker, cerca una sua foto e controlla con i vicini di casa. Bussa alle porte di sera. Portati qualche agente in uniforme che ti dia una mano.»

Bublanski fece una pausa e si grattò sul collo.

«Diavolo, con un po' di fortuna avremo risolto questa triste vicenda già questa sera. Credevo che sarebbe andata molto più per le lunghe.»

«Ancora una cosa» disse Ekström. «I media ci stanno addosso. Ho promesso una conferenza stampa per le tre. Posso occuparmene io se riesco ad avere qualcuno dell'ufficio stampa come assistente. Immagino che un buon numero di giornalisti comincerà anche a telefonarvi direttamente. Questa faccenda di Lisbeth Salander e Bjurman ce la teniamo per noi fino a quando sarà possibile.»

Tutti annuirono.

Dragan Armanskij aveva pensato di andare a casa prima del solito. Era il Giovedì Santo e lui e sua moglie avevano programmato di raggiungere la loro casa a Blidö per trascorrervi le vacanze di Pasqua. Aveva appena chiuso la ventiquattrore e si era già infilato il cappotto quando dalla reception gli annunciarono che un certo ispettore Bublanski lo stava cercando. Armanskij non lo conosceva, ma il fatto che fosse un poliziotto fu sufficiente a strappargli un sospiro e a fargli rimettere il cappotto sull'attaccapanni. Non aveva nessuna voglia di ricevere quella visita, ma la Milton Security non poteva permettersi di trascurare la polizia. Andò ad accogliere Bublanski all'ascensore sul corridoio.

«Grazie di avermi ricevuto» esordì Bublanski. «Le porto i saluti del mio capo, il procuratore Richard Ekström.»

Si strinsero la mano.

«Ekström, sì, ho avuto a che fare con lui un paio di volte. Ma ormai è passato qualche anno. Gradisce un caffè?»

Armanskij si fermò al distributore automatico e riempì due bicchieri prima di aprire la porta del suo ufficio e invitare Bublanski ad accomodarsi sulla poltrona accanto alla finestra.

«Armanskij... russo?» domandò Bublanski curioso. «Anch'io ho un nome che termina in ski.»

«La mia famiglia viene dall'Armenia. E la sua?»

«Dalla Polonia.»

«In cosa posso esserle utile?»

Bublanski tirò fuori un blocnotes e lo aprì.

«Sto lavorando all'inchiesta relativa al duplice omicidio di Enskede. Suppongo che abbia sentito i notiziari.»

Armanskij fece un breve cenno di assenso.

«Ekström ha detto che lei non è un chiacchierone.»

«Nella mia posizione non è utile ostacolare la polizia. Ma sono capace di mantenere il silenzio, se è questo che vuole sapere.»

«Bene. Stiamo cercando una persona che tempo fa pare abbia lavorato per lei. Il suo nome è Lisbeth Salander. La conosce?»

Armanskij sentì un grumo di cemento formarsi nello stomaco. Ma rimase impassibile.

«Per quale motivo state cercando la signorina Salander?»

«Diciamo che abbiamo ragione di considerarla un soggetto interessante ai fini dell'inchiesta.»

Il grumo di cemento nello stomaco di Armanskij si espanse. Gli dava un dolore quasi fisico. Fin dal giorno in cui aveva conosciuto Lisbeth aveva avuto la netta sensazione che la sua vita fosse un viaggio verso la catastrofe. Ma se l'era sempre immaginata nella parte della vittima, non del carnefice. Comunque continuò a rimanere impassibile.

«Dunque sospettate Lisbeth Salander per il duplice omicidio di Enskede. Ho inteso correttamente?»

Bublanski esitò un istante prima di annuire.

«Cosa mi può dire di lei?»

«Cosa vuole sapere?»

«Anzitutto... come possiamo rintracciarla.»

«Abita in Lundagatan. L'indirizzo esatto devo cercarlo. Ho anche il suo numero di cellulare.»

«L'indirizzo ce l'abbiamo già. Il numero di cellulare è più interessante.»

Armanskij andò alla sua scrivania e cercò il numero. Lo lesse a voce alta mentre Bublanski prendeva nota.

«La ragazza lavora per lei.»

«In realtà ha un'attività in proprio. Io le ho affidato dei lavori di quando in quando a partire dal 1998 fino a circa un anno e mezzo fa.»

«Che genere di lavoro svolgeva?»

«Ricerche.»

Bublanski alzò gli occhi dal blocnotes e inarcò sorpreso le sopracciglia.

«Ricerche» ripeté.

«Indagini personali, per essere più precisi.»

«Un attimo... stiamo parlando della stessa persona?» chiese Bublanski. «La Lisbeth Salander che stiamo cercando non ha nemmeno finito le scuole ed è stata interdetta.»

«Non si chiama più interdizione» precisò Armanskij.

«Poco importa come si dice adesso. La ragazza che cerchiamo risulta essere un soggetto profondamente disturbato e incline alla violenza. Inoltre abbiamo un rapporto dei servizi sociali in cui si ipotizza che negli anni novanta si prostituisse. Non c'è nulla nella documentazione che la riguarda che lasci intendere che potrebbe svolgere un lavoro qualificato.»

«Le carte sono una cosa. Le persone un'altra.»

«Vuole dire che è qualificata a svolgere indagini personali per conto della Milton Security?»

«Non solo. È di gran lunga la migliore che abbia mai incontrato, in quel campo.»

Bublanski abbassò lentamente la penna e corrugò la fronte.

«Sembra che lei... abbia del rispetto per questa ragazza.»

Armanskij abbassò lo sguardo sulle proprie mani. La domanda marcava un bivio. Aveva sempre saputo che Lisbeth prima o poi si sarebbe messa seriamente nei guai. Non riusciva a capacitarsi che fosse implicata in un duplice omicidio – come colpevole o in altro modo – ma accettava anche il fatto di non sapere granché della sua vita privata. *In cosa diavolo è rimasta coinvolta?* Armanskij ricordò la sua visita improvvisa, la volta che gli aveva detto in maniera indecifrabile che aveva tutto il denaro che le occorreva e che non aveva bisogno di lavoro.

In quel preciso frangente, la cosa più saggia sarebbe stata di prendere le distanze, a titolo personale ma ancor più come Milton Security, da Lisbeth Salander. Armanskij pensò che Lisbeth probabilmente era la persona più sola che conoscesse.

«Io ho del rispetto per la sua competenza. È una cosa che non può trovare nelle sue pagelle o nel suo curriculum.»

«Lei dunque è a conoscenza del suo passato.»

«So che è sotto tutela e che ha avuto un'adolescenza difficile, sì.»

«Eppure si è servito di lei.»

«Proprio per quello mi sono servito di lei.»

«Mi spieghi.»

«Il suo precedente tutore, Holger Palmgren, era l'avvocato del vecchio J.F. Milton. Si fece carico della ragazza quando era ancora adolescente e mi convinse a darle un lavoro. Inizialmente la assunsi per smistare la posta, fare le fotocopie e cose del genere. Ma poi scoprii che aveva talenti inaspettati. E quel rapporto secondo il quale forse si prostituiva se lo può dimenticare. Sono sciocchezze. Lisbeth Salander ha avuto un'adolescenza problematica e senza dubbio è anche un po' selvatica, la qual cosa non si può tuttavia considerare un'infrazione alla legge. Prostituirsi è probabilmente l'ultima cosa che farebbe.»

«Il suo nuovo tutore si chiama Nils Bjurman.»

«Lui non l'ho mai incontrato. Palmgren ebbe un ictus un paio di anni fa. Poco tempo dopo Lisbeth smise di lavorare per me. L'ultima indagine che ha condotto su mio incarico risale a un anno e mezzo fa.»

«Perché ha smesso di darle lavoro?»

«Non l'ho deciso io. È stata lei a interrompere la collaborazione e a sparire all'estero senza una spiegazione.»

«Sparire all'estero?»

«Sì, è stata via circa un anno.»

«Non può essere. L'avvocato Bjurman ha inviato un rapporto al mese su di lei per tutto l'anno scorso. Abbiamo le copie su a Kungsholmen.»

Armanskij si strinse nelle spalle e sorrise lievemente.

«Quando l'ha vista l'ultima volta?»

«In febbraio. Comparve dal nulla per una visita di cortesia. All'epoca non avevo sue notizie da più di un anno. Ha passato tutto l'anno scorso all'estero, viaggiando per l'Asia e i Caraibi.»

«Mi scusi, ma rimango un tantino confuso. Prima di venire qui avevo l'impressione che Lisbeth Salander fosse un soggetto psichicamente malato che non aveva nemmeno completato la scuola dell'obbligo ed era sotto tutela. Ma lei mi racconta di una ricercatrice altamente qualificata, con un'attività in proprio, che guadagnava abbastanza da potersi permettere un anno sabbatico per girare il mondo, e questo senza che il suo tutore abbia fatto una piega. C'è qualche conto che non torna in questa storia.»

«Sono parecchi i conti che non tornano, quando si tratta di Lisbeth Salander.»

«Posso chiederle... come la giudica lei?»

Armanskij rifletté un momento.

«Probabilmente nella sua imperturbabilità è una delle persone più irritanti che abbia mai incontrato in vita mia.»

«Imperturbabilità?»

«Lei non fa assolutamente nulla che non abbia voglia di fare. Non gliene importa un fico secco di quello che pensa no gli altri di lei. È spaventosamente competente. E non è come le altre persone.»

«È pazza?»

«Come definirebbe lei la pazzia?»

«È in grado di uccidere due persone a sangue freddo?»

Armanskij rimase a lungo in silenzio.

«Mi dispiace» disse alla fine, «ma non posso rispondere alla domanda. Sono un cinico. Credo che ogni essere umano abbia la capacità di uccidere altri esseri umani. Per disperazione oppure per odio, o almeno per autodifesa.»

«Significa che comunque non lo esclude.»

«Lisbeth Salander non fa nulla senza motivo. Se ha ucciso qualcuno deve avere avuto ottime ragioni per farlo. Posso chiederle... su quali basi sospettate che sia coinvolta negli omicidi di Enskede?»

Bublanski esitò un momento. Incrociò lo sguardo di Armanskij.

«Assolutamente confidenziale.»

«Assolutamente.»

«L'arma del delitto è di proprietà del suo tutore. E sopra ci sono anche le sue impronte digitali.»

Armanskij strinse i denti. Era una circostanza aggravante.

«Ho sentito del duplice omicidio solo su Eko. Di cosa si tratta? Droga?»

«La ragazza ha a che fare con la droga?»

«Non che io sappia. Ma ha avuto un'adolescenza problematica e in qualche occasione è stata fermata in stato di ubriachezza. La sua cartella clinica dovrebbe segnalare eventuali storie di droga.»

«Il problema è che non sappiamo quale possa essere il movente dei due omicidi. Era una coppia perbene. Lei era una criminologa e stava per prendere il dottorato. Lui era un giornalista. Dag Svensson e Mia Bergman. Non le suona nessun campanello?»

Armanskij scosse il capo.

«Stiamo cercando di trovare un collegamento fra la coppia e Lisbeth Salander.»

«Non ho mai sentito parlare di loro.»

Bublanski si alzò. «Grazie di avermi offerto il suo tempo. È stata una conversazione affascinante. Dubito di avere le idee più chiare, ma spero che la cosa rimanga fra noi.»

«Nessun problema.»

«La contatterò di nuovo se dovesse essercene bisogno. E ovviamente, se Lisbeth Salander si facesse viva...»

«Va da sé» rispose Dragan Armanskij.

Si strinsero la mano. Bublanski era già sulla porta quando si fermò e tornò a voltarsi verso Armanskij.

«Non è che per caso sa chi frequenta? Amici, conoscenti...»

Armanskij scosse la testa.

«Non so proprio nulla della sua vita privata. Una delle poche persone che conti qualcosa per lei è Holger Palmgren. Potrebbe averlo cercato. È ricoverato in una clinica a Ersta.»

«Non ha mai ricevuto visite qui?»

«No. Lavorava a casa e veniva qui solo per fare rapporto. Tranne qualche eccezione non incontrava mai nemmeno i clienti. Forse...»

Armanskij fu improvvisamente colpito da un pensiero.

«Cosa?»

«Forse c'è anche un'altra persona che potrebbe avere cercato di contattare. Un giornalista che frequentava due anni fa e che è venuto a cercarla quando era all'estero.»

«Giornalista?»

«Si chiama Mikael Blomkvist. Si ricorda l'affare Wennerström?»

Bublanski mollò la maniglia della porta e tornò lentamente indietro.

«È stato Mikael Blomkvist a trovare la coppia di Enskede. Lei ha appena stabilito un collegamento fra Lisbeth Salander e le vittime.»

Armanskij sentì di nuovo il peso del grumo di cemento nello stomaco.

14.
24 marzo, Giovedì Santo

Sonja Modig cercò l'avvocato Nils Bjurman altre tre volte nell'arco di mezz'ora. Ogni volta ricevette l'informazione che l'abbonato non era raggiungibile.

Alle tre e mezza si mise in macchina e si diresse a Odenplan per suonare di nuovo alla sua porta. Il risultato fu altrettanto deludente. Dedicò i successivi venti minuti a bussare alle altre porte del palazzo per informarsi se qualcuno dei vicini sapesse dove poteva trovarsi Bjurman.

In undici dei diciannove appartamenti di cui suonò il campanello non c'era nessuno. Diede un'occhiata all'ora. Era il momento sbagliato per fare quel lavoro. Ma di sicuro non sarebbe stato più facile nei giorni di Pasqua. Negli otto appartamenti in cui ottenne risposta furono tutti molto gentili e disponibili. Cinque di questi vicini sapevano chi fosse l'avvocato Nils Bjurman – un signore cortese e compito che abitava al quarto piano. Nessuno però sapeva dire dove potesse essere. A poco a poco riuscì a scoprire che Bjurman forse frequentava saltuariamente uno dei suoi vicini di casa, un uomo d'affari di nome Sjöman. In casa Sjöman tuttavia nessuno rispose alla sua scampanellata.

In preda alla frustrazione, Sonja prese il cellulare e chiamò di nuovo la segreteria telefonica di Bjurman. Si presentò, lasciò il proprio numero telefonico e pregò Bjurman di contattarla immediatamente.

Poi tornò alla porta, aprì il taccuino e su un foglietto scrisse all'avvocato di telefonarle. Prese anche un biglietto da visita e lasciò cadere il tutto nella buca delle lettere. Nell'attimo stesso in cui stava richiudendo il portellino sentì squillare un telefono all'interno dell'appartamento. Si chinò e ascoltò con attenzione. Sentì altri quattro squilli, e il clic che segnalava l'entrata in funzione della segreteria, ma non il messaggio.

Chiuse la buca delle lettere e rimase a fissare la porta. Più tardi non avrebbe saputo dire quale impulso l'avesse indotta ad allungare la mano e ad abbassare la maniglia, ma con suo grande stupore scoprì che la porta non era chiusa a chiave. L'aprì e sbirciò nell'ingresso.

«È permesso?» disse cautamente, e rimase in ascolto. Non sentì nessun rumore.

Fece un passo dentro l'appartamento e si fermò esitante. Quello che aveva appena fatto poteva essere considerato violazione di domicilio. Non aveva nessuna autorizzazione a effettuare una perquisizione, e nessun diritto di trovarsi in casa dell'avvocato Bjurman, anche se la porta non era chiusa a chiave. Sbirciò a sinistra e scorse un angolo di un soggiorno. Aveva appena deciso di fare dietrofront e uscire quando il suo sguardo cadde sul mobile dell'ingresso. C'era la scatola di una Colt Magnum.

Tutto d'un tratto Sonja Modig provò un forte senso di disagio. Aprì la giacca ed estrasse la sua arma di servizio, cosa che non le era quasi mai capitato di fare.

Tolse la sicura e tenendo la canna puntata a terra si diresse verso il soggiorno e guardò dentro. Non vide nulla di particolare, ma il suo disagio cresceva. Tornò sui suoi passi e diede un'occhiata in cucina. Vuota. Entrò in un'anticamera interna e spinse col dito la porta della camera da letto.

L'avvocato Nils Bjurman giaceva bocconi sul letto. Le ginocchia poggiavano sul pavimento. Sembrava che si fosse inginocchiato per dire le preghiere prima di andare a dormire. Era nudo.

Lo vedeva solo di lato. Ma già così Sonja poté stabilire che non era più in vita. Metà della fronte era stata spazzata via da un colpo sparato contro la nuca.

Sonja Modig uscì dall'appartamento. Aveva ancora l'arma di servizio in mano quando sulle scale prese il cellulare e chiamò l'ispettore Bublanski. Non era raggiungibile. Allora chiamò il procuratore Ekström. Intanto memorizzò l'ora. Erano le quattro e diciotto.

Hans Faste osservò il portone all'indirizzo di Lundagatan dove Lisbeth Salander risultava residente e di conseguenza si riteneva abitasse. Guardò con la coda dell'occhio Curt Svensson e quindi il proprio orologio. Le quattro e dieci.

Dopo essersi fatti dare il codice di apertura dal custode dell'edificio, erano già stati all'interno e avevano teso l'orecchio davanti alla porta con la targhetta Salander-Wu. Ma non erano riusciti a cogliere nessun rumore nell'appartamento e nessuno era andato ad aprire quando avevano suonato il campanello. Tornati alla macchina, si erano sistemati in modo da tenere il portone sotto controllo.

Avevano appreso per telefono che la persona che era da poco stata inclusa nel contratto relativo all'appartamento era una certa Miriam Wu, nata nel 1974, che in precedenza abitava a St. Eriksplan.

Avevano la foto del passaporto di Lisbeth Salander attaccata con lo scotch sopra la radio. Faste disse che sembrava una gazza.

«Cazzo, le puttane sono sempre più brutte. Devi essere proprio alla canna del gas per rimorchiare una così.»

Curt Svensson non disse nulla.

Alle quattro e venti ricevettero una telefonata da Bublanski che li informava che stava andando alla redazione di *Millennium*. Disse a Faste e Svensson di continuare ad aspettare in Lundagatan. Lisbeth Salander doveva essere portata alla centrale per un interrogatorio, ma il procuratore ancora non riteneva che la si dovesse considerare direttamente collegata agli omicidi di Enskede.

«Ah ecco» disse Faste. «Secondo Bubbla il procuratore vuole avere in mano una confessione prima di fermare qualcuno.»

Curt Svensson non disse nulla. Continuarono a osservare pigramente le persone che si muovevano nei dintorni.

Alle cinque meno venti il procuratore Ekström chiamò Hans Faste sul cellulare.

«Sono successe delle cose. Abbiamo trovato l'avvocato Bjurman ucciso a colpi d'arma da fuoco nel suo appartamento. È morto da almeno un giorno.»

Hans Faste si raddrizzò sul sedile.

«Afferrato. Cosa dobbiamo fare?»

«Lisbeth Salander è indiziata. È in stato di fermo in contumacia come sospetta di tre omicidi. Dirameremo l'allarme su tutto il territorio nazionale. Deve essere assolutamente catturata. Dobbiamo considerarla armata e pericolosa.»

«Afferrato.»

«Manderò una squadra di pronto intervento in Lundagatan. Dovranno entrare e piantonare l'appartamento.»

«Afferrato.»

«Avete sentito Bublanski?»

«È alla redazione di *Millennium*.»

«E ovviamente ha il cellulare spento. Potete provare a chiamarlo per informarlo?»

Faste e Svensson si guardarono.

«La questione è cosa facciamo se Lisbeth Salander compare» disse Curt Svensson.

«Se è sola e le condizioni sembrano favorevoli, la prendiamo. Se fa in tempo a raggiungere l'appartamento ci penserà il pronto intervento. Questa tizia è matta da legare e chiaramente in vena di ammazzare. Potrebbe avere altre armi in casa.»

Mikael Blomkvist era stanco morto quando lasciò cadere con un tonfo il malloppo del manoscritto sulla scrivania di Erika e si sedette pesantemente sulla poltroncina accanto alla finestra che dava su Götgatan. Aveva trascorso il pomeriggio a cercare di capire quale sarebbe stato il destino del libro incompiuto di Dag Svensson.

L'argomento era delicato. Dag era morto da meno di un giorno e già i suoi datori di lavoro stavano pensando a cosa fare della sua eredità giornalistica. Mikael era consapevole che un esterno avrebbe potuto giudicarlo cinico e calcolatore. Ma personalmente non la vedeva così. Aveva la sensazione di essere in assenza di peso. Era una sindrome particolare, nota a tutti i giornalisti, che esplodeva nei momenti di crisi.

Quando altri sono schiacciati dal dolore, il giornalista diventa efficiente. Nonostante lo shock che stordiva i membri della redazione di *Millennium*, il ruolo professionale aveva preso il sopravvento e si era canalizzato brutalmente nel lavoro.

Per Mikael era ovvio. E Dag che era della stessa pasta avrebbe fatto esattamente lo stesso se i ruoli fossero stati invertiti. Si sarebbe chiesto cosa poteva fare per Mikael. Dag aveva lasciato un'eredità, un manoscritto con un'inchiesta esplosiva. Aveva lavorato per diversi anni a raccogliere materiale e classificare dati, un compito nel quale aveva messo tutta l'anima ma che non avrebbe più potuto portare a termine.

Ma soprattutto aveva lavorato per *Millennium*.

L'assassinio di Dag Svensson e Mia Bergman non sarebbe stato un trauma nazionale, come invece quello di Olof Palme, per esempio, e non sarebbe stato seguito da nessun lutto nazionale. Ma per i collaboratori di *Millennium* lo shock era probabilmente anche più grande – era qualcosa che li toccava personalmente – e Dag aveva un'ampia rete di contatti fra i giornalisti che avrebbe preteso risposte alle sue domande.

Ora era compito di Mikael ed Erika completare il suo lavoro e dare una risposta sul chi e sul perché.

«Sono in grado di completare il testo» disse Mikael. «Io e Malin dobbiamo ripassare il libro parola per parola per essere in grado di rispondere a eventuali domande. In gran parte ci basterà seguire gli appunti stessi di Dag. Avremo delle difficoltà con i capitoli quattro e cinque che si basano su interviste di Mia di cui non abbiamo le fonti, ma esclusa qualche eccezione credo che la sua tesi possa essere usata come fonte primaria.»

«Ci manca l'ultimo capitolo.»

«Esatto. Ma io ho le bozze di Dag e ne abbiamo discusso così tante volte che so esattamente cosa aveva intenzione di dire. Propongo di farne un riassunto, con una postfazione nella quale io spiego come ragionava lui.»

«Okay. Ma voglio darci un'occhiata prima di dare il via libera. Non possiamo mettergli in bocca parole non sue.»

«Non c'è pericolo. Io scrivo il capitolo come un'analisi personale con in calce il mio nome. Sarà chiaro come il sole che sono io a scrivere e non lui. Racconterò come è successo che ha cominciato a lavorare a quel libro e che tipo di persona era. E concluderò ricapitolando ciò che mi ha detto nel corso di almeno una dozzina di colloqui negli ultimi mesi. Ci sono parecchie cose nelle sue bozze che posso citare. Credo che ci starebbero bene.»

«Diavolo... voglio più che mai pubblicare questo libro» disse Erika.

Mikael annuì. Capiva esattamente cosa intendesse.

«Hai sentito qualcosa di nuovo?» domandò.

Erika appoggiò gli occhiali da lettura sulla scrivania e scosse la testa. Si alzò e versò due tazze di caffè dalla caraffa termica, dopo di che andò a sedersi di fronte a Mikael.

«Io e Christer abbiamo una bozza del prossimo numero. Anticipiamo due articoli del successivo e comperiamo alcuni pezzi da dei free-lance. Ma ne verrà fuori un numero sconclusionato, senza un indirizzo preciso.»

Rimasero in silenzio.

«Hai ascoltato i notiziari?» chiese Erika.

Mikael scosse la testa.

«No. So già cosa diranno.»

«L'omicidio è in cima ai titoli di testa.»

«Il che significa che nel paese non è successo nient'altro.»

«La polizia non ha ancora divulgato i nomi di Dag e Mia. Vengono descritti come "una coppia perbene". Non c'è ancora nessun riferimento al fatto che sei stato tu a trovarli.»

«Scommetto che la polizia farà di tutto per tenerlo nascosto. Questo almeno va a nostro vantaggio.»

«Perché la polizia dovrebbe fare una cosa del genere?»

«Perché per ragioni di principio non ama il circo mediatico. Io faccio notizia, e di conseguenza per la polizia è un'ottima cosa che nessuno sappia che sono stato proprio io a trovarli. Sono pronto a scommettere che la notizia non trapelerà prima di notte o di domani mattina.»

«Così giovane e così cinico.»

«Non siamo più tanto giovani, Ricky. Ci pensavo mentre venivo interrogato da quella poliziotta. Aveva l'aria di andare ancora al liceo.»

Erika rise debolmente. Aveva potuto dormire qualche ora quella notte, è vero, ma cominciava anche lei ad avvertire la stanchezza. Presto sarebbe diventata a sorpresa caporedattore di uno dei maggiori quotidiani del paese. *No, non era il momento di dare la notizia a Mikael.*

«Henry Cortez ha telefonato un attimo fa. Un procuratore che si chiama Ekström ha tenuto una specie di conferenza stampa alle tre» disse invece.

«Richard Ekström?»

«Sì. Lo conosci?»

«Un politico. Circo mediatico garantito. Non sono due ambulanti di Rinkeby a essere stati uccisi. Questa storia avrà grande risonanza.»

«Lui comunque afferma che la polizia sta seguendo certi indizi e confida di risolvere il caso molto presto. Ma nel complesso non ha detto nulla. Però alla conferenza c'era il pienone di giornalisti.»

Mikael alzò le spalle. Si sfregò gli occhi.

«Non riesco a togliermi di dosso l'immagine del corpo di Mia. Porca miseria, avevo appena cominciato a conoscerli.»

Erika annuì cupamente.

«Aspettiamo e vedremo. Qualche maledetto pazzo...»

«Non so. È tutto il giorno che ci penso.»

«Cosa vorresti dire?»

«Mia è stata colpita di lato. Ho visto il foro d'ingresso sul lato del collo e il foro d'uscita sulla fronte. Dag è stato colpito in fronte, il foro d'uscita era sulla nuca. Per quanto ho potuto vedere, sono stati sparati solo due colpi. Non ha l'aria di un gesto di follia.»

Erika guardò pensierosa il suo socio.

«Cosa stai cercando di dire?»

«Se non si tratta di un gesto folle, allora dev'esserci un movente. E più ci penso, più ho la sensazione che questo manoscritto possa costituire un ottimo movente.»

Mikael indicò il malloppo sulla scrivania di Erika. Erika seguì la sua occhiata. Poi si guardarono.

«Non deve necessariamente avere a che fare con il libro.

Magari avevano ficcanasato troppo ed erano riusciti... non so. Forse qualcuno si sentiva minacciato.»

«E ha dato l'incarico a un sicario. Micke, queste sono cose che succedono nei film americani. Questo libro parla di clienti di prostitute. Fa i nomi di poliziotti, politici, giornalisti... Sarebbe qualcuno di loro ad avere ucciso Dag e Mia?»

«Non lo so, Ricky. Ma dovevamo andare in stampa fra tre settimane col lavoro più tosto sul trafficking che fosse mai stato pubblicato in Svezia.»

In quell'attimo Malin Eriksson cacciò dentro la testa e disse che l'ispettore Jan Bublanski della polizia giudiziaria voleva parlare con Mikael Blomkvist.

Bublanski strinse la mano a Erika Berger e Mikael Blomkvist e andò a occupare la terza poltroncina intorno al tavolo accanto alla finestra. Studiò Blomkvist e vide un uomo con gli occhi infossati e la barba di due giorni.

«C'è qualche novità?» chiese Mikael.

«Forse. Ho saputo che è stato lei a trovare la coppia di Enskede e ad avvisare la polizia stanotte.»

Mikael annuì stancamente.

«So che ha già raccontato tutto agli agenti di turno, ma mi chiedevo se non potesse chiarirmi alcuni dettagli.»

«Cosa vuole sapere?»

«Come mai stava andando a casa di Dag Svensson e Mia Bergman a un'ora così tarda?»

«Questo non è un dettaglio, è un intero romanzo» disse Mikael con un sorriso stanco. «Ero a cena da mia sorella, che abita nel ghetto dei colonizzatori a Stäket. Dag mi ha chiamato sul cellulare per dirmi che non avrebbe fatto in tempo a passare in redazione il giovedì, cioè oggi. Doveva lasciare delle immagini per Christer Malm. Il motivo era che lui e Mia volevano andare a trovare i genitori di lei per Pasqua e dovevano partire presto stamattina. Mi chiedeva se poteva passare da me a lasciare il materiale. Gli ho risposto che siccome ero già dalle sue parti potevo fare un salto io da lui dopo cena tornando a casa.»

«Perciò è andato a Enskede per ritirare delle immagini.»

Mikael annuì.

«Riesce a immaginare qualche motivo per uccidere la coppia Svensson-Bergman?»

Mikael ed Erika si guardarono di sottecchi. Tutti e due rimasero zitti.

«Allora?» insisté Bublanski.

«Ovviamente ne abbiamo discusso nel corso di queste ore e abbiamo pareri un po' contrastanti. O per meglio dire, siamo piuttosto incerti. Non vogliamo speculare.»

«Parlate.»

Mikael gli descrisse il contenuto del libro che stava per uscire, e gli disse che lui ed Erika avevano riflettuto sulla possibilità che fosse in qualche modo collegato con gli omicidi. Bublanski restò un attimo in silenzio e digerì l'informazione.

«Perciò Dag Svensson era in procinto di denunciare dei poliziotti.»

Non gli piaceva affatto la piega che aveva preso la conversazione. Aveva davanti agli occhi la "pista poliziesca" che in un prossimo futuro sarebbe rimbalzata sui media in contesti cospiratori di vario genere.

«No» rispose Mikael. «Dag Svensson era in procinto di denunciare dei delinquenti, alcuni dei quali casualmente facevano parte della polizia. Ci sono anche dei personaggi che appartengono alla mia stessa categoria professionale, ossia dei giornalisti.»

«E queste informazioni intendete divulgarle comunque?»

Mikael guardò Erika.

«No» rispose lei. «Abbiamo dedicato la giornata a rattoppare il prossimo numero di *Millennium*. Molto probabilmente pubblicheremo il libro, ma solo dopo che avremo saputo cosa è successo, e comunque allo stato attuale ha bisogno di essere rimaneggiato. Non saboteremo l'inchiesta della polizia sull'assassinio di due amici, se è questo che la preoccupa.»

«Devo dare un'occhiata alla scrivania di Svensson, e siccome questa è la redazione di un giornale fare una perquisizione può essere una faccenda delicata.»

«Troverà tutto il materiale nel portatile di Dag» disse Erika.

«Aha» fece Bublanski.

«Io ho già dato un'occhiata alla scrivania di Dag» intervenne Mikael. «Ho rimosso degli appunti che identificano direttamente fonti che vogliamo rimangano anonime. Tutto il resto è a sua disposizione. Ho messo un avviso sul tavolo di non spostare o toccare alcunché. Il problema però è che il contenuto del libro di Dag Svensson è segreto e deve rimanerlo finché il libro non sarà stampato. Perciò non vediamo di buon occhio che il manoscritto finisca nelle mani della polizia, in modo particolare perché riguarda anche un paio di poliziotti.»

Dannazione pensò Bublanski. *Perché non ho mandato qui qualcuno già stamattina?* Dopo di che annuì e lasciò cadere l'argomento.

«Okay. Abbiamo una persona che vorremmo sentire in relazione all'omicidio. Ho motivo di credere che sia una persona a lei nota. Cosa sa di una certa Lisbeth Salander?»

Per un istante Mikael sembrò la personificazione di un punto interrogativo. Bublanski notò che Erika Berger gettava a Blomkvist un'occhiata tagliente.

«Non capisco.»

«Conosce Lisbeth Salander?»

«Sì, conosco Lisbeth Salander.»

«Come mai?»

«Perché me lo chiede?»

Bublanski fece un gesto irritato con la mano.

«Come ho già detto, vogliamo sentirla per avere dei chiarimenti in relazione al duplice omicidio. Come mai la conosce?»

«Ma... è assurdo. Lisbeth non ha nessun collegamento con Dag Svensson e Mia Bergman.»

«Allora lo potremo tranquillamente dimostrare» rispose Bublanski paziente. «Ma la mia domanda rimane. Come mai conosce Lisbeth Salander?»

Mikael si passò una mano sulla barba ispida e si sfregò gli occhi mentre i pensieri gli vorticavano per la testa. Alla fine incontrò lo sguardo di Bublanski.

«Due anni fa ho affidato a Lisbeth Salander una ricerca per mio conto, per una questione completamente diversa.»

«Di cosa si trattava?»

«Sono spiacente, ma ora stiamo entrando nel campo dei diritti costituzionali e della protezione delle fonti e via dicendo. Mi creda sulla parola, non aveva assolutamente nulla a che fare con Dag Svensson e Mia Bergman. Si trattava di una faccenda completamente diversa, che oggi è chiusa e finita.»

Bublanski meditò su quelle parole. Non gli garbava che qualcuno sostenesse che c'erano segreti che non potevano essere raccontati nemmeno nell'ambito di un'indagine per omicidio, ma scelse di lasciar perdere, almeno per il momento.

«Quando è stata l'ultima volta che l'ha vista?»

Mikael ponderò la risposta.

«Le cose stanno così: due anni fa ho avuto una storia con Lisbeth Salander, che è finita a Natale. Dopo di che lei è sparita dalla città. Non ne ho più visto neanche l'ombra fino a una settimana fa.»

Erika Berger inarcò le sopracciglia. Bublanski suppose che fosse una novità per lei.

«Mi racconti di questo incontro.»

Mikael prese fiato, quindi raccontò concisamente ciò che era successo sotto il portone di Lisbeth in Lundagatan. Bublanski ascoltò con crescente stupore. Cercava di stabilire se Blomkvist stesse inventando o dicesse la verità.

«Perciò non ha mai parlato con lei?»

«No, si è dileguata fra le case della parte alta di Lundagatan. Ho aspettato a lungo ma non è più ricomparsa. Le ho scritto una lettera pregandola di farsi viva.»

«E non è a conoscenza di nessun possibile collegamento fra la ragazza e la coppia di Enskede?»

«No.»

«Okay... Può descrivere la persona che ha cercato di aggredirla?»

«Non bene. È andato all'attacco e lei si è difesa ed è fuggita. Ho visto quell'uomo da una distanza di quaranta e più metri. Ed era notte.»

«Lei era ubriaco?»

«Ero un po' alticcio ma non ubriaco. Comunque era biondo e portava i capelli legati a coda di cavallo. Indossava un giubbotto scuro. Aveva la pancia gonfia, da bevitore di birra. Quando sono arrivato in cima alle scale di Lundagatan l'ho visto da dietro, ma poi si è voltato per colpirmi. Mi è parso che avesse il viso magro e gli occhi chiari e vicini.»

«Perché non me l'hai raccontato?» intervenne Erika.

Mikael si strinse nelle spalle.

«Era domenica, e tu eri andata a Göteborg per partecipare a quel dibattito. Lunedì non c'eri e martedì ci siamo incontrati solo di sfuggita. Mi è passato di mente.»

«Ma con quello che è successo a Enskede... lei non ha raccontato questa cosa alla polizia» constatò Bublanski.

«Perché avrei dovuto? Allora avrei dovuto raccontare anche che un mese fa avevo smascherato un borsaiolo che stava cercando di alleggerirmi alla stazione della metropolitana di T-Centralen. Non esiste il benché minimo collegamento tra i fatti di Lundagatan e quelli di Enskede.»

«Però non ha denunciato l'aggressione alla polizia.»

«No.» Mikael esitò un istante. «Lisbeth Salander è una persona molto riservata. Avevo pensato di farlo, ma ho deciso che un'eventuale denuncia sarebbe stata affar suo. In ogni caso, prima volevo parlare con lei.»

«Cosa che non ha fatto.»

«Non parlo con Lisbeth dal giorno di Santo Stefano dell'anno passato.»

«Perché la vostra... relazione, se questa è la parola giusta... perché è finita?»

Nello sguardo di Mikael passò un'ombra. Soppesò un attimo le parole e poi rispose.

«Non lo so. Lei ha interrotto ogni contatto con me da un giorno all'altro.»

«Era successo qualcosa?»

«No. Non se si riferisce a un litigio o a cose del genere. Un giorno eravamo buoni amici. Il giorno dopo non rispondeva al telefono. Poi è scomparsa completamente dalla mia vita.»

Bublanski valutò la spiegazione di Mikael. Suonava sincera e trovava conferma nel fatto che Dragan Armanskij aveva descritto la sparizione della ragazza dalla Milton Security con parole quasi identiche. Evidentemente era successo qualcosa a Lisbeth Salander durante l'inverno dell'anno prima. Si rivolse a Erika Berger.

«Anche lei conosce Lisbeth Salander?»

«L'ho incontrata una sola volta. Mi potrebbe spiegare perché fa domande su Lisbeth in relazione a Enskede?» chiese Erika.

Bublanski scosse la testa.

«È collegata con la scena del crimine. È tutto quello che posso dire. Anche se devo riconoscere che più cose sento su di lei, più rimango sconcertato. Che tipo era?»

«Sotto quale aspetto?» domandò Mikael.

«Come la descriverebbe?»

«Professionalmente, uno dei migliori segugi che abbia mai conosciuto.»

Erika guardò Mikael con la coda dell'occhio e si morse il labbro inferiore. Bublanski si convinse che qualche pezzo del puzzle mancava e che i due sapevano qualcosa che non volevano raccontare.

«E come persona?»

Mikael rimase un lungo momento in silenzio.

«È una persona molto sola e molto stramba. Socialmente isolata. Parla malvolentieri di sé. Ma è anche dotata di una volontà molto forte. E di una morale.»

«Morale?»

«Sì. Una morale tutta sua. Non la si può indurre a fare qualcosa contro la sua volontà. Nel suo mondo ogni cosa è o giusta o sbagliata, per così dire.»

Bublanski rifletté sul fatto che Mikael Blomkvist ancora una volta la descriveva come Dragan Armanskij. Due uomini che l'avevano conosciuta l'avevano giudicata esattamente allo stesso modo.

«Conosce Dragan Armanskij?» domandò Bublanski.

«L'ho incontrato un paio di volte. Sono uscito a bere una birra con lui l'anno scorso, quando cercavo di scoprire dove fosse sparita Lisbeth.»

«E lei dice che era una ricercatrice competente» ripeté Bublanski.

«La migliore che abbia mai incontrato» confermò Mikael.

Bublanski tamburellò per un secondo con le dita guardando fuori dalla finestra la fiumana di gente giù in Götgatan. Si sentiva curiosamente imbarazzato. La perizia psichiatrica che Hans Faste aveva recuperato all'ufficio tutorio sosteneva che Lisbeth Salander era una persona affetta da profonde turbe psichiche, incline alla violenza, in pratica semidemente. Le risposte che aveva ricevuto sia da Armanskij che da Blomkvist divergevano fortemente dall'immagine che la perizia aveva costruito nel corso di parecchi anni. I due uomini la descrivevano come uno strano personaggio, ma entrambi avevano anche un pizzico di ammirazione nella voce.

Blomkvist inoltre diceva anche di averla "frequentata" per un certo periodo – il che sottintendeva una relazione sessuale di qualche genere. Bublanski si domandò quali regole valessero per le persone interdette. Forse Blomkvist si era reso colpevole di qualche forma di abuso nei confronti di una persona in stato di inferiorità?

«E qual è la sua opinione sul suo handicap sociale?» domandò.

«Handicap?» si stupì Mikael.

«La tutela e i problemi psichici.»

«Tutela?» fece eco Mikael.

«Problemi psichici?» chiese Erika Berger.

Bublanski trasferì stupefatto lo sguardo da Mikael Blomkvist a Erika Berger e ritorno. *Loro non sapevano. Non sapevano proprio.* Bublanski si sentì improvvisamente irritato con Armanskij e con Blomkvist e soprattutto con Erika Berger, con i suoi vestiti eleganti e il suo bell'ufficio con vista su Götgatan. *Già, lei se ne sta seduta qui dentro a dire agli altri cosa devono pensare.* Ma indirizzò la sua irritazione contro Mikael.

«Non capisco cosa ci sia che non va nella sua testa e in quella di Armanskij» disse.

«Prego?»

«Lisbeth Salander ha fatto dentro e fuori dalle cliniche psichiatriche fin dall'adolescenza» disse. «Una perizia psichiatrica e una sentenza del tribunale hanno stabilito che non è in grado di curare i propri affari personali. È stata dichiarata giuridicamente incapace. Ha inclinazioni documentate alla violenza e ha avuto problemi con le autorità per tutta la vita. E adesso è fortemente sospettata di... complicità in un duplice omicidio. E sia lei che Armanskij parlate di lei come se fosse una specie di principessa.»

Mikael Blomkvist era come paralizzato e fissava Bublanski.

«Diciamo così» continuò Bublanski. «Cercavamo un collegamento fra Lisbeth Salander e la coppia di Enskede. Ed è risultato che lei, la persona che ha trovato le vittime, è questo collegamento. Vuole commentare la cosa in qualche modo?»

Mikael si lasciò andare contro lo schienale. Chiuse gli occhi e cercò di venire a capo della situazione. Lisbeth Salander sospettata dell'omicidio di Dag e Mia. *Non quadra. Non è plausibile.* Era capace di uccidere? Mikael ebbe improvvisamente davanti agli occhi la sua espressione, quando due anni prima aveva assalito Martin Vanger con una mazza da golf. *Senza dubbio l'avrebbe ucciso. Non lo ha fatto perché doveva prima salvare la mia vita.* Si passò automaticamente la mano sul collo, lì dove c'era stato il cappio di Martin Vanger. Ma Dag e Mia... *Non è logico.*

Era consapevole che Bublanski lo stava scrutando. Proprio come Dragan Armanskij, doveva fare una scelta. Prima o poi sarebbe stato costretto a decidere in quale angolo del ring si sarebbe piazzato nel caso in cui Lisbeth fosse stata accusata di omicidio. *Colpevole o innocente?*

Prima che avesse il tempo di dire qualcosa, il telefono sulla scrivania di Erika squillò. Lei andò a rispondere e allungò il ricevitore a Bublanski.

«Qualcuno che si chiama Hans Faste desidera parlare con lei.»

Bublanski prese il telefono e ascoltò con attenzione. Mikael ed Erika videro che la sua espressione cambiava.

«Quando fanno irruzione?»

Silenzio.

«Com'è l'indirizzo? Lundagatan... okay, sono nei paraggi, ci vado subito.»

Bublanski si alzò in fretta.

«Scusate, ma devo interrompere la nostra conversazione. L'attuale tutore di Lisbeth Salander è appena stato trovato ucciso e lei adesso è ricercata come sospettata di tre omicidi.»

Erika Berger restò a bocca aperta. Mikael Blomkvist aveva l'aria di essere stato colpito da un fulmine.

Da un punto di vista tattico, l'irruzione nell'appartamento di Lundagatan era un'operazione relativamente poco complicata. Hans Faste e Curt Svensson si appoggiarono contro il cofano della macchina e rimasero in attesa, mentre gli uomini del pronto intervento, armati, occupavano l'androne e la parte del palazzo che dava sul cortile.

Dopo dieci minuti, avevano constatato ciò che Faste e Svensson sapevano già. Nessuno veniva ad aprire la porta quando si suonava il campanello.

Hans Faste guardò lungo Lundagatan che, con grande irritazione dei passeggeri del 66, era stata chiusa da Zinkensdamm a Högalidskyrkan. Un autobus era rimasto bloccato in mezzo sulla salita e non poteva andare né avanti né indietro. Alla fine Faste si avvicinò e ordinò a un agente in uniforme di farsi da parte e di lasciar passare il mezzo pubblico. Un gran numero di curiosi osservava dalla parte alta di Lundagatan.

«Ci deve pur essere un modo più semplice» disse Faste.

«Più semplice di cosa?» domandò Svensson.

«Più semplice di chiamare una squadra di pronto intervento ogni volta che c'è da catturare un delinquente.»

Curt Svensson si astenne dal commentare.

«Si tratta pur sempre di una ragazza alta un metro e mezzo e sui quaranta chili o giù di lì» disse Faste.

Gli uomini del pronto intervento avevano deciso che non era necessario sfondare la porta con il mazzuolo. Bublanski si unì a loro mentre aspettavano che un fabbro smontasse la serratura e si facesse da parte così da poter prendere possesso dell'appartamento. Ci vollero circa otto secondi per completare l'ispezione oculare dei quarantanove metri quadrati e constatare che Lisbeth Salander non si nascondeva né sotto il letto, né dentro il bagno, né in qualcuno degli armadi. Dopo di che Bublanski ebbe il via libera per entrare.

I tre poliziotti si guardarono intorno incuriositi nell'appartamento ordinato e arredato con gusto. I mobili erano semplici. Le sedie della cucina dipinte in tenui colori pastello, tutti diversi. Alle pareti delle stanze erano appese fotografie artistiche in bianco e nero incorniciate. In una nicchia dell'ingresso c'era una mensola con un lettore e un'ampia raccolta di cd. Bublanski constatò che c'era di tutto, dall'hard rock all'opera. L'insieme era decisamente di buon gusto.

Curt Svensson esaminò la cucina senza trovare niente di particolare. Passò una pila di giornali e controllò lo scolapiatti, gli armadietti e il congelatore.

Faste aprì armadio e cassetti in camera da letto. Fece un fischio quando trovò delle manette e altri giocattoli erotici e una serie di indumenti in lattice che sua madre sarebbe stata imbarazzata anche solo a guardare.

«Qui hanno fatto festa» disse ad alta voce, sbandierando un vestito di vernice che secondo l'etichetta era stato disegnato dalla Domino Fashion – qualsiasi cosa fosse.

Bublanski guardò nel mobile dell'ingresso e scoprì un mucchietto di lettere non ancora aperte indirizzate a Lisbeth Salander. Le passò a una a una e constatò che erano tutte fatture e rendiconto bancari tranne una che era personale.

Veniva da Mikael Blomkvist. Fin lì la sua storia quadrava. Bublanski si chinò e raccolse la posta con le impronte degli uomini del pronto intervento ai piedi della buca delle lettere. C'erano una copia della rivista *Thai Pro Boxing*, un foglio pubblicitario e tre lettere, tutte indirizzate a Miriam Wu.

Bublanski fu colto da uno sgradevole sospetto. Andò in bagno e aprì l'armadietto sopra il lavandino. Trovò una scatola di Alvedon e un tubetto mezzo vuoto di Citodon. Per il Citodon c'era anche la ricetta. Era stato prescritto a una certa Miriam Wu. Nel portaspazzolini c'era un solo spazzolino da denti.

«Faste, perché c'è scritto Salander-Wu sulla porta?» domandò.

«Non ne ho idea» rispose Faste.

«Okay, pongo la domanda in questo modo. Perché sul pavimento dell'ingresso c'è della posta indirizzata a una certa Miriam Wu e perché in un armadietto del bagno c'è un tubetto di Citodon prescritto alla stessa Miriam Wu? Perché c'è soltanto uno spazzolino da denti? E perché, considerato che Lisbeth Salander a quanto risulta è alta una spanna, quei pantaloni di pelle che hai in mano vanno bene a una persona alta almeno un metro e settantacinque?»

Nell'appartamento ci fu un breve silenzio imbarazzato. Fu Curt Svensson a romperlo.

«Merda» disse.

15.
24 marzo, Giovedì Santo

Christer Malm si sentiva stanco e depresso quando finalmente tornò a casa dopo quella giornata di lavoro fuori programma. Avvertì l'odore di qualcosa di molto speziato dalla cucina e andò ad abbracciare il suo amico.

«Come stai?» domandò Arnold Magnusson.

«Mi sento uno straccio» disse Christer.

«L'ho sentito al notiziario. Non hanno ancora fatto i nomi. È una storia terribile.»

«Sì, proprio terribile. Dag lavorava per noi. Era un amico e pensavo di lui tutto il bene possibile. Non conoscevo la sua ragazza, Mia, ma Micke ed Erika sì.»

Christer si guardò intorno nella cucina. Avevano comperato l'appartamento in Allhelgonagatan e ci avevano traslocato solo tre mesi prima. Tutto d'un tratto gli sembrava come un mondo sconosciuto.

Squillò il telefono. Christer e Arnold si guardarono e decisero di ignorarlo. Entrò in funzione la segreteria e sentirono una voce ben nota.

«Christer, sei lì? Alza il ricevitore.»

Era Erika Berger che chiamava per aggiornare Christer sul fatto che adesso, per l'omicidio di Dag e Mia, la polizia dava la caccia all'ex ricercatrice di Mikael Blomkvist.

Christer accolse la notizia con un senso di irrealtà.

Henry Cortez si era perso il trambusto in Lundagatan per il semplice motivo che era stato tutto il tempo fuori dalla sala stampa della polizia a Kungsholmen e quindi nel cono d'ombra dell'informazione. Nessuna notizia era più trapelata dopo la rapida conferenza stampa del primo pomeriggio. Henry era stanco, affamato e infastidito dall'essere costantemente respinto dalle persone che cercava di contattare. Solo verso le sei, quando il raid contro l'appartamento di Lisbeth Salander si era già concluso, colse al volo una voce secondo cui la polizia era sulle tracce di un sospettato. Ma l'informazione arrivava da un collega di un quotidiano, che aveva con la sua redazione un contatto più stretto che con lui. Poco dopo Henry riuscì finalmente ad avere il numero di cellulare privato del procuratore Richard Ekström. Si presentò e fece le solite domande su chi, come e perché.

«Per quale giornale ha detto che lavora?» controbatté Richard Ekström.

«Per *Millennium*. Conoscevo una delle due vittime. Secondo quanto si dice, la polizia è sulle tracce di una persona. Cosa sta succedendo?»

«In questo momento non posso dire assolutamente nulla.»

«E quando potrà?»

«Forse ci sarà un'altra conferenza stampa in serata.»

Il procuratore Richard Ekström era un po' vago. Henry Cortez si tirò l'anellino d'oro che aveva al lobo dell'orecchio.

«Le conferenze stampa sono per i cronisti che devono andare subito in stampa. Io lavoro per un mensile. E abbiamo un interesse personale a sapere cosa sta succedendo.»

«Non la posso aiutare. Dovrà avere pazienza come tutti gli altri.»

«Secondo le mie fonti la persona che state cercando è una donna. Di chi si tratta?»

«In questo momento non posso fare dichiarazioni.»
«Può smentire che si tratti di una donna?»
«Non posso pronunciarmi...»

L'ispettore Jerker Holmberg era fermo sulla soglia della camera da letto e osservava pensieroso l'enorme pozza di sangue sul pavimento nel punto in cui era stata trovata Mia Bergman. Voltando la testa poteva vedere anche l'altra pozza dove era caduto Dag Svensson. Rifletté sulla notevole quantità di sangue. Era molto più abbondante di quanto fosse abituato a vedere nei casi di ferite d'arma da fuoco, e questo lasciava supporre che le munizioni utilizzate avessero provocato ferite molto estese, il che a sua volta confermava che il commissario Mårtensson aveva avuto ragione a ipotizzare che l'assassino si fosse servito di munizioni da caccia. Il sangue si era coagulato in una massa nera e ruggine che copriva così tanta parte del pavimento che il personale dell'ambulanza e i tecnici della scientifica avevano inevitabilmente dovuto calpestarla, lasciando impronte in tutto l'appartamento. Holmberg calzava scarpe da ginnastica con soprascarpe di plastica azzurra.

Dal suo punto di vista, era in quel momento che aveva inizio il vero esame della scena del crimine. I corpi delle due vittime erano stati rimossi dall'appartamento. Jerker Holmberg era rimasto solo, dopo che gli ultimi due tecnici gli avevano augurato una buona serata e se n'erano andati. Avevano fotografato le vittime e gli schizzi di sangue sui muri, discutendo di *splatter distribution* e *droplet velocity*. Holmberg sapeva cosa significavano i termini, ma aveva dedicato all'indagine tecnica solo un distratto interesse. Il lavoro della scientifica avrebbe prodotto una corposa relazione che avrebbe rivelato in dettaglio la posizione in cui si era trovato l'assassino rispetto alle sue vittime, a quale distanza e in quale ordine erano stati sparati i colpi e quali impronte digitali potessero essere di qualche rilevanza. Ma a Jerker Holmberg tutto questo non interessava. L'indagine tecnica non avrebbe contenuto un'unica sillaba su chi era l'assassino e su quale motivo lui o lei – ma allo stato attuale il principale indiziato era una donna – aveva avuto per commettere il duplice omicidio. Erano quelle le domande alle quali aveva il compito di cercare una risposta.

Holmberg entrò nella camera da letto. Sistemò una cartella malandata su una sedia e tirò fuori un registratore portatile, una macchina fotografica digitale e un blocnotes.

Cominciò con l'aprire i cassetti di un comò dietro la porta della camera. I primi due cassetti contenevano biancheria intima, felpe e un portagioie che palesemente erano appartenuti a Mia Bergman. Smistò tutti gli oggetti sul letto ed esaminò con attenzione il contenuto del cofanetto, constatando che non c'era nulla di particolare valore. Nell'ultimo cassetto trovò due album di fotografie e due raccoglitori con i conti di casa. Accese il registratore.

Verbale di confisca da Björneborgsvägen 8B. Camera da letto, ultimo cassetto in basso del comò. Due album per foto rilegati formato A4. Un raccoglitore con dorso nero marcato Spese di casa e un raccoglitore con dorso blu marcato Atti di acquisto contenente la documentazione sul prestito e sull'ipoteca per l'appartamento. Una piccola scatola contenente lettere manoscritte, cartoline e oggetti personali.

Portò gli oggetti nell'ingresso e li infilò in uno zaino. Continuò con i cassetti dei comodini ai lati del letto ma senza trovare nulla di interessante. Aprì l'armadio e passò i vestiti a uno a uno frugando in tutte le tasche e anche nelle scarpe alla ricerca di qualche oggetto nascosto o dimenticato, dopo di che rivolse il suo interesse ai ripiani in alto. Aprì scatole e contenitori. Qua e là trovava carte o oggetti che per motivi diversi includeva nel verbale di confisca.

In un angolo della camera da letto era incassata una scrivania. Si trattava di una minuscola postazione da lavoro con un Compaq fisso e un vecchio schermo. Sotto il tavolo c'era una cassettiera e a fianco una libreria bassa. Holmberg sapeva che è nelle postazioni di lavoro che si fanno le scoperte più importanti – nella misura in cui c'è qualcosa da scoprire – e si tenne la scrivania per ultima. Intanto andò in soggiorno e proseguì l'esame della scena del crimine. Esaminò minuziosamente la grande libreria angolare che occupava la parete verso l'esterno e quella che confinava con il bagno. Prese una sedia e cominciò dall'alto, controllando che non ci fosse qualcosa sopra la libreria. Poi esaminò un ripiano dietro l'altro estraendo pile di libri e passandoli a uno a uno, controllando anche che non ci fosse qualcosa dietro. Dopo tre quarti d'ora rimise a posto l'ultimo libro. Sul tavolo del soggiorno ne rimanevano alcuni che per qualche motivo avevano attirato la sua attenzione. Accese il registratore.

Dalla libreria del soggiorno. Un libro di Mikael Blomkvist, Il banchiere della mafia. *Un libro in tedesco dal titolo* Der Staat und die Autonomen, *un libro dal titolo* Terrorismo rivoluzionario *e un libro in inglese dal titolo* Islamic Jihad.

Quello di Mikael Blomkvist lo aveva incluso automaticamente perché l'autore rientrava già nelle indagini preliminari. Per gli altri tre la motivazione era meno chiara. Holmberg non aveva idea se gli omicidi fossero in qualche modo collegati con qualche attività politica – non aveva informazioni che lasciassero intendere che Dag Svensson e Mia Bergman fossero politicamente impegnati – o se quei libri fossero soltanto espressione di un interesse generico o addirittura fossero finiti nella libreria come prodotto secondario di un'attività giornalistica. Pensò tuttavia che, se in un appartamento in cui ci sono due persone uccise c'è anche della letteratura sul terrorismo politico, c'è comunque motivo di notare la cosa. Di conseguenza mise i libri nello zaino insieme agli altri oggetti confiscati.

Quindi dedicò qualche minuto ai cassetti di un mobile nero antico e piuttosto malandato. Sopra il mobile c'era un lettore cd e i cassetti contenevano una vasta collezione di dischi. Jerker Holmberg impiegò trenta minuti ad aprire ogni custodia per controllare che il contenuto corrispondesse a quanto riportato sulla copertina. Trovò una decina di cd senza copertina che di conseguenza dovevano essere stati masterizzati in casa oppure addirittura essere copie pirata, li infilò a uno a uno nel lettore e constatò che non contenevano nient'altro che musica. Si concentrò per un momento sulla mensola della tv a fianco della porta, sulla quale c'era un'ampia raccolta di videocassette. Ne visionò qualcuna per prova e constatò che contenevano di tutto, da film d'azione a un garbuglio di notiziari e reportage registrati, da *Nudi fatti* a *Insider* e *Missione verifica*. Inserì trentasei videocassette nel verbale di confisca. Quindi andò in cucina, aprì una caraffa termica di caffè e fece una breve pausa.

Da uno scaffale in cucina raccolse un certo numero di barattoli e bottigliette che palesemente costituivano la scorta di farmaci dell'appartamento. Li mise tutti in un sacchetto di plastica che andò a raggiungere il resto del materiale confiscato. Tirò fuori i prodotti alimentari dalla dispensa e dal frigorifero e aprì ogni barattolo, pacchetto e bottiglia. In un vaso sul davanzale interno della finestra della cucina trovò milleduecentoventi corone in contanti e alcuni scontrini. Suppose che fosse una piccola cassa per le spese correnti. Non trovò niente di particolarmente interessante. Dal bagno non prese nulla. Passò a uno a uno gli indumenti contenuti in un cesto della biancheria sporca stracolmo. Dal guardaroba dell'ingresso tirò fuori giacche e cappotti esaminando tutte le tasche.

Trovò il portafoglio di Dag Svensson nella tasca interna di una giacca e lo aggiunse al verbale. Dentro c'erano un abbonamento annuale alla palestra Friskis & Svettis, una carta di credito della Handelsbanken e poco meno di quattrocento corone in contanti. Trovò anche la borsetta di Mia Bergman e dedicò qualche minuto a esaminarne il contenuto. Anche lei aveva l'abbonamento a Friskis & Svettis, una tessera bancomat, una tessera fedeltà dei supermercati Konsum e una di qualcosa che si chiamava Club Horisont e aveva per logo un globo terrestre. Inoltre aveva circa duemilacinquecento corone in contanti, una somma relativamente elevata ma non sospetta, se davvero erano in procinto di partire per qualche giorno di vacanza. Che il denaro fosse ancora nel portafoglio riduceva tuttavia le probabilità che si trattasse di un omicidio per rapina.

Dalla borsetta di Mia Bergman appoggiata nel guardaroba nell'ingresso. Un'agenda tascabile del tipo ProPlan, una rubrica e un blocnotes nero rilegato.

Holmberg fece un'altra pausa caffè e pensò che ancora non aveva trovato niente di imbarazzante o di intimo nella casa della coppia Svensson-Bergman. Non c'erano accessori erotici, indumenti intimi peccaminosi o cassette con filmini porno. Non c'erano spinelli nascosti o qualche altro segno di attività illecite. Sembrava essere una normalissima coppia di periferia, forse (da un punto di vista poliziesco) un po' più noiosa del normale.

Infine ritornò in camera da letto e si piazzò alla postazione da lavoro. Aprì il primo cassetto della scrivania. Nel corso dell'ora successiva smistò carte. Constatò ben presto che la scrivania e la libreria contenevano soprattutto materiale relativo alla tesi di dottorato di Mia Bergman, *Dalla Russia con amore*. Il materiale era sistemato ordinatamente proprio come in una buona inchiesta di polizia, e Holmberg sprofondò un attimo in alcuni testi. *Mia Bergman avrebbe potuto fare il detective* pensò fra sé. Una sezione della libreria era semivuota e conteneva materiale che palesemente apparteneva a Dag Svensson. Si trattava per la maggior parte di ritagli di articoli suoi o su argomenti che avevano suscitato il suo interesse.

Dedicò un momento a esaminare il contenuto del computer e constatò che era costituito da circa 5 gigabyte di programmi, lettere, bozze di articoli e file in formato pdf. In altre parole, nulla che avesse intenzione di leggere nel corso della serata. Incluse il computer e un certo numero di cd sparsi sulla scrivania nel materiale confiscato, insieme a uno zip-drive e a una trentina di dischi zippati.

Quindi restò seduto a meditare tristemente. Il computer conteneva il materiale di Mia Bergman. Dag Svensson era un giornalista e avrebbe dovuto avere un computer come principale strumento di lavoro, ma in quello non aveva nemmeno una casella di posta. Di conseguenza, doveva averne un altro da qualche parte. Holmberg si alzò e passò di nuovo al setaccio l'appartamento, assorto nei suoi pensieri. Nell'ingresso c'era uno zaino nero con uno scomparto per computer vuoto e alcuni blocnotes appartenuti a Dag Svensson. Non riuscì a trovare nessun portatile nascosto da qualche parte nell'appartamento. Prese le chiavi e scese in cortile, dove esaminò l'automobile di Mia Bergman e poi un ripostiglio nel seminterrato. Nemmeno lì trovò traccia di un computer.

Lo strano è che il cane non ha abbaiato, mio caro Watson.

Constatò che per il momento, a quanto pareva, nel verbale mancava un computer.

Bublanski e Faste incontrarono il procuratore Ekström nel suo ufficio alle sei e mezza, subito dopo essere rientrati da Lundagatan. Dopo un'opportuna telefonata, Curt Svensson era stato mandato all'università di Stoccolma a interrogare il relatore della tesi di Mia Bergman. Jerker Holmberg si trovava ancora a Enskede e Sonja Modig stava curando l'esame della scena del crimine a Odenplan. Erano passate circa dieci ore da quando Bublanski era stato messo a capo delle indagini e sette da quando era partita la caccia a Lisbeth Salander. Bublanski riassunse come si erano svolte le cose in Lundagatan.

«E chi è questa Miriam Wu?» si informò Ekström.

«Non ne sappiamo ancora granché. Nel casellario giudiziario non c'è. Toccherà a Hans Faste raccogliere informazioni su di lei, come prima cosa domattina.»

«Ma Lisbeth Salander non è in Lundagatan?»

«Per quanto abbiamo potuto vedere, nulla indica che abiti lì. Come minimo, tutti gli indumenti contenuti negli armadi non corrispondono alla sua taglia.»

«E che indumenti, per giunta» disse Hans Faste.

«Ovvero?» chiese Ekström.

«Non è il genere di abbigliamento che si regala per la festa della mamma.»

«Allo stato attuale non sappiamo niente di Miriam Wu» disse Bublanski.

«Che cazzo, cosa abbiamo bisogno di sapere? Ha un guardaroba pieno di uniformi da puttana.»

«Uniformi da puttana?» si stupì Ekström.

«Sì, pelle e vernice, bustini, e aggeggi vari per giochetti sessuali nel cassetto. E non sembrano cosucce scadenti.»

«Vorresti dire che Miriam Wu fa la prostituta?»

«Allo stato attuale non sappiamo niente di Miriam Wu» ripeté ancora una volta Bublanski.

«Un rapporto dei servizi sociali di qualche anno fa accennava al fatto che Lisbeth Salander era sulla via della perdizione» disse Ekström.

«E i servizi sociali di solito sanno di cosa parlano» completò Faste.

«Il rapporto dei servizi sociali non si basa su una denuncia o su un'indagine» disse Bublanski. «Lisbeth Salander fu vista nel parco di Tantolunden, quando aveva sedici o diciassette anni, in compagnia di un uomo molto più vecchio. Lo stesso anno passò una notte al fresco per ubriachezza, e anche quella volta era in compagnia di un uomo più vecchio.»

«Il che significa che non dobbiamo trarre conclusioni troppo affrettate» concluse Ekström. «Okay. Ma mi colpisce il fatto che la tesi di Mia Bergman tratti di trafficking e prostituzione. Esiste dunque la possibilità che nel corso del suo lavoro abbia avuto contatti con Lisbeth Salander e con questa Miriam Wu e che le abbia chissà come provocate, e che questo possa costituire in qualche modo un movente per il delitto.»

«Forse Mia Bergman si è messa in contatto con il tutore di Lisbeth Salander mettendo in moto un qualche carosello» disse Faste.

«È possibile» disse Bublanski. «Ma dovrà essere l'inchiesta a stabilirlo. L'importante adesso è trovare Lisbeth Salander. Chiaramente non abita in Lundagatan. Ciò significa che dobbiamo trovare anche Miriam Wu e domandarle come mai sia finita in quell'appartamento e in quale relazione sia con Lisbeth Salander.»

«E come facciamo a trovare Lisbeth Salander?»

«Lei è là fuori da qualche parte. Il problema è che l'unico indirizzo che abbiamo è quello di Lundagatan. Non c'è mai stato nessun cambio di residenza.»

«Dimentichi che è stata anche ricoverata alla St. Stefan e che ha abitato presso diverse famiglie affidatarie.»

«Non l'ho dimenticato.» Bublanski controllò le sue carte. «A quindici anni ha avuto tre diverse famiglie affidatarie. Non funzionava granché bene. Dai sedici ai diciotto anni ha abitato con una coppia di Hägersten. Fredrik e Monika Gullberg. Curt Svensson andrà a trovarli stasera quando avrà finito all'università.»

«Come facciamo per la conferenza stampa?» volle sapere Faste.

Alle sette di sera nella stanza di Erika Berger regnava un'atmosfera cupa. Mikael Blomkvist era seduto in completo silenzio e praticamente immobile da quando l'ispettore Bublanski se n'era andato. Malin Eriksson aveva raggiunto Lundagatan in bicicletta e aveva assistito all'intervento delle forze dell'ordine. Era tornata con la notizia che non c'era stato nessun arresto e che la circolazione era di nuovo normale. Henry Cortez aveva chiamato avvisando che la polizia adesso stava ricercando una donna non meglio identificata. Erika l'aveva ragguagliato su chi fosse la donna in questione.

Erika e Malin avevano provato a ragionare sul da farsi, ma senza arrivare a qualcosa di sensato. La situazione era complicata dal fatto che Mikael ed Erika erano a conoscenza di quale ruolo avesse svolto Lisbeth nell'affare Wennerström – nella sua veste di hacker d'altissimo livello era stata la fonte segreta di Mikael, ma Malin non sapeva niente di tutto questo e non aveva mai nemmeno sentito il nome di Lisbeth Salander in precedenza. Ragion per cui la conversazione di tanto in tanto includeva dei criptici silenzi.

«Io vado a casa» disse Mikael d'improvviso, alzandosi in piedi. «Sono così stanco che non riesco più a pensare. Devo dormire.»

Guardò Malin.

«Avremo molto da fare, nel prossimo futuro. Domani è il Venerdì Santo, e io ho intenzione solo di dormire e smistare un po' di carte. Malin, pensi di poter lavorare il giorno di Pasqua?»

«Ho qualche possibilità di scelta?»

«No. Cominciamo sabato a mezzogiorno. Che ne dici se ci troviamo a casa mia anziché in redazione?»

«Okay.»

«Imposteremo diversamente il lavoro. Adesso non si tratta

più di cercare semplicemente di stabilire se le rivelazioni di Dag Svensson abbiano avuto qualcosa a che fare con gli omicidi. Adesso si tratta di scoprire chi abbia ucciso Dag e Mia.»

Malin si domandò come avrebbero fatto, ma non disse nulla. Mikael fece un cenno di saluto a Malin ed Erika e sparì senza ulteriori commenti.

Alle sette e un quarto il responsabile dell'inchiesta, l'ispettore Bublanski, seguì controvoglia il responsabile delle indagini preliminari, il procuratore Ekström, sul podio della sala stampa della polizia. La conferenza stampa era stata annunciata per le sette ma cominciava con circa quindici minuti di ritardo. A differenza di Ekström, Bublanski non amava stare sotto i riflettori davanti a una dozzina di telecamere. Si sentiva quasi in preda al panico nel ritrovarsi al centro di quel genere di attenzione e non si sarebbe mai abituato né avrebbe mai cominciato ad apprezzare il fatto di vedersi in tv.

Ekström invece si sentiva come a casa, sistemò gli occhiali e mise su un cipiglio serioso molto consono alla situazione. Lasciò che i fotografi scattassero a raffica per un momento prima di alzare le mani e pregare che si facesse silenzio in sala. Parlò come se avesse davanti un testo scritto.

«Benvenuti a questa conferenza stampa, organizzata un po' in fretta in relazione al duplice omicidio avvenuto nella tarda serata di ieri a Enskede, sul quale abbiamo da fornirvi ulteriori aggiornamenti. Io sono il procuratore Richard Ekström e qui accanto a me c'è l'ispettore Jan Bublanski della polizia giudiziaria, che conduce le indagini. Ho un comunicato che leggerò, dopo di che avrete la possibilità di fare delle domande.»

Ekström tacque e guardò il cospicuo gruppo di giornalisti che era riuscito a radunarsi con meno di trenta minuti di preavviso. Il duplice omicidio di Enskede era una notizia grossa, destinata a diventare ancora più grossa. Constatò soddisfatto che le troupe di tutti e tre i telegiornali più importanti erano presenti e riconobbe reporter sia delle agenzie di stampa sia dei quotidiani della sera e del mattino. Notò anche un gran numero di reporter che non conosceva. Complessivamente c'erano in sala non meno di venticinque giornalisti.

«Come già sapete, ieri sera poco prima di mezzanotte due persone sono state trovate brutalmente uccise a Enskede. Nel corso dell'esame della scena del crimine è stata anche rinvenuta un'arma, una Colt 45 Magnum. Il laboratorio centrale della scientifica ha stabilito nel corso della giornata odierna che si tratta proprio dell'arma del delitto. Il proprietario dell'arma è noto ed è stato oggetto di ricerche durante la giornata.»

Ekström fece una pausa a effetto.

«Verso le quattro è stato rinvenuto cadavere nella propria abitazione a Odenplan. Risulta ucciso da un colpo d'arma da fuoco e si ritiene fosse già morto al momento del duplice omicidio di Enskede. La polizia» e qui Ekström fece un gesto della mano in direzione di Bublanski «ritiene su basi fondate che si tratti dello stesso assassino, che di conseguenza è ricercato per tre omicidi.»

Un brusio si diffuse fra i reporter presenti, e alcuni di loro cominciarono contemporaneamente a parlare al cellulare a bassa voce.

«C'è qualche sospettato?» chiese un reporter della radio.

«Se non interrompe la mia esposizione, arriveremo anche a questo. C'è una persona che la polizia vuole sentire in relazione a questi tre omicidi.»

«Di chi si tratta?»

«Di una donna. La polizia ricerca una donna di ventisei anni che è collegata con il proprietario dell'arma rinvenuta sul luogo del delitto a Enskede.»

Bublanski inarcò le sopracciglia e assunse un'aria contegnosa. Erano arrivati al punto dell'ordine del giorno sul quale lui ed Ekström si erano trovati in disaccordo, ossia se la direzione delle indagini dovesse o non dovesse fare il nome della persona sospettata dei tre omicidi. Bublanski avrebbe voluto temporeggiare. Ekström invece era dell'avviso che non si potesse aspettare.

Le argomentazioni del procuratore erano inappuntabili. La polizia ricercava una donna notoriamente affetta da problemi psichici che su basi fondate era sospettata di tre omicidi. Nel corso della giornata l'avviso di ricerca era stato esteso dalla provincia a tutto il territorio nazionale. Ekström sosteneva che Lisbeth Salander era da considerarsi pericolosa e che pertanto esisteva un forte interesse generale a metterla al più presto sotto custodia.

L'argomentazione di Bublanski era più vaga. A suo parere c'era motivo di aspettare almeno i risultati dell'indagine tecnica sull'appartamento dell'avvocato Bjurman prima di indirizzarsi su una sola alternativa.

Ma il ragionamento di Ekström era che Lisbeth Salander secondo tutta la documentazione accessibile era una donna psichicamente disturbata e incline alla violenza, e che qualcosa doveva avere scatenato in lei una furia omicida. E non c'era nessuna garanzia che gli atti violenti sarebbero cessati.

«Cosa facciamo se nelle prossime ventiquattr'ore quella entra in un altro appartamento e spara a un altro paio di persone?» aveva domandato in maniera retorica.

Bublanski non aveva saputo fornire una buona risposta ed Ekström gli aveva ricordato che esistevano parecchi precedenti. Per il triplice omicida di Åmsele, Juha Valjakkala, la polizia aveva emesso un avviso di ricerca pubblico con tanto di nome e fotografia proprio perché il soggetto era considerato un pericolo per la collettività. La stessa argomentazione poteva essere avanzata per Lisbeth Salander, e di conseguenza aveva deciso di fare il suo nome.

Ekström alzò una mano per far cessare il brusio tra i reporter presenti. La rivelazione che una donna era ricercata per triplice omicidio aveva avuto l'effetto di una bomba. Fece capire che ora avrebbe cominciato a parlare Bublanski, il quale si schiarì la voce un paio di volte, sistemò gli occhiali e tenne lo sguardo fisso sul foglio che aveva in mano e su cui erano scritte le frasi convenute.

«La polizia ricerca una donna di ventisei anni di nome Lisbeth Salander. Verrà distribuita una fotografia tratta dal registro passaporti. Al momento non sappiamo dove si trovi, ma crediamo che possa essere nell'area di Stoccolma. La polizia chiede l'aiuto di tutti affinché questa donna possa essere al più presto rintracciata. Lisbeth Salander è alta centocinquantaquattro centimetri ed è di corporatura esile.»

Fece un respiro profondo e nervoso. Stava sudando e sentiva di essere già fradicio sotto le ascelle.

«In passato Lisbeth Salander è stata ricoverata in una clinica psichiatrica e si ritiene che possa costituire un pericolo per sé e per gli altri. Teniamo a sottolineare che allo stato attuale non siamo in grado di stabilire in maniera inequivocabile se sia la responsabile degli omicidi, ma esistono circostanze tali da indurci a voler chiarire immediatamente con lei cosa sappia degli omicidi di Enskede e Odenplan.»

«Ma questo non può essere!» esclamò un reporter di un giornale della sera. «Delle due l'una: o è sospettata degli omicidi oppure non lo è.»

Bublanski guardò perplesso il procuratore Ekström.

«Stiamo indagando su un ampio fronte e naturalmente prendiamo in esame diversi scenari. Ma in questo preciso momento esiste un certo sospetto nei confronti della summenzionata persona e riteniamo particolarmente urgente poterla mettere sotto custodia. I sospetti contro di lei si fondano su prove di carattere tecnico emerse nel corso dell'esame della scena del crimine.»

«Di quale genere di prove si tratta?»

«Al momento non possiamo addentrarci nei risultati dell'esame tecnico.»

Diversi giornalisti cominciarono a parlare tutti insieme. Ekström alzò una mano e quindi indicò un reporter del *Dagens Eko* con il quale aveva già avuto a che fare in precedenza e che giudicava una persona equilibrata.

«L'ispettore Bublanski ha detto che la donna è stata in cura in una clinica psichiatrica. Per quale motivo?»

«Questa donna ha avuto un'adolescenza... ehm... un po' problematica e una serie di altri problemi nel corso degli anni. È sottoposta a tutela e il proprietario dell'arma era il suo tutore.»

«Di chi si tratta?»

«È la persona che è stata uccisa nella sua abitazione di Odenplan. Al momento non vogliamo fare il suo nome per riguardo verso i congiunti che ancora non sono stati raggiunti e informati.»

«Che movente può avere avuto per uccidere?»

Bublanski prese il microfono.

«Per il momento non vogliamo addentrarci nella questione dei possibili moventi.»

«La donna era già schedata?»

«Sì.»

Poi arrivò una domanda da un reporter dalla caratteristica voce profonda, che si sentì sopra tutte le altre.

«È pericolosa per la collettività?»

Ekström esitò un secondo. Poi annuì.

«Abbiamo informazioni, basate sui suoi precedenti, che se messa alle strette può reagire con violenza. Abbiamo emanato questo avviso di ricerca perché vogliamo entrare in contatto con lei al più presto.»

Bublanski si morse il labbro inferiore.

Alle nove di sera l'ispettore Sonja Modig si trovava ancora nell'appartamento dell'avvocato Bjurman. Aveva telefonato a casa e spiegato la situazione al marito. Dopo undici anni di matrimonio lui aveva ormai accettato il fatto che il suo lavoro non sarebbe mai stato "dalle nove alle cinque". Era seduta dietro la scrivania di Bjurman nello studio e stava esaminando le carte che aveva trovato nei cassetti, quando sentì bussare sullo stipite della porta e vide l'agente Bubbla con in mano due bicchieri di caffè e un sacchetto azzurro di brioche alla cannella del chiosco. Gli fece stancamente cenno di entrare.

«Cosa non posso toccare?» domandò automaticamente Bublanski.

«I tecnici hanno finito qui dentro. Stanno ancora lavorando in soggiorno e in cucina. Il cadavere ovviamente è ancora al suo posto.»

Bublanski prese una sedia e si sedette di fronte alla collega. Sonja Modig aprì il sacchetto e prese una brioche.

«Grazie. Avevo una voglia di caffè da morire.»

Consumarono lo spuntino in silenzio.

«Ho sentito che non è andata molto bene in Lundagatan» disse Sonja dopo avere finito la brioche, leccandosi le dita.

«In casa non c'era nessuno. C'era della posta non aperta indirizzata a Lisbeth Salander ma è una certa Miriam Wu ad abitare nell'appartamento. Non l'abbiamo ancora trovata.»

«Chi è?»

«Non si sa esattamente. Faste ci sta lavorando. È stata registrata nel contratto circa un mese fa, ma sembra essere solo una persona che abita nell'appartamento. Io credo che

Lisbeth Salander si sia trasferita senza comunicare il cambio di indirizzo.»

«Magari aveva programmato tutto.»

«Cosa? Il triplice omicidio?» Bublanski scosse la testa sconsolato. «Che dannato casino sta diventando questa storia. Ekström si è ostinato a volere la conferenza stampa e ora sarà un inferno per noi, con i media. Tu hai trovato qualcosa?»

«A parte Bjurman in camera da letto... Abbiamo trovato la scatola vuota di una Magnum. La stanno esaminando alla ricerca di impronte digitali. Bjurman ha un raccoglitore con le copie delle relazioni mensili su Lisbeth Salander che aveva inviato all'ufficio tutorio. A voler credere a quelle relazioni, Lisbeth è un autentico angelo.»

«No, non anche lui!» esclamò Bublanski.

«Non anche lui cosa?»

«Un altro ammiratore di Lisbeth Salander.»

Bublanski riassunse ciò che aveva appreso da Dragan Armanskij e Mikael Blomkvist. Sonja ascoltò senza interrompere. Quando il collega tacque, si passò la mano fra i capelli e si sfregò gli occhi.

«Suona totalmente assurdo» disse.

Bublanski annuì pensieroso, tirandosi il labbro inferiore. Sonja lo guardò di sottecchi e represse un sorriso. Bublanski aveva un viso grossolano e un'aria quasi brutale. Ma quando era confuso oppure incerto su qualcosa assumeva un tratto imbronciato. Era in quegli attimi che Sonja pensava a lui come all'agente Bubbla. Non aveva mai usato quel nomignolo e non sapeva esattamente quale ne fosse l'origine. Ma gli andava assolutamente a pennello.

«Okay» disse. «In che misura siamo sicuri?»

«Il procuratore sembra sicuro. Stasera è stato diffuso l'allarme su tutto il territorio nazionale riguardo a Lisbeth Salander» disse Bublanski. «Ha trascorso l'ultimo anno all'estero ed è possibile che cerchi di abbandonare di nascosto il paese.»

«Ma in che misura siamo sicuri noi?»

Bublanski si strinse nelle spalle.

«Abbiamo fermato persone su basi considerevolmente meno solide» rispose.

«Le sue impronte digitali sono sull'arma del delitto a Enskede. Anche il suo tutore è stato ucciso. Senza voler anticipare gli eventi, scommetterei che è la stessa arma usata qui dentro. E domani lo sapremo. I tecnici hanno trovato un frammento di proiettile in condizioni abbastanza buone nel fondo del letto.»

«Bene.»

«Ci sono alcune cartucce nell'ultimo cassetto della scrivania. Pallottole con cuore di uranio e punta d'oro.»

«Okay.»

«Abbiamo una documentazione piuttosto ampia del fatto che Lisbeth Salander è pazza. Bjurman era il suo tutore e possedeva l'arma.»

«Mmm...» fece l'agente Bubbla imbronciato.

«Abbiamo un collegamento fra Lisbeth Salander e la coppia di Enskede tramite Mikael Blomkvist.»

«Mmm...»

«Sembri dubbioso.»

«Non riesco a far quadrare l'immagine di Lisbeth. La documentazione dice una cosa, ma sia Armanskij che Blomkvist dicono qualcos'altro. Secondo la documentazione è una psicopatica quasi ritardata. A quanto dicono loro invece è una competente ricercatrice. C'è un'enorme discrepanza fra queste due versioni. Non abbiamo nessun movente per quanto concerne Bjurman, e nemmeno una conferma che conoscesse la coppia di Enskede.»

«Che movente serve a un pazzo psicotico?»

«Non sono ancora stato in camera da letto. Com'è la scena?»

«Ho trovato Bjurman bocconi sul letto, con le ginocchia

sul pavimento come se stesse dicendo le preghiere della sera. Nudo. Gli hanno sparato alla nuca.»

«Un solo colpo? Proprio come a Enskede.»

«Per quanto ho potuto vedere si è trattato di un unico colpo. Ma sembrerebbe che Lisbeth Salander, se poi è stata lei a farlo, l'avesse costretto a inginocchiarsi a fianco del letto prima di sparargli. La pallottola gli ha attraversato obliquamente il cranio uscendo attraverso la faccia.»

«Colpo alla nuca. Grossomodo un'esecuzione, dunque.»

«Esattamente.»

«Pensavo... qualcuno dovrebbe avere sentito lo sparo.»

«La sua camera da letto dà sul cortile interno, e sia gli inquilini del piano di sopra sia quelli del piano di sotto sono via per le vacanze di Pasqua. La finestra era chiusa. Inoltre è stato usato un cuscino come silenziatore.»

«Una trovata molto scaltra.»

In quell'attimo Gunnar Samuelsson, della scientifica, mise dentro la testa.

«Salve, Bubbla» salutò. Poi si rivolse alla collega. «Volevamo spostare il corpo e l'abbiamo voltato. C'è qualcosa a cui dovresti dare un'occhiata.»

Lo seguirono nella camera da letto. Il cadavere di Nils Bjurman era steso sulla schiena su una barella, la prima tappa del viaggio verso il patologo. Nessuno dubitava di quale fosse la causa del decesso. Il suo viso era solo una larga ferita da cui penzolava buona parte dell'osso frontale. Gli schizzi sul letto e sul muro parlavano chiaro.

Bublanski protese le labbra imbronciato.

«Cosa dovremmo guardare?» domandò Sonja Modig.

Gunnar Samuelsson sollevò il lenzuolo, scoprendo completamente il cadavere. Bublanski inforcò gli occhiali, si avvicinò insieme a Sonja e lesse il testo tatuato sul ventre di Bjurman. Le lettere erano goffe e irregolari – era evidente che chi aveva fatto il lavoro non era un esperto di tatuaggi.

Ma il messaggio era chiaro oltre ogni possibile dubbio. IO SONO UN SADICO PORCO, UN VERME E UNO STU-PRATORE.

Sonja Modig e Bublanski si guardarono esterrefatti.

«Stiamo forse vedendo un accenno di movente?» disse Sonja.

Mikael Blomkvist comperò quattro etti di pasta pronta sulla via di casa e infilò la vaschetta nel microonde prima di spogliarsi e mettersi sotto la doccia per tre minuti. Dopo di che prese una forchetta e mangiò in piedi dalla vaschetta. Aveva fame ma non aveva nessun interesse per il cibo, voleva solo tranguggiarlo più in fretta possibile. Quando ebbe terminato aprì una birra e bevve direttamente dalla bottiglia.

Senza accendere la luce si piazzò davanti alla finestra con la vista sulla città vecchia e rimase immobile per oltre venti minuti, sforzandosi di non pensare.

Ventiquattr'ore prima era ancora a casa di sua sorella a festeggiare, quando Dag Svensson l'aveva chiamato sul cellulare. Allora, sia Dag che Mia erano ancora in vita.

Non dormiva da trentasei ore, e i bei tempi in cui poteva farlo senza conseguenze erano passati. Sapeva anche che non sarebbe riuscito ad addormentarsi senza pensare a ciò che aveva visto. Aveva la sensazione che le immagini di Enskede si fossero incise per sempre nella sua mente.

Alla fine spense il cellulare e si infilò sotto le coperte. Alle undici non era ancora riuscito a prendere sonno. Si alzò e preparò del caffè. Accese il lettore cd e ascoltò Debbie Harry che cantava *Maria*. Si avvolse in una coperta e si sedette sul divano del soggiorno a bere caffè e a meditare su Lisbeth Salander.

Cosa sapeva di lei, in realtà?

Sapeva che aveva un'ottima memoria fotografica ed era

un hacker di primissimo ordine. Sapeva che era una donna stramba e molto chiusa che non parlava volentieri di sé e non aveva alcuna fiducia nelle autorità.

Sapeva che era capace di essere violenta e brutale. Era grazie a quello che era ancora vivo.

Ma non aveva la minima idea che fosse stata interdetta e messa sotto tutela, e che avesse trascorso parte dell'adolescenza in manicomio.

Doveva scegliere da che parte stare.

In un qualche momento dopo mezzanotte decise che molto semplicemente non voleva credere alla conclusione della polizia, che Lisbeth aveva ucciso Dag e Mia. Lui le era debitore in ogni caso della possibilità di spiegarsi, prima di condannarla.

Non aveva idea di quando finalmente si fosse addormentato, ma alle quattro e mezza del mattino si svegliò sul divano. Raggiunse barcollando il letto e si riaddormentò all'istante.

16.
25 marzo, Venerdì Santo - 26 marzo, Sabato Santo

Malin Eriksson si lasciò andare contro lo schienale del divano di Mikael Blomkvist. Senza riflettere mise i piedi sul tavolino di fronte – proprio come avrebbe fatto a casa – e li riabbassò subito. Mikael sorrise bonariamente.

«È okay, Malin» disse. «Rilassati e fai come se fossi a casa.»

Lei ricambiò il sorriso e sollevò di nuovo i piedi.

Nella giornata del Venerdì Santo Mikael aveva trasferito tutte le copie di quanto aveva lasciato Dag Svensson dalla redazione di *Millennium* al suo appartamento. Aveva smistato il materiale sul pavimento del soggiorno. La vigilia di Pasqua lui e Malin avevano dedicato otto ore a passare al setaccio posta elettronica, appunti, scarabocchi su un blocnotes e soprattutto i testi del futuro libro.

La mattina Mikael aveva ricevuto la visita di sua sorella. Annika aveva portato i giornali della sera, con titoli a caratteri cubitali e la foto di Lisbeth Salander in formato gigante in prima pagina.

Uno dei quotidiani si limitava ai fatti.

RICERCATA
PER TRIPLICE OMICIDIO

L'altro giornale aveva infiorato i titoli.

LA POLIZIA A CACCIA
DELLA PSICOTICA PLURIOMICIDA

Avevano parlato per un'ora. Mikael aveva raccontato della sua relazione con Lisbeth e aveva spiegato perché dubitava che lei fosse colpevole. Alla fine aveva chiesto alla sorella se avrebbe rappresentato Lisbeth Salander nel caso in cui fosse stata catturata.

«Ho rappresentato donne in diverse cause per violenze e maltrattamenti, ma non sono una penalista» rispose Annika.

«Tu sei l'avvocato più intelligente che io conosca, e Lisbeth avrà bisogno di qualcuno di cui potersi fidare. Credo che ti accetterà volentieri.»

Annika Giannini rifletté un momento prima di rispondere con una certa esitazione che avrebbe acconsentito a incontrare Lisbeth Salander per un colloquio se ce ne fosse stato bisogno.

All'una del pomeriggio del Sabato Santo l'ispettore Sonja Modig aveva telefonato chiedendo di poter passare a ritirare la borsa di Lisbeth Salander. La polizia doveva avere aperto e letto la lettera che lui aveva mandato all'indirizzo di Lundagatan.

Venti minuti più tardi Sonja Modig era già lì. Mikael la invitò ad accomodarsi nel soggiorno insieme a Malin Eriksson. Andò in cucina a prendere la borsa di Lisbeth che aveva messo su una mensola accanto al microonde. Esitò un attimo, quindi la aprì e tolse il martello e la bomboletta di gas lacrimogeno. *Sottrazione di prove.* La bomboletta sarebbe stata considerata un'arma illecita e avrebbe comportato una sanzione. Il martello avrebbe dato senza dubbio origine a certe associazioni sulle inclinazioni di Lisbeth alla violenza. E secondo Mikael non ce n'era proprio bisogno.

Offrì a Sonja Modig del caffè.

«Posso farle qualche domanda?» chiese l'ispettore.

«Prego.»

«Nella sua lettera a Lisbeth che abbiamo trovato in Lundagatan scrive di essere in debito con lei. A cosa si riferisce?»

«Al fatto che Lisbeth Salander mi ha fatto un grandissimo favore.»

«Di cosa si tratta?»

«Di un favore di carattere assolutamente personale, del quale non ho nessuna intenzione di parlare.»

Sonja Modig lo guardò attentamente.

«Le ricordo che questa è un'indagine per omicidio.»

«E spero che possiate catturare al più presto quel bastardo che ha ucciso Dag e Mia.»

«Lei non crede che Lisbeth Salander sia colpevole?»

«No.»

«In tal caso, chi crede che sia stato a uccidere i suoi amici?»

«Non lo so. Ma Dag Svensson era intenzionato a fare i nomi di un gran numero di persone che avevano parecchio da perdere. Il colpevole potrebbe essere uno di loro.»

«E perché una di quelle persone avrebbe dovuto uccidere anche l'avvocato Nils Bjurman?»

«Non lo so. Non ancora.»

Il suo sguardo era fermo e convinto. Sonja Modig sorrise. Sapeva che lo soprannominavano *Kalle Blomkvist*. D'improvviso capì anche perché.

«Ma ha intenzione di scoprirlo?»

«Se posso. Lo riferisca pure a Bublanski.»

«Non mancherò. E se Lisbeth Salander dovesse farsi viva con lei, spero vivamente che ce lo farà sapere.»

«Non credo proprio che si farà viva per confessare di essere colpevole degli omicidi, ma se dovesse farò tutto il possibile per convincerla ad arrendersi e a consegnarsi alla polizia. In questo caso cercherò anche di appoggiarla in tutti i modi possibili. Avrà bisogno di avere accanto un amico.»

«E se dirà di non essere colpevole?»

«Allora spero che sarà anche in grado di fare luce su quanto è successo.»

«Signor Blomkvist, detto fra noi e senza voler ingigantire le cose, spero si renda conto che Lisbeth Salander deve essere catturata e che lei non deve fare sciocchezze. Se si sbaglia e la ragazza è colpevole, non averci presi sul serio potrebbe costarle la vita.»

Mikael annuì.

«Spero che non si renda necessario metterla sotto controllo. Lei è consapevole che è contro la legge proteggere una persona ricercata e che si può essere condannati per favoreggiamento.»

«E io spero che vi diate la pena di dedicare qualche minuto a dei colpevoli alternativi.»

«Lo faremo. Seconda domanda. Sa su quale computer lavorava Dag Svensson?»

«Aveva un Mac iBook 500 usato, bianco, con lo schermo da quattordici pollici. Come il mio, ma con lo schermo più grande.»

Mikael indicò il suo portatile sul tavolino.

«Ha qualche idea di dove lo tenesse?»

«Di solito Dag lo teneva dentro uno zaino nero. Dovrebbe essere a casa sua.»

«Non è così. Potrebbe essere sulla sua scrivania in redazione?»

«No. Ho controllato io stesso la sua scrivania, lì non c'è.»

Rimasero in silenzio un momento.

«Devo trarre la conclusione che il computer di Dag Svensson è sparito?» domandò Mikael alla fine.

Mikael e Malin avevano identificato un numero considerevole di persone che in linea teorica potevano avere avuto motivo di uccidere Dag Svensson. Ogni nome era stato annotato su un grande foglio e Mikael li aveva attaccati tutti con lo scotch alla parete del soggiorno. L'elenco era composto interamente da nomi di uomini che erano o clienti o protettori di prostitute, e che figuravano nel libro. Alle otto di sera avevano messo insieme una lista di trentasette sospetti, dei quali ventinove avevano un'identità e otto figuravano solo con uno pseudonimo nel testo di Dag. Venti degli uomini identificati erano clienti che in diverse occasioni avevano abusato di qualcuna delle ragazze.

Mikael e Malin avevano anche parlato della pubblicazione del libro. Un problema pratico stava nel fatto che un gran numero di affermazioni poggiava su conoscenze personali di Dag e Mia che loro, non competenti in materia, avrebbero dovuto verificare o capire più a fondo.

Valutarono che circa l'ottanta per cento del manoscritto poteva essere pubblicato senza grandi problemi. Sarebbe però stato necessario un esteso lavoro di ricerca prima di azzardarsi a pubblicare il restante venti per cento. La loro esitazione non dipendeva dal fatto che dubitassero della correttezza del contenuto, ma unicamente dal fatto che non erano sufficientemente addentro alla materia. Se Dag Svensson fosse stato vivo, avrebbero potuto senza dubbio pubblicare il libro – Dag e Mia sarebbero stati pronti a occuparsi di ogni eventuale obiezione o critica e a respingerla.

Mikael guardò fuori dalla finestra. Era imbrunito e stava piovendo. Chiese a Malin se volesse dell'altro caffè. Non lo voleva.

«Okay» disse Malin. «Abbiamo il manoscritto sotto controllo. Ma non abbiamo ancora trovato nessuna traccia dell'assassino di Dag e Mia.»

«Può essere uno dei nomi lì sul muro» disse Mikael.

«Può anche essere qualcuno che non ha niente a che fare con il libro. Oppure può essere la tua amica.»

«Lisbeth» disse Mikael.

Malin lo guardò di sottecchi. Lavorava a *Millennium* da un anno e mezzo e aveva cominciato nel momento peggiore, all'epoca dell'affare Wennerström. Dopo anni di sostituzioni e collaborazioni temporanee, quel lavoro era il primo fisso della sua vita. Si trovava benissimo. Lavorare a *Millennium* era prestigioso. Aveva un ottimo rapporto con Erika e con gli altri, ma si era sempre sentita vagamente a disagio in compagnia di Mikael Blomkvist. Non c'era nessuna causa evidente, ma di tutti i collaboratori Mikael era quello che le sembrava più chiuso e riservato.

Durante l'anno passato era sempre arrivato tardi in redazione, e se ne stava molto tempo per conto suo, nella sua stanza o da Erika Berger. Nel corso dei primi mesi Malin lo aveva visto più spesso in qualche talk-show televisivo che di persona in redazione. Era spesso in viaggio o apparentemente occupato altrove. Non invitava a una simpatica convivenza e dai commenti che aveva colto da altri collaboratori era molto cambiato. Si era fatto più taciturno e più difficile da avvicinare.

«Se devo cercare di scoprire perché Dag e Mia sono stati uccisi, devo sapere di più di Lisbeth Salander. Non so da che parte cominciare, se non...»

Malin lasciò la frase a metà. Mikael la guardò. Andò a sedersi sulla poltrona a fianco del divano dov'era seduta lei e mise i piedi sul tavolino accanto ai suoi.

«Ti trovi bene a *Millennium*?» domandò inaspettatamente. «Voglio dire, ormai lavori da noi da un anno e mezzo ma io ho corso di qua e di là così tanto che non abbiamo mai fatto in tempo a conoscerci realmente.»

«Mi trovo benissimo» disse Malin. «E voi siete contenti di me?»

Mikael sorrise.

«Erika e io ci siamo detti più volte che non abbiamo mai avuto una segretaria di redazione così competente. Pensiamo che tu sia un ottimo acquisto. E scusa se non te l'ho mai detto prima.»

Malin sorrise soddisfatta. Una lode dal grande Mikael Blomkvist era il massimo.

«Ma non era questo che volevo sapere in effetti» disse.

«Tu ti domandi cosa abbia a che fare Lisbeth Salander con *Millennium*.»

«Sia tu che Erika siete molto avari di informazioni.»

Mikael annuì e incontrò il suo sguardo. Tanto lui quanto Erika avevano la massima fiducia in Malin Eriksson, ma c'erano cose che non poteva discutere con lei.

«Sono d'accordo con te» disse. «Se dobbiamo scavare nell'omicidio di Dag e Mia, è giusto che tu abbia più informazioni. Io sono una fonte di prima mano e inoltre sono il collegamento fra lei e Dag e Mia. Attacca pure con le domande, e io risponderò fin dove potrò. E quando non potrò te lo dirò.»

«Perché tutto questo mistero? Chi è Lisbeth Salander e cosa ha a che fare con *Millennium*?»

«Le cose stanno così. Due anni fa incaricai Lisbeth Salander di svolgere un lavoro di ricerca estremamente complicato. È questo il problema. Io non posso raccontare che genere di lavoro Lisbeth abbia fatto per me. Anche Erika sa di cosa si tratta ma è legata come me dal segreto professionale.»

«Due anni fa... era prima che tu distruggessi Wennerström. Devo supporre che lei abbia fatto delle ricerche in quel contesto?»

«No, non devi. Io non potrò né confermare né smentire. Ma posso arrivare a dirti che affidai a Lisbeth anche un altro incarico e che lei fece un lavoro impareggiabile.»

«Okay, all'epoca stavi a Hedestad e, per quanto ho capito, vivevi come un eremita. Ma Hedestad non passò inosservata ai media quell'estate. Harriet Vanger resuscitò dal regno dei morti e via dicendo. E curiosamente noi di *Millennium* non abbiamo scritto una sola parola su quella resurrezione.»

«Come si dice... le mie labbra sono cucite. Puoi fare supposizioni all'infinito, la probabilità di centrare il bersaglio è quasi inesistente.» Mikael sorrise. «Ma il motivo per cui non abbiamo scritto di Harriet dipende dal fatto che lei siede nel nostro consiglio d'amministrazione. Lasciamo che siano gli altri media a parlare di lei. Per quanto riguarda Lisbeth, credimi sulla parola quando ti dico che ciò che ha fatto per me non ha la benché minima rilevanza in relazione a ciò che è successo a Enskede. Molto semplicemente, non esiste nessun collegamento.»

«Okay.»

«Lascia che ti dia un consiglio. Non fare congetture. Non trarre conclusioni. Limitati a constatare che lei ha lavorato per me e che non posso dire altro. Ma lascia anche che ti dica che ha fatto pure qualcos'altro per me. Mi ha salvato la vita. Letteralmente. Ho un enorme debito di gratitudine nei suoi confronti.»

Malin alzò le sopracciglia, sorpresa. Su questo non aveva sentito una sola parola a *Millennium*.

«Significa dunque che tu la conosci piuttosto bene, a quanto mi sembra di capire.»

«Per quanto si possa conoscere bene Lisbeth Salander, suppongo di sì» rispose Mikael. «Lei è probabilmente la persona più chiusa che io abbia mai incontrato.»

D'un tratto Mikael si alzò in piedi e diede un'occhiata nel buio fuori dalla finestra.

«Non so se ne hai voglia anche tu, ma io penso che mi preparerò una bella vodka lime» disse alla fine.

Malin sorrise.

«Okay. Meglio quella che dell'altro caffè.»

Dragan Armanskij passò le vacanze di Pasqua nello chalet di Blidö a riflettere su Lisbeth Salander. I suoi figli ormai erano grandi e non trascorrevano più le feste con i genitori. Ritva, sua moglie da venticinque anni, non ebbe nessuna difficoltà ad accorgersi che lui ogni tanto era altrove con la mente. Sprofondava in un silenzioso lambiccarsi e rispondeva distrattamente quando lo interpellava. Ogni giorno prendeva la macchina e andava all'emporio a comperare i giornali. Poi si sedeva accanto alla finestra della veranda e leggeva gli articoli sulla caccia a Lisbeth Salander.

Dragan Armanskij era deluso di se stesso. Era deluso per essersi sbagliato così grossolanamente nel giudicare Lisbeth. Che avesse dei problemi psichici lo sapeva da molti anni. Non lo stupiva più di tanto che potesse diventare violenta e recare danno a qualcuno che la minacciasse. Che se la fosse presa con il suo tutore – che senza dubbio doveva avere considerato una persona che si intrometteva nei suoi affari personali – era in un certo senso comprensibile. Viveva i tentativi di controllare la sua vita come provocazioni e forse anche come attacchi ostili.

Ma non riusciva in nessun modo a capacitarsi che si fosse spinta ad andare a Enskede ad ammazzare due persone che a detta di tutte le fonti disponibili le erano del tutto sconosciute.

Dragan Armanskij continuava ad aspettare che fosse stabilito un legame fra Lisbeth e la coppia di Enskede – uno di loro poteva avere avuto a che fare con lei oppure poteva avere agito in modo tale da provocarne la furia. Ma di nessun legame del genere si parlava sui giornali, dove invece si speculava che la malata di mente Lisbeth Salander doveva essere rimasta vittima di una sorta di collasso nervoso.

In due occasioni telefonò all'ispettore Bublanski per informarsi sugli sviluppi del caso, ma nemmeno il responsabile dell'inchiesta era in grado di spiegarsi che legame potesse esserci fra Lisbeth ed Enskede – a parte Mikael Blomkvist. Su quel punto l'inchiesta s'imbatteva in un ostacolo. Mikael Blomkvist conosceva sia Lisbeth che la coppia di Enskede, ma non esisteva la minima prova che Lisbeth a sua volta avesse anche solo sentito parlare di Dag Svensson e Mia Bergman. Di conseguenza la polizia stentava a venire a capo del corso degli eventi. Se non fosse stato per la presenza delle sue impronte digitali sull'arma del delitto e per l'indiscutibile legame con la sua prima vittima, l'avvocato Bjurman, avrebbe brancolato nel buio.

Malin Eriksson andò un attimo in bagno, quindi fece ritorno al divano.

«Vediamo di riassumere» disse. «Il compito consiste nello stabilire se Lisbeth Salander abbia ucciso Dag e Mia come sostiene la polizia. Io non saprei proprio da dove cominciare.»

«Consideralo un lavoro di scavo. Non dobbiamo svolgere nessuna inchiesta. Dobbiamo però tenere d'occhio l'inchiesta della polizia e scoprire cosa sanno. Proprio come al solito, con la differenza però che questa volta non dobbiamo necessariamente pubblicare tutto quello a cui arriviamo.»

«Ma se l'assassino è Lisbeth Salander, allora un collegamento fra lei e Dag e Mia deve esserci. E l'unico collegamento sei tu.»

«E in questo caso io non costituisco proprio nessun collegamento. È più di un anno che non vedo Lisbeth. Non so nemmeno come avrebbe potuto sapere della loro esistenza.»

Di colpo Mikael tacque. A differenza di tutti gli altri, sapeva che Lisbeth era un hacker di fama mondiale. Si era reso conto d'improvviso che il suo iBook era pieno zeppo di corrispondenza di Dag Svensson e che conteneva diverse versioni del libro di Dag oltre a una copia della tesi di dottorato di Mia. Non sapeva se Lisbeth avesse controllato o no, ma se lo aveva fatto aveva potuto scoprire che lui conosceva Dag Svensson.

Ma Mikael non riusciva a immaginare il benché minimo motivo per cui Lisbeth avrebbe dovuto andare a Enskede e sparare a Dag e Mia. La coppia stava lavorando a un reportage sulla violenza contro le donne, e Lisbeth al contrario li avrebbe sostenuti in ogni modo possibile. Se Mikael la conosceva almeno un po'.

«Hai l'aria di uno a cui è venuto in mente qualcosa» disse Malin.

Mikael non aveva intenzione di dire una sola parola sui talenti informatici di Lisbeth.

«No, sono solamente stanco e stordito» rispose.

«È sospettata di avere ammazzato non solo Dag e Mia, ma anche il suo tutore. Ma lì il collegamento è chiaro come il sole. Cosa sai di lui?»

«Niente di niente. Non ho mai sentito parlare dell'avvocato Bjurman e non sapevo nemmeno che lei fosse sotto tutela.»

«Ma la possibilità che qualcun altro li abbia uccisi tutti e tre è davvero infinitesimale. Se qualcuno avesse ucciso Dag e Mia a causa della loro inchiesta, perché avrebbe ucciso il tutore di Lisbeth Salander?»

«Ci ho pensato fino a rompermi la testa. Posso immaginare almeno uno scenario in cui un estraneo uccide sia Dag e Mia che il tutore di Lisbeth.»

«E sarebbe?»

«Supponiamo che Dag e Mia siano stati uccisi perché stavano ficcando il naso nel mercato del sesso, e che Lisbeth in qualche modo sia stata coinvolta. Se Bjurman era il tutore di Lisbeth, allora c'è la possibilità che lei semplicemente si sia confidata con lui e lui perciò sia diventato un testimone o sia venuto a conoscenza di qualcosa che potrebbe avere reso necessaria anche la sua eliminazione.»

Malin rifletté un momento.

«Capisco cosa vuoi dire» disse esitante. «Però non hai la minima prova per questa tua teoria.»

«No, è vero.»

«Qual è la tua opinione? È colpevole oppure no?»

Mikael rifletté prima di rispondere.

«Se la domanda è se Lisbeth è capace di uccidere, la risposta è sì. Lisbeth Salander è incline alla violenza. L'ho vista in azione quando...»

«Quando ti ha salvato la vita?»

Mikael annuì.

«Non posso raccontarti i dettagli. Ma c'era un uomo che aveva intenzione di uccidermi e che ci stava quasi riuscendo. Lei si è messa in mezzo e lo ha colpito selvaggiamente con una mazza da golf.»

«E non hai detto niente di tutto ciò alla polizia?»

«Assolutamente. È una cosa che deve rimanere fra te e me.»

«Okay.»

Lui la guardò severo.

«Malin, devo potermi fidare di te.»

«Non racconterò ciò che mi hai detto ad anima viva. Nemmeno ad Anton. Tu non sei solo il mio capo, sei anche una persona che apprezzo, e non ho nessuna intenzione di danneggiarti.»

Mikael annuì.

«Scusa» le disse.

«Smettila di scusarti.»

Lui rise, poi tornò serio.

«Sono convinto che se fosse stato necessario avrebbe ucciso quell'uomo, per salvarmi.»

«Okay.»

«Ma al tempo stesso la giudico una persona perfettamente razionale. Stramba, questo sì, ma del tutto razionale, secondo i suoi principi. Ha usato la violenza perché era necessario, non perché le piacesse. Per uccidere deve avere un motivo, deve sentirsi estremamente minacciata e provocata.»

Mikael rifletté ancora un momento. Malin lo fissava con pazienza.

«Sul suo tutore non posso esprimermi. Di lui non so assolutamente nulla. Ma non riesco in nessun modo a vedermela mentre spara a Dag e Mia. Non ci credo.»

Restarono a lungo in silenzio. Malin sbirciò l'orologio e vide che si erano fatte le nove e mezza.

«È tardi. Dovrei andare a casa» disse.

Mikael annuì.

«Siamo andati avanti tutto il giorno. Possiamo continuare domani. No, lascia stare i piatti, ci penserò io.»

La notte di Pasqua Armanskij non riusciva a dormire e ascoltava il lieve russare di Ritva. Non riusciva nemmeno a venire a capo di quel dramma. Alla fine si alzò, infilò pantofole e vestaglia e andò in soggiorno. L'aria era gelida. Aggiunse qualche pezzo di legna nella stufa di pietra ollare, aprì una birra e si sedette a guardare fuori nel buio l'acqua del Furusundsleden.

Cosa so?

Dragan Armanskij avrebbe confermato senza indugio che Lisbeth Salander era bizzarra e imprevedibile. Su questo non c'erano dubbi.

Sapeva che qualcosa doveva essere successo nell'inverno del 2003, quando lei d'improvviso aveva smesso di lavorare per lui ed era sparita per il suo anno sabbatico all'estero. Era convinto che Mikael Blomkvist avesse in qualche modo a che fare con la sua scomparsa – ma nemmeno Mikael sapeva cosa fosse successo.

Poi era tornata ed era andata a trovarlo. Gli aveva detto di essere economicamente indipendente e di avere denaro a sufficienza per cavarsela per un certo periodo di tempo.

Era andata regolarmente a trovare Holger Palmgren. Ma non si era messa in contatto con Blomkvist.

Aveva sparato a tre persone, due delle quali a quanto pareva le erano totalmente estranee.

Non quadra. Non c'è nessuna logica.

Armanskij bevve un sorso di birra direttamente dalla bottiglia e accese un sigarillo. Si sentiva rimordere la coscienza, e questo aveva contribuito a metterlo di malumore durante il fine settimana.

Quando Bublanski gli aveva fatto visita, lui gli aveva fornito senza esitazione tutte le informazioni che aveva perché potessero prendere Lisbeth. Sul fatto che dovesse essere catturata non aveva il minimo dubbio – prima fosse successo, meglio sarebbe stato. Ma gli rimordeva la coscienza perché aveva un'opinione così bassa di lei da accettare la notizia della sua colpevolezza senza esprimere il minimo dubbio. Armanskij era realista. Se la polizia sosteneva che una persona era sospettata di omicidio c'erano molte probabilità che fosse proprio così. Dunque Lisbeth Salander era colpevole.

Ciò che la polizia però non prendeva in considerazione era il motivo del suo modo d'agire – se poteva esserci qualche circostanza attenuante o almeno una spiegazione plausibile per la sua furia incontrollata. Ma il compito della polizia era di catturarla e dimostrare che aveva esploso i colpi mortali – non di scavare nella sua psiche e di trovare il perché. Si sarebbero accontentati anche di un movente appena plausibile, ma in mancanza di quello sarebbero stati disposti a liquidare il tutto come un gesto di follia. *Lisbeth Salander come un serial killer.* Scosse la testa.

A Dragan Armanskij quella spiegazione non piaceva.

Lisbeth Salander non faceva mai nulla contro la propria volontà e senza valutarne le conseguenze.

Speciale – sì. Pazza – no.

Dunque doveva esserci un'altra spiegazione, per quanto confusa e inaccessibile potesse sembrare dall'esterno.

Verso le due del mattino prese una decisione.

17.
Domenica 27 marzo, Pasqua - martedì 29 marzo

Dragan Armanskij si alzò presto la mattina del giorno di Pasqua, dopo una notte di inquieto scervellarsi. Scese in cucina a passi felpati, senza svegliare sua moglie, e preparò caffè e tramezzini. Poi tirò fuori il suo portatile e cominciò a scrivere.

Usò lo stesso modello che utilizzava la Milton Security per le relazioni sulle indagini personali. Riempì il formulario con tutti i dati essenziali che gli venivano in mente sulla personalità di Lisbeth Salander.

Verso le nove scese Ritva e si versò una tazza di caffè. Gli chiese cosa stesse facendo. Lui rispose evasivamente e continuò a scrivere. Ritva conosceva suo marito abbastanza bene per rendersi conto che anche per quel giorno sarebbe stato altrove.

Mikael si era sbagliato. Forse perché era il week-end di Pasqua e la centrale era relativamente deserta, fu solo la mattina del giorno di Pasqua che i mass-media scoprirono che era stato lui a trovare Dag e Mia. Il primo a diffondere la notizia fu un reporter dell'*Aftonbladet* che era anche un vecchio conoscente di Mikael.

«Salve Blomkvist. Sono Nicklasson.»

«Salve Nicklasson» disse Mikael.

«Sei stato tu a trovare la coppia di Enskede.»

Mikael confermò.

«Ho una fonte che sostiene che lavoravano per *Millennium*.»

«La tua fonte ha parzialmente ragione e parzialmente torto. Dag Svensson stava preparando un reportage per *Millennium* come free-lance. Mia Bergman no.»

«Accidenti. È una cannonata di storia.»

«Suppongo» disse Mikael stancamente.

«Perché non ne avete fatto nulla?»

«Dag Svensson era un buon amico e compagno di lavoro. Pensavamo fosse corretto aspettare almeno che i parenti suoi e di Mia capissero quanto è successo prima di uscire con qualsiasi articolo.»

Mikael sapeva che questa affermazione non sarebbe stata riportata.

«Okay. A cosa stava lavorando Dag?»

«A un'inchiesta per conto di *Millennium*.»

«E di cosa si trattava?»

«Che scoop pensate di pubblicare domani voi dell'*Aftonbladet*?»

«Dunque si trattava di uno scoop.»

«Nicklasson, vai a farti fottere.»

«Avanti, Blomman. Credi che gli omicidi avessero qualcosa a che fare con l'inchiesta a cui stava lavorando Dag Svensson?»

«Se mi chiami ancora una volta Blomman, metto giù il telefono e non ti parlo più per un anno.»

«Scusa scusa. Credi che Dag Svensson sia stato assassinato per via del suo lavoro giornalistico?»

«Non ho la più pallida idea del perché Dag sia stato assassinato.»

«L'inchiesta a cui stava lavorando aveva qualcosa a che vedere con Lisbeth Salander?»

«No. Nella maniera più assoluta.»

«Sai se Dag conoscesse quella pazza della Salander?»

«No.»

«Dag ha scritto moltissimi testi sui crimini informatici in precedenza. Era un lavoro di questo genere che stava preparando per *Millennium*?»

Vedo che non ti arrendi pensò Mikael. Stava per mandare Nicklasson a quel paese quando improvvisamente si bloccò e balzò a sedere sul letto. Due pensieri paralleli l'avevano colpito. Nicklasson disse ancora qualcosa.

«Aspetta un secondo, Nicklasson. Resta in linea. Torno subito.»

Mikael si alzò e coprì il microfono con la mano. Tutto d'un tratto si trovava su un piano completamente diverso.

Fin dal giorno degli omicidi Mikael si era spremuto il cervello su come trovare il modo di mettersi in contatto con Lisbeth. La probabilità che lei leggesse le sue dichiarazioni era molto alta, a prescindere da dove si trovasse. Se avesse negato di conoscerla, lei avrebbe potuto pensare che l'aveva abbandonata o venduta. Se la avesse difesa, altri avrebbero potuto pensare che lui sapeva più di quanto raccontava. Ma se si esprimeva nel modo giusto, poteva essere che Lisbeth provasse l'impulso di contattarlo. L'occasione era dunque troppo propizia per non approfittarne. Doveva dire qualcosa. *Ma cosa?*

«Scusami, eccomi di nuovo qui. Cosa stavi dicendo?»

«Ti chiedevo se Dag Svensson stava scrivendo di crimini informatici.»

«Se vuoi una dichiarazione da me, puoi averla.»

«Vai.»

«Però mi devi citare alla lettera.»

«Come potrei citarti altrimenti?»

«A questa domanda preferirei non rispondere.»

«Cosa vuoi dichiarare?»

«Ti mando una mail fra un quarto d'ora.»

«Eh?»

«Controlla la tua mail fra quindici minuti» disse Mikael, e interruppe la conversazione.

Andò alla sua scrivania e avviò il suo iBook. Si concentrò per due minuti prima di cominciare a scrivere.

Erika Berger, caporedattore di Millennium, *è profondamente scossa per l'assassinio del giornalista free-lance e collaboratore Dag Svensson, e spera che il caso sia rapidamente risolto.*

È stato Mikael Blomkvist, direttore responsabile di Millennium, *a trovare i corpi del collega e della sua compagna la notte di mercoledì scorso.*

«Dag Svensson era un giornalista fantastico e una persona della quale avevo la massima stima. Aveva varie idee per dei reportage. Fra l'altro stava lavorando a una importante inchiesta sulla pirateria informatica» dichiara Mikael Blomkvist ad Aftonbladet.

Né Mikael Blomkvist né Erika Berger vogliono fare congetture su chi possa essere il colpevole e su quale movente possa esserci dietro.

Poi prese il telefono e chiamò Erika Berger.

«Ciao Ricky, sei appena stata intervistata dall'*Aftonbladet*.»

«Aha.»

Le lesse rapidamente la breve dichiarazione.

«Perché?» volle sapere Erika.

«Perché ogni parola è assolutamente vera. Dag ha lavorato come free-lance per dieci anni e una delle sue specialità era proprio la sicurezza informatica. Mi è capitato più volte di discuterne con lui e avevamo anche preso in considerazione la possibilità di pubblicare un suo testo sul tema dopo l'inchiesta sul trafficking.»

Tacque per cinque secondi.

«Conosci qualcun altro che si interessi di pirateria informatica?» domandò poi.

Erika Berger tacque per dieci secondi. Poi capì ciò che Mikael stava cercando di fare.

«Ingegnoso, Micke. Davvero molto, molto ingegnoso. Okay. Procedi.»

Nicklasson richiamò nel giro di un minuto dopo avere ricevuto il messaggio di Mikael.

«Non mi sembra un granché come dichiarazione.»

«È tutto quello che avrai, ed è più di quanto avrà qualsiasi altro giornale. O lo pubblichi per intero, oppure niente del tutto.»

Subito dopo Mikael si sedette di nuovo alla scrivania. Rifletté brevemente, quindi si mise a scrivere una lettera.

Cara Lisbeth,
ti scrivo questa lettera lasciandola nel mio hard disk nella certezza che prima o poi finirai per leggerla. Ricordo bene cosa hai fatto con l'hard disk di Wennerström due anni fa e sospetto che tu ne abbia approfittato per fare lo stesso anche col mio. A questo punto è evidente che non vuoi avere a che fare con me. Non so ancora perché tu abbia voluto rompere la nostra relazione nel modo in cui l'hai fatto, ma io non ho intenzione di domandartelo e tu non hai nessun bisogno di darmi delle spiegazioni.

Purtroppo, che tu lo voglia oppure no, gli eventi di questi ultimi giorni ci hanno riuniti. La polizia sostiene che tu abbia ucciso a sangue freddo due persone che mi erano molto care. Che si sia trattato di un brutale omicidio non lo dubito – sono stato io a trovare Dag e Mia solo qualche minuto dopo che li avevano assassinati. Il problema è che non credo che sia stata tu a sparare. O almeno spero che non sia così. Ma se, come dice la polizia, sei davvero un'assassina psicotica, allora significa che ho sbagliato completamente a giudicarti o che sei cambiata radicalmente nell'ultimo anno. Se però non sei tu l'assassina, allora significa che la polizia sta dando la caccia alla persona sbagliata.

Stando così le cose dovrei probabilmente esortarti ad arrenderti e a consegnarti. Ho tuttavia il sospetto che sarebbe come parlare a un sordo. Ma la realtà è che la tua situazione è insostenibile e che prima o poi ti prenderanno. E quando questo succederà, avrai bisogno di un amico. Se non vuoi avere a che fare con me, ricorda almeno che ho una sorella. Si chiama Annika Giannini ed è un avvocato. Le ho parlato e sarà disposta a rappresentarti, se ti metterai in contatto con lei. Puoi fidarti.

Noi di Millennium *abbiamo dato inizio a un'indagine privata sul perché Dag e Mia siano stati uccisi. Quello che sto facendo al momento è mettere insieme un elenco delle persone che avevano un buon motivo per far tacere Dag Svensson. Non so se sono sulla pista giusta, ma controllerò nome per nome.*

Il mio problema è che non capisco cosa c'entri l'avvocato Nils Bjurman. Nel materiale di Dag non compare da nessuna parte, e non riesco a vedere proprio nessun collegamento con Dag e Mia.

Aiutami. Per favore. Qual è il collegamento?

Mikael

P.S. Dovresti cambiare la foto sul passaporto. Non ti rende giustizia.

Armeggiò un po', poi battezzò il documento *A Sally*. Quindi creò una cartella, *Lisbeth Salander*, e la mise bene in vista sul desktop del suo iBook.

Il martedì mattina Armanskij convocò una riunione nel suo ufficio alla Milton Security. Intorno al tavolo erano in tre.

Johan Fräklund, sessantadue anni, ex ispettore della polizia di Solna, era a capo dell'unità operativa della Milton. Era lui ad avere la responsabilità della pianificazione e dell'analisi. Armanskij l'aveva reclutato dieci anni prima e lo considerava una delle risorse più preziose dell'azienda.

Armanskij aveva chiamato anche Sonny Bohman, quarantotto anni, e Niklas Eriksson, ventinove. Anche Bohman era un ex poliziotto. Era cresciuto nella squadra di pronto intervento di Norrmalm negli anni ottanta. Poi era passato alla squadra investigativa dove aveva condotto dozzine di drammatiche inchieste. Agli inizi degli anni novanta era stato uno dei personaggi chiave nella vicenda dell'"uomo laser" e nel 1997, dopo una lunga opera di persuasione e la promessa di un sostanzioso aumento di retribuzione, era passato alla Milton.

Niklas Eriksson invece era considerato un novellino. Aveva frequentato l'accademia di polizia ma all'ultimo momento, proprio poco prima di dare l'esame, aveva scoperto di essere affetto da una cardiopatia congenita che aveva richiesto un'importante operazione, e aveva anche fatto sfumare la sua futura carriera nella polizia. Fräklund, che era stato collega del padre di Eriksson, aveva chiesto ad Armanskij di dargli una possibilità. C'era un posto vacante all'unità di analisi, e Armanskij aveva dato il via libera all'assunzione. Non c'era stato motivo di pentirsene. Eriksson lavorava alla Milton da cinque anni. A differenza della maggior parte degli altri collaboratori della sezione operativa mancava di esperienza sul campo, ma spiccava per il suo acuto intelletto.

«Buon giorno a tutti. Accomodatevi, e cominciate a leggere» disse Armanskij.

Distribuì tre fascicoli di una cinquantina di pagine, con ritagli di stampa fotocopiati sulla caccia a Lisbeth Salander e un riassunto del suo passato lungo tre pagine. Armanskij aveva trascorso il Lunedì dell'Angelo a mettere insieme il dossier. Eriksson fu il primo a completare la lettura e a mettere da parte il fascicolo. Armanskij aspettò che anche Bohman e Fräklund avessero finito.

«Suppongo che a nessuno di lor signori siano sfuggiti i titoli dei giornali dello scorso week-end» disse Dragan Armanskij.

«Lisbeth Salander» disse Fräklund con voce cupa.

Sonny Bohman scosse la testa.

Niklas Eriksson fissava il vuoto con espressione imperscrutabile e abbozzò un sorriso dolente.

Armanskij osservò il trio con occhio indagatore.

«Uno dei nostri collaboratori» disse. «Quanto avete imparato di lei negli anni in cui ha lavorato qui?»

«Io ho provato a scherzare con lei una volta» disse Eriksson con un accenno di sorriso. «Ma non mi è andata un granché bene. Credevo che mi avrebbe staccato la testa a morsi. Era una persona estremamente scontrosa, con la quale avrò scambiato in tutto non più di una decina di frasi.»

«Alquanto originale» ammise Fräklund.

Bohman si strinse nelle spalle. «Era matta da legare, una vera peste. Sapevo che era svitata, ma non che fosse così fuori di testa.»

Armanskij annuì.

«Era fatta a modo suo» disse. «Non era un tipo facile. Ma io mi servivo di lei perché era la migliore ricercatrice in cui mi fossi mai imbattuto. Consegnava sempre indagini oltre lo standard.»

«È una cosa che non sono mai riuscito a capire» disse Fräklund «come potesse essere così impeccabilmente competente e al tempo stesso così socialmente irrecuperabile.»

Tutti e tre annuirono.

«La spiegazione sta naturalmente nelle sue condizioni psichiche» disse Armanskij, indicando uno dei fascicoli. «È stata dichiarata incapace.»

«Non ne avevo la minima idea» disse Eriksson. «Voglio dire, non andava mica in giro con un cartello sulla schiena con su scritto che era incapace. E tu non hai mai detto niente.»

«No» riconobbe Armanskij. «Perché ritenevo che non avesse bisogno di essere ancora più stigmatizzata di quanto già non fosse. Tutti devono avere un'opportunità.»

«Il risultato dell'esperimento lo si è visto a Enskede» disse Bohman.

«Forse» disse Armanskij.

Armanskij esitò un attimo. Non voleva svelare il suo debole per Lisbeth di fronte ai tre professionisti che ora lo guardavano con aria d'attesa. Avevano mantenuto un tono piuttosto neutro fino a lì. Sapeva che Lisbeth era profondamente detestata da tutti e tre, così come da tutti gli altri dipendenti della Milton Security. Non doveva apparire debole o confuso. Si trattava dunque di presentare la faccenda in modo tale da dare un'impressione di entusiasmo e professionalità.

«Per la prima volta nella storia della Milton ho deciso di utilizzare parte delle risorse per una questione puramente interna» disse. «Non dovrà essere una voce passiva troppo consistente, ma pensavo di sollevare voi due, Bohman ed Eriksson, dai vostri incarichi ordinari. Il vostro compito, a volerla dire in maniera un po' vaga, sarà quello di *stabilire la verità* su Lisbeth Salander.»

Bohman ed Eriksson lo guardarono dubbiosi.

«Voglio che tu, Fräklund, tenga le fila dell'indagine. Voglio sapere cosa è successo e cosa ha spinto Lisbeth Salander a uccidere il suo tutore e la coppia di Enskede. Deve esserci una qualche spiegazione plausibile.»

«Scusa, ma suona come un'indagine di polizia vera e propria» obiettò Fräklund.

«Senza dubbio» replicò subito Armanskij. «Ma noi abbiamo un certo vantaggio rispetto alla polizia. Conoscevamo Lisbeth e abbiamo un'idea di come funzioni.»

«Mmm» fece Bohman in tono dubbioso. «Credo che nessuno qui in azienda conoscesse Lisbeth o avesse la più pallida idea di cosa passasse per quella testa.»

«Non ha nessuna importanza» replicò Armanskij. «Lisbeth lavorava per la Milton Security. Ritengo che abbiamo la responsabilità di appurare la verità.»

«Non lavora per noi da... quanto sarà... circa due anni» intervenne Fräklund. «Non direi che siamo responsabili di quello che combina. E non penso che la polizia apprezzerebbe una nostra intromissione nelle indagini.»

«Al contrario» disse Armanskij. Era la sua carta vincente, si trattava di giocarla bene.

«Come sarebbe?» domandò Bohman.

«Ieri ho avuto un lungo colloquio sia con il responsabile delle indagini preliminari, il procuratore Ekström, sia con l'ispettore Bublanski, il responsabile dell'inchiesta. Ekström è sotto pressione. Non si tratta di un regolamento di conti fra gangster ma di un evento dotato di un enorme potenziale mediatico: sono stati giustiziati un avvocato, una criminologa e un giornalista. Ho spiegato che, siccome la principale sospettata è una ex dipendente della Milton Security, anche noi avevamo deciso di aprire un'indagine sul caso.»

Armanskij fece una pausa prima di continuare.

«Ekström e io siamo d'accordo che allo stato attuale la cosa importante è che Lisbeth Salander sia catturata il più presto possibile, prima che abbia modo di provocare altri danni a se stessa o al suo prossimo» disse. «Ma noi la conosciamo meglio della polizia, possiamo contribuire fattivamente alle indagini. Ekström e io abbiamo perciò concordato che voi due» indicò Bohman ed Eriksson «vi trasferiate a Kungsholmen ed entriate a far parte del team di Bublanski.»

Tutti e tre lo guardarono stupefatti.

«Perdona la domanda sciocca... ma noi ormai siamo dei civili» disse Bohman. «Davvero la polizia ha intenzione di farci entrare in un'inchiesta per omicidio così come se niente fosse?»

«Lavorerete alle dipendenze di Bublanski, ma farete rapporto anche a me. Avrete libero accesso alle indagini. Tutto il materiale che abbiamo e che avremo andrà a lui. Per la polizia questo comporterà soltanto che il team di Bublanski otterrà un rinforzo completamente gratuito. E nessuno di voi è precisamente un civile. Voi due, Fräklund e Bohman, avete lavorato come poliziotti per molti anni prima di venire qui e anche tu, Eriksson, hai comunque frequentato l'accademia di polizia.»

«Ma è contro i principi...»

«Niente affatto. La polizia coinvolge spesso dei consulenti civili in indagini di vario genere. Possono essere psicologi in inchieste su reati sessuali o interpreti in inchieste con implicati degli stranieri. Voi sarete semplicemente dei consulenti civili con una particolare conoscenza del principale sospettato.»

Fräklund assentì.

«Okay. La Milton si affianca all'indagine della polizia e cerca di contribuire alla cattura di Lisbeth Salander. Qualcos'altro?»

«Una cosa: il vostro compito per quello che concerne la Milton è di stabilire la verità. Nient'altro. Io voglio sapere se Lisbeth ha davvero sparato a queste tre persone, e in tal caso perché.»

«Esiste davvero qualche dubbio sul fatto che sia colpevole?» domandò Eriksson.

«Gli indizi in possesso della polizia sono molto pesanti per lei. Ma io voglio sapere se c'è qualche altra dimensione della storia, se c'è qualche complice di cui ignoriamo l'esistenza e che magari è stato quello che ha impugnato l'arma, se ci sono altre circostanze.»

«Credo sia difficile trovare delle circostanze attenuanti se si tratta di un triplice omicidio» disse Fräklund. «Semmai dobbiamo partire dal presupposto che esista una possibilità che la ragazza sia del tutto innocente. Cosa che io personalmente non credo.»

«Nemmeno io» riconobbe Armanskij. «Ma il vostro compito è di aiutare in tutti i modi la polizia e di contribuire alla cattura di Lisbeth.»

«Budget?» volle sapere Fräklund.

«Corrente. Voglio essere costantemente informato di quanto ci costa, e se la spesa diventa eccessiva chiudiamo lì. Ma intanto ci lavorerete a tempo pieno per almeno una settimana a partire da ora.»

Esitò di nuovo un istante.

«Io sono quello che conosce Lisbeth Salander meglio di tutti. Ciò significa che dovrete considerarmi uno degli attori e che dunque dovrete interrogarmi» disse alla fine.

Sonja Modig si affrettò lungo il corridoio e fece in tempo a entrare nella stanza degli interrogatori proprio nell'attimo in cui le sedie finivano di raschiare sul pavimento. Prese posto accanto a Bublanski che aveva riunito per l'occasione l'intero gruppo che si occupava dell'inchiesta, compreso il responsabile delle indagini preliminari. Hans Faste lanciò a Sonja un'occhiata infastidita e quindi partì con l'introduzione.

Aveva continuato a scavare nei pluriennali scontri della burocrazia dei servizi sociali con Lisbeth Salander, la cosiddetta "pista psicopatica" come la chiamava lui, ed era innegabilmente riuscito ad accumulare parecchio materiale. Si schiarì la voce.

«Questo è il dottor Peter Teleborian, primario della clinica psichiatrica infantile St. Stefan di Uppsala. Ha avuto la cortesia di venire giù a Stoccolma per aiutarci nell'inchiesta con quello che sa di Lisbeth Salander.»

Sonja Modig spostò lo sguardo su Peter Teleborian. Il dottore era un ometto con i capelli scuri e ricci, gli occhiali di metallo e un accenno di pizzetto. Era vestito in maniera informale, giacca di velluto beige, jeans e una camicia chiara a righe sbottonata sul collo. Aveva un viso affilato e un'aria da ragazzo. Sonja aveva già visto Teleborian in qualche precedente occasione ma non gli aveva mai parlato. Quando frequentava l'ultimo semestre all'accademia di polizia lui aveva tenuto delle lezioni sui disturbi della psiche, e a un corso di perfezionamento l'aveva sentito parlare di comportamenti psicopatici fra i giovani. Aveva anche assistito a un processo contro uno stupratore seriale in cui Teleborian era stato chiamato in veste di esperto. Dopo avere preso parte per anni al dibattito pubblico sul tema, il dottore era uno degli psichiatri più conosciuti del paese. Portava avanti una pesante critica contro i tagli all'assistenza psichiatrica, che avevano comportato la chiusura dei manicomi, con la conseguenza che molti, palesemente bisognosi di cure psichiatriche, erano stati messi sulla strada, abbandonati a se stessi, destinati a diventare vagabondi ed emarginati. Dopo l'assassinio del ministro degli Esteri Anna Lindh, era entrato a far parte della commissione statale incaricata di analizzare il disfacimento dell'assistenza psichiatrica.

Peter Teleborian fece un cenno con la testa verso i presenti e si versò dell'acqua minerale in un bicchiere di plastica.

«Vedremo quale contributo potrò dare» esordì cautamente. «Detesto dover fare il profeta in simili contesti.»

«Profeta?» domandò Bublanski.

«Sì. È ironico. La stessa sera in cui sono stati commessi gli omicidi di Enskede, io partecipavo a una tavola rotonda in tv in cui si discuteva di questa bomba innescata che ticchetta un po' da tutte le parti nella nostra società. È spaventoso. Ovviamente non stavo pensando a Lisbeth Salander in quel preciso momento, ma ho fornito una serie di esempi, senza fare nomi si capisce, di pazienti che semplicemente dovrebbero trovarsi in istituti di cura anziché andarsene in giro liberi per le strade. Potrei scommettere che voi della polizia solo quest'anno sarete costretti a investigare su almeno una mezza dozzina di omicidi volontari o colposi i cui colpevoli risulteranno appartenere proprio a questo gruppo numericamente abbastanza esiguo di pazienti.»

«Vorrebbe dire che Lisbeth Salander è una di questi pazzi?» chiese Hans Faste.

«Il termine "pazzo" non è esattamente quello che dovremmo utilizzare. Ma sì, lei fa parte di coloro che la società ha abbandonato. Senza dubbio è uno di quei poveri individui che non sarebbero fuori se fossi io a decidere.»

«Avrebbe dovuto essere rinchiusa prima di poter commettere un reato?» chiese Sonja Modig. «Non sarebbe stato esattamente consono ai principi di una società garantista.»

Hans Faste corrugò le sopracciglia e la guardò infastidito. Sonja si domandò perché mai Faste sembrasse indirizzare la sua aggressività sempre contro di lei.

«Ha perfettamente ragione» rispose Teleborian venendo indirettamente in suo aiuto. «Non è compatibile con una società garantista, almeno non con la forma attuale della stessa. È tutto un esercizio di equilibrio fra rispetto per l'individuo e rispetto per le vittime potenziali che una persona psichicamente malata può lasciare dietro di sé. Nessun caso è uguale a un altro, ogni paziente deve essere trattato per quello che è. E anche noi dell'assistenza psichiatrica qualche volta commettiamo degli errori e lasciamo andare persone che non dovrebbero circolare per le strade.»

«Forse non è il momento di addentrarsi in questioni di politica sociale» disse cautamente Bublanski.

«Ha ragione» convenne Teleborian. «Qui si tratta di un caso specifico. Ma lasciate solo che aggiunga che è importante capire che Lisbeth Salander è una persona malata bisognosa di cure, proprio come un paziente con il mal di denti o una cardiopatia. Può guarire, e sarebbe già guarita se avesse ricevuto le cure di cui aveva bisogno quando ne aveva bisogno.»

«Lei dunque era il suo medico» disse Faste.

«Io sono una delle molte persone che hanno avuto a che fare con lei. Era mia paziente nella prima adolescenza e fui uno dei medici che valutarono il suo stato in vista della decisione di metterla sotto tutela quando compì diciotto anni.»

«Può raccontarci di lei?» lo pregò Bublanski. «Cosa può averla spinta a uccidere due persone a lei sconosciute, e cosa può averla spinta a uccidere il proprio tutore?»

Peter Teleborian sorrise.

«No, questo non glielo posso dire. Sono anni che non seguo la sua evoluzione e non so a quale stadio si trovi. Ma posso dire che dubito che non conoscesse affatto la coppia di Enskede.»

«Cosa glielo fa credere?» chiese Hans Faste.

«Uno dei punti deboli nel trattamento di Lisbeth Salander è che non è mai stata fatta una diagnosi completa del suo stato. E questo dipende a sua volta dal fatto che non è mai stata ricettiva alle cure. Si è sempre rifiutata di rispondere alle domande o di partecipare a qualsiasi forma di trattamento terapeutico.»

«Quindi non sapete se sia realmente malata o no?» chiese Sonja Modig. «Voglio dire, non esiste una diagnosi vera e propria.»

«Vediamola così» disse Teleborian. «Lisbeth Salander mi fu assegnata proprio quando stava per compiere tredici anni. Era psicotica e soffriva di ossessioni e di una palese mania di persecuzione. La ebbi come paziente per due anni quando fu internata alla St. Stefan. Per tutta la sua infanzia aveva mostrato un comportamento particolarmente violento nei confronti dei compagni di classe, degli insegnanti e dei conoscenti. In ripetute occasioni era stata segnalata per percosse. Per questo era stata internata. Ma in tutti i casi noti la violenza era stata indirizzata contro persone appartenenti alla sua cerchia di conoscenze, vale a dire contro qualcuno che aveva detto oppure fatto qualcosa che lei aveva vissuto come un'offesa nei suoi confronti. Non ha mai aggredito un perfetto sconosciuto. Credo quindi che esista un collegamento fra lei e la coppia di Enskede.»

«A parte l'aggressione nella metropolitana quando aveva diciassette anni» disse Hans Faste.

«In quel caso mi sembra sia stato chiaramente stabilito che era stata lei a essere attaccata, e che si era solo difesa» disse Teleborian. «La persona in questione era un noto molestatore. Ma questo è un buon esempio del suo modo d'agire. Avrebbe potuto allontanarsi o cercare protezione fra gli altri passeggeri del treno. Invece ha scelto di commettere un gesto violento. Quando si sente minacciata, reagisce con brutalità.»

«Qual è esattamente il suo problema?» domandò Bublanski.

«Come si diceva, non abbiamo nessuna diagnosi vera e propria. Direi che la sua è una schizofrenia in bilico sull'orlo di una psicosi. Manca di empatia e può essere descritta come un soggetto sociopatico. Devo dire che è sorprendente che se la sia cavata così bene da quando è diventata maggiorenne. Si è mossa nella società, ancorché sotto tutela, per otto anni senza commettere nessuna azione che abbia portato a una denuncia o a un fermo. Ma la sua prognosi...»

«La sua prognosi?»

«Durante questo periodo non ha ricevuto nessuna cura. La mia ipotesi è che la malattia, che forse avremmo potuto trattare dieci anni fa, ora sia diventata una parte stabile della sua personalità. Una volta catturata non sarà condannata alla reclusione. È una persona che ha bisogno di cure.»

«Come diamine ha fatto il tribunale a stabilire che poteva andarsene a spasso in libertà?» borbottò Faste.

«Probabilmente è stata una combinazione tra un avvocato dalla parlantina sciolta, la liberalizzazione e la riduzione dell'assistenza pubblica. In ogni caso è stata una decisione alla quale mi sono opposto quando sono stato consultato dai medici incaricati della perizia. Però non avevo voce in capitolo.»

«Ma una prognosi del genere non può essere che una supposizione» intervenne Sonja. «Voglio dire... in realtà lei non sa cosa sia stato della paziente dopo che ha compiuto diciotto anni.»

«È più di una semplice supposizione. È la mia esperienza.»

«È un soggetto autodistruttivo?» chiese Sonja.

«Intende se potrebbe tentare il suicidio? No, ne dubito. È piuttosto una psicopatica egomaniaca. È lei quella che importa. Tutti gli altri intorno non contano.»

«Ha detto che può reagire con brutalità» disse Faste. «In altre parole può essere considerata pericolosa?»

Peter Teleborian lo fissò. Poi chinò il capo e si massaggiò la fronte prima di rispondere.

«Non potete immaginare quanto sia difficile dire esattamente come reagirà una persona. Non vorrei che a Lisbeth Salander succedesse qualcosa di male quando la prenderete... ma sì, nel suo caso cercherei di fare in modo che la cattura venisse portata a termine con la massima prudenza possibile. Se è armata, c'è il rischio che finisca per usare l'arma.»

18.
Martedì 29 marzo - mercoledì 30 marzo

Le tre indagini parallele procedevano ognuna lungo i propri binari. Quella dell'agente Bubbla si avvaleva di tutti i vantaggi dell'autorità statale. E la soluzione pareva lì a portata di mano, avevano un sospettato e un'arma del delitto collegata al sospettato. Avevano un collegamento incontestabile con la prima vittima e un collegamento possibile, tramite Mikael Blomkvist, con le altre due. Per Bublanski si trattava ora solo di trovare Lisbeth Salander e di metterla agli arresti in una delle celle di Kronoberg.

L'indagine di Dragan Armanskij dipendeva formalmente da quella ufficiale della polizia, ma lui aveva anche un'agenda tutta sua. Il suo intento personale era di tutelare in qualche modo gli interessi di Lisbeth, quindi cercava di scoprire la verità, e preferibilmente una verità che le fornisse qualche circostanza attenuante.

L'indagine di *Millennium* era quella più problematica. Il giornale non aveva le risorse della polizia né quelle di Armanskij. A differenza della polizia, Mikael Blomkvist non era però particolarmente interessato a stabilire un movente plausibile al fatto che Lisbeth Salander fosse andata a Enskede per ammazzare due suoi amici. In un qualche momento durante i giorni di Pasqua aveva deciso che semplicemente non credeva a quella storia. Se Lisbeth era in qualche modo coinvolta negli omicidi, dovevano esserci motivi completamente diversi da quelli che l'inchiesta ufficiale lasciava intendere – poteva essere stato qualcun altro ad avere impugnato l'arma oppure poteva essere successo qualcosa al di fuori del controllo di Lisbeth.

Niklas Eriksson rimase in silenzio durante tutto il tragitto in taxi da Slussen a Kungsholmen. Si sentiva sottosopra. Era stato finalmente e inaspettatamente coinvolto in un'autentica inchiesta di polizia. Sbirciò con la coda dell'occhio Sonny Bohman che stava di nuovo rileggendo il materiale messo insieme da Armanskij. Poi tutto d'un tratto sorrise fra sé.

Il nuovo incarico gli aveva dato una possibilità del tutto inattesa di realizzare un'ambizione che né Armanskij né Bohman conoscevano o sospettavano. Di colpo era stato catapultato in una posizione dalla quale avrebbe potuto incastrare Lisbeth Salander. Sperava di poter contribuire efficacemente alla sua cattura. E sperava che venisse condannata all'ergastolo.

Che Lisbeth non fosse popolare alla Milton Security era noto. La maggior parte dei collaboratori che avevano avuto a che fare con lei la considerava un vero tormento. Ma né Bohman né Armanskij avevano la più pallida idea di quanto Niklas Eriksson la detestasse.

La vita era stata ingiusta con Niklas. Era di bell'aspetto. Un uomo nel fiore degli anni. In più aveva un'intelligenza di prim'ordine. Eppure era stato escluso per sempre da qualsiasi possibilità di diventare ciò che aveva sempre desiderato, ossia un poliziotto. Il suo problema era un forellino microscopico nel cuore che causava un soffio e l'indebolimento della parete di un ventricolo. Aveva subito un'operazione che aveva posto rimedio alla cosa, ma a causa della sua cardiopatia era stato una volta per tutte bollato come essere umano di serie B.

Quando gli era stata offerta la possibilità di lavorare alla Milton Security aveva accettato. Tuttavia l'aveva fatto senza il minimo entusiasmo. Considerava la Milton un parcheggio per ex poliziotti che erano diventati troppo vecchi o che non erano più all'altezza. Lui era uno di quelli scartati, nel suo caso senza colpa.

Quando aveva cominciato a lavorare in azienda, uno dei suoi primi incarichi era stato di appoggiare l'unità operativa con un'analisi della validità della protezione personale di una nota cantante internazionale un po' in là con gli anni che era stata oggetto di minacce da parte di un ammiratore un po' troppo entusiasta e, come se non bastasse, paziente in fuga da un istituto psichiatrico. Quell'incarico aveva costituito il suo inserimento alla Milton Security. La cantante viveva sola in una villa a Södertörn. La Milton ci aveva installato strumenti di allarme e per un certo periodo l'aveva fatta sorvegliare da una guardia del corpo. Una sera sul tardi l'ammiratore entusiasta aveva cercato di introdursi nella villa. La guardia del corpo aveva reso rapidamente inoffensivo l'uomo, che in seguito era stato condannato per violazione di domicilio e minacce ed era stato ricondotto nell'istituto psichiatrico.

Per due settimane, Eriksson aveva più volte visitato la villa di Södertörn insieme ad altri dipendenti della Milton Security. La cantante gli era sembrata una vecchia snob altezzosa: l'aveva solo guardato stupefatta quando lui aveva messo in campo tutto il suo fascino. Avrebbe invece dovuto rallegrarsi che qualcuno si ricordasse ancora di lei.

Eriksson disprezzava la maniera in cui il personale della Milton la corteggiava. Ma naturalmente non ne aveva fatto parola.

Un pomeriggio, poco prima che l'ammiratore venisse preso, la cantante e due dipendenti della Milton si trovavano intorno a una piccola piscina sul retro mentre lui era all'interno della casa a scattare foto a porte e finestre da rinforzare. Era passato di stanza in stanza e una volta arrivato nella camera da letto d'improvviso non aveva saputo resistere alla tentazione di aprire un cassetto. Aveva trovato una decina di album di fotografie del periodo d'oro degli anni settanta e ottanta, quando con il suo gruppo la cantante aveva girato tutto il mondo in tournée. Aveva trovato anche una scatola che conteneva immagini strettamente private. Le foto erano quasi innocenti, ma con un po' di fantasia avrebbero potuto essere considerate "studi erotici". *Dio, che stupida capra che era.* Aveva sottratto cinque delle immagini più osé, probabilmente scattate da qualche amante, e le aveva incamerate per motivi privati.

Poi aveva fatto delle copie delle immagini e aveva rimesso a posto gli originali. Aveva aspettato diversi mesi prima di venderle a un tabloid inglese. Ne aveva ricavato novemila sterline. Le foto avevano dato origine a titoli sensazionali.

Ancora non sapeva come si fosse mossa Lisbeth Salander. Poco tempo dopo che le immagini erano state pubblicate, aveva ricevuto una sua visita. Lei sapeva che era stato lui a vendere le foto. Aveva minacciato di smascherarlo di fronte a Dragan Armanskij se si fosse azzardato ancora a fare una cosa del genere, e di denunciarlo se fosse riuscita a provare le proprie affermazioni – cosa che non era in grado di fare. Da quel giorno si era sentito sorvegliato da lei. Ogni volta che si girava, si trovava addosso i suoi occhietti porcini.

Si sentiva oppresso e frustrato. L'unico modo di rendere pan per focaccia era minare la credibilità di Lisbeth contribuendo alle malignità che circolavano su di lei alla mensa aziendale. Ma nemmeno lì aveva avuto grande successo. Non osava esporsi troppo perché la ragazza per qualche oscuro motivo era sotto la protezione di Armanskij. Si chiedeva quale genere di strumento avesse in mano per tenerlo nella sua stretta, o forse molto semplicemente il gran capo se la scopava di nascosto. Anche se nessuno alla Milton amava particolarmente Lisbeth Salander, il personale rispettava Armanskij e accettava la bizzarra presenza della ragazza. Per lui era stato un sollievo colossale quando lei si era allontanata e alla fine aveva smesso del tutto di lavorare per la Milton.

Adesso gli si presentava l'occasione per pareggiare i conti. E finalmente senza rischi. Lisbeth Salander avrebbe potuto indirizzargli contro qualsiasi accusa – nessuno le avrebbe dato credito. Nemmeno Armanskij avrebbe creduto a una pazza assassina.

L'ispettore Bublanski vide uscire Hans Faste dall'ascensore in compagnia di Bohman ed Eriksson della Milton Security. Era stato Faste a ricevere l'incarico di andare a prendere i due nuovi collaboratori alla barriera di sicurezza. Bublanski non era incondizionatamente entusiasta al pensiero che degli estranei avessero accesso a un'inchiesta per omicidio, ma la decisione era stata presa in alto loco e... be', Bohman in ogni caso era un autentico poliziotto con un bel po' di strada alle spalle ed Eriksson aveva frequentato l'accademia di polizia per cui non poteva essere un perfetto idiota. Bublanski indicò con un gesto la sala conferenze.

La caccia a Lisbeth Salander era giunta al suo sesto giorno ed era tempo di fare una valutazione di ampio respiro. Il procuratore Ekström non partecipava all'incontro. Il gruppo era composto dagli ispettori Sonja Modig, Hans Faste, Curt Svensson e Jerker Holmberg, affiancati da quattro colleghi della polizia giudiziaria di stato. Bublanski cominciò col presentare i nuovi collaboratori della Milton Security e domandò se qualcuno di loro desiderasse dire qualcosa. Bohman si schiarì la voce.

«Ne è passato di tempo da quando stavo qui dentro, ma

qualcuno di voi mi conosce e sa che ho fatto il poliziotto per molti anni prima di passare al settore privato. La ragione per cui ci troviamo qui è che Lisbeth Salander per alcuni anni ha lavorato per noi e ci sentiamo quindi investiti di una certa responsabilità. Il nostro compito è cercare in ogni modo di contribuire alla sua cattura nel più breve tempo possibile. Noi possiamo mettere a vostra disposizione una certa conoscenza personale del soggetto. Non siamo dunque qui per complicare le indagini o per farvi lo sgambetto.»

«Com'era come collega?» domandò Faste.

«Non era esattamente il tipo di persona a cui ci si affeziona» rispose Niklas Eriksson. Tacque quando Bublanski alzò una mano.

«Avremo modo di entrare nei dettagli nel corso della riunione. Ma affrontiamo le cose con ordine e cerchiamo prima di stabilire a che punto siamo. Dopo la riunione voi due andrete dal procuratore Ekström e sottoscriverete un impegno al segreto professionale. Ma cominciamo con Sonja.»

«È frustrante. Abbiamo fatto un grosso passo avanti solo qualche ora dopo l'omicidio riuscendo a identificare Lisbeth Salander. Abbiamo trovato la sua abitazione, o almeno quella che credevamo fosse la sua abitazione. Dopo di che, più niente. Ci sono state una trentina di segnalazioni, ma si sono rivelate tutte fasulle. Sembra si sia volatilizzata.»

«È incomprensibile» disse Curt Svensson. «Quella ragazza ha un aspetto piuttosto particolare, ha anche dei tatuaggi, non dovrebbe essere così difficile da rintracciare.»

«Ieri la polizia di Uppsala è partita all'attacco con le armi in pugno dopo una segnalazione. Hanno circondato e spaventato a morte un ragazzino di quattordici anni che somigliava moltissimo a Lisbeth. I genitori sono indignati.»

«Suppongo che il fatto di dare la caccia a qualcuno che somiglia a un quattordicenne giochi a nostro sfavore. Lisbeth può confondersi facilmente in mezzo a gruppi di giovani.»

«Ma con tutta l'attenzione che le hanno dedicato i mezzi d'informazione qualcuno dovrebbe pur avere visto qualcosa» obiettò Svensson. «Questa settimana parleranno di lei a *Chi l'ha visto?*, staremo a vedere se porterà a qualcosa di nuovo.»

«Mi è difficile crederlo, considerato il fatto che è stata per giorni sulle prime pagine di ogni singolo giornale del paese» disse Hans Faste.

«Il che significa che forse dobbiamo riconsiderare la cosa» disse Bublanski. «Può essere riuscita a rifugiarsi all'estero, ma è più probabile che se ne stia nascosta da qualche parte.»

Bohman alzò la mano. Bublanski gli fece un cenno di assenso.

«Non ha un comportamento autodistruttivo. È una stratega, pianifica le sue mosse. Non fa nulla senza analizzare le conseguenze. Questo almeno è il parere di Dragan Armanskij.»

«È anche il giudizio che ha dato il suo psichiatra di un tempo. Ma aspettiamo ancora un po' per tracciarne il profilo» disse Bublanski. «Prima o poi dovrà pur muoversi. Jerker, di quali risorse dispone?»

«Adesso avrete qualcos'altro da mettere sotto i denti» disse Jerker Holmberg. «La ragazza ha da diversi anni un conto presso l'Handelsbanken. Sono i soldi per i quali fa la dichiarazione dei redditi. O più precisamente per i quali l'avvocato Bjurman faceva la dichiarazione dei redditi. Nell'autunno del 2003 Lisbeth Salander ha prelevato centomila corone.»

«Nell'autunno del 2003 aveva bisogno di contanti. È stato allora che, a detta di Armanskij, ha smesso di lavorare alla Milton Security» disse Bohman.

«Può essere. Il conto è rimasto azzerato per circa due settimane. Ma dopo ci ha versato di nuovo la stessa identica somma.»

«Credeva di avere bisogno del denaro per qualcosa, invece non lo ha utilizzato e quindi lo ha riportato in banca?»

«È possibile. Nel dicembre del 2003 ha effettuato diversi pagamenti. Il conto è sceso a settantamila corone. Dopo di che non è più stato toccato, a parte un bonifico di circa novemila corone. Ho controllato, si trattava di denaro lasciato in eredità dalla madre.»

«Okay.»

«Lo ha ricevuto nell'autunno scorso. 9.312 corone, che ha prelevato nel febbraio di quest'anno.»

«Perciò di cosa vive?»

«State a sentire. Nel gennaio di quest'anno ha aperto un altro conto. Stavolta presso la Seb. Ci ha versato due milioni di corone.»

«Cosa?»

«Da dove venivano?» domandò Sonja.

«I soldi sono stati trasferiti sul suo conto da una banca delle isole della Manica.»

Nella sala conferenze scese il silenzio.

«Io non ci capisco nulla» disse Sonja dopo un momento.

«Sono soldi che non dichiara?» chiese Bublanski.

«Non è tenuta a farlo prima dell'anno prossimo. La cosa strana è che la somma non è riportata nel rendiconto economico che, come si sa, l'avvocato Bjurman compilava mensilmente.»

«Dunque, o lui non ne sapeva nulla oppure tramavano qualcosa insieme. Jerker, a che punto siamo con la parte tecnica?»

«Ho avuto ieri sera un incontro con il responsabile delle indagini preliminari. Questo è ciò che sappiamo. Uno: possiamo collegare Lisbeth Salander a entrambe le scene del crimine. Abbiamo trovato le sue impronte digitali sull'arma del delitto e sui frammenti di una tazzina da caffè rotta a Enskede. Aspettiamo una risposta per i campioni di dna che abbiamo preso... ma direi che non vi è alcun dubbio che lei sia stata nell'appartamento.»

«Okay.»

«Due: abbiamo le sue impronte digitali sulla scatola dell'arma nell'appartamento dell'avvocato Bjurman.»

«Okay.»

«Tre: abbiamo finalmente un testimone che la colloca sul luogo del delitto a Enskede. Un tabaccaio si è fatto vivo raccontando che Lisbeth Salander era stata nel suo negozio a comperare un pacchetto di Marlboro Light la sera degli omicidi.»

«E questa cosa la viene a dire così tanti giorni dopo che abbiamo chiesto a tutti di collaborare con ogni informazione possibile?»

«Era stato via per Pasqua come tanti altri. In ogni caso» Holmberg indicò la carta «la tabaccheria si trova qui all'angolo, a circa centonovanta metri dal luogo del delitto. La ragazza è entrata proprio mentre lui stava chiudendo, alle dieci. Il tabaccaio ha fornito una descrizione perfetta.»

«Il tatuaggio sul collo?» domandò Curt Svensson.

«Su quello è stato un po' esitante. Crede di avere visto un tatuaggio. Però ha visto senza ombra di dubbio che aveva un piercing al sopracciglio.»

«Cos'altro?»

«Non molto in termini di prove puramente tecniche. Ma bastano e avanzano.»

«Faste, l'appartamento di Lundagatan?»

«Abbiamo le sue impronte digitali ma non credo che lei ci abiti. Abbiamo voltato e rivoltato tutto quanto e ogni cosa sembra appartenere a Miriam Wu. È stata registrata nel contratto solo nel febbraio di quest'anno.»

«Cosa sappiamo di lei?»

«È incensurata. Lesbica dichiarata. È solita esibirsi a show e cose del genere ai gay pride. A suo dire studia sociologia ed è socia di una boutique porno in Tegnérgatan. La Domino Fashion.»

«Boutique porno?» domandò Sonja con le sopracciglia inarcate.

In un'occasione, con grande entusiasmo del marito, aveva acquistato un completino alla Domino Fashion. Cosa che per nessuna ragione avrebbe rivelato ai signori lì presenti.

«Sì, vendono manette e abbigliamento da puttane e roba del genere. Ti serve una frusta?»

«Allora non è una boutique porno ma un negozio di moda per gente che ama la biancheria intima sexy» disse lei.

«Fa lo stesso.»

«Continua» disse Bublanski irritato. «Non abbiamo tracce di questa Miriam Wu?»

«Niente di niente.»

«Può essere andata via anche lei per le feste» suggerì Sonja.

«Oppure Lisbeth ha fatto secca anche lei» le fece eco Faste. «Magari vuole fare piazza pulita fra i suoi conoscenti.»

«Miriam Wu è lesbica. Dobbiamo trarre la conclusione che fa coppia con Lisbeth?»

«Io credo che possiamo trarre con una certa sicurezza la conclusione che tra le due c'è una relazione sessuale» disse Curt Svensson. «Baso la mia affermazione su diversi elementi. Abbiamo trovato le impronte digitali di Lisbeth Salander sul letto e tutto intorno. Abbiamo trovato le sue impronte anche su un paio di manette che devono essere state usate per qualche gioco erotico.»

«Allora forse le piaceranno le manette che ho in serbo per lei» disse Hans Faste.

Sonja Modig gemette.

«Continua» disse Bublanski.

«Sappiamo che Miriam Wu è stata vista pomiciare al Kvarnen con una ragazza che sembrava Lisbeth. È successo circa due settimane fa. L'informatore ha affermato di sapere di chi si trattava e di averla già incontrata in precedenza al Kvarnen, anche se non nell'ultimo anno. Non ho ancora avuto il tempo di interrogare il personale. Lo farò nel pomeriggio.»

«Nella sua cartella clinica non si dice nulla del fatto che possa essere lesbica. Da adolescente scappava spesso dalle famiglie affidatarie per andare a rimorchiare uomini fuori dai locali. È stata fermata diverse volte in compagnia di uomini molto più vecchi.»

«Il che non significa niente se lo faceva per denaro» disse Hans Faste.

«Cosa sappiamo della sua cerchia di conoscenze? Curt?»

«Quasi nulla. Non è più stata arrestata dalla polizia da quando aveva diciotto anni. Conosce Dragan Armanskij e Mikael Blomkvist, questo lo sappiamo. Ovviamente conosce anche Miriam Wu. Lo stesso informatore che ha visto lei e Miriam Wu al Kvarnen dice che un tempo era solita accompagnarsi a un gruppo di ragazze nello stesso locale. È un qualche gruppo femminile che si fa chiamare Evil Fingers.»

«Evil Fingers? E cosa sarebbe?» domandò Bublanski.

«Sembra essere qualcosa di occulto. Avevano l'abitudine di uscire insieme per fare casino.»

«Non dirmi che Lisbeth è anche una dannata satanista» disse Bublanski. «I media impazzirebbero.»

«Un gruppo di sataniste lesbiche» suggerì servizievole Faste.

«Hasse, tu hai una visione delle donne davvero medievale» disse Sonja. «Perfino io ho sentito parlare delle Evil Fingers.»

«Veramente?» disse Bublanski sorpreso.

«Era un gruppo rock femminile degli anni novanta. Non erano superstar, ma per un certo periodo hanno goduto di una certa notorietà.»

«Quindi sataniste lesbiche dedite all'hard rock» disse Hans Faste.

«Okay, basta chiacchiere» disse Bublanski. «Hasse, tu e Curt scoprite chi faceva parte delle Evil Fingers e parlateci. Lisbeth Salander conosce qualcun altro?»

«Non molti a parte il suo ex tutore, Holger Palmgren. Ma lui è in una clinica per lungodegenti dopo un ictus ed è parecchio malandato. Non posso dire di avere trovato una cerchia di conoscenze vera e propria. È pur vero che non abbiamo ancora individuato dove abiti Lisbeth Salander e non abbiamo in mano la sua agenda o altro, ma non sembra che abbia conoscenti molto intimi.»

«Nessun essere umano può andarsene in giro come un fantasma senza lasciare tracce. Cosa mi dite di Mikael Blomkvist?»

«Non l'abbiamo messo direttamente sotto sorveglianza, ma ci siamo tenuti in contatto con lui durante il fine settimana» disse Faste. «Nel caso in cui Lisbeth si fosse fatta viva. È tornato a casa dopo essere stato al lavoro, e non è più uscito dal suo appartamento.»

«Mi è difficile credere che abbia qualcosa a che fare con gli omicidi» disse Sonja. «La sua storia regge, ed è in grado di rendere conto di tutto ciò che ha fatto nel corso della serata.»

«Però conosce la ragazza. È il collegamento fra lei e la coppia di Enskede. Inoltre abbiamo la sua testimonianza secondo la quale due uomini l'hanno aggredita qualche giorno prima degli omicidi. Cosa ne dovremmo dedurre?» disse Bublanski.

«A parte Blomkvist, non c'è un solo testimone di quell'aggressione... sempre che sia successa davvero» disse Faste.

«Credi che Blomkvist si inventi le cose oppure che menta?»

«Non so. Ma l'intera storia suona un po' come una balla. Un uomo grande e grosso non sarebbe capace di avere la meglio su una tipa mingherlina che pesa sì e no quaranta chili?»

«Perché mai Blomkvist dovrebbe mentire?»

«Forse per distogliere l'attenzione da Lisbeth.»

«Ma niente di tutto questo quadra veramente. Blomkvist ha lanciato la teoria che la coppia di Enskede sia stata uccisa a causa del libro che Dag Svensson stava scrivendo.»

«Chiacchiere» disse Faste. «È stata lei. Perché qualcuno dovrebbe ammazzare il suo tutore per far tacere Dag Svensson? E chi dovrebbe farlo? Un poliziotto?»

«Se Blomkvist se ne esce pubblicamente con la sua teoria viene fuori un bel casino, con piste che conducono alla polizia a destra e sinistra» disse Curt Svensson.

Tutti annuirono.

«Okay» disse Sonja Modig. «Perché Lisbeth avrebbe ammazzato Bjurman?»

«E cosa significa il tatuaggio?» domandò Bublanski indicando la fotografia dell'addome di Bjurman. IO SONO UN SADICO PORCO, UN VERME E UNO STUPRATORE.

Un breve silenzio calò sul gruppo.

«Cosa dicono i medici?» volle sapere Bohman.

«Il tatuaggio è vecchio minimo di un anno, massimo di tre» disse Sonja.

«Penso si possa dare per scontato che non si tratta di un tatuaggio che Bjurman si è fatto fare volontariamente.»

«È vero che di svitati ce n'è in giro parecchi, ma questo non è un motivo standard fra i cultori del tatuaggio.»

Sonja sventolò l'indice.

«Il patologo dice che è orrendo, cosa che avevo capito perfino io. È stato eseguito da un autentico dilettante. Gli aghi sono penetrati a profondità diverse ed è molto esteso per una parte così sensibile del corpo, dev'essere stato molto doloroso. Sono quasi lesioni aggravate.»

«A prescindere dal fatto che Bjurman non ha mai sporto nessuna denuncia alla polizia» disse Faste.

«Probabilmente nemmeno io denuncerei la cosa alla polizia, se qualcuno mi tatuasse un messaggio del genere sulla pancia» disse Curt Svensson.

«Ho un'altra cosa ancora» disse Sonja. «Che forse potrebbe confermare il messaggio del tatuaggio, che Bjurman era un sadico porco.»

Aprì una cartelletta con delle immagini e la fece girare.

«Ne ho stampato solo un campione, da una cartella nell'hard disk di Bjurman. Sono immagini scaricate da Internet. Il computer contiene circa duemila immagini di carattere analogo.»

Faste fischiò e sollevò la foto di una donna legata in una posizione brutalmente scomoda.

«Forse è qualcosa per la Domino Fashion o le Evil Fingers» commentò.

Bublanski sventolò la mano irritato facendo intendere a Faste di chiudere il becco.

«Come le dobbiamo interpretare?» s'interrogò Bohman.

«Il tatuaggio è vecchio di circa due anni» disse Bublanski. «Fu in quel periodo che Bjurman tutto d'un tratto si ammalò. Né il patologo né la sua cartella clinica accennano in alcun modo a qualche malattia, a parte l'ipertensione. Possiamo dunque presumere che esista un collegamento.»

«Nel corso di quello stesso anno Lisbeth Salander subì

un cambiamento» disse Bohman. «Smise improvvisamente di lavorare per la Milton e sparì all'estero.»

«Possiamo supporre che ci sia un collegamento anche in questo? Se il messaggio del tatuaggio è corretto, Bjurman aveva stuprato qualcuno. Lisbeth è innegabilmente un'ottima candidata. E così ci sarebbe un buon movente per un omicidio.»

«Ci sono naturalmente altri modi di interpretare questa cosa» disse Faste. «Io riesco a immaginarmi anche uno scenario in cui Lisbeth e la cinesina gestiscono un qualche genere di servizio di accompagnatrici. Bjurman poteva essere uno di quei pazzoidi a cui piace prenderle dalle bambine. Poteva avere un qualche rapporto di dipendenza dalla sua protetta, e le cose sono degenerate.»

«Ma questo non spiega perché lei poi sia andata a Enskede.»

«Se Dag Svensson e Mia Bergman erano in procinto di pubblicare il loro lavoro sul mercato del sesso, possono essere inciampati in Lisbeth e Miriam. E Lisbeth può avere avuto motivo di ucciderli.»

«Questa è ancora soltanto una congettura» disse Sonja.

Continuarono per un'altra ora, discutendo anche della sparizione del portatile di Dag Svensson. Quando interruppero per la pausa pranzo erano tutti frustrati. L'inchiesta era disseminata più che mai di punti interrogativi.

Erika Berger telefonò a Magnus Borgsjö, presidente del consiglio d'amministrazione dello *Svenska Morgon-Posten*, non appena arrivò in redazione il martedì mattina.

«Sono interessata» disse.

«Lo immaginavo.»

«Avevo pensato di comunicarvelo subito dopo le feste di Pasqua. Ma come può immaginare qui in redazione è scoppiato il caos.»

«L'assassinio di Dag Svensson. Mi dispiace. Una storia terribile.»

«Allora può capire che proprio non è il momento di comunicare agli altri che ho intenzione di abbandonare la nave.»

Lui rimase un attimo in silenzio.

«Abbiamo un problema» disse poi.

«Quale?»

«Quando ci siamo parlati la volta scorsa le avevo detto che il passaggio di timone era previsto per il primo di agosto. Ora però succede che il caporedattore Håkan Morander, che lei dovrebbe sostituire, è in condizioni di salute molto precarie. Ha problemi cardiaci e deve rallentare il ritmo. Un paio di giorni fa ha parlato con il suo medico curante e durante le feste ho saputo che ha intenzione di ritirarsi il primo di luglio. L'idea era che sarebbe rimasto fino all'autunno, così avreste lavorato in parallelo nei mesi di agosto e settembre. Ma per come si sono messe le cose siamo in piena crisi già ora. Erika, avremo bisogno di lei a partire forse già dal primo di maggio, al più tardi dal quindici.»

«Mio Dio. Si tratta di poche settimane.»

«È ancora interessata?»

«Sì... ma significa che ho solo un mese davanti per sistemare le cose a *Millennium*.»

«Lo so. Mi dispiace, Erika, ma sono costretto a fare pressione. Però un mese dovrebbe essere sufficiente per sistemare gli affari di un giornale che ha solo una mezza dozzina di dipendenti.»

«Ma dovrei andarmene nel bel mezzo del caos.»

«Dovrebbe andarsene in ogni caso. Tutto ciò che facciamo è anticipare i tempi di qualche settimana.»

«Ho una condizione.»

«Sentiamo.»

«Continuerò a far parte del consiglio d'amministrazione di *Millennium*.»

«Forse non sarebbe del tutto opportuno. *Millennium* è certamente un giornale molto più piccolo e per di più è un mensile, ma sotto il profilo puramente tecnico siamo pur sempre concorrenti.»

«Non c'è scelta. Io non avrò più niente a che fare con il lavoro redazionale di *Millennium*, ma non venderò la mia quota. Perciò rimarrò nel consiglio d'amministrazione.»

«Okay, risolveremo anche questo.»

Si accordarono per un incontro con il consiglio direttivo la prima settimana di aprile per discutere i dettagli e preparare il contratto.

Mikael Blomkvist ebbe una sensazione di déjà-vu quando si mise a studiare la lista dei sospetti che lui e Malin avevano messo insieme durante il week-end. L'elenco comprendeva trentasette persone con le quali Dag Svensson era andato giù pesante nel suo libro. Di queste, ventuno erano clienti di prostitute, che lui aveva identificato.

Mikael si ricordò d'improvviso come, mettendosi sulle tracce di un assassino a Hedestad due anni prima, avesse trovato una galleria di sospettati che comprendeva quasi cinquanta persone. Fare congetture su chi potesse essere il colpevole era stata un'impresa disperata.

Alle dieci di martedì mattina fece cenno a Malin di raggiungerlo nel suo ufficio. Chiuse la porta e la invitò ad accomodarsi.

Restarono seduti in silenzio un momento, bevendo un caffè. Alla fine lui le allungò la lista con i trentasette nomi che avevano messo insieme durante il week-end.

«Cosa dobbiamo fare?»

«Anzitutto esaminiamo questo elenco con Erika fra dieci minuti. Poi cerchiamo di spuntare i nomi a uno a uno. È possibile che qualcuno di loro abbia a che fare con gli omicidi.»

«E come facciamo a spuntarli?»

«Vorrei concentrarmi sui ventuno clienti di prostitute che vengono citati nel libro. Loro hanno più da perdere rispetto agli altri. Vorrei seguire le tracce di Dag e andare a trovarli a uno a uno.»

«Okay.»

«Ho due lavori per te. In primo luogo, ci sono sette nomi che non sono stati identificati, due di clienti e cinque di protettori. Il tuo lavoro nei prossimi giorni sarà di cercare di individuarli. Magari nella tesi di Mia ci sono dei riferimenti che possono aiutarci a scoprire chi sono.»

«Okay.»

«In secondo luogo sappiamo molto poco di Nils Bjurman, il tutore di Lisbeth. I giornali hanno pubblicato un breve profilo, ma ci scommetterei che almeno per metà non corrisponde al vero.»

«Perciò dovrei scavare nel suo passato.»

«Esatto. Tutto quello che riesci a trovare.»

Harriet Vanger telefonò a Mikael Blomkvist verso le cinque del pomeriggio.

«Puoi parlare?»

«Non ho molto tempo.»

«Questa ragazza ricercata... è la stessa che ti ha aiutato a rintracciarmi, vero?»

Harriet Vanger e Lisbeth Salander non si erano mai incontrate.

«Sì» rispose Mikael. «Scusa se non ho avuto il tempo di chiamarti per aggiornarti. Ma è lei.»

«Cosa significa?»

«Per quanto ti riguarda... nulla, voglio sperare.»

«Ma lei sa tutto di me e di ciò che è successo due anni fa.»

«Sì, lei sa tutto ciò che è successo.»

Harriet Vanger tacque.

«Harriet... io non credo che sia stata lei. Devo assolutamente partire dal presupposto che sia innocente. Io mi fido di Lisbeth Salander.»

«Se si deve credere a quello che scrivono i giornali, be'...»

«Non è proprio il caso di credere a quello che scrivono i giornali. Molto semplicemente. Lei ha dato la sua parola che non ti tradirà. E credo che la manterrà fino all'ultimo dei suoi giorni. Mi è sempre sembrata una persona molto salda nei suoi principi.»

«E se non lo facesse?»

«Non so, Harriet. Io farò tutto il possibile per scoprire cosa sia realmente accaduto.»

«Okay.»

«Non ti preoccupare.»

«Io non mi preoccupo. Ma voglio essere pronta al peggio. Tu come stai, Mikael?»

«Non granché bene. Siamo in pista dal giorno degli omicidi.»

Harriet Vanger restò un attimo in silenzio.

«Mikael... in questo momento mi trovo a Stoccolma. Ho un volo per l'Australia domani mattina e starò via un mese intero.»

«Aha.»

«Sono sempre nello stesso hotel.»

«Non so. Mi sento veramente a pezzi. Devo lavorare stanotte e non sarei una compagnia divertente.»

«Non c'è bisogno che tu sia divertente. Passa da me e stacca un momento.»

Mikael tornò a casa all'una di notte. Era stanco e valutò l'idea di mandare tutto a quel paese e andarsene a letto. Ma avviò comunque il suo iBook e controllò la posta. Non era arrivato niente di interessante.

Poi aprì *Lisbeth Salander* e scoprì un documento nuovo.

Si chiamava *A MikBlom* ed era accanto a quello che si chiamava *A Sally*.

Fu quasi uno shock vederlo. *Lei è qui. Lisbeth Salander è entrata nel mio computer. Magari proprio adesso è perfino collegata.* Cliccò due volte.

Non era sicuro di cosa si fosse aspettato. Una lettera. Una risposta. Un'assicurazione di innocenza. Una spiegazione. La replica di Lisbeth Salander a Mikael Blomkvist era di una brevità frustrante. L'intero messaggio consisteva di una sola parola. Quattro lettere.

Zala.

Mikael fissò il nome.

Dag Svensson aveva parlato di Zala nell'ultima telefonata, poche ore prima di essere assassinato.

Cosa avrà voluto dire? Zala dovrebbe essere il collegamento fra Bjurman e Dag e Mia? Come? Perché? Chi è poi? E come fa Lisbeth a sapere di lui? In che modo è coinvolta?

Aprì le informazioni sul file e constatò che il testo era stato creato meno di un quarto d'ora prima. D'improvviso sorrise. L'autore era *Mikael Blomkvist*, Lisbeth lo aveva creato nel suo stesso computer con il suo stesso programma. Era meglio della posta elettronica, non lasciava tracce, anche se Mikael era abbastanza sicuro che Lisbeth in ogni caso non sarebbe stata rintracciabile via rete. E il tutto significava oltre ogni dubbio che Lisbeth aveva fatto un *hostile takeover* – l'espressione che lei stessa utilizzava – del suo computer.

Si piazzò davanti alla finestra e guardò fuori verso il municipio. Non riusciva a liberarsi dalla sensazione che in quel preciso istante lei lo stesse osservando, quasi come se si trovasse nella stanza e lo guardasse attraverso lo schermo del suo iBook. In realtà avrebbe potuto trovarsi anche dall'altra parte della terra, ma lui sospettava che fosse decisamente più vicina. Da qualche parte a Södermalm. Nel raggio di pochi chilometri da dove si trovava lui.

Meditò un po', poi si sedette e creò un nuovo documento, che battezzò *Sally-2* e mise sul desktop. Scrisse un messaggio sintetico.

Lisbeth,
maledizione a te.
Chi cavolo è Zala? È lui il collegamento? Sai chi ha ucciso Dag e Mia? Se sì, dimmelo per favore, così possiamo risolvere questa storia e andarcene a dormire.
Mikael

Lei era dentro il computer di Mikael. La risposta arrivò nel giro di un minuto. Un nuovo documento comparve sul suo desktop, questa volta col nome *Kalle Blomkvist*.

Il giornalista sei tu. Scoprilo.

Le sopracciglia di Mikael scattarono in su. Gli aveva mostrato il dito e aveva anche usato il soprannome che sapeva che lui detestava. Senza peraltro fornirgli nessun filo conduttore. Creò *Sally-3* e lo mise sul desktop.

Lisbeth,
un giornalista scopre le cose facendo domande a gente che sa.
Io le faccio a te. Sai perché Dag e Mia sono stati uccisi e chi è stato? Se sì, dimmelo. Dammi una traccia.
Mikael

Aspettò scoraggiato una risposta per diverse ore. Alle quattro del mattino si arrese e andò a dormire.

19.
Mercoledì 30 marzo - venerdì 1 aprile

Il mercoledì non accadde nulla di significativo. Mikael dedicò la giornata a passare al setaccio nel materiale di Dag Svensson tutti i riferimenti al nome Zala. Proprio come Lisbeth, trovò la cartella *Zala* nel computer di Dag e lesse i tre documenti *Irina P*, *Sandström* e *Zala* e scoprì che Dag aveva avuto una fonte alla polizia, di nome Gulbrandsen. Riuscì a rintracciarlo a Södertälje, ma quando chiamò gli fu detto che Gulbrandsen si trovava in trasferta e sarebbe tornato solo il lunedì successivo.

Si rese conto che Dag aveva dedicato parecchio tempo a Irina P. Lesse il verbale dell'autopsia e constatò che la donna era stata uccisa in un modo lento e brutale. La polizia non aveva idea di chi potesse essere stato, ma siccome era una prostituta erano partiti dal presupposto che l'assassino fosse uno dei suoi clienti.

Mikael si chiese perché Dag avesse messo il documento su Irina P. nella cartella *Zala*. Lasciava intendere che collegasse Zala a Irina P., ma nel testo non c'era nessun riferimento del genere. In altre parole, Dag aveva fatto il collegamento solo nella sua testa.

Il documento *Zala* era talmente succinto da assomigliare piuttosto a una serie di occasionali annotazioni di lavoro. Mikael constatò che Zala (se davvero esisteva) sembrava un fantasma nel mondo del crimine. Non pareva veramente reale e il testo mancava di riferimenti alle fonti.

Chiuse il documento e si grattò la testa. Indagare sull'omicidio di Dag e Mia era un compito considerevolmente più complicato di quanto si fosse immaginato. E non poteva neppure evitare di essere continuamente colto dal dubbio. Il problema era che in realtà non aveva in mano nulla che indicasse decisamente che Lisbeth *non* aveva a che fare con gli omicidi. Tutto quello su cui poteva basarsi era la sua personale sensazione che fosse assurdo che lei si fosse recata a Enskede ad ammazzare due suoi amici.

Mikael sapeva che le risorse non le mancavano. Aveva sfruttato il suo talento come hacker per rubare una somma favolosa. Ma nemmeno Lisbeth sapeva che lui lo sapeva. A parte il fatto che era stato costretto (con la sua approvazione) a spiegare i suoi talenti informatici a Erika Berger, non aveva mai svelato i suoi segreti a nessuno.

Mikael non voleva credere che Lisbeth Salander fosse colpevole. Aveva nei suoi confronti un debito che non avrebbe mai potuto saldare. Non solo gli aveva salvato la vita, ma aveva anche salvato la sua carriera professionale e probabilmente la rivista *Millennium* consegnandogli la testa del finanziere Hans-Erik Wennerström su un piatto d'argento.

Cose di questo genere creano un obbligo. E lui voleva essere leale nei suoi confronti. Che fosse colpevole o no, era intenzionato a fare tutto quanto era in suo potere per aiutarla nel momento in cui, prima o poi, fosse stata catturata.

Ma riconosceva anche che di lei non sapeva un bel nulla. Le verbose perizie psichiatriche, il fatto che fosse stata curata presso uno degli istituti psichiatrici più rispettati del paese e fosse stata perfino dichiarata incapace erano tutti indizi del fatto che in lei c'era qualcosa che non andava. Il dottor Peter Teleborian, primario della clinica psichiatrica

St. Stefan di Uppsala, aveva avuto grande spazio sui media. Per via del segreto professionale non si era espresso su Lisbeth in particolare, discutendo invece del collasso dell'assistenza ai malati mentali. Teleborian non era soltanto un'autorità stimata in Svezia, era noto anche a livello internazionale come eminente esperto. Era stato molto convincente ed era riuscito a far comprendere il suo dispiacere per le vittime e le loro famiglie e al tempo stesso la sua preoccupazione per Lisbeth.

Mikael si chiese se non dovesse prendere contatto con lui per indurlo a dare una mano in qualche modo. Ma rinunciò. Pensò che Teleborian avrebbe potuto aiutare Lisbeth una volta che fosse stata catturata.

Alla fine andò nel cucinino, versò del caffè in una tazza con il logo della coalizione moderata e andò nella stanza di Erika.

«Ho una lunga lista di clienti di prostitute e protettori da intervistare» disse.

Lei annuì preoccupata.

«Ci vorranno probabilmente una o due settimane per spuntare tutto l'elenco. Sono sparpagliati da Strängnäs a Norrköping. Avrei bisogno di una macchina.»

Lei aprì la borsetta e tirò fuori le chiavi della sua Bmw.

«È okay?»

«Certo che è okay. Uso i mezzi pubblici tanto quanto l'auto per venire in ufficio. E all'occorrenza posso sempre prendere la macchina di Greger.»

«Grazie.»

«Però a una condizione.»

«Sì?»

«Alcuni di quei figuri sono dei veri e propri bruti. Se proprio devi andare ad accusare dei protettori per l'assassinio di Dag e Mia, voglio che tu tenga questa sempre a portata di mano nella tasca della giacca.»

Mise una bomboletta di gas lacrimogeno sulla scrivania. «Da dove viene?»

«L'ho comperata l'anno scorso negli Stati Uniti. Non è il caso che una donna giri da sola di notte senza neanche un'arma.»

«Scoppierebbe un bel casino se la usassi e finissi dentro per possesso illecito di arma.»

«Piuttosto quello che dover scrivere il tuo necrologio. Mikael... non so se tu l'abbia capito, ma a volte sono molto preoccupata per te.»

«Aha.»

«Tu corri dei rischi e non te ne accorgi neppure.»

Mikael sorrise e rimise la bomboletta sulla scrivania di Erika.

«Grazie della premura. Ma non ne ho bisogno.»

«Micke, io insisto.»

«Bene. Ma ho già preso le mie precauzioni.»

Infilò la mano nella tasca della giacca e tirò fuori la bomboletta di gas lacrimogeno che aveva trovato nella borsa di Lisbeth e che da allora portava sempre con sé.

Bublanski bussò sullo stipite della porta ed entrò nell'ufficio di Sonja Modig, sprofondando nella poltroncina dei visitatori di fronte alla sua scrivania.

«Il computer di Dag Svensson» disse.

«Ci ho pensato anch'io» rispose Sonja. «Come sai ho tracciato il quadro dell'ultimo giorno di vita di Dag Svensson e Mia Bergman. Ci sono ancora alcuni vuoti, comunque Svensson non è andato in redazione. Si è mosso in giro per la città e alle quattro del pomeriggio ha incontrato un vecchio compagno di studi. Si è trattato di un incontro casuale in un caffè di Drottninggatan. L'ex compagno di studi è sicuro che Svensson aveva un computer dentro lo zaino. L'ha visto e ha perfino fatto dei commenti tecnici.»

«E alla sera, dopo che gli avevano sparato, il suo computer in casa non c'era.»

«Esatto.»

«Che conclusioni ne dobbiamo trarre?»

«Svensson può anche essere andato da qualche altra parte e per qualche ragione può anche avervi lasciato o nascosto il computer.»

«Quanto è probabile?»

«Non molto. Ma potrebbe averlo lasciato al servizio assistenza per qualche riparazione. Può esserci anche qualche altro posto dove lavorava del quale non siamo a conoscenza. Tempo fa aveva preso in affitto una postazione di lavoro presso un'agenzia di free-lance a St. Eriksplan, per esempio.»

«Okay.»

«Infine c'è naturalmente la possibilità che l'assassino si sia portato via il computer.»

«A detta di Armanskij, Lisbeth Salander è bravissima con i computer.»

«Già» disse Sonja annuendo.

«Mmm. La teoria di Blomkvist è che Dag Svensson e Mia Bergman siano stati assassinati per via dell'inchiesta a cui stava lavorando Svensson. Che dunque dovrebbe trovarsi nel computer.»

«Siamo un po' indietro. Tre vittime creano così tanti fili slegati da seguire che non riusciamo a stare al passo. In effetti non abbiamo ancora fatto una vera e propria perquisizione della postazione di lavoro di Dag Svensson a *Millennium*.»

«Ho parlato con Erika Berger stamattina. Dice che sono stupiti che non siamo ancora andati a esaminare le cose che ha lasciato.»

«Ci siamo concentrati troppo sulla necessità di trovare Lisbeth Salander il più in fretta possibile, e abbiamo ancora un'idea troppo vaga del movente. Potresti...?»

«Ho preso accordi con Erika Berger per fare una visita a *Millennium* domani.»

«Grazie.»

Giovedì Mikael era seduto dietro la sua scrivania e stava parlando con Malin Eriksson quando sentì un telefono squillare. Intravide Henry Cortez attraverso lo spiraglio della porta e non si curò degli squilli. Poi in qualche angolo del cervello registrò che era il telefono sulla scrivania di Dag Svensson che squillava. Si interruppe nel bel mezzo di una frase e balzò in piedi.

«Stop! Non toccate il telefono!» urlò.

Henry Cortez stava giusto mettendo la mano sul ricevitore. Mikael attraversò a passi rapidi la stanza. *Che cavolo di nome era...?*

«Indaco ricerche di mercato, sono Mikael. In cosa posso esserle utile?»

«Ehm... salve, mi chiamo Gunnar Björck. Ho ricevuto una lettera in cui si dice che ho vinto un telefono cellulare.»

«Congratulazioni» disse Mikael Blomkvist. «È un Sony Eriksson ultimo modello.»

«E non costa nulla?»

«Non costa assolutamente nulla. Ma per riceverlo deve prestarsi a un'intervista. Noi ci occupiamo di indagini di mercato e analisi specifiche per diverse aziende. Ci vorrà circa un'ora. Se accetterà, le sarà anche offerta la possibilità di vincere centomila corone.»

«Capisco. Si può fare al telefono?»

«No purtroppo. Le sottoporremo una serie di marchi di aziende per farglieli identificare. Le domanderemo anche da quali tipi di immagini pubblicitarie è attratto e quindi le mostreremo diverse alternative. Dobbiamo mandare uno dei nostri collaboratori.»

«Aha... mi sa dire come mai sono stato scelto?»

«Conduciamo questo tipo di indagine un paio di volte l'anno. In questo momento ci stiamo occupando di un certo numero di uomini della sua fascia di età. Abbiamo preso i codici fiscali a caso.»

Alla fine Gunnar Björck accettò di ricevere uno dei collaboratori della Indaco ricerche di mercato. Disse che era a casa in malattia, che stava trascorrendo un periodo di convalescenza nella sua casetta di campagna a Smådalarö. Spiegò la strada. Si accordarono per incontrarsi il venerdì mattina.

«Sì!» esclamò Mikael dopo avere messo giù il ricevitore. Sferrò un pugno di gioia nell'aria. Malin Eriksson e Henry Cortez si guardarono, perplessi.

Paolo Roberto atterrò ad Arlanda alle undici e mezza di giovedì mattina. Aveva dormito per quasi tutto il volo da New York e per una volta non avvertiva il solito jet-lag.

Aveva trascorso un mese negli Stati Uniti discutendo di boxe e assistendo a incontri dimostrativi, cercando idee per una produzione che aveva intenzione di vendere a Strix Television. Constatò malinconicamente che ormai aveva appeso i guantoni al chiodo, su affettuosa insistenza della famiglia e anche perché semplicemente cominciava a diventare troppo vecchio. Non poteva farci granché, a parte cercare di mantenersi in forma, cosa che faceva allenandosi almeno una volta alla settimana. Era ancora un nome di primo piano nell'ambiente della boxe e riteneva che in un modo o nell'altro ci avrebbe lavorato per il resto della sua vita.

Ritirò la valigia dal nastro trasportatore. Alla dogana fu fermato e stava per essere sottoposto a un controllo. Uno dei doganieri però lo riconobbe.

«Salve. Non ha nient'altro che i guantoni da boxe in valigia, immagino.»

Paolo Roberto assicurò che non aveva con sé la benché

minima merce di contrabbando e gli fu dato libero accesso nel regno di Svezia.

Era nella sala arrivi e si stava avviando verso la scala mobile che scendeva alla stazione dell'Arlanda Express quando si fermò di botto e fissò il viso di Lisbeth Salander sulle locandine dei giornali. Inizialmente non capì cosa stava vedendo. Si chiese se nonostante tutto fosse sotto l'effetto del jet-lag. Poi lesse un titolo.

CACCIA
A LISBETH SALANDER

Spostò lo sguardo su un'altra locandina.

SUPERPSICOPATICA
RICERCATA PER TRIPLICE OMICIDIO

Entrò esitante nel chiosco dei giornali e comperò i quotidiani del mattino e quelli della sera, dopo di che andò a sedersi in una caffetteria. Cominciò a leggere con crescente stupore.

Quando Mikael Blomkvist tornò nel suo appartamento di Bellmansgatan alle undici di giovedì sera era stanco e depresso. Aveva pensato di andare subito a letto per cercare di recuperare un po' di ore di sonno, ma non poté resistere alla tentazione di collegarsi e controllare la posta.

Non aveva ricevuto nulla di particolarmente interessante, ma per sicurezza aprì la cartella *Lisbeth Salander*. Il suo polso accelerò subito quando scoprì un nuovo documento, *MB2*. Ci cliccò sopra due volte.

Il procuratore E. passa informazioni ai media. Chiedigli perché non dice nulla della vecchia inchiesta.

Mikael rifletté stupefatto sul criptico messaggio. Cosa intendeva? Quale vecchia inchiesta? Non capiva a cosa si riferisse. Dannata ragazza. Perché doveva formulare ogni messaggio come un rebus? In un attimo creò un nuovo documento, *Criptico*.

Ciao Sally,
sono stanco morto e non mi sono fermato un momento dal giorno degli omicidi. Non ho nessuna voglia di giocare agli indovinelli. È possibile che a te non importi o che tu non prenda la situazione sul serio, ma io voglio sapere chi ha ucciso i miei amici.
M.

Aspettò al computer. *Criptico 2* arrivò dopo un minuto.

Cosa fai se sono stata io?

Mikael rispose con *Criptico 3*.

Lisbeth,
se davvero sei uscita completamente di senno allora probabilmente solo Peter Teleborian ti può aiutare. Ma io non credo che tu abbia ucciso Dag e Mia. Spero e prego di avere ragione.
Dag e Mia erano intenzionati a smascherare un mercato del sesso. La mia ipotesi è che in qualche modo questo abbia costituito un movente per gli omicidi. Ma non ho prove.
Non so cosa sia andato storto fra noi, ma tu e io una volta discutemmo dell'amicizia. Io dissi che l'amicizia si basa su due cose – rispetto e fiducia. Anche se non ti piaccio più puoi sempre avere fiducia in me e confidarti. Non ho mai svelato i tuoi segreti. Nemmeno quelli sui miliardi di Wennerström. Fidati di me. Io non sono tuo nemico.
M.

La risposta tardò così tanto ad arrivare che Mikael aveva già perso le speranze. Quasi cinquanta minuti dopo si materializzò improvvisamente *Criptico 4*.

Ci penserò su.

Mikael tirò il fiato. Tutto d'un tratto avvertiva un filo sottile di speranza. La sua risposta era quella: ci avrebbe pensato. Era la prima volta da quando era improvvisamente sparita dalla sua vita che comunicava con lui. Ci avrebbe pensato su, il che significava che almeno avrebbe valutato se se la sentiva o meno di parlare con lui. Creò *Criptico 5*.

Okay. Ti aspetto. Ma non tardare troppo.

L'ispettore Hans Faste ricevette la chiamata sul cellulare mentre stava andando al lavoro il venerdì mattina e si trovava in Långholmsgatan all'altezza del Västerbron. La polizia non aveva abbastanza uomini per mettere sotto sorveglianza permanente l'appartamento di Lundagatan, e perciò aveva incaricato un vicino, per giunta poliziotto in pensione, di tenere gli occhi aperti.

«La cinese è appena entrata dal portone» gli comunicò.

Difficilmente Faste si sarebbe potuto trovare più a portata di mano. Fece inversione sul marciapiede dell'autobus in Heleneborgsgatan, proprio davanti al Västerbron, e si diresse lungo Högalidsgatan verso Lundagatan. Meno di due minuti dopo avere ricevuto la telefonata parcheggiava e, attraversata di corsa la strada, infilava il portone che dava sul cortile interno.

Miriam Wu era ancora davanti alla porta del suo appartamento e stava fissando la serratura forzata e i nastri della polizia quando sentì i passi sulle scale. Si voltò e scorse un individuo atletico e robusto dallo sguardo duro e concentrato.

Lo sentì ostile e mollata la borsa per terra si tenne pronta a dare dimostrazione di thai-boxing in caso di necessità.

«Miriam Wu?» domandò l'uomo.

Con suo stupore, le mostrò un tesserino della polizia.

«Sì» rispose Mimmi. «Di cosa si tratta?»

«Dove diavolo è stata in quest'ultima settimana?»

«Sono stata via. Cosa è successo? C'è stato un furto in casa mia?»

Faste la fissò.

«Credo che la dovrò pregare di seguirmi a Kungsholmen» disse, mettendo una mano sulla spalla di Miriam Wu.

Bublanski e Sonja Modig videro Faste scortare una Miriam Wu piuttosto infastidita verso la stanza degli interrogatori.

«Prego, si sieda. Io sono l'ispettore Jan Bublanski della polizia giudiziaria e questa è la mia collega Sonja Modig. Mi dispiace di essere stato costretto a farla prelevare in questo modo, ma abbiamo un certo numero di domande alle quali dobbiamo assolutamente avere risposta.»

«Aha. E perché? Quello là non è particolarmente loquace.»

Mimmi sventolò il pollice in direzione di Faste.

«È più di una settimana che la stiamo cercando. Può spiegarci dove è stata?»

«Sì, certo che posso. Ma non ho nessuna voglia di farlo e per quanto ne so la cosa non la riguarda.»

Bublanski corrugò la fronte.

«Torno a casa e trovo la porta scassinata con i nastri della polizia da un lato all'altro, un maschione gonfio di anabolizzanti mi trascina qui. Posso avere una spiegazione?»

«Non le piacciono i maschioni?» domandò Hans Faste.

Miriam Wu lo guardò esterrefatta. Bublanski e Sonja gli lanciarono entrambi un'occhiataccia.

«Devo interpretarlo come una conferma del fatto che non ha letto nessun giornale la scorsa settimana? È stata all'estero?»

Miriam Wu si sentiva confusa e cominciava a essere titubante.

«No, non ho letto i giornali. Sono stata due settimane a Parigi a trovare i miei genitori. Arrivo adesso dalla stazione centrale.»

«Ci è andata in treno?»

«Non mi piace volare.»

«E non ha visto nessuna locandina e nessun giornale svedese oggi?»

«Sono scesa dal treno della notte e ho preso il metrò per andare a casa.»

L'agente Bubbla rifletté. Non c'era nulla su Lisbeth Salander nelle locandine quel mattino. Si alzò e lasciò la stanza, ritornando dopo un minuto con il numero di domenica dell'*Aftonbladet* che aveva la foto del passaporto di Lisbeth su tutta la prima pagina.

A Miriam Wu venne quasi un colpo.

Mikael Blomkvist seguì le indicazioni che Gunnar Björck, sessantadue anni, gli aveva dato per raggiungere la casetta estiva di Smådalarö. Parcheggiò e constatò che la "casetta" era una moderna villa adatta a essere abitata tutto l'anno, con vista sull'insenatura di Jungfrufjärden. Salì lungo un sentiero di ghiaia e suonò il campanello. Gunnar Björck non era molto diverso dalla foto del passaporto che Dag aveva trovato.

«Salve» disse Mikael.

«Ah, vedo che ce l'ha fatta.»

«Nessun problema.»

«Si accomodi. Possiamo metterci in cucina.»

«Andrà benissimo.»

Gunnar Björck sembrava in buona salute ma zoppicava lievemente.

«Sono a casa in malattia» disse.

«Nulla di grave, spero» disse Mikael.

«Sto aspettando che mi chiamino per operarmi un'ernia del disco. Caffè?»

«No grazie» disse Mikael. Si sedette su una sedia e tirò fuori una cartelletta. Björck si sedette di fronte a lui.

«Mi sembra che lei abbia un viso noto. Ci siamo già conosciuti?»

«No» rispose Mikael.

«Eppure il suo viso mi è noto.»

«Forse mi ha visto sui giornali.»

«Come ha detto che si chiama?»

«Mikael Blomkvist. Sono un giornalista e lavoro per il mensile *Millennium*.»

Gunnar Björck assunse un'espressione confusa. Poi d'un tratto ricordò. *Kalle Blomkvist. L'affare Wennerström*. Ma non aveva ancora colto le implicazioni.

«*Millennium*. Non sapevo che faceste indagini di mercato.»

«Lo facciamo solo eccezionalmente. Vorrei che guardasse tre immagini e che mi dicesse qual è la modella che preferisce.»

Mikael mise sul tavolo le immagini di tre ragazze. Una era stata scaricata da un sito pornografico. Le altre due erano foto da passaporto a colori ingrandite.

D'improvviso Gunnar Björck diventò bianco come un lenzuolo.

«Non capisco.»

«Davvero? Questa qui è Lidia Komarova, sedici anni, di Minsk, Bielorussia. Accanto c'è Myang So Chin, nota come Jo-Jo, dalla Tailandia, venticinque anni. E infine abbiamo Jelena Barasowa, diciannove anni, di Tallinn. Lei ha comperato sesso da tutte e tre queste donne e vorrei sapere quale le è piaciuta di più. La consideri pure una ricerca di mercato.»

Bublanski guardò titubante Miriam Wu che ricambiò con uno sguardo feroce.

«A voler riassumere, lei conosce Lisbeth Salander da circa tre anni. Senza pretendere alcunché, Lisbeth le ha intestato il suo appartamento e si è trasferita da qualche altra parte. Di tanto in tanto fate sesso insieme, ma lei non sa dove abiti, cosa faccia o come si mantenga. Vuole davvero che io ci creda?»

«Me ne fotto di quello che crede o non crede. Io non ho fatto nulla di illegale e come scelgo di vivere la mia vita e con chi faccio sesso non riguarda né lei né nessun altro.»

Bublanski sospirò. Quel mattino aveva accolto la notizia che Miriam Wu era finalmente comparsa con un senso di liberazione. *Finalmente una schiarita.* Le informazioni che aveva avuto da lei erano tutt'altro che chiarificatrici. Anzi erano estremamente bizzarre. Ma il fatto era che lui le credeva. La ragazza rispondeva con chiarezza e senza esitazioni. Era in grado di fornire indicazioni precise su luoghi e giorni in cui aveva incontrato Lisbeth e aveva dato una descrizione così dettagliata di come si era svolto il suo trasloco in Lundagatan che sia Bublanski che Sonja Modig avevano concluso che una storia così strampalata non poteva essere altro che vera.

Hans Faste aveva assistito all'interrogatorio con un senso crescente di irritazione, ma era riuscito a tenere la bocca chiusa. Pensava che Bublanski fosse veramente troppo morbido con "la cinese", che era arrogante e usava molte parole per evitare di rispondere all'unica domanda di una qualche importanza. Ossia dove diavolo si nascondesse quella maledetta puttana di Lisbeth Salander.

Ma Miriam Wu non sapeva dove si trovasse Lisbeth Salander. Non sapeva che lavoro facesse. Non aveva mai nemmeno sentito parlare della Milton Security. Non aveva mai sentito il nome di Dag Svensson o di Mia Bergman e di conseguenza non era in grado di rispondere ad alcuna domanda su di loro. Non sapeva che Lisbeth fosse sotto tutela, che da adolescente fosse stata rinchiusa in una clinica psichiatrica e che nel suo curriculum ci fossero anche delle prolisse perizie psichiatriche.

Poté però confermare che lei e Lisbeth erano state al Kvarnen e si erano baciate in pubblico, e che poi erano tornate a casa in Lundagatan e si erano separate solo la mattina dopo. Qualche giorno più tardi Miriam Wu aveva preso il treno per Parigi e si era persa tutti i titoloni dei giornali svedesi. A parte una rapida visita quando le aveva lasciato le chiavi della macchina, non aveva più visto Lisbeth dalla serata al Kvarnen.

«Le chiavi della macchina?» domandò Bublanski. «Lisbeth Salander non ha nessuna macchina.»

Mimmi spiegò che aveva acquistato una Honda color vinaccia che era parcheggiata fuori casa. Bublanski si alzò e guardò Sonja Modig.

«Puoi andare avanti tu?» disse, e lasciò la stanza.

Cercò Jerker Holmberg e lo pregò di fare un esame tecnico di una Honda color vinaccia. Lui aveva bisogno di stare da solo a pensare.

Il funzionario in malattia Gunnar Björck, capodivisione aggiunto della sezione stranieri della Säpo, servizi segreti, sedeva come uno spettro cinereo nella sua cucina con vista sull'insenatura di Jungfrufjärden. Mikael lo guardava con espressione paziente e neutra. Giunti a quel punto era convinto che Björck non avesse minimamente a che fare con gli omicidi di Enskede. Dag non aveva avuto il tempo di incontrarlo, e lui di conseguenza non aveva la benché minima idea del fatto che presto sarebbe stato denunciato con nome e foto nel capitolo sui clienti delle prostitute di un reportage sul mercato del sesso.

Björck aveva contribuito con un unico dettaglio interessante. Era risultato che conosceva personalmente l'avvocato Nils Bjurman. Si erano incontrati al club di tiro della polizia di cui Björck era stato membro attivo per ventotto anni. Per un certo periodo aveva anche fatto parte del consiglio direttivo insieme allo stesso Bjurman. Non erano propriamente amici, ma in qualche occasione si erano frequentati nel tempo libero uscendo a cena insieme.

No, non incontrava Bjurman da parecchi mesi. Per quanto riusciva a ricordare, l'ultima volta che l'aveva visto era stata alla fine dell'estate precedente, quando avevano bevuto una birra insieme in un bar all'aperto. Gli dispiaceva che fosse stato ammazzato da quella psicopatica, ma non aveva intenzione di andare al funerale.

Mikael rifletté sulla coincidenza, ma non fece altre domande. Bjurman doveva avere incontrato centinaia di persone nella sua vita professionale e non. Che per caso conoscesse una persona che figurava nel materiale di Dag Svensson non era né insolito né statisticamente improbabile. Mikael aveva scoperto che lui stesso conosceva alla lontana un giornalista che compariva nel materiale di Dag.

Era tempo di tirare le somme. Björck era passato attraverso tutte le fasi prevedibili. All'inizio aveva negato, poi, quando Mikael gli aveva mostrato una parte della documentazione, si erano susseguiti nell'ordine rabbia, minacce, tentativi di corruzione e alla fine preghiere. Mikael aveva ignorato tutto.

«Lo capisce che rovinerete la mia vita se pubblicherete questa roba?» disse Björck alla fine.

«Sì» rispose Mikael.

«Eppure lo farete lo stesso.»

«Senz'ombra di dubbio.»

«Perché? Non può avere del riguardo? Sono malato.»

«Interessante che proprio lei tiri in ballo il riguardo come argomentazione.»

«Essere un po' umani non costa nulla.»

«Su questo ha ragione. Mentre si lamenta che sto per rovinare la sua vita, dimentica di essersi dedicato a rovinare la vita di parecchie giovani donne nei confronti delle quali ha commesso dei reati. Noi possiamo documentare tre casi, ma Dio solo sa quante altre ne ha rovinate. Dov'era la sua umanità allora?»

Si alzò e raccolse la sua documentazione infilandola nella borsa del computer.

«L'uscita la trovo da solo.»

Si avviò verso la porta ma poi si fermò e si girò di nuovo verso Björck.

«Ha mai sentito parlare di un uomo che si chiama Zala?» domandò.

Björck lo fissò. Era ancora così sconvolto che sentiva a malapena le sue parole. Il nome Zala non gli diceva nulla. Poi i suoi occhi si dilatarono.

Zala!

Non è possibile.

Bjurman!

Può essere?

Mikael registrò il cambiamento e fece un passo indietro verso il tavolo della cucina.

«Perché mi chiede di Zala?» disse Björck. Sembrava quasi in stato di shock.

«Perché mi interessa» disse Mikael.

Un silenzio compatto scese sulla cucina. Mikael poteva quasi vedere le rotelle che si muovevano nella testa di Björck. Alla fine Björck prese un pacchetto di sigarette dal davanzale interno della finestra. Era la prima sigaretta che si accendeva da quando Mikael aveva messo piede in casa.

«Se io sapessi qualcosa di Zala... quanto potrebbe valere per lei?»

«Dipende da quello che sa.»

Björck rifletté. Sensazioni e pensieri vorticavano dentro la sua testa.

Come diavolo fa Mikael Blomkvist a sapere qualcosa di Zalachenko?

«È un nome che non sento da molto tempo.»

«Dunque sa chi è?» domandò Mikael.

«Questo non l'ho detto. Cos'è che vorrebbe sapere?»

Mikael esitò un secondo.

«È uno dei nomi nel mio elenco delle persone sulle quali Dag Svensson stava scavando.»

«Quanto vale?»

«Quanto vale cosa?»

«Se io la portassi da Zala... lei potrebbe dimenticare il mio nome nel reportage?»

Mikael si sedette lentamente. Dopo Hedestad aveva deciso che non avrebbe mercanteggiato mai più in vita sua su un'inchiesta. Non aveva intenzione di mettersi a trattare con Björck, qualsiasi cosa fosse successa intendeva denunciarla. Ma Mikael si era anche reso conto di essere sufficientemente privo di scrupoli per poter fare il doppio gioco: avrebbe concluso l'accordo con Björck senza alcun rimorso. Björck era un poliziotto che aveva commesso dei reati. Se conosceva il nome di un possibile assassino, il suo dovere era di intervenire, non di usare l'informazione per mercanteggiare a proprio vantaggio. Mikael infilò la mano nella tasca della giacca e accese il registratore che aveva spento quando si era alzato dal tavolo un attimo prima.

«Sentiamo» disse.

Sonja Modig era furiosa con Hans Faste ma non dava minimamente a vedere cosa pensasse di lui. L'interrogatorio, dopo che Bublanski aveva lasciato la stanza, procedeva in modo tutt'altro che coerente ma Faste ignorava tutte le occhiate furibonde che Sonja gli lanciava.

Sonja era anche meravigliata. Faste e il suo stile da macho non le erano mai piaciuti, ma l'aveva sempre considerato un poliziotto competente. Ma quel giorno quella competenza aveva brillato per la sua assenza. Era palese che Faste si sentiva provocato da una donna bella, intelligente e lesbica dichiarata. Era altrettanto palese che Miriam Wu intuiva l'irritazione di Faste e la stuzzicava senza scrupoli.

«Dunque ha trovato il dildo nel mio cassettone. Che fantasie le ha fatto nascere?»

Miriam Wu sorrise curiosa. Faste aveva l'aria di essere sul punto di esplodere.

«Chiuda il becco e risponda alla domanda» disse.

«Lei mi ha chiesto se lo uso per scopare Lisbeth Salander. E io le rispondo che non sono affari che la riguardano.»

Sonja Modig alzò la mano.

«L'interrogatorio di Miriam Wu si interrompe per una pausa alle undici e dodici minuti.»

Spense il registratore.

«Può gentilmente rimanere seduta, Miriam? Faste, posso scambiare due parole con te?»

Miriam Wu sorrise melensa quando Faste le lanciò un'occhiataccia e uscì in corridoio al seguito di Sonja, che piroettò sui tacchi e si piazzò col naso a due centimetri da quello del collega.

«Bublanski mi ha passato l'incarico di continuare l'interrogatorio. Ma tu non stai facendo un fico secco per darmi una mano.»

«Eh, che cazzo. Quella maledetta strega si divincola come una biscia.»

«Ci dovrebbe essere un qualche simbolismo freudiano nella metafora?»

«Cosa?»

«Lascia stare. Va' a cercare Curt Svensson e sfidalo a filetto oppure va' al poligono a sparare o quel che diavolo ti pare. Ma sta' lontano da questo interrogatorio.»

«Perché cazzo ti comporti così, Modig?»

«Tu stai sabotando il mio interrogatorio.»

«Ti piace così tanto che te la vuoi interrogare tutta da sola?»

Prima che riuscisse a controllarsi, la mano di Sonja scattò e stampò un ceffone sulla faccia di Hans Faste. Nello stesso istante Sonja se ne pentì ma ormai era troppo tardi. Diede un'occhiata nel corridoio e constatò che grazie al cielo non c'era nessun testimone.

Faste assunse un'aria stupita. Poi sogghignò verso di lei, si gettò la giacca sulla spalla e se ne andò. Sonja stava per chiamarlo e chiedergli scusa, ma decise di tacere. Aspettò di essersi calmata. Quindi andò a prendere due caffè al distributore automatico e tornò da Miriam Wu.

Rimasero sedute una di fronte all'altra in silenzio per un po'. Alla fine Sonja guardò Miriam Wu.

«Mi scusi. Questo probabilmente è uno degli interrogatori peggio condotti di tutta la storia della centrale.»

«Sembra un tipo divertente con cui lavorare. Scommetto che è un eterosessuale divorziato e che è quello che racconta le barzellette sui finocchi nella pausa caffè.»

«Lui è... una reliquia di qualcosa. È tutto quello che posso dire.»

«Invece lei no?»

«Io in ogni caso non sono omofoba.»

«Okay.»

«Miriam, io... noi, tutti quanti, siamo in moto senza sosta ormai da dieci giorni. Siamo stanchi e nervosi. Stiamo cercando di risolvere un orrendo caso di duplice omicidio a Enskede e un altrettanto orrendo caso di omicidio a Odenplan. La sua amica è collegata a entrambe le scene del crimine. Ne abbiamo le prove ed è stato emesso un avviso di ricerca a livello nazionale che la riguarda. Lei senz'altro capisce che dobbiamo trovarla a ogni costo prima che faccia del male a qualcun altro oppure a se stessa.»

«Conosco Lisbeth Salander... Non posso credere che abbia ucciso qualcuno.»

«Non può o non vuole? Miriam, non ricerchiamo qualcuno su tutto il territorio nazionale senza buoni motivi. Ma posso arrivare a confidarle che nemmeno il mio capo, l'ispettore Bublanski, è del tutto convinto che la sua amica sia colpevole. Stiamo discutendo la possibilità che abbia qualche complice o che sia stata in qualche modo trascinata in questa faccenda. Ma dobbiamo assolutamente trovarla. Lei crede che sia innocente, Miriam. Ma che succede se si sbaglia? Ha detto lei stessa di non sapere granché di Lisbeth Salander.»

«Non so più cosa credere.»

«Ci aiuti a scoprire la verità allora.»

«Io sono indagata per qualcosa?»

«No.»

«Dunque posso andarmene quando voglio?»

«Tecnicamente, sì.»

«E non tecnicamente?»

«Ai nostri occhi continuerà a rimanere un punto interrogativo.»

Miriam Wu valutò le sue parole. «Okay. Allora chieda pure. Se le sue domande mi daranno fastidio, vorrà dire che non risponderò.»

Sonja Modig accese di nuovo il registratore.

20.
Venerdì 1 aprile - domenica 3 aprile

Miriam Wu trascorse un'ora in compagnia di Sonja Modig. Mentre il colloquio volgeva al termine, Bublanski entrò nella stanza degli interrogatori e si sedette senza far rumore e senza dire nulla. Miriam Wu lo salutò cortesemente ma continuò a parlare con Sonja.

Alla fine Sonja guardò Bublanski e gli chiese se aveva altre domande. Bublanski scosse la testa.

«Allora dichiaro concluso l'interrogatorio di Miriam Wu. Sono le tredici e nove minuti.»

Spense il registratore.

«Mi sembra di avere capito che c'è stato qualche piccolo problema con l'ispettore Faste» disse Bublanski.

«Era un po' deconcentrato» disse Sonja in tono neutro.

«Quel tipo è un idiota» disse Mimmi a mo' di spiegazione.

«L'ispettore Faste ha senz'altro molti meriti, ma probabilmente non è la persona più adatta a interrogare una giovane donna» disse Bublanski, guardando Miriam Wu negli occhi. «Non avrei dovuto affidargli questo incarico. Le chiedo scusa.»

Miriam Wu era esterrefatta.

«Scuse accettate. Anch'io all'inizio sono stata piuttosto scontrosa con lei.»

Bublanski sventolò la mano come per lasciar correre. Poi la guardò.

«Posso chiederle qualche cosetta così per concludere? Senza registratore.»

«Prego.»

«Più cose sento su Lisbeth Salander, più rimango confuso. L'immagine che me ne danno le persone che la conoscono non quadra affatto con l'immagine che risulta dalle relazioni dei servizi sociali e dalle perizie psichiatriche.»

«Aha.»

«Potrebbe fornirmi semplicemente la sua versione punto per punto?»

«Okay.»

«La valutazione psichiatrica fatta quando Lisbeth Salander ha compiuto diciotto anni lascia intendere che è mentalmente ritardata.»

«Balle. Lisbeth probabilmente è più intelligente sia di lei che di me.»

«Non ha terminato la scuola e non ha nemmeno un attestato che dichiari che sa leggere e scrivere.»

«Lisbeth legge e scrive meglio di me. E le piace lambiccarsi con formule matematiche. Algebra pura. Matematica, io non ci capisco un'acca.»

«Matematica?»

«È un suo hobby.»

Bublanski e Sonja Modig restarono muti.

«Hobby?» ripeté Bublanski dopo un momento.

«Sì, equazioni di un qualche genere. Io non so nemmeno cosa significhino i segni.»

Bublanski sospirò.

«I servizi sociali hanno formulato un parere la volta che è stata fermata nel parco di Tantolunden in compagnia di un uomo molto più vecchio, quando aveva diciassette anni. Pare che si mantenesse facendo la prostituta.»

«Lisbeth una battona? Cazzate. Cosa faccia non lo so, ma non mi stupisce affatto che abbia avuto un qualche incarico alla Milton Security.»

«Che mezzi di sostentamento ha?»

«Non lo so.»

«È lesbica?»

«No. Lisbeth scopa con me, il che non fa di lei una lesbica. Credo che nemmeno lei sappia esattamente quale sia la sua identità sessuale. È probabile che sia bisessuale.»

«Questo fatto che usate manette e via dicendo... Lisbeth Salander ha inclinazioni sadiche? O come la descriverebbe?»

«Io credo che lei abbia frainteso tutta questa cosa. Il fatto che certe volte usiamo le manette fa parte di un gioco che non ha nulla a che fare con sadismo e violenza e sopraffazione. È un gioco, appunto.»

«Con lei è mai stata violenta?»

«Ma no. Semmai sono io ad avere un ruolo dominante nei nostri giochi.»

Miriam Wu fece un sorrisetto lezioso.

La riunione pomeridiana delle tre sfociò nel primo serio litigio. Bublanski riassunse la situazione e quindi spiegò che sentiva la necessità di allargare le indagini.

«Fin dal primo giorno abbiamo concentrato tutte le nostre energie nella ricerca di Lisbeth Salander. È vero che è fortemente sospettata, e su basi fondate, ma l'immagine che noi abbiamo di lei fa a pugni con quelle di tutte le persone che la conoscono. Né Armanskij, né Blomkvist, né adesso Miriam Wu la vedono come un'assassina psicotica. Perciò vorrei che ampliassimo un po' la prospettiva e cominciassimo a riflettere sulla possibilità che i colpevoli siano altri o che Lisbeth Salander abbia avuto un complice o sia stata soltanto presente quando sono stati esplosi i colpi mortali.»

L'osservazione fece scoppiare un acceso dibattito. Bublanski incontrò una dura opposizione da parte di Hans Faste e Sonny Bohman della Milton Security. Entrambi sostenevano che la spiegazione più semplice il più delle volte è quella corretta, e che l'idea di un colpevole alternativo appariva come una pura e semplice teoria del complotto.

«Possiamo sempre seguire la pista di Blomkvist» disse Faste acido.

Nel dibattito Bublanski ebbe il sostegno soltanto di Sonja Modig. Curt Svensson e Jerker Holmberg si accontentarono di qualche commento. Niklas Eriksson della Milton non aprì bocca durante tutta la discussione. Alla fine il procuratore Ekström alzò la mano.

«Bublanski, mi sembra di capire che comunque non vuoi cancellare Lisbeth Salander dall'inchiesta.»

«No, ovviamente no. Abbiamo le sue impronte digitali. Ma finora ci siamo scervellati a cercare un movente che non riusciamo a trovare. Vorrei che cominciassimo a muoverci anche in altre direzioni. Possono essere coinvolte altre persone? Nonostante tutto, la faccenda può avere a che fare con il libro sull'industria del sesso che Dag Svensson stava scrivendo? Blomkvist ha ragione a dire che diverse persone citate nel libro avrebbero avuto motivo di uccidere.»

«Come vuoi procedere?» domandò Ekström.

«Voglio che due di voi si dedichino alla individuazione di possibili colpevoli alternativi. Sonja e Niklas potrebbero lavorare insieme.»

«Io?» chiese Niklas Eriksson stupefatto.

Bublanski l'aveva scelto perché era il più giovane e dunque probabilmente il più portato a pensare in maniera non ortodossa.

«Tu e Sonja Modig. Esaminate tutto quello che sappiamo e cercate di trovare qualcosa che possa esserci sfuggito. Faste, Curt Svensson e Bohman, voi continuerete a lavorare alla ricerca di Lisbeth. Ha la massima priorità.»

«E io che devo fare?» domandò Jerker Holmberg.

«Concentrati sull'avvocato Bjurman. Fai un nuovo sopralluogo nella sua abitazione. Controlla se ci è sfuggito qualcosa. Domande?»

Nessuno ne aveva.

«Okay. Non strombazziamo il fatto che Miriam Wu è ricomparsa. Può avere altro da raccontare e non voglio che i media le si buttino addosso.»

Il procuratore Ekström decise che avrebbero seguito il piano di Bublanski.

«Bene» disse Niklas Eriksson, guardando Sonja Modig. «Il poliziotto sei tu, perciò tocca a te dire cosa dobbiamo fare.»

Erano in corridoio, fuori dalla sala conferenze.

«Credo che dovremo fare un'altra chiacchierata con Mikael Blomkvist» disse lei. «Ma prima devo parlare un attimo con Bublanski. È venerdì pomeriggio, e io dovrei avere il sabato e la domenica liberi. Il che significa che non ci metteremo in moto prima di lunedì. Utilizza il fine settimana per riflettere sul materiale che abbiamo.»

Si salutarono. Sonja tornò da Bublanski proprio mentre questi si stava congedando dal procuratore Ekström.

«Un minuto.»

«Siediti.»

«Mi sono talmente infuriata con Faste che ho perso il controllo.»

«Lui ha detto che l'hai aggredito. Ho capito che era successo qualcosa. È per questo che sono entrato e mi sono scusato.»

«Ha detto che volevo restare sola con Miriam Wu perché ho preso una cotta per lei.»

«Credo la si possa considerare una molestia sessuale. Vuoi sporgere denuncia?»

«Gli ho mollato un ceffone. Credo che possa bastare.»

«Okay, la considero una reazione a un'estrema provocazione da parte sua.»

«È così.»

«Hans Faste ha dei problemi con le donne forti.»

«L'ho notato.»

«Tu sei una donna forte e un ottimo poliziotto.»

«Grazie.»

«Ma apprezzerei se la smettessi di picchiare il personale.»

«Non si ripeterà. Oggi non ho avuto il tempo di esaminare la scrivania di Dag Svensson a *Millennium*.»

«Saremmo stati comunque in ritardo. Adesso va' a casa e riposati un po', ci penseremo lunedì.»

Niklas Eriksson si fermò alla stazione centrale e andò a bere un caffè da George. Si sentiva scoraggiato. Per tutta la settimana si era aspettato che Lisbeth Salander venisse catturata da un momento all'altro. E se avesse opposto resistenza al momento della cattura, con un po' di fortuna qualche poliziotto di buon cuore avrebbe anche potuto spararle.

Era una fantasia molto attraente.

Ma Lisbeth era ancora a piede libero. E, come se non bastasse, adesso Bublanski cominciava anche a pensare a dei colpevoli alternativi. Non era un'evoluzione positiva.

Dover lavorare sotto Sonny Bohman era già abbastanza scocciante – era proprio uno degli individui più noiosi che circolassero alla Milton –, e adesso gli toccava anche stare sotto Sonja Modig.

Era lei quella che più di tutti metteva in dubbio la pista Salander e che probabilmente aveva portato anche Bublanski all'incertezza. Si chiese se l'agente Bubbla non avesse una qualche storia con quella dannata baldracca. Non se ne sarebbe stupito. Con lei era come un cagnolino. Di tutti i poliziotti coinvolti nell'inchiesta, solo Faste aveva abbastanza palle da dire quello che pensava.

Niklas Eriksson rifletté.

Nel corso della mattinata, lui e Bohman avevano avuto un breve incontro con Armanskij e Fräklund alla Milton. Le indagini non avevano prodotto alcun risultato e Armanskij era frustrato per il fatto che nessuno aveva trovato una possibile spiegazione degli omicidi. Fräklund aveva suggerito che la Milton Security riconsiderasse il proprio impegno – Bohman ed Eriksson avrebbero potuto fare di meglio che prestare gratuitamente la loro opera alla polizia.

Armanskij aveva riflettuto un momento e poi aveva deciso che Bohman ed Eriksson sarebbero andati avanti ancora per una settimana. Se non fosse arrivato nessun risultato, il progetto sarebbe stato interrotto.

In altre parole, Niklas Eriksson aveva ancora una settimana prima che le porte dell'inchiesta si chiudessero. Ma era incerto sul da farsi.

Prese il cellulare e chiamò Tony Scala, un giornalista freelance che scriveva scempiaggini su un giornale per soli uomini, che aveva incontrato in qualche occasione. Lo salutò e gli disse che aveva delle informazioni sugli omicidi di Enskede. Spiegò anche come mai fosse finito proprio nel cuore dell'inchiesta più scottante degli ultimi anni. Come aveva previsto, Scala abboccò dal momento che avrebbe potuto ricavarne un bel lavoro per un giornale importante. Si accordarono per vedersi per un caffè di lì a un'ora, e scelsero l'Aveny in Kungsgatan.

La caratteristica più saliente di Tony Scala era che era grasso. Molto grasso.

«Se vuoi informazioni da me devi fare due cose.»

«Spara.»

«Anzitutto la Milton Security non dev'essere menzionata

nel testo. Il nostro ruolo è di pura consulenza, se venisse fuori il nome della Milton qualcuno potrebbe sospettare di me.»

«Anche se è un po' una novità che Lisbeth Salander abbia lavorato per la Milton.»

«Pulizie e lavoretti così» minimizzò Eriksson. «Non mi sembra una gran notizia.»

«Okay.»

«In secondo luogo devi dare al testo una piega tale da lasciar intendere che è stata una donna a far trapelare l'informazione.»

«E perché?»

«Per allontanare i sospetti da me.»

«Okay. Cos'hai da darmi?»

«L'amica lesbica di Lisbeth è appena ricomparsa.»

«Ohibò. La ragazza che risultava domiciliata in Lundagatan e che era sparita?»

«Miriam Wu. Vale qualcosa?»

«Altroché. Dove si era cacciata?»

«All'estero. Sostiene di non avere nemmeno sentito parlare degli omicidi.»

«È sospettata?»

«No, non allo stato attuale. È stata interrogata nel corso della giornata e rilasciata tre ore fa.»

«Aha. Tu credi alla sua versione?»

«Io credo che menta da cima a fondo. Quella sa qualcosa.»

«Okay.»

«E controlla i suoi precedenti. È una tipa che si dedica al sesso sadomaso.»

«E tu come fai a saperlo?»

«L'ha ammesso lei stessa nel corso dell'interrogatorio. Abbiamo trovato manette, indumenti di pelle, fruste e tutto il resto durante la perquisizione domiciliare.»

Questa cosa delle fruste era un po' un'esagerazione. Okay,

era una bugia bella e buona, ma la baldracca cinese aveva di sicuro giocato anche con le fruste.

«Stai scherzando?» disse Tony Scala.

Paolo Roberto fu uno degli ultimi a uscire quando la biblioteca chiuse. Aveva passato il pomeriggio a leggere ogni singola riga sulla caccia a Lisbeth Salander.

Uscì in Sveavägen in preda a un senso di confusione e sconforto. E di fame. S'infilò al McDonald's, ordinò un hamburger e andò a sedersi in un angolo.

Lisbeth triplice omicida. Semplicemente non poteva crederlo. Non quella dannata ragazzina minuta e un po' stramba. La questione era se doveva fare qualcosa. E in tal caso, cosa.

Miriam Wu aveva preso un taxi per tornare in Lundagatan e lì si era trovata davanti alla distruzione del suo appartamento appena rinnovato. Armadi, guardaroba, contenitori e cassetti erano stati svuotati e il contenuto passato al setaccio. C'era polvere per il rilievo delle impronte digitali sparsa per tutto l'appartamento. I suoi giocattoli sessuali strettamente privati e personali erano ammucchiati sul letto. Per quanto poteva vedere, non mancava niente.

La prima cosa che fece fu di telefonare al servizio di pronto intervento di Södermalm per farsi installare una nuova serratura. Il fabbro sarebbe arrivato nel giro di un'ora.

Accese la macchina del caffè e scosse la testa. *Lisbeth, Lisbeth, in che accidente di pasticcio ti sei cacciata?*

Tirò fuori il cellulare e provò a fare il suo numero ma ebbe solo l'informazione che l'abbonato non era raggiungibile. Rimase a lungo seduta al tavolo della cucina e cercò di venire a capo della situazione. La Lisbeth Salander che conosceva non era un'assassina malata di mente. D'altra parte non poteva nemmeno dire di conoscerla bene. Lisbeth a letto era un vulcano ardente, è vero, ma quando non era dell'umore poteva anche essere fredda come un pesce.

Stabilì che non avrebbe deciso cosa credere prima di averla incontrata e di avere avuto una spiegazione da lei. Tutto d'un tratto le venne voglia di piangere. Impiegò parecchie ore a fare ordine.

Alle sette di sera aveva una nuova serratura e l'appartamento era di nuovo passabilmente abitabile. Fece la doccia. Si era appena seduta in cucina avvolta in una vestaglia di seta orientaleggiante nera e oro quando suonarono alla porta. Aprì e si trovò davanti un tizio eccezionalmente grasso con la barba lunga.

«Salve Miriam, io mi chiamo Tony Scala e faccio il giornalista. Può rispondere a qualche domanda?»

L'uomo aveva con sé un fotografo che le sparò un flash in faccia.

Mimmi fu tentata di sferrargli una gomitata sul naso, ma ebbe abbastanza presenza di spirito per rendersi conto che ne sarebbe solo risultata una serie di immagini ancora più imbarazzanti.

«È stata all'estero in compagnia di Lisbeth Salander? Sa dove si trova?»

Mimmi chiuse la porta e girò la chiave nella nuova serratura. Tony Scala aprì il portellino della buca delle lettere.

«Miriam, prima o poi dovrà parlare con i media. Io sono in grado di aiutarla.»

Mimmi colpì con forza la buca delle lettere, e sentì un mugolio di dolore quando il dito di Tony Scala rimase schiacciato. Dopo di che andò a stendersi sul letto, e chiuse gli occhi. *Lisbeth, quando ti trovo giuro che ti strangolo.*

Dopo la visita a Smådalarö, Mikael Blomkvist nel pomeriggio era andato a trovare un altro dei clienti che Dag Svensson aveva intenzione di citare nel suo libro. E con quello aveva spuntato sei dei trentasette nomi dell'elenco. Il cliente era un giudice in pensione, residente a Tumba, che in svariate occasioni si era occupato di processi riguardanti la prostituzione. Grazie al cielo, il giudice non aveva né negato, né minacciato o implorato compassione. Al contrario aveva ammesso senza mezzi termini di avere scopato ragazze dell'Est. E no, non aveva rimorsi. La prostituzione era un lavoro rispettabile e lui riteneva di avere fatto un favore alle ragazze diventando loro cliente.

Mikael si trovava all'altezza di Liljeholmen quando Malin Eriksson lo chiamò, verso le dieci di sera.

«Ciao» disse Malin. «Hai già visto l'edizione in rete del "drago del mattino"?»

«No, perché?»

«L'amica di Lisbeth Salander è ricomparsa.»

«Cosa? Chi?»

«La lesbica che si chiama Miriam Wu e che abita nel suo appartamento in Lundagatan.»

Wu pensò Mikael. *Salander-Wu sulla porta.*

«Grazie. Sto arrivando.»

Alla fine Miriam Wu aveva staccato il telefono e spento il cellulare. La notizia era stata data sull'edizione in rete di uno dei quotidiani del mattino alle sette e mezza di sera. L'*Aftonbladet* aveva chiamato subito, e l'*Expressen* tre minuti più tardi. *Aktuellt* aveva trasmesso la notizia senza fare il suo nome. Alle nove già sedici reporter avevano cercato di avere un commento da lei.

Due le avevano anche suonato alla porta. Miriam Wu non aveva aperto e aveva spento tutte le luci nell'appartamento. Aveva una gran voglia di rompere il naso al prossimo giornalista che fosse andato a tormentarla. Alla fine riaccese il cellulare e chiamò un'amica che abitava poco lontano, giù a Hornstull, e le chiese se poteva andare a dormire da lei.

Scivolò fuori dal portone di Lundagatan meno di cinque minuti prima che Mikael Blomkvist parcheggiasse lì davanti e andasse a suonare invano il suo campanello.

Bublanski telefonò a Sonja Modig subito dopo le dieci del sabato mattina. Sonja aveva dormito fino alle nove e poi aveva giocato un po' con i figli prima che il marito li portasse a comperare le caramelle del sabato.

«Hai già letto i giornali?»

«In effetti no. Mi sono svegliata solo un'oretta fa e sono stata occupata con i bambini. È successo qualcosa?»

«Uno degli investigatori passa informazioni alla stampa.»

«Questo l'abbiamo sempre saputo. Un po' di giorni fa qualcuno ha pubblicato la perizia psichiatrica di Lisbeth Salander.»

«Era stato il procuratore Ekström.»

«Davvero?»

«Sì. Ovvio. Anche se lui non lo ammetterà mai. Cerca di gonfiare l'interesse perché gli giova. Ma non in questo caso. Un giornalista che si chiama Tony Scala ha parlato con un poliziotto che ha fornito una quantità di informazioni su Miriam Wu. Fra l'altro, dettagli sull'interrogatorio di ieri. Erano informazioni che volevamo restassero riservate ed Ekström è furibondo.»

«Accidenti.»

«Il giornalista non fa nomi. La fonte viene descritta come una persona "che ha un ruolo centrale nelle indagini".»

«Merda» disse Sonja Modig.

«In un punto dell'articolo la fonte viene indicata con un "lei".»

Sonja Modig rimase in silenzio per venti secondi mentre il significato di quelle parole si depositava. Lei era l'unica donna dell'inchiesta.

«Bublanski... io non ho detto una sola parola a nessun

giornalista. Non ho discusso l'inchiesta con nessuno fuori dai nostri corridoi. Nemmeno con mio marito.»

«Ti credo. E non ho creduto neanche per un secondo che tu abbia lasciato trapelare qualcosa. Ma purtroppo il procuratore Ekström ci crede. E Hans Faste, che è di turno, non risparmia le allusioni.»

Sonja si sentì tutto d'un tratto sfinita.

«Cosa succede adesso?»

«Ekström esige che tu venga allontanata dall'inchiesta mentre viene esaminata l'accusa.»

«È pazzesco. Come posso fare a dimostrare...?»

«Tu non hai bisogno di dimostrare nulla. È chi indaga che ha l'onere della prova.»

«Lo so, ma... al diavolo. Quanto tempo durerà questa indagine interna?»

«È già conclusa.»

«Cosa?»

«Io te l'ho chiesto. Tu mi hai detto che non hai passato nessuna informazione. Dunque l'indagine è conclusa e mi resta solo da scrivere il relativo rapporto. Ci vediamo lunedì alle nove nell'ufficio di Ekström.»

«Grazie, Bublanski.»

«Di che?»

«Però c'è un problema.»

«Lo so.»

«Se non sono stata io a passare le informazioni, allora deve averlo fatto qualcun altro del gruppo.»

«Hai qualche suggerimento?»

«Sono tentata di dire Faste... ma non ne sono convinta fino in fondo.»

«Sono propenso a essere d'accordo con te. Ma Faste sa anche essere un autentico bastardo, e ieri era veramente fuori di sé.»

Bublanski andava volentieri a piedi quando le condizioni meteorologiche e il tempo a disposizione lo consentivano. Era una delle poche forme di moto che si concedeva. Abitava in Katarinabangatan a Södermalm, non lontano dalla redazione di *Millennium* e, se per questo, anche dalla Milton Security, dove Lisbeth Salander aveva lavorato, o da Lundagatan, dove aveva abitato. Anche la sinagoga di St. Paulsgatan era raggiungibile comodamente a piedi da casa sua. Nel pomeriggio di sabato si recò dunque in tutti questi posti.

Durante la prima parte della passeggiata ebbe la compagnia di sua moglie Agnes. Erano sposati da ventitré anni e lui le era stato sempre fedele senza il minimo sgarro.

Si fermarono un attimo alla sinagoga a parlare con il rabbino. Bublanski era un ebreo polacco mentre la famiglia di Agnes – quel poco che era sopravvissuto ad Auschwitz – era originaria dell'Ungheria.

Dopo essere stati alla sinagoga si separarono – Agnes doveva fare delle commissioni mentre il marito voleva continuare la sua passeggiata. Sentiva il bisogno di starsene un po' da solo a riflettere sulla difficile inchiesta. Ripassò mentalmente le misure che aveva adottato da quando l'inchiesta era finita sulla sua scrivania la mattina di giovedì e non riuscì a individuare molte negligenze.

Un errore era stato quello di non avere mandato immediatamente qualcuno a esaminare la scrivania di Dag Svensson alla redazione di *Millennium*. Quando finalmente si era deciso a farlo – se n'era occupato di persona – Mikael Blomkvist aveva già avuto il tempo di rimuovere chissà che.

Un altro errore era stato quello di non essersi accorto che Lisbeth Salander aveva comperato un'automobile. Jerker Holmberg aveva tuttavia riferito che l'auto non conteneva nulla di interessante. Per il resto, l'inchiesta era accurata come ci si poteva aspettare che fosse.

Si fermò a un'edicola a Zinkensdamm e fissò pensieroso

una locandina. La foto del passaporto di Lisbeth Salander si era ridotta a una immagine piccola, anche se perfettamente distinguibile, nell'angolo in alto. L'attenzione si era spostata su una notizia più fresca.

LA POLIZIA INDAGA
SU UNA BANDA DI SATANISTE LESBICHE

Comperò il giornale e lo sfogliò fino all'articolo dominato dall'immagine di cinque ragazze sui vent'anni, vestite tutte di nero, con giacche di pelle piene di borchie, jeans strappati e T-shirt estremamente aderenti. Una sventolava una bandiera con una stella a cinque punte e un'altra faceva le corna. Lesse la didascalia. *Lisbeth Salander frequentava un gruppo death metal che si esibiva in piccoli club. Nel 1996 il gruppo esaltava la Chiesa di Satana e aveva un pezzo forte intitolato* Etiquette of Evil.

Il nome Evil Fingers non veniva fatto e i volti delle ragazze erano coperti con una riga nera. Chiunque le conoscesse non avrebbe tuttavia avuto nessuna difficoltà a identificarle. La doppia pagina successiva era incentrata su Miriam Wu ed era illustrata con un'immagine di uno show al Berns al quale aveva preso parte. La ragazza era ritratta a torso nudo con in testa un berretto da ufficiale russo. La foto era stata scattata dal basso. Come per le Evil Fingers, i suoi occhi erano coperti. Di lei si diceva che aveva trentun anni.

L'amica di Lisbeth Salander scrive di sesso lesbico.
La trentunenne è molto conosciuta nei locali del centro di Stoccolma. Non ha fatto nessun mistero della sua abitudine di rimorchiare donne e di dominare le sue partner.

Il reporter aveva perfino scovato una ragazza che veniva chiamata Sara e diceva di essere stata oggetto di attenzioni da parte della trentunenne. Il suo ragazzo era stato "disturbato" dalla cosa. L'articolo affermava che si trattava di un'oscura diramazione elitaria e femminista ai margini del movimento omosessuale, che fra l'altro si era espressa in un "bondage workshop" al Pride Festival. Per il resto l'articolo si basava su citazioni da un testo provocatorio vecchio di sei anni, scritto da Miriam Wu per una rivista femminista, sul quale un reporter aveva messo le mani. Bublanski diede una rapida scorsa all'articolo e poi gettò il giornale in un cestino dei rifiuti.

Rifletté un momento su Hans Faste e Sonja Modig. Due investigatori competenti. Ma Faste era un problema. Dava sui nervi alla gente. Bublanski si rese conto che doveva farci una chiacchierata, ma trovava comunque difficile credere che la fuga di notizie sull'inchiesta fosse da addebitarsi a lui.

Quando alzò di nuovo gli occhi, scoprì di essere arrivato davanti al portone di Lisbeth Salander in Lundagatan. Non era andato fin lì per una decisione consapevole. Non riusciva davvero a raccapezzarsi su quella ragazza.

Proseguì salendo le scale che portavano alla parte alta di Lundagatan e si fermò a riflettere sulla storia di Mikael Blomkvist circa la presunta aggressione a Lisbeth Salander. Nemmeno quella portava da qualche parte. Non c'era una denuncia alla polizia, non c'erano nomi e mancava perfino un identikit vero e proprio. Blomkvist sosteneva di non essere riuscito a vedere il numero di targa del furgone che si era allontanato.

Se poi era vero.

In altre parole, un altro vicolo cieco.

Bublanski guardò in basso e individuò la Honda color vinaccia che era rimasta tutto il tempo parcheggiata fuori in strada. Tutto d'un tratto arrivò Mikael Blomkvist, che si fermò davanti al portone.

Miriam Wu si svegliò tardi, tutta arrotolata nel lenzuolo, si mise a sedere sul letto e si guardò intorno nella stanza sconosciuta.

Aveva preso l'improvvisa attenzione mediatica a pretesto per telefonare a un'amica e chiederle di dormire da lei. Ma era anche scappata, se ne rendeva conto, perché aveva paura che Lisbeth andasse a bussare alla sua porta.

L'interrogatorio della polizia e le polemiche sui giornali l'avevano influenzata più di quanto credesse. Sebbene decisa a non trarre conclusioni fino a quando Lisbeth non avesse avuto modo di spiegare cos'era successo, aveva cominciato a sospettare che comunque potesse essere colpevole.

Guardò con la coda dell'occhio Viktoria Viktorsson, trentasette anni, detta "doppia V", lesbica al cento per cento. Era stesa sulla pancia e mormorava nel sonno. Miriam Wu scivolò in bagno senza fare rumore e si infilò sotto la doccia. Poi uscì e andò a comperare del pane fresco per la colazione. Fu solo alla cassa del negozio accanto al Café Cinnamon in Verkstadsgatan che il suo sguardo cadde sulle locandine. Tornò di corsa nell'appartamento di "doppia V".

Mikael Blomkvist passò davanti alla Honda color vinaccia, raggiunse il portone di Lisbeth Salander, digitò il codice sul citofono e scomparve all'interno. Restò dentro due minuti, poi uscì di nuovo in strada. Non c'era nessuno in casa? Blomkvist guardò su e giù per la strada, apparentemente indeciso. Bublanski lo osservava pensieroso.

Ciò che lo inquietava era che se Blomkvist aveva mentito sull'aggressione in Lundagatan allora forse stava facendo un qualche doppio gioco che nel peggiore dei casi poteva implicare un suo coinvolgimento negli omicidi. Ma se diceva la verità – e allo stato attuale non c'era motivo di dubitarne – allora esisteva un'equazione nascosta dell'intero dramma. C'erano più attori di quelli visibili, e l'omicidio era assai più complicato del semplice fatto che una ragazza patologicamente disturbata avesse avuto un accesso di follia.

Quando Blomkvist cominciò a muoversi in direzione di Zinkensdamm, Bublanski lo chiamò a gran voce. Il giornalista si fermò e lo vide, fece dietrofront e andò verso di lui. Si incontrarono esattamente ai piedi delle scale.

«Salve Blomkvist. Stava cercando Lisbeth Salander?»

«In effetti no. Cercavo Miriam Wu.»

«Non è in casa. Qualcuno ha passato ai media l'informazione che era ricomparsa.»

«Cosa aveva da raccontare?»

Bublanski puntò su Mikael Blomkvist uno sguardo indagatore. *Kalle Blomkvist.*

«Mi faccia compagnia» lo esortò. «Ho bisogno di una tazza di caffè.»

Passarono in silenzio davanti alla chiesa di Högalid. Bublanski lo portò al caffè Lillasyster accanto al ponte di Liljeholmen, dove il poliziotto ordinò un espresso doppio con un goccio di latte freddo e Mikael un caffè macchiato. Si sedettero nella zona riservata ai fumatori.

«Era da tanto che non mi capitava un caso così frustrante» disse Bublanski. «Fino a che punto posso discutere con lei senza dover leggere il tutto sull'*Expressen* domani?»

«Io non lavoro per l'*Expressen*.»

«Sa cosa intendo.»

«Bublanski, io non credo che Lisbeth sia colpevole.»

«E adesso sta indagando per conto suo? È per questo che la chiamano *Kalle Blomkvist*?»

D'un tratto Mikael sorrise.

«A quanto ho capito, la chiamano agente Bubbla.»

Bublanski fece un sorriso tirato.

«Perché non crede che Lisbeth sia colpevole?»

«Io non so un fico secco del suo tutore, ma lei non aveva nessun motivo di uccidere Dag e Mia. In special modo, non Mia. Lisbeth non sopporta gli uomini che odiano le donne e Mia stava giusto per mettere con le spalle al muro un gran numero di sfruttatori. Ciò che Mia faceva era perfettamente in linea con ciò che Lisbeth stessa avrebbe fatto. È una persona che ha una sua moralità.»

«Non riesco proprio a far quadrare l'immagine di quella ragazza. Una psicotica ritardata oppure una competente ricercatrice.»

«Lisbeth è diversa. È asociale, ma non c'è assolutamente niente che non vada nella sua intelligenza. Al contrario, probabilmente è più dotata sia di lei che di me.»

Bublanski sospirò. Mikael Blomkvist stava esprimendo lo stesso giudizio di Miriam Wu.

«In ogni caso dev'essere rintracciata. Non posso entrare nei dettagli, ma abbiamo le prove che si trovava sulla scena del crimine e che è collegata all'arma dei delitti.»

Mikael annuì.

«Suppongo che significhi che avete trovato le sue impronte digitali. Il che non significa necessariamente che sia stata lei a sparare.»

Bublanski annuì.

«Anche Dragan Armanskij ne dubita. È troppo prudente per dirlo chiaro e tondo, ma anche lui sta cercando prove della sua innocenza.»

«E lei? Lei cosa crede?»

«Io sono un poliziotto. Prendo le persone e le interrogo. E le cose si stanno mettendo male per Lisbeth Salander. Abbiamo condannato assassini sulla base di indizi considerevolmente più vaghi.»

«Non ha risposto alla domanda.»

«Non lo so. Se dovesse essere innocente... chi avrebbe avuto interesse a uccidere sia il suo tutore che i suoi due amici?»

Mikael tirò fuori un pacchetto di sigarette e lo tese a Bublanski che scosse la testa. Non voleva mentire al poliziotto e pensò che forse doveva raccontare qualcosa delle sue elucubrazioni sull'uomo che veniva chiamato Zala. E anche qualcosa di Gunnar Björck dei servizi segreti.

Ma Bublanski e i suoi colleghi avevano accesso al materiale di Dag Svensson che conteneva la stessa cartella *Zala*. Tutto ciò che dovevano fare era leggere il testo. Invece procedevano come un rullo compressore a mettere in piazza dettagli intimi su Lisbeth Salander tramite i mass-media.

Mikael aveva un'idea ma non sapeva dove avrebbe potuto condurlo. Non voleva fare il nome di Björck prima di essere sicuro. *Zalachenko.* Lì stava il collegamento fra Bjurman e Dag e Mia. Il problema era che Björck non aveva raccontato nulla.

«Mi lasci scavare ancora un po' e vedrò di proporle una teoria alternativa.»

«Nessuna pista dentro la polizia, spero.»

Mikael sorrise.

«Mmm, no. Non ancora. Cosa ha detto Miriam Wu?»

«Più o meno le stesse cose che dice lei. Avevano una relazione.»

Sbirciò Mikael di sottecchi.

«Non sono affari miei» disse Mikael.

«Miriam Wu e Lisbeth Salander si frequentavano da tre anni. Miriam non sapeva niente del passato di Lisbeth e non sapeva nemmeno dove lavorasse. È difficile da digerire. Ma io credo che dica la verità.»

«Lisbeth è molto riservata» disse Mikael.

Restarono seduti in silenzio un momento.

«Ha il numero di Miriam Wu?»

«Certo.»

«Potrebbe darmelo?»

«No.»

«Perché no?»

«Mikael, questa è una faccenda che riguarda la polizia. Non abbiamo bisogno di detective privati con teorie fantasiose.»

«Io di teorie non ne ho ancora. Ma credo che la soluzione si trovi nel materiale di Dag Svensson.»

«Potrebbe trovare il numero di Miriam Wu abbastanza facilmente, se si sforzasse un po'.»

«Probabilmente. Ma il modo più semplice è quello di chiedere a qualcuno che ce l'ha già.»

Bublanski sospirò. Mikael si sentì d'un tratto fortemente irritato con lui.

«Forse i poliziotti sono più dotati delle persone normali che lei chiama detective privati?» domandò.

«No, non credo. Ma i poliziotti hanno un addestramento e il compito preciso di investigare.»

«Anche i privati possono essere addestrati» disse Mikael lentamente. «E talvolta un detective privato può essere molto più bravo a indagare di un vero poliziotto.»

«Questo lo crede lei.»

«Non lo credo, lo so. Prenda il caso di Joy Rahman. Un certo numero di poliziotti se ne stette lì con le mani in mano per cinque anni mentre Rahman, innocente, era chiuso in carcere con l'accusa di avere assassinato una vecchia signora. Sarebbe ancora dietro le sbarre se un'insegnante non avesse portato avanti per anni un'indagine seria. Quell'insegnante lo fece, e senza tutte le risorse di cui lei invece dispone. E non soltanto dimostrò che Rahman era innocente, ma fu anche in grado di indicare la persona che con ogni probabilità era il vero assassino.»

«Nel caso Rahman c'era di mezzo una questione di prestigio. Il procuratore si rifiutava di ascoltare i fatti.»

Mikael Blomkvist fissò Bublanski.

«Bublanski... c'è di mezzo il prestigio anche nel caso Salander. Io sostengo che non ha ucciso Dag e Mia. E lo dimostrerò. Le tirerò fuori il colpevole, e quando ciò sarà avvenuto scriverò un articolo che lei e i suoi colleghi troverete molto pesante da digerire.»

Tornando verso casa in Katarinabangatan Bublanski sentì il bisogno di discutere della cosa con Dio, ma anziché recarsi alla sinagoga andò alla chiesa cattolica di Folkungagatan. Si sedette su uno dei banchi in fondo e non si mosse per più di un'ora. Come ebreo tecnicamente non aveva niente a che spartire con una chiesa cattolica, ma quello era un posto pieno di pace che soleva visitare quando sentiva la necessità di fare ordine nei propri pensieri. Jan Bublanski riteneva che per riflettere una chiesa cattolica fosse un posto buono come qualsiasi altro, ed era convinto che Dio non si sarebbe dispiaciuto. C'era una grossa differenza fra cattolicesimo e giudaismo. Alla sinagoga si andava per cercare la compagnia di altre persone della comunità. I cattolici invece andavano in chiesa mossi dal desiderio di starsene in pace con Dio. L'intera chiesa era un invito al silenzio e a lasciare tranquillo ogni visitatore.

Meditò su Lisbeth Salander e Miriam Wu. E rifletté su ciò che Erika Berger e Mikael Blomkvist gli avevano tenuto nascosto. Era convinto che sapessero qualcosa di Lisbeth che non avevano raccontato. Si domandò quale ricerca avesse condotto Lisbeth per conto di Mikael Blomkvist. Per un istante si domandò anche se lavorasse per Blomkvist già prima dell'affare Wennerström, ma scartò quella possibilità. Lisbeth Salander non aveva nessun collegamento con quel genere di cose e sembrava altamente improbabile che potesse dare un contributo di qualche valore. Per quanto potesse essere brava nelle indagini personali.

Bublanski era preoccupato.

Non gli piaceva la testarda convinzione di Blomkvist che

Lisbeth Salander fosse innocente. Una cosa era che lui stesso come poliziotto nutrisse dei dubbi – dubitare era il suo mestiere. Altra cosa che Mikael Blomkvist lanciasse una sfida come investigatore privato.

Gli investigatori privati non gli piacevano perché il più delle volte andavano di pari passo con teorie cospiratorie che provocavano titoloni sui giornali e procuravano alla polizia un supplemento di lavoro assolutamente superfluo.

Questa storia stava diventando l'inchiesta per omicidio più assurda in cui fosse mai stato coinvolto. In qualche modo aveva perso la messa a fuoco, mentre invece un'inchiesta per omicidio deve procedere per nessi logici.

Se un ragazzo di diciassette anni viene trovato accoltellato a morte a Mariatorget, si tratta di scoprire quale banda di giovinastri o skinhead stesse facendo casino intorno alla Södra Station un'ora prima. Ci sono amici, conoscenti, testimoni e abbastanza presto anche dei sospettati.

Se un uomo di quarantadue anni viene ucciso con tre colpi d'arma da fuoco in un locale a Skärholmen e si scopre che faceva l'esattore per la mafia slava, allora si tratta di scoprire quali pescecani stiano cercando di prendere il controllo del contrabbando di sigarette.

Se una donna di ventisei anni con un passato rispettabile e una vita ordinata viene trovata strangolata nel suo appartamento, si tratta di informarsi su chi fosse il suo ragazzo o l'ultimo uomo con cui aveva parlato in qualche locale la sera prima.

Bublanski aveva al suo attivo così tante indagini di quel genere che avrebbe potuto condurle anche nel sonno.

E questa era cominciata così bene. Avevano trovato un indiziato già dopo qualche ora. Lisbeth Salander era tagliata su misura per quel ruolo – una persona con problemi psichiatrici conclamati che aveva avuto esplosioni di violenza incontrollata per tutta la vita. In pratica si trattava solo di fermarla e ottenere una confessione oppure, a seconda delle circostanze, di spedirla in qualche casa di cura per malati mentali. Invece stava andando tutto storto.

Lisbeth Salander non abitava dove doveva abitare. Aveva amici come Dragan Armanskij e Mikael Blomkvist. Aveva una relazione con una nota lesbica che si dedicava al sesso con manette e mandava in sollucchero i media. Aveva due milioni di corone in banca e nessun lavoro dichiarato. Poi arrivava Blomkvist con le sue teorie sul trafficking. Come giornalista di grido avrebbe potuto creare il caos più totale nell'inchiesta con un unico articolo ben piazzato.

E la sospettata numero uno non era rintracciabile, nonostante fosse uno scricciolo dall'aspetto inconfondibile con tatuaggi su tutto il corpo. A quasi due settimane dagli omicidi non un solo sussurro su dove potesse trovarsi.

Gunnar Björck, capodivisione aggiunto dei servizi segreti, in malattia per un'ernia del disco, aveva trascorso un giorno e una notte miserevoli da quando Mikael Blomkvist aveva varcato la soglia della sua casa. Un dolore sordo e costante alla schiena lo tormentava. Aveva camminato avanti e indietro per le stanze incapace di rilassarsi e di prendere l'iniziativa. Aveva cercato di pensare, ma i pezzi del puzzle non volevano andare al loro posto.

Non riusciva a capire come fosse congegnata la storia.

Quando aveva appreso la notizia dell'omicidio di Nils Bjurman, il giorno dopo che l'avvocato era stato trovato morto, era rimasto a bocca aperta. Ma non si era meravigliato quando Lisbeth Salander era stata additata come sospettata numero uno ed era partita la caccia. Aveva attentamente seguito ogni singola parola alla tv, comperato tutti i quotidiani disponibili e letto minuziosamente tutto quello che veniva scritto sull'argomento.

Che Lisbeth Salander fosse malata di mente e capace di

uccidere era cosa di cui non dubitava. Non aveva nessun motivo di non credere alla sua colpevolezza o alle conclusioni dell'inchiesta di polizia – al contrario, tutto ciò che sapeva su Lisbeth stava a indicare che era veramente una pazza psicotica. Era stato quasi sul punto di telefonare alla polizia per contribuire con dei buoni consigli o almeno per verificare che la faccenda fosse seguita nella maniera giusta, ma alla fine era giunto alla conclusione che la cosa in effetti non lo riguardava più. Non era più di sua competenza e c'era gente preparata capace di occuparsene. Inoltre un suo intervento avrebbe potuto richiamare quell'attenzione indesiderata che invece voleva evitare. Così si era rilassato e aveva continuato a seguire le notizie sul caso con distratto interesse.

Ma la visita di Mikael Blomkvist aveva mandato a gambe all'aria quella tranquillità. A Björck non era mai passato per la testa che l'orgia di omicidi di Lisbeth Salander potesse arrivare a riguardarlo personalmente e che una delle sue vittime fosse un porco di giornalista in procinto di metterlo alla gogna di fronte a tutta la Svezia.

Ancor meno si era immaginato che il nome di Zala sarebbe comparso nella storia come una bomba a mano innescata, e men che meno che quel nome fosse noto a Mikael Blomkvist. Era talmente inverosimile da sfidare ogni buon senso.

Il giorno dopo la visita di Blomkvist aveva preso il telefono e chiamato il suo ex capo, che aveva settantotto anni e abitava a Laholm. Aveva cercato di scoprire in qualche modo la connessione senza far capire che chiamava per motivi diversi dalla pura curiosità e preoccupazione professionale. Era stata una conversazione relativamente breve.

«Sono Björck. Immagino che avrai letto i giornali.»

«Sì, certo. È ricomparsa.»

«E a quanto pare non è cambiata granché.»

«Non sono più affari nostri.»

«Tu non credi che...?»

«No, non credo. Tutta quella faccenda è morta e sepolta. Non c'è nessun collegamento.»

«Ma proprio Bjurman fra tutti. Suppongo che non fosse diventato il suo tutore per caso.»

Ci fu qualche secondo di silenzio.

«No, non è stato un caso. Quella volta era sembrata una buona idea. Chi avrebbe potuto immaginare tutto questo?»

«Fino a che punto era al corrente Bjurman?»

Il suo ex capo fece d'un tratto una risata chioccia.

«Tu sai molto bene com'era Bjurman. Non era certo l'attore più dotato.»

«Voglio dire... sapeva del collegamento? Può esserci qualcosa fra le sue carte che conduca a...?»

«No, naturalmente no. Capisco cosa vuoi sapere ma non devi preoccuparti. Lisbeth Salander è sempre stata una mina vagante in questa faccenda. Avevamo fatto in modo che Bjurman ricevesse l'incarico ma solo perché il suo tutore fosse qualcuno che potevamo controllare. Meglio lui che una carta sconosciuta. Se la ragazza avesse cominciato a straparlare, sarebbe venuto da noi. Comunque anche questa storia si risolverà nella maniera migliore.»

«Cosa intendi?»

«Be', dopo tutto questo finirà in manicomio per un bel pezzo.»

«Okay.»

«Non ti preoccupare. Stattene in malattia in tutta tranquillità.»

Ma era proprio quello che il capodivisione aggiunto Gunnar Björck era incapace di fare. Ed era stato Mikael Blomkvist a ridurlo in quelle condizioni. Si sedette al tavolo della cucina e guardò fuori verso l'insenatura di Jungfrufjärden mentre cercava di riepilogare la propria situazione. Era minacciato su due fianchi.

Mikael Blomkvist l'avrebbe esposto alla gogna mediatica come cliente di prostitute. Rischiava di dover concludere la sua carriera di poliziotto con una condanna per reati sessuali.

Ma la cosa peggiore era che Blomkvist stava dando la caccia a Zalachenko. In qualche modo doveva essere coinvolto nella vicenda. La qual cosa avrebbe portato dritto dritto alla porta di Gunnar Björck.

Cercò di visualizzare l'incontro che aveva avuto con Bjurman più di nove mesi prima. Si erano dati appuntamento nella città vecchia. Bjurman gli aveva telefonato un pomeriggio in ufficio proponendogli una birra insieme. Avevano parlato di tiro con la pistola e di altro, ma Bjurman l'aveva cercato per un motivo particolare. Aveva bisogno di un favore. Gli aveva chiesto di Zalachenko...

Björck si alzò e andò alla finestra della cucina. Quella volta aveva alzato un po' il gomito. In effetti, l'aveva alzato parecchio. Cosa gli aveva chiesto Bjurman?

A proposito... mi sto occupando di una faccenda in cui è spuntato fuori il nome di una vecchia conoscenza...

Ah sì? E chi sarebbe?

Alexander Zalachenko. Te lo ricordi?

Altroché. Non è uno che si possa scordare così facilmente. Che fine ha fatto poi?

Tecnicamente, la cosa non riguardava Bjurman. Ci sarebbero stati perfino dei validi motivi per metterlo sotto la lente d'ingrandimento per il semplice fatto che aveva domandato... se non fosse stato che era il tutore di Lisbeth Salander. Bjurman aveva detto che aveva bisogno della vecchia inchiesta. *E io gliela diedi.*

Björck aveva commesso un terribile errore. Aveva dato per scontato che Bjurman sapesse già – il contrario sarebbe stato impensabile. E Bjurman aveva presentato la cosa come se stesse solo cercando di prendere una scorciatoia per evitare un lento iter burocratico in cui tutto era top secret e poteva fargli perdere dei mesi. In particolare per qualcosa che riguardava Zalachenko.

Gli diedi l'inchiesta. Era ancora secretata ma c'era un motivo plausibile per farlo e Bjurman non era certo tipo da svelare segreti. Era tonto, ma non un chiacchierone. Che danni avrebbe potuto fare... ormai erano passati tanti di quegli anni.

Bjurman l'aveva imbrogliato. Gli aveva fatto credere che si trattasse solo di formalità burocratiche. Più ci pensava, più si convinceva che Bjurman aveva pesato ogni singola parola, con precisione e prudenza.

Ma cosa diavolo stava cercando? E perché Lisbeth Salander l'aveva ammazzato?

Mikael Blomkvist passò in Lundagatan altre quattro volte nel corso della giornata di sabato nella speranza di incontrare Miriam Wu, ma della ragazza nessuna traccia.

Mikael trascorse gran parte della giornata al Kaffebar di Hornsgatan con il suo iBook, a rileggere la posta che Dag Svensson aveva ricevuto al suo indirizzo di *millennium.se* e il contenuto della cartella *Zala*. Nelle ultime settimane prima della sua morte, Dag aveva dedicato sempre più tempo a indagare su Zala.

Mikael avrebbe voluto potergli telefonare per domandargli perché il documento su Irina P. fosse nella cartella su Zala. L'unica conclusione a cui era giunto era che Dag sospettasse di Zala per l'omicidio della ragazza.

Alle cinque del pomeriggio Bublanski gli aveva inaspettatamente telefonato dandogli il numero di Miriam Wu. Non capiva cosa avesse indotto l'ispettore a ricredersi, ma da quando aveva avuto il numero aveva chiamato circa una volta ogni mezz'ora. Solo alle undici di sera Miriam Wu aveva acceso il cellulare, e aveva risposto. Era stata una conversazione breve.

«Salve Miriam. Mi chiamo Mikael Blomkvist.»

«E chi diavolo saresti?»

«Sono un giornalista e lavoro per un giornale che si chiama *Millennium*.»

Miriam Wu disse come la pensava in maniera molto essenziale.

«Aha. Quel Blomkvist. Vattene all'inferno, brutto bastardo.»

Dopo di che aveva chiuso la comunicazione prima che Mikael avesse una sola possibilità di spiegare il motivo della telefonata. Mikael formulò cattivi pensieri su Tony Scala e la chiamò di nuovo. Lei non rispose. Alla fine le mandò un messaggio.

Per favore chiamami. È molto importante.

Lei non l'aveva chiamato.

La notte di sabato, a tarda ora, Mikael spense il computer, si spogliò e si infilò a letto. Si sentiva frustrato e desiderò avere vicino Erika.

Parte quarta

Terminator mode
24 marzo - 8 aprile

$$(a + b)^2 = a^2 + 2ab + b^2$$

La radice di un'equazione è un numero che inserito al posto dell'incognita fa dell'equazione un'uguaglianza. Si dice che la radice soddisfa l'equazione. Per risolvere un'equazione è necessario trovare tutte le radici. Un'equazione che è soddisfatta da tutti i valori immaginabili delle incognite è detta identità.

21.
24 marzo, Giovedì Santo - lunedì 4 aprile

Lisbeth Salander trascorse la settimana iniziale della battuta di caccia messa in atto dalla polizia lontana da ogni clamore. Si trovava nella serena tranquillità del suo appartamento a Mosebacke. Il suo cellulare era spento e la sim card rimossa. Non avrebbe più usato quel telefono. Con occhi sempre più sgranati, seguiva i titoli delle edizioni in rete dei quotidiani e i telegiornali.

Osservava irritata la foto del suo passaporto che inizialmente era stata diffusa in Internet e quindi aveva campeggiato nei titoli di testa di tutti i telegiornali. La faceva sembrare una mezza matta.

Nonostante avesse cercato per anni l'anonimato, era stata trasformata in una delle persone più famigerate e citate di tutto il paese. Con blando stupore cominciò a rendersi conto che un avviso di ricerca su tutto il territorio nazionale riguardante una ragazza minuta sospettata di triplice omicidio era una delle notizie più importanti dell'anno, più o meno al livello di quelle sulla setta di Knutby. Seguì perplessa i commenti e le spiegazioni dei media, i documenti riservati sulle sue condizioni mentali all'apparenza erano a disposizione di qualsiasi redazione. Un titolo risvegliò in lei ricordi sepolti.

FERMATA A GAMLA STAN
PER LESIONI PERSONALI

Un reporter giudiziario dell'agenzia nazionale di stampa Tt aveva sbaragliato la concorrenza mettendo le mani su una copia della perizia psichiatrica fatta quando Lisbeth era stata fermata per avere preso a calci in faccia un altro passeggero alla stazione della metropolitana di Gamla Stan.

Lisbeth ricordava molto bene quella vicenda. Era stata a Odenplan e stava ritornando alla sua provvisoria abitazione presso i genitori affidatari a Hägersten. Alla fermata di Rådmansgatan era salito uno sconosciuto, apparentemente sobrio, che le aveva subito messo gli occhi addosso. Più tardi era venuta a sapere che si chiamava Karl Evert Blomgren e che era un disoccupato di cinquantadue anni, un ex giocatore di *bandy* di Gävle. Nonostante il vagone fosse mezzo vuoto, era andato a sedersi accanto a lei e aveva cominciato a molestarla. Le aveva messo la mano sul ginocchio e aveva cercato di avviare una conversazione del tipo "ti do duecento corone se vieni a casa con me". Sentendosi ignorato era diventato insistente e l'aveva chiamata frigida befana. Il fatto che lei non gli avesse dato risposta e addirittura avesse cambiato posto alla fermata di T-Centralen non l'aveva scoraggiato.

Mentre si avvicinavano alla fermata di Gamla Stan l'aveva circondata con le braccia da dietro infilandole le mani sotto la felpa e sussurrandole all'orecchio che era una troia. A Lisbeth non garbava essere chiamata così da un perfetto sconosciuto in metropolitana. Gli aveva risposto con una gomitata nell'occhio, dopo di che si era aggrappata a un sostegno e sollevandosi l'aveva colpito sul naso con entrambi i tacchi. Ovviamente c'era stato un certo spargimento di sangue.

Era riuscita a svignarsela quando il treno si era fermato

ma, siccome era in perfetta tenuta da punk e aveva i capelli tinti di blu, un amico dell'ordine pubblico le si era gettato addosso e l'aveva tenuta schiacciata a terra fino a quando era arrivato un agente.

Lisbeth aveva maledetto il proprio sesso e la propria taglia. Se fosse stata un ragazzo, nessuno avrebbe osato bloccarla.

Non aveva fatto nessun tentativo di spiegare perché aveva preso a calci in faccia Karl Evert Blomgren. Non riteneva che valesse la pena cercare di spiegare alcunché a un'autorità in divisa. Per ragioni di principio rifiutava di rispondere perfino quando gli psicologi cercavano di valutare le sue condizioni di salute mentale. Per sua fortuna, diversi altri passeggeri avevano notato come si erano svolti i fatti, e fra questi una battagliera signora di Härnösand che era anche membro del Parlamento nelle file del partito di centro. La donna aveva testimoniato sul posto che Blomgren aveva molestato Lisbeth prima della sua reazione violenta. Quando più tardi era risultato che Blomgren aveva già due condanne per atti osceni alle spalle, il procuratore aveva deciso di archiviare il caso. Questo tuttavia non aveva comportato anche l'interruzione dell'indagine dei servizi sociali su di lei. Poco tempo dopo il tribunale aveva deciso di dichiarare Lisbeth Salander incapace. Di conseguenza le era stata imposta la tutela, prima nella persona di Holger Palmgren, poi in quella di Nils Bjurman. Adesso tutti questi dettagli estremamente riservati erano finiti in rete, alla portata di tutti. Il suo profilo era completato con descrizioni a tinte forti di come fosse stata in conflitto con l'ambiente circostante fin dalle elementari e avesse trascorso i primi anni dell'adolescenza in una clinica psichiatrica infantile.

La diagnosi mediatica su Lisbeth Salander variava a seconda dell'edizione e della testata. Talvolta veniva descritta come psicotica, altre volte come schizofrenica con manie di persecuzione. Tutti i giornali la descrivevano come mentalmente ritardata – in fondo non aveva nemmeno completato la scuola dell'obbligo. Che fosse squilibrata e incline a un comportamento violento nessuno poteva metterlo in dubbio.

Quando scoprirono che Lisbeth Salander frequentava la ben nota lesbica Miriam Wu, i giornali si scatenarono. Miriam Wu si era esibita nello show di Benita Costa al Pride Festival, una performance assai provocatoria in cui Mimmi era stata fotografata a seno nudo con addosso un paio di pantaloni di pelle con le bretelle e stivali di vernice col tacco alto. La ragazza aveva inoltre scritto articoli per un giornale gay che furono ampiamente citati nei media, e in alcune occasioni era stata intervistata in seguito alla sua partecipazione a qualche show. Una pluriomicida lesbica combinata con solleticanti pratiche sadomaso era un argomento imbattibile per aumentare la tiratura.

Siccome Miriam Wu era stata irreperibile durante tutta la prima, drammatica settimana, erano state fatte le più diverse congetture: forse anche lei era rimasta vittima della violenza di Lisbeth Salander, o forse era sua complice. Queste riflessioni tuttavia erano confinate quasi esclusivamente nella stupida chat *Exilen* in Internet e non ricorrevano nei mass-media più importanti. Diversi giornali si interrogavano invece sul possibile legame tra la tesi di Mia Bergman sul mercato del sesso e il motivo che aveva spinto Lisbeth Salander a commettere i delitti, visto e considerato che secondo i servizi sociali era una prostituta.

Alla fine della settimana i media scoprirono che Lisbeth era collegata anche a un gruppo di giovani donne che flirtavano col satanismo. Il gruppo si chiamava Evil Fingers e aveva spinto un giornalista delle pagine della cultura di una certa età a scrivere un testo sulla mancanza di radici della gioventù odierna e sui pericoli che si nascondono ovunque, dagli skinhead all'hip hop.

A quel punto il pubblico era ormai sazio di informazioni su Lisbeth Salander. A voler mettere insieme tutte le notizie fornite dalle diverse testate, risultava che la polizia dava la caccia a una lesbica psicotica che faceva parte di un gruppo di sataniste sadomaso che odiavano la società in generale e gli uomini in particolare. Siccome Lisbeth Salander era stata all'estero nel corso dell'anno precedente, era possibile che ci fosse anche qualche collegamento internazionale.

Lisbeth reagì con una certa emozione solo a una delle tante manifestazioni del brusio mediatico. Un titolo aveva catturato il suo interesse.

AVEVAMO PAURA DI LEI
MINACCIAVA DI UCCIDERE

A esprimersi in questi termini era stata una ex insegnante, attualmente artista tessile, di nome Birgitta Miåås, che scriveva che Lisbeth minacciava i suoi compagni di classe e che perfino gli insegnanti avevano paura di lei.

Lisbeth l'aveva effettivamente colpita, e non solo in senso metaforico.

Si morse il labbro inferiore. Era successo quando aveva undici anni. Ricordava quella donna, una sgradevole supplente di matematica che continuava a insistere perché lei rispondesse a una domanda alla quale aveva già risposto correttamente, anche se a detta del libro di testo la risposta era sbagliata. In realtà era il libro a sbagliare, era evidente. Ma la supplente si era fatta sempre più insistente e Lisbeth sempre più riottosa a discutere la questione. Alla fine era rimasta seduta con la bocca tirata e il labbro sporgente, finché l'insegnante, per pura frustrazione, l'aveva presa per le spalle scuotendola per ridestare la sua attenzione. Lisbeth aveva risposto lanciandole il libro sulla testa, cosa che aveva causato un certo subbuglio. Aveva sputato e sibilato e scalciato a destra e a sinistra mentre i suoi compagni cercavano di tenerla ferma.

L'articolo occupava una doppia pagina su un quotidiano della sera e dava anche spazio a qualche dichiarazione in una colonna laterale in cui uno dei suoi ex compagni di classe posava davanti all'ingresso della loro vecchia scuola. Il tizio in questione si chiamava David Gustavsson e si definiva ragioniere. Sosteneva che gli allievi avevano paura di Lisbeth Salander perché lei "una volta aveva minacciato di uccidere". Lisbeth ricordava David Gustavsson come uno dei suoi peggiori aguzzini a scuola, un bestione con il quoziente intellettivo di un luccio che raramente si lasciava scappare l'occasione di distribuire insulti e spintoni nei corridoi della scuola. Una volta l'aveva aggredita dietro la palestra durante la pausa pranzo e lei come al solito aveva risposto per le rime. Sotto il profilo puramente fisico non aveva nessuna chance, ma era incline a ritenere che la morte fosse meglio della capitolazione. Proprio quell'incidente in particolare si era ingigantito quando diversi compagni di classe si erano riuniti in circolo per guardare Gustavsson spintonare ripetutamente Lisbeth gettandola a terra. Fino a un certo punto era stato divertente, ma la sciocca ragazzina non capiva cosa fosse meglio per lei e non voleva stare giù, né cominciava a piangere o a implorare pietà.

Cominciava a essere davvero troppo anche per i compagni. David era così palesemente superiore e Lisbeth così palesemente indifesa che a David arrivò qualche critica. Ma aveva iniziato qualcosa che non riusciva a finire. Alla fine aveva mollato a Lisbeth due veri e propri pugni che le avevano spaccato un labbro e tolto il respiro. I compagni di classe l'avevano lasciata a terra come un pietoso mucchio di stracci e ridendo erano scomparsi dietro l'angolo della palestra.

Lisbeth era andata a casa a leccarsi le ferite. Due giorni dopo era tornata armata di una mazza da baseball. Nel bel mezzo del cortile della scuola aveva colpito David sull'orecchio. Mentre lui era a terra sotto shock gli aveva premuto la mazza contro la gola e chinandosi gli aveva sussurrato che se mai l'avesse toccata di nuovo l'avrebbe ammazzato. Quando il personale scolastico aveva scoperto cos'era accaduto, David era stato accompagnato all'infermeria e Lisbeth dal preside. Seguirono nota sul libretto, punizione, e indagine dei servizi sociali.

Per quindici anni Lisbeth non aveva più pensato all'esistenza né di Birgitta Miåås né di Gustavsson. Prese mentalmente nota di controllare, appena avesse avuto un po' di tempo, cosa facessero di bello attualmente.

L'effetto complessivo di tutto quel fiume d'inchiostro era che la cattiva fama di Lisbeth Salander era ormai nota a tutto il popolo svedese. Il suo passato veniva esaminato, spulciato e pubblicato fin nei minimi dettagli, dagli scatti delle elementari al ricovero presso la clinica psichiatrica infantile St. Stefan di Uppsala, dove aveva passato più di due anni.

Tese l'orecchio quando il dottor Peter Teleborian fu intervistato alla tv. Erano passati otto anni da quando l'aveva visto l'ultima volta, in occasione dell'udienza in tribunale sulla sua dichiarazione di incapacità. La fronte corrugata, si grattava il pizzetto mentre si rivolgeva corrucciato alla reporter in studio e spiegava che era tenuto al segreto professionale e che quindi non poteva discutere di nessun paziente in particolare. Tutto ciò che poteva dire era che Lisbeth Salander era un caso molto complicato che richiedeva cure qualificate, mentre il tribunale contro il suo parere aveva deciso di metterla sotto tutela lasciandola libera di circolare anziché istituzionalizzarla fornendole le cure di cui aveva bisogno. Era uno scandalo, sosteneva. Si doleva del fatto che tre persone avessero dovuto rimetterci la vita come risultato di quell'errore di valutazione, e coglieva l'occasione per criticare i tagli ai fondi per le cure psichiatriche imposti dal governo negli ultimi decenni.

Lisbeth aveva notato che nessun giornale aveva rivelato che la forma più comune di cura nel reparto di psichiatria infantile di cui il dottor Teleborian era responsabile consisteva nel rinchiudere i pazienti "inquieti e intrattabili" in una stanza definita "priva di stimolazioni". Dentro c'era solo una branda dotata di cinghie. Il pretesto accademico era che i bambini irrequieti non dovevano ricevere "stimoli" capaci di scatenare reazioni.

Quando era diventata più grande aveva scoperto che c'era un altro termine per descrivere la stessa cosa. *Sensory deprivation.* Sottoporre i detenuti a *sensory deprivation* era classificato come inumano nella Convenzione di Ginevra. Quel trattamento era un elemento ricorrente negli esperimenti di lavaggio del cervello cui diversi regimi dittatoriali si erano dedicati, e c'era un'ampia documentazione che dimostrava come i prigionieri politici che confessavano i crimini più paradossali durante i processi della Mosca degli anni trenta fossero stati sottoposti a qualcosa del genere.

Vedendo il volto di Peter Teleborian alla tv, Lisbeth aveva sentito il cuore trasformarsi in un piccolo grumo di ghiaccio. Si domandò se il dottore usasse ancora quell'orrendo dopobarba. Era lui il responsabile della sua cosiddetta cura. Lisbeth non aveva mai capito cosa ci si aspettasse da lei. All'inizio pensava di doversi sottoporre a quei trattamenti per poter diventare responsabile delle proprie azioni. Ma presto si era resa conto che un paziente "inquieto e intrattabile" non era altro che un paziente che contestava le teorie di Teleborian.

Lisbeth Salander aveva dovuto scoprire che il trattamento psichiatrico più comune nel Cinquecento veniva ancora praticato alle soglie del Duemila.

Aveva trascorso circa la metà della sua permanenza in clinica legata alla branda nella stanza "priva di stimolazioni". Doveva essere una specie di record.

Teleborian non l'aveva mai molestata sessualmente. Non l'aveva mai nemmeno sfiorata se non in contesti più che innocenti. In un'occasione le aveva poggiato la mano sulla spalla in un gesto di esortazione mentre era legata in isolamento.

Si chiese se i segni dei suoi denti si vedessero ancora sul dito mignolo del dottore.

Col tempo la situazione era diventata una sfida in cui Teleborian aveva tutte le carte in mano. La contromossa di Lisbeth era stata quella di schermarsi completamente e ignorare del tutto la sua presenza.

Aveva dodici anni quando era stata portata lì da due donne poliziotto. Erano passate alcune settimane da quando era successo Tutto il Male. Ricordava ogni dettaglio. All'inizio aveva creduto che tutto in qualche modo si sarebbe sistemato. Aveva cercato di spiegare la propria versione a poliziotti, assistenti sociali, personale ospedaliero, infermieri, medici, psicologi e perfino a un prete che voleva indurla a pregare con lui. Sul sedile posteriore della macchina della polizia che la portava a Uppsala ancora non aveva capito dove sarebbe andata a finire. Nessuno l'aveva informata. Ma era allora che aveva cominciato a intuire che niente si sarebbe sistemato.

Aveva cercato di spiegare anche a Peter Teleborian.

Il risultato di tutti i suoi sforzi era stato che la notte in cui aveva compiuto tredici anni era legata alla branda.

Peter Teleborian era senza paragone il sadico più tremendo e ripugnante che Lisbeth avesse mai incontrato in tutta la sua vita. Surclassava Bjurman di molte lunghezze. Bjurman era stato un porco brutale che però lei aveva potuto maneggiare. Ma Peter Teleborian si proteggeva dietro una cortina di carte, perizie, meriti accademici e fumoserie psichiatriche. Non una delle sue azioni avrebbe potuto essere denunciata o anche solo biasimata.

Lui era incaricato dallo stato di legare al letto con le cinghie le bambine disobbedienti.

E ogni volta che giaceva sulla schiena legata e lui tirava un po' di più le cinghie e lei incontrava il suo sguardo, Lisbeth Salander poteva leggervi l'eccitazione. Lei sapeva. E lui sapeva che lei sapeva. Il messaggio era arrivato a destinazione.

La notte in cui aveva compiuto tredici anni aveva deciso che non avrebbe mai più scambiato una sola parola con Peter Teleborian né con nessun altro psichiatra o neurologo. Era il suo regalo di compleanno a se stessa. E aveva mantenuto la promessa. Sapeva che questo avrebbe frustrato profondamente Teleborian contribuendo forse più d'ogni altra cosa a farla imbrigliare notte dopo notte al suo giaciglio. Ma era un prezzo che era disposta a pagare.

Imparò tutto sull'autocontrollo. Non ebbe più accessi d'ira e smise di lanciare cose intorno a sé nei giorni in cui non era in isolamento.

Ma non parlava con i medici.

Parlava però cortesemente e senza riserve con infermieri, personale della mensa e inservienti. La cosa fu notata. Un'infermiera gentile, che si chiamava Carolina e alla quale Lisbeth si era entro certi limiti affezionata, un giorno le aveva chiesto perché si comportasse in quel modo. Lisbeth l'aveva guardata perplessa.

Perché non parli con i dottori?

Perché loro non ascoltano cosa dico.

La risposta non era stata spontanea. Quello era il suo modo di comunicare con i medici. Era consapevole del fatto che ogni suo commento sarebbe stato registrato nella sua cartella personale a testimonianza del fatto che il suo silenzio era frutto di una scelta assolutamente razionale.

Nel suo ultimo anno in clinica era diventato sempre più insolito che Lisbeth fosse rinchiusa in isolamento. Se succedeva era solo perché lei in un modo o nell'altro aveva irritato Peter Teleborian, e questo del resto sembrava succedere ogni volta che lui la vedeva. Il dottore cercava in ogni modo di spezzare il suo testardo silenzio e costringerla a riconoscere la sua esistenza.

A un certo punto Teleborian aveva stabilito che Lisbeth doveva assumere uno psicofarmaco, che le rendeva difficoltoso respirare e pensare, cosa che a sua volta le provocava angoscia. Lisbeth si rifiutò di prenderlo, e il dottore stabilì che gliene fossero somministrate con la forza tre pastiglie al giorno.

La sua resistenza era così energica che il personale doveva bloccarla, aprirle la bocca e poi costringerla a deglutire. La prima volta Lisbeth si era subito infilata le dita in gola e aveva vomitato il pranzo addosso all'inserviente più vicino. Questo aveva portato come conseguenza che le pastiglie le venivano somministrate dopo averla legata al letto. Ma Lisbeth imparò a vomitare anche senza infilarsi le dita in gola. Il suo violento rifiuto e il lavoro in più che comportava per il personale fecero sì che i tentativi fossero interrotti.

Aveva appena compiuto quindici anni quando d'improvviso era stata riportata a Stoccolma e sistemata presso una famiglia affidataria. Il trasferimento era giunto come una sorpresa per lei. All'epoca tuttavia Teleborian non lavorava più lì e Lisbeth era convinta che quella fosse l'unica ragione per cui era stata inaspettatamente dimessa. Se Teleborian avesse potuto decidere da solo, lei sarebbe stata ancora legata alla branda in isolamento.

Ora lo stava vedendo alla tv. Si chiese se il dottore sognasse ancora di averla tra le mani oppure la considerasse ormai troppo vecchia per soddisfare le sue fantasie. Il suo attacco contro la decisione del tribunale di non istituzionalizzarla aveva suscitato l'indignazione della reporter che lo intervistava, che però non aveva la minima idea di quali domande avrebbe dovuto fare. Non c'era nessuno che potesse contraddire Peter Teleborian. Il precedente primario era morto. Il giudice che aveva presieduto la corte nel caso Salander e che adesso veniva additato come responsabile della vicenda, era andato in pensione. E si rifiutava di rilasciare dichiarazioni alla stampa.

Uno dei testi più sconcertanti Lisbeth lo trovò nell'edizione in rete di un giornale locale della Svezia centrale. Lo lesse tre volte prima di spegnere il computer e accendersi una sigaretta. Si sedette sul suo cuscino dell'Ikea nel vano della finestra e fissò sconfortata le luci all'esterno.

«Lei è bisessuale» dice un'amica d'infanzia.
La ventiseienne ricercata per tre omicidi viene descritta come una persona eccentrica e molto chiusa, con grosse difficoltà di adattamento a scuola. Nonostante i tentativi di coinvolgerla nel gruppo, ne rimaneva sempre fuori.
«Aveva problemi evidenti con la sua identità sessuale» ricorda Johanna, una delle sue poche amiche intime a scuola. «Era apparso subito chiaro che era diversa e che era bisessuale. Eravamo preoccupati per lei.»

Il testo continuava riportando alcuni episodi di cui Johanna si ricordava. Lisbeth aggrottò le sopracciglia. Non riusciva a ricordare né quegli episodi né di avere avuto un'amica intima di nome Johanna. In effetti non ricordava di avere mai avuto una persona che si potesse descrivere come amica intima e che avesse cercato di coinvolgerla nel gruppo ai tempi della scuola.

Il testo era vago circa l'epoca in cui questi episodi dovevano essere successi, ma in pratica lei aveva lasciato la scuola quando aveva dodici anni. Ciò significava che i suoi preoccupati compagni di studi dovevano avere scoperto la sua bisessualità già alle medie.

Nonostante l'ondata quasi furiosa di testi idioti nel corso della settimana, l'intervista con Johanna era quella che l'aveva maggiormente colpita. Era così palesemente costruita. O il reporter era incappato in una mitomane o si era cucito una storia da sé. Memorizzò il nome del giornalista e lo inserì nell'elenco dei futuri oggetti di studio.

Neppure i reportage di critica sociale con titoli del tipo *La società crollata* o *Non ha mai ricevuto l'aiuto di cui aveva bisogno* riuscivano a oscurare il suo ruolo di nemico pubblico numero uno – una pluriomicida che in un attacco di pazzia aveva trucidato tre onesti cittadini.

Lisbeth leggeva le interpretazioni della sua vita affascinata, ma non poteva non notare un'evidente lacuna in ciò che si sapeva di lei. Nonostante la possibilità all'apparenza illimitata di accedere ai dettagli più segreti e intimi sulla sua vita, i media ignoravano Tutto il Male che era successo subito prima che compisse tredici anni. La conoscenza della sua vita andava dai sei agli undici anni, e riprendeva verso i quindici, quando era stata dimessa dalla clinica psichiatrica infantile e sistemata presso una famiglia affidataria.

Era come se qualcuno vicino all'inchiesta della polizia rifornisse di informazioni i media ma, per motivi che Lisbeth non conosceva, avesse deciso di censurare quel capitolo. La cosa la sconcertava. Se la polizia voleva sottolineare la sua inclinazione alla violenza brutale, allora quella vecchia indagine era decisamente il carico più pesante del suo curriculum, ben più di tutte le piccolezze successe nel cortile della scuola – e la causa diretta del fatto che l'avevano portata a Uppsala e istituzionalizzata alla St. Stefan.

Il giorno di Pasqua Lisbeth cominciò a tracciare un quadro dell'inchiesta di polizia. Dai dati diffusi dai mass-media ricavò un buon numero di informazioni. Il procuratore Richard Ekström era il responsabile delle indagini preliminari e colui che solitamente faceva le dichiarazioni alle conferenze stampa. Concretamente l'inchiesta era curata dall'ispettore Jan Bublanski, un individuo un po' sovrappeso stretto in una giacca che vestiva male, che affiancava Ekström in alcune delle conferenze stampa.

Dopo qualche giorno aveva identificato Sonja Modig come l'unica donna del gruppo, e come la persona che aveva trovato l'avvocato Bjurman. Aveva anche i nomi di Hans Faste e Curt Svensson, ma non quello di Jerker Holmberg che non compariva in nessun reportage. Nel suo computer creò un file per ogni soggetto e cominciò a inserire le informazioni.

Ovviamente notizie su come procedeva l'inchiesta c'erano anche nei computer di cui disponevano gli inquirenti, i cui database erano sul server della sede centrale della polizia. Lisbeth sapeva che infiltrarsi nella rete interna della polizia era molto difficile ma non impossibile. L'aveva già fatto in precedenza.

In occasione di un incarico ricevuto da Dragan Armanskij quattro anni prima, aveva tracciato un quadro della struttura della rete della polizia e studiato la possibilità di introdursi nel casellario giudiziario. Ma aveva grossolanamente fallito nei suoi tentativi di intrusione – i firewall erano troppo sofisticati e minati con ogni insidia possibile e immaginabile, se avesse insistito avrebbe rischiato di attirare su di sé una indesiderata attenzione.

La rete interna era costruita a regola d'arte con cablatura propria e schermatura da collegamenti esterni e da Internet. Ciò che occorreva era, in altre parole, che un poliziotto in carne e ossa autorizzato a entrare nella rete si mettesse al suo servizio o che la rete interna la credesse persona autorizzata. A quel riguardo gli esperti di sicurezza della polizia avevano per fortuna lasciato una falla gigantesca. In giro per il paese c'era un gran numero di commissariati collegati alla rete, molti dei quali erano piccole unità locali che la notte rimanevano incustodite e in generale mancavano di sistemi d'allarme o sorveglianza. Il commissariato di zona di Långvik alla periferia di Västerås era un posto del genere. Era ospitato in centotrenta metri quadrati nello stesso edificio della biblioteca e della previdenza sociale locali, ed era presidiato da tre agenti ma solo di giorno.

Quella volta Lisbeth non era riuscita a introdursi nella rete, ma aveva deciso che poteva valere la pena spendere un po' di tempo ed energia per procurarsi un accesso per future necessità. Aveva studiato le varie possibilità, quindi aveva fatto domanda per un lavoro estivo come inserviente alla biblioteca di Långvik. Trafficando ogni giorno nei locali con stracci per i pavimenti e secchi di detersivi, le erano bastati circa dieci minuti all'ufficio tecnico del comune per tracciare una mappa dettagliata. Aveva le chiavi dell'edificio ma non dei locali del commissariato di polizia. Aveva però scoperto che avrebbe potuto arrampicarsi senza grosse difficoltà nei locali della polizia attraverso la finestra della toilette al secondo piano, che la notte veniva lasciata aperta contro la calura estiva. Il commissariato di polizia era sorvegliato soltanto da una guardia della Securitas che faceva qualche giro di ronda nel corso della notte. Ridicolo.

In circa cinque minuti aveva trovato nome dell'utente e password sotto il sottomano della scrivania del commissario e in una notte di tentativi aveva capito come funzionava la rete, identificato il codice di accesso e verificato il livello di sicurezza. Come bonus ottenne anche nome dell'utente e password dei due agenti locali. Uno di loro era la trentunenne Maria Ottosson, nel cui computer Lisbeth trovò informazioni sul fatto che aveva chiesto e ottenuto un posto di investigatore presso la squadra frodi della polizia di Stoccolma. Lisbeth fece centro con lei, dal momento che aveva lasciato il portatile in un cassetto non chiuso a chiave della scrivania. Maria Ottosson era una poliziotta dotata di un pc privato che utilizzava al lavoro. Magnifico. Lisbeth avviò il computer e inserì un cd con Asphyxia 1.0, la primissima versione del suo programma di spionaggio, che installò come parte integrata attiva di Microsoft Explorer e come back-up nella rubrica della poliziotta. Calcolò che anche se Maria Ottosson avesse comperato un nuovo computer avrebbe comunque recuperato la sua rubrica, e c'erano anche ottime probabilità che la trasferisse nel computer del suo nuovo posto di lavoro alla squadra frodi della polizia di Stoccolma prendendo servizio lì.

Lisbeth aveva anche inserito nei computer fissi degli agenti dei programmi che le avrebbero consentito di recuperare informazioni dall'esterno, e rubando le loro identità avrebbe potuto anche introdursi nel casellario giudiziario. Ma doveva procedere con estrema prudenza perché le intrusioni non si notassero. La sezione sicurezza informatica della polizia aveva predisposto un allarme automatico nel caso in cui qualche poliziotto locale avesse tentato un accesso al di fuori dell'orario di lavoro o il numero di accessi fosse aumentato in maniera ingiustificata. Se avesse cercato informazioni su inchieste nelle quali la polizia locale non era coinvolta, sarebbe partito un allarme.

Durante l'anno successivo lavorò insieme al suo collega hacker *Plague* per stabilire un controllo sulla rete informatica della polizia. La cosa si dimostrò così complicata che i due a poco a poco lasciarono cadere il progetto, ma nel corso dell'opera avevano accumulato quasi cento identità esistenti che avrebbero potuto utilizzare secondo necessità.

Plague ottenne un grosso successo quando riuscì a introdursi nel computer di casa del capo della sezione sicurezza della polizia. Era un civile senza particolari conoscenze informatiche personali, ma con una grande quantità di informazioni nel suo portatile. Lisbeth e *Plague* avrebbero avuto con ciò la possibilità, se non di penetrare, almeno di distruggere completamente la rete informatica della polizia con virus malefici di vario genere – cosa che tuttavia nessuno di loro aveva il benché minimo interesse a fare, erano hacker, non sabotatori. Volevano avere accesso a reti funzionanti, non distruggerle.

Lisbeth controllò il suo elenco e constatò che nessuna delle persone delle quali aveva rubato l'identità lavorava all'inchiesta sul triplice omicidio – sarebbe stato sperare troppo. Per contro poté senza grandi problemi entrare nella rete e controllare gli avvisi di ricerca diramati in tutto il territorio nazionale, compresi quelli che la riguardavano. Scoprì di essere stata vista e braccata, fra l'altro, a Uppsala, Norrköping, Göteborg, Malmö, Hässleholm e Kalmar, e che era stata diramata una grafica segreta elaborata al computer che dava un'idea migliore del suo aspetto.

Uno dei pochi vantaggi di Lisbeth nei confronti dell'attenzione mediatica era che esistevano poche immagini di lei. A parte la foto del passaporto vecchia di quattro anni, la stessa della patente, e una nel registro investigativo della polizia di quando aveva diciotto anni (ed era totalmente irriconoscibile), in giro c'era solo qualche rara foto presa da vecchi album di scuola e quelle scattate da un insegnante durante una gita scolastica alla riserva naturale di Nacka, quando lei aveva dodici anni. Le foto della gita mostravano una figura sfuocata seduta in disparte, lontana da tutti gli altri.

Il lato negativo della foto del passaporto era che la ri-traeva con lo sguardo fisso, la bocca tirata in una linea sottile e la testa leggermente piegata in avanti. Una foto che confermava l'immagine di un'assassina asociale e ritardata, messaggio che i media avevano amplificato. Il lato positivo era che ora lei era così diversa che poche persone l'avrebbero riconosciuta.

Lesse con interesse i profili delle tre vittime. Il martedì i media avevano cominciato a boccheggiare e in mancanza di nuove, drammatiche rivelazioni sulla caccia a Lisbeth Salander l'interesse si era focalizzato su di loro. Dag Svensson, Mia Bergman e Nils Bjurman furono ritratti in un lungo articolo su uno dei quotidiani della sera. Il messaggio era che tre onesti cittadini erano stati macellati per motivi incomprensibili.

Nils Bjurman appariva come un avvocato rispettato e socialmente impegnato "con i giovani", membro di Greenpeace. Una colonna era dedicata al suo amico e collega Håkansson, che aveva lo studio nello stesso edificio.

Håkansson confermò l'immagine di un uomo che lottava per i diritti della povera gente. Un funzionario dell'ufficio tutorio lo descriveva come sinceramente impegnato con la sua protetta Lisbeth Salander.

Lisbeth fece il primo sorriso storto della giornata.

Grande spazio era dedicato a Mia Bergman, la vittima femminile del dramma. Una dolce e intelligentissima giovane donna con alle spalle un curriculum già impressionante e una brillante carriera davanti. Si citavano amici sconvolti, compagni di corso e un relatore della tesi. La domanda consueta era: *Perché?* La foto che illustrava l'articolo mostrava fiori e candele accese davanti al portone della palazzina di Enskede.

In confronto, a Dag Svensson era dedicato uno spazio piuttosto ridotto. Era descritto come un reporter acuto e indomito. Ma l'interesse era rivolto più che altro alla sua compagna.

Lisbeth notò che si era arrivati fino alla domenica di Pasqua prima che qualcuno scoprisse che Dag Svensson aveva lavorato a un reportage per la rivista *Millennium*. Il suo stupore aumentò quando scoprì che dalla notizia non risultava a cosa esattamente stesse lavorando.

Non aveva visto la dichiarazione di Mikael Blomkvist sull'edizione in rete dell'*Aftonbladet*. Fu solo quando venne menzionata in un telegiornale la sera di martedì che Lisbeth scoprì che Blomkvist aveva rilasciato informazioni volutamente fuorvianti. Affermava infatti che Dag Svensson era stato ingaggiato per un reportage su "sicurezza e pirateria informatica".

Lisbeth corrugò le sopracciglia. Sapeva che l'affermazione era falsa e si chiedeva quale gioco stesse realmente giocando *Millennium*. Aveva capito il messaggio, e fece il secondo sorriso storto della giornata. Si collegò con il server in Olanda e cliccò due volte sull'icona battezzata *MikBlom/laptop*. Trovò la cartella *Lisbeth Salander*, e il documento *A Sally* ben visibile in mezzo al desktop. Vi cliccò sopra due volte e lesse.

Quindi rimase seduta immobile davanti alle parole di Mikael. Stava lottando con sentimenti contrastanti. Fino a quel momento si era trattato di lei contro il resto della Svezia, la qual cosa nella sua semplicità era un'equazione abbastanza elegante e controllabile. Adesso tutto d'un tratto aveva un alleato, o almeno un potenziale alleato, che sosteneva di credere che fosse innocente. E ovviamente si trattava dell'unico uomo in Svezia che per nessuna ragione voleva incontrare. Sospirò. Mikael Blomkvist era come sempre un altruista terribilmente naïf. Lisbeth Salander non era più innocente dall'età di dieci anni.

Non esistono innocenti. Esistono solo diversi gradi di responsabilità.

Nils Bjurman era morto perché aveva scelto di non giocare secondo le regole che lei aveva stabilito. Aveva avuto tutte le possibilità, eppure era ricorso a un dannatissimo macho per farle del male. La responsabilità non era di Lisbeth.

Ma l'intervento di *Kalle Blomkvist* sulla scena non andava sottovalutato. Poteva sempre tornare utile.

Era bravo a risolvere misteri ed era un testardo senza pari. L'aveva imparato a Hedestad. Se aveva piantato i denti in qualcosa non mollava. Era veramente naïf. Ma poteva muoversi là dove lei non aveva accesso. Avrebbe potuto tornare utile finché lei non avesse avuto modo di lasciare con tutta calma il paese. Cosa che, supponeva, sarebbe stata presto costretta a fare.

Purtroppo a Mikael Blomkvist non si potevano dare ordini. Era lui a decidere se voleva agire. E per farlo aveva bisogno di un pretesto morale.

In altre parole, era alquanto prevedibile. Lisbeth rifletté un momento, quindi creò un nuovo documento che chiamò *A MikBlom* in cui scrisse un'unica parola.

Zala.

Doveva dargli qualcosa su cui pensare.

Era ancora seduta a riflettere quando notò che Mikael aveva acceso il computer. La sua risposta arrivò poco dopo che aveva letto il messaggio.

Lisbeth,
maledizione a te.
Chi cavolo è Zala? È lui il collegamento? Sai chi ha ucciso

Dag e Mia? Se sì, dimmelo per favore, così possiamo risolve-
re questa storia e andarcene a dormire.
Mikael

Okay. Era tempo di agganciarlo.

Creò un altro documento ancora e lo battezzò *Kalle
Blomkvist*. Sapeva che l'avrebbe indispettito. Poi ci scrisse
un breve messaggio.

Il giornalista sei tu. Scoprilo.

Come si era aspettata, lui rispose immediatamente im-
plorandola di ragionare e cercando di far leva sui suoi sentimenti. Lei sorrise e chiuse il suo hard disk.

Dato che stava già curiosando, continuò e aprì l'hard disk
di Dragan Armanskij. Lesse concentrata il rapporto su di lei
che aveva redatto il giorno dopo Pasqua. Non si capiva a
chi fosse indirizzato, ma Lisbeth partì dal presupposto che
l'unica spiegazione ragionevole era che Armanskij stava collaborando con la polizia per arrivare alla sua cattura.

Esaminò la posta elettronica di Armanskij, ma senza trovare niente d'interessante. Proprio mentre stava per chiudere l'hard disk inciampò nel messaggio che Armanskij aveva mandato al capo tecnico della Milton Security. Gli dava
istruzioni per installare una telecamera di sorveglianza nascosta nel suo ufficio.

Ops!

Controllò la data e constatò che il messaggio era stato inviato qualche ora dopo la sua visita di cortesia di gennaio.

Questo significava che sarebbe stata costretta a correggere alcuni automatismi del sistema di sorveglianza prima di
fare una nuova visita nell'ufficio di Armanskij.

22.
Martedì 29 marzo - domenica 3 aprile

La sera di martedì Lisbeth Salander entrò nel registro dei precedenti penali della polizia giudiziaria di stato e fece una ricerca su Alexander Zalachenko. Nel registro non c'era, la qual cosa non la stupì dal momento che, per quanto ne sapeva, l'uomo non era mai stato condannato in Svezia e non esisteva nemmeno nei registri anagrafici.

Per entrare nel registro aveva utilizzato l'identità del commissario Douglas Skiöld, cinquantacinque anni, in servizio presso il distretto di polizia di Malmö. Ebbe un piccolo shock quando il suo computer tutto d'un tratto emise un segnale acustico e un'icona del menù cominciò a lampeggiare segnalando che qualcuno la stava cercando sul programma Icq.

Esitò un attimo. Il suo primo impulso fu di staccare la spina e disconnettersi. Poi ci rifletté. Skiöld non poteva avere l'Icq nel suo computer. Poche persone di una certa età lo avevano, era usato principalmente dai giovani e da chi chattava.

Il che significava che qualcuno stava cercando *lei*. E allora non c'erano molte alternative fra cui scegliere. Si collegò a Icq.

Che vuoi Plague?

Wasp. Trovarti è difficile. Non controlli mai la tua posta?

Tu come hai fatto?

Skiöld. Ce l'ho anch'io l'elenco. Ho supposto che avresti usato una delle identità con più autorizzazioni.

Cosa vuoi?

Chi è quel Zalachenko che cercavi?

F.A.T.

?

Fatti gli Affari Tuoi.

Che sta succedendo?

Fottiti, Plague.

Credevo di avere un handicap sociale, come lo definisci tu. Se devo credere ai giornali direi che sono normalissimo in confronto a te.

I.

Dito a te. Ti serve aiuto?

Lisbeth esitò un momento. Prima Blomkvist e adesso *Plague.* Non c'era fine alla fiumana di quelli che le venivano in soccorso. Il problema era che *Plague* era un eremita di centosessanta chili che comunicava col mondo esterno quasi esclusivamente via Internet e faceva sembrare Lisbeth Salander un miracolo di competenza sociale. Visto che lei non rispondeva, *Plague* scrisse ancora una riga.

Ancora lì? Hai bisogno di aiuto per lasciare il paese?

No.

Perché l'hai fatto?

Fuori dai piedi.

Hai intenzione di ammazzarne altri? Devo preoccuparmi anch'io? Probabilmente sono l'unico che ti può rintracciare.

Fatti gli affari tuoi e non avrai di che preoccuparti.

Io non sono preoccupato. Cercami su hotmail se ti serve qualcosa. Armi? Passaporto?

Tu sei un sociopatico.

E tu allora?

Lisbeth uscì da Icq e si sedette sul divano a riflettere. Dopo dieci minuti riavviò il computer e inviò un messaggio all'indirizzo hotmail di *Plague*.

Il procuratore Richard Ekström, che è il responsabile delle indagini preliminari, abita a Täby. È sposato, ha due figli e la villa collegata con la banda larga. Avrei bisogno di un accesso al suo portatile o in alternativa al suo computer di casa. Devo poterlo leggere in tempo reale. Hostile takeover.

Sapeva che *Plague* lasciava raramente il suo appartamento a Sundbyberg, ma sperava che avesse allevato qualche adolescente brufoloso per fargli svolgere il lavoro sul campo. Non firmò il messaggio. Sarebbe stato superfluo. Ricevette la risposta quando entrò di nuovo in Icq quindici minuti più tardi.

Quanto paghi?
10.000 sul tuo conto + le spese e 5.000 al tuo aiutante.
Ti farò sapere.

La mattina di giovedì ricevette un messaggio da *Plague*. Tutto ciò che conteneva era un indirizzo ftp. Lisbeth era esterrefatta. Non si aspettava un risultato così rapido. Fare un *hostile takeover*, anche con l'aiuto del geniale programma di *Plague* e dell'hardware da lui progettato, era complicato. Si trattava di immettere piccoli pezzi di informazioni in un computer, kilobyte per kilobyte, fino a creare un semplice programma. La velocità del procedimento dipendeva dalla frequenza con cui l'utente usava il suo computer. E poi si trattava di trasferire tutte le informazioni su un hard disk copiato. La rapidità di *Plague* era stata non soltanto impareggiabile ma anche teoricamente impossibile. Lisbeth era impressionata. Aprì il suo Icq.

Come hai fatto?
In casa hanno il computer in quattro. E se ci credi, non hanno firewall. Sicurezza zero. C'era solo da collegarsi al cavo e caricare. Ho avuto spese per 6.000 corone. Ce la fai?

Sì. Più un bonus per la rapidità.

Esitò un momento, quindi trasferì trentamila corone sul conto di *Plague* via Internet. Non voleva viziarlo con somme eccessive. Poi si sistemò ben bene sulla sua sedia dell'Ikea e aprì il portatile del procuratore Ekström.

Nel giro di un'ora aveva letto tutti i rapporti che l'ispettore Jan Bublanski aveva inviato al responsabile delle indagini preliminari. Lisbeth sospettava che, anche se a norma di regolamento i rapporti non dovevano lasciare la centrale, Ekström semplicemente non rispettasse tali disposizioni e si portasse a casa il lavoro con una connessione Internet privata e senza firewall.

Questo dimostrava ancora una volta la tesi che nessun sistema di sicurezza è migliore del più stupido dei collaboratori. Attraverso il computer di Ekström Lisbeth ottenne diverse informazioni essenziali.

Come prima cosa scoprì che Dragan Armanskij aveva messo a disposizione due collaboratori per rinforzare, a costo zero, il gruppo investigativo di Bublanski, il che in pratica significava che la Milton Security sponsorizzava la caccia a Lisbeth Salander. Il loro compito era di contribuire con tutti i mezzi alla cattura di Lisbeth Salander. *Grazie, Armanskij. Me ne ricorderò.* Si rabbuiò ulteriormente quando scoprì chi erano i due collaboratori. Bohman le era sembrato un tipo quadrato ma sostanzialmente corretto nei suoi confronti, mentre Niklas Eriksson era una corrotta nullità che aveva sfruttato la sua posizione alla Milton Security per imbrogliare uno dei clienti dell'azienda.

Lisbeth Salander aveva una morale selettiva. Non era affatto contraria a imbrogliare in proprio i clienti dell'azienda, purché se lo meritassero, ma non l'avrebbe mai fatto dopo avere assunto un incarico con il conseguente obbligo alla riservatezza.

Lisbeth scoprì presto anche che chi passava informazioni ai media era lo stesso procuratore Ekström. Risultava dalla sua posta elettronica, dove rispondeva a domande sia sulla perizia psichiatrica di Lisbeth che sul collegamento fra lei e Miriam Wu.

La terza informazione importante era che la squadra di Bublanski proprio non sapeva dove cercarla. Lesse con interesse una relazione sulle misure adottate e su quali indirizzi fossero stati messi sotto sorveglianza. L'elenco era breve. Ovviamente Lundagatan, ma anche l'indirizzo di Mikael Blomkvist, il vecchio indirizzo di Miriam Wu a St. Eriksplan e il Kvarnen, dove era stata notata. *Accidenti, dovevo proprio mettermi in mostra con Mimmi? Che impulso idiota.*

Gli investigatori di Ekström avevano scovato la traccia delle Evil Fingers. Lisbeth pensò che presto ci sarebbero stati altri controlli di altri indirizzi. E che con ciò le ragazze del gruppo sarebbero scomparse dalla sua cerchia di conoscenze, anche se da quando era tornata in Svezia non aveva avuto nessun contatto con loro.

Più pensava alla cosa, più si sentiva confusa. Il procuratore Ekström lasciava trapelare ogni fesseria possibile e immaginabile su di lei. E non era difficile capire a cosa mirava: si faceva pubblicità e preparava il terreno in vista del giorno in cui l'avrebbe incriminata.

Ma perché non aveva passato informazioni sull'inchiesta del 1991? Era stata la causa diretta del suo internamento in clinica. Perché oscurava proprio quella storia?

Entrò nel computer di Ekström e dedicò un'ora a spulciare i suoi documenti. Quando ebbe terminato si accese una sigaretta. Non aveva trovato un solo riferimento agli accadimenti del 1991. Questo portava a una conclusione curiosa. Che in effetti il procuratore non ne sapeva niente.

Per un momento si sentì incerta. Poi diede un'occhiata

al suo PowerBook. Era proprio qualcosa da mettere sotto i denti di *Kalle Dannato Blomkvist*. Avviò nuovamente il computer, entrò nel suo hard disk e creò il documento *MB2*.

Il procuratore E. passa informazioni ai media. Chiedigli perché non dice nulla della vecchia inchiesta.

Sarebbe dovuto bastare per metterlo in moto. Rimase ad aspettare paziente per due ore prima che Mikael arrivasse online. Si dedicò alla propria posta elettronica e così passarono altri quindici minuti prima che lui scoprisse il suo documento e altri cinque prima che replicasse con *Criptico*. Non aveva abboccato. Insisteva che voleva sapere chi avesse ucciso i suoi amici.

Lisbeth poteva capirlo. Si ammorbidì un po' e rispose con *Criptico 2*.

Cosa fai se sono stata io?

Il che effettivamente voleva essere una domanda personale. Lui replicò con *Criptico 3*. Il messaggio la scosse.

Lisbeth,
se davvero sei uscita completamente di senno allora probabilmente solo Peter Teleborian ti può aiutare. Ma io non credo che tu abbia ucciso Dag e Mia. Spero e prego di avere ragione.
Dag e Mia erano intenzionati a smascherare un mercato del sesso. La mia ipotesi è che in qualche modo questo abbia costituito un movente per gli omicidi. Ma non ho prove.
Non so cosa sia andato storto fra noi, ma tu e io una volta discutemmo dell'amicizia. Io dissi che l'amicizia si basa su due cose – rispetto e fiducia. Anche se non ti piaccio più puoi sempre avere fiducia in me e confidarti. Non ho mai svelato

i tuoi segreti. Nemmeno quelli sui miliardi di Wennerström.
Fidati di me. Io non sono tuo nemico.
   M.

Il riferimento di Mikael a Peter Teleborian inizialmente la
mandò su tutte le furie. Poi si rese conto che Mikael non
stava cercando di provocarla. Lui non aveva la più pallida
idea di chi fosse Peter Teleborian, probabilmente l'aveva solo visto in tv dove appariva come un esperto psichiatra infantile di fama internazionale pieno di senso di responsabilità.

Ma ciò che veramente la scosse era il riferimento ai miliardi di Wennerström. Non aveva idea di come avesse fatto a scoprirlo. Era convinta di non avere commesso nessun
errore e che nessuna persona al mondo sapesse ciò che aveva fatto.

Rilesse il messaggio diverse volte.

Il riferimento all'amicizia la metteva a disagio. Non sapeva cosa rispondere.

Alla fine creò *Criptico 4*.

Ci penserò su.

Si disconnesse e andò a sedersi nel vano della finestra.

Fu solo alle undici del venerdì sera, nove giorni dopo gli
omicidi, che Lisbeth Salander lasciò l'appartamento a Mosebacke. Le sue scorte di Billys Pan Pizza e altre cibarie, fino all'ultima briciola di pane e all'ultima crosta di formaggio, erano finite. Gli ultimi tre giorni aveva tirato avanti con
un pacchetto di fiocchi d'avena che aveva comperato d'impulso con l'idea di cominciare a mangiare cibo più sano.
Scoprì che un decilitro di fiocchi d'avena con una manciata di uva passa e due decilitri d'acqua diventava dopo un

minuto nel microonde una farinata discretamente commestibile.

Ma non fu solo la mancanza di vettovaglie a indurla a muoversi. Aveva una persona da andare a cercare. E non poteva farlo stando chiusa nel suo appartamento di Mosebacke. Andò al guardaroba, tirò fuori la parrucca bionda e si munì del passaporto norvegese intestato a Irene Nesser.

Irene Nesser esisteva veramente. Era quasi identica a Lisbeth Salander e aveva perso il suo passaporto tre anni prima. Attraverso *Plague* il passaporto era finito nelle mani di Lisbeth, che da un anno e mezzo all'occorrenza alternava la propria identità con quella di Irene Nesser.

Lisbeth si tolse i piercing e si truccò davanti allo specchio del bagno. Infilò un paio di jeans scuri, un maglione semplice ma caldo marrone e giallo e stivali da passeggio col tacco. Aveva una piccola scorta di bombolette di gas lacrimogeno in una scatola e ne tirò fuori una. Prese anche la pistola elettrica e la mise in carica. Preparò una borsa con un cambio d'abiti. La sera sul tardi lasciò l'appartamento. Cominciò col raggiungere a piedi il McDonald's di Hornsgatan. Scelse quello perché era meno probabile incontrare qualcuno dei suoi ex colleghi della Milton Security lì piuttosto che al McDonald's di Slussen o di Medborgarplatsen. Mangiò un Big Mac e bevve una Coca-Cola grande.

Dopo lo spuntino prese il 4 per St. Eriksplan. Raggiunse a piedi Odenplan e poco dopo mezzanotte era davanti all'indirizzo del defunto avvocato Bjurman in Upplandsgatan. Notò che la finestra di un vicino sullo stesso piano era illuminata, perciò fece una passeggiata verso Vanadisplan. Le luci nell'appartamento del vicino erano tutte spente quando ritornò un'ora più tardi.

Lisbeth salì fino al piano di Bjurman con passo felpato e senza accendere le luci sulle scale. Con l'aiuto di un temperino tagliò con cautela il nastro della polizia che sigillava l'appartamento. Aprì la porta senza fare rumore.

Accese la luce dell'ingresso, che sapeva non si sarebbe vista da fuori, prima di accendere una lampada da minatore e dirigersi verso la camera da letto. Gli scuri erano chiusi. Lasciò scorrere il fascio di luce sul letto ancora sporco di sangue. Ricordò che lei stessa era stata molto prossima a morire in quel letto e provò un improvviso senso di profonda soddisfazione per il fatto che Bjurman finalmente era uscito dalla sua vita.

Lo scopo di quella visita sulla scena del delitto era di trovare risposta a due domande. Anzitutto non capiva il collegamento fra Bjurman e Zala. Non stentava a credere che dovesse esistere, ma non era riuscita a spiegarselo attraverso l'esame del contenuto del computer di Bjurman.

In secondo luogo c'era una questione che continuava a tormentarla. Bjurman aveva tolto parte della documentazione dalla cartelletta in cui raccoglieva tutto il materiale su di lei. Le pagine che mancavano erano parte della descrizione del suo incarico redatta dall'ufficio tutorio in cui in termini estremamente sintetici si riassumeva la condizione psichica di Lisbeth Salander. Bjurman non aveva alcun bisogno di quelle pagine ed era possibilissimo che le avesse gettate via nel riordinare la cartelletta. Contro questa supposizione c'era tuttavia il fatto che gli avvocati non gettano mai via documentazioni relative a incarichi in corso. Le carte potevano anche essere prive di qualsiasi valore, ma che se ne fosse liberato sarebbe comunque stato illogico. Eppure nella cartelletta non c'erano più, e non erano nemmeno in nessun altro posto intorno alla scrivania.

Constatò che la polizia si era portata via tutti i raccoglitori che riguardavano Lisbeth Salander e anche altre carte. Dedicò due ore a setacciare tutto l'appartamento metro per metro per controllare se non si fosse lasciata sfuggire qualcosa, ma a poco a poco realizzò con una certa frustrazione che così non sembrava.

In cucina scoprì un cassetto che conteneva chiavi di vario genere. Trovò le chiavi della macchina e una coppia di chiavi delle quali una apriva una porta e l'altra un lucchetto. Fece un giro silenzioso in soffitta dove provò vari lucchetti finché trovò quello di Bjurman. Dentro c'erano vecchi mobili, un guardaroba con abiti smessi, sci, una batteria d'automobile, scatoloni di libri e altro ciarpame. Non scovò niente d'interessante. Scese le scale e utilizzò l'altra chiave per entrare nel garage. Trovò la Mercedes dell'avvocato e dopo una breve ricerca poté constatare che non conteneva nulla di valore.

Non si diede la pena di visitare il suo studio. Vi aveva fatto una puntata qualche settimana prima in occasione della sua precedente visita notturna all'appartamento, e sapeva che lui non lo utilizzava più da due anni. C'era soltanto polvere.

Lisbeth si sedette in soggiorno a riflettere. Dopo qualche minuto si alzò e ritornò al cassetto delle chiavi in cucina. Le esaminò a una a una. Un mazzo era di chiavi per serrature di sicurezza e una delle chiavi era arrugginita e antiquata. Lisbeth corrugò le sopracciglia. Poi alzò lo sguardo su una mensola dove Bjurman aveva sistemato una ventina di buste di sementi. Le prese e constatò che erano sementi per erbe aromatiche.

Ha una seconda casa per l'estate. O una casetta comunale in concessione da qualche parte. Questo non l'avevo scoperto.

Le bastarono tre minuti per trovare nella contabilità di Bjurman una ricevuta vecchia di sei anni relativa al pagamento dei lavori effettuati da un'impresa di costruzioni sul suo viale d'accesso e un altro minuto per trovare i documenti assicurativi di una proprietà dalle parti di Stallarholmen fuori Mariefred.

Alle cinque del mattino si fermò al 7-Eleven in cima a Hantverkargatan a Fridhemsplan, che era aperto tutta la notte. Comperò una notevole quantità di Billys Pan Pizza, latte, pane, formaggio e altre cibarie di base. Comperò anche un giornale del mattino il cui titolo l'aveva affascinata.

LA DONNA RICERCATA
È ALL'ESTERO?

Quel giornale, per qualche motivo ignoto a Lisbeth, aveva scelto di non fare il suo nome. La chiamavano semplicemente "la ventiseienne". Il testo precisava che una fonte all'interno della polizia sosteneva che la ricercata era fuggita all'estero e poteva trovarsi a Berlino. Perché sarebbe dovuta fuggire proprio a Berlino non era chiaro, ma secondo quel giornale era stata vista in un club "anarco-femminista" di Kreuzberg. Il club era descritto come un covo di giovani animati da varie passioni, dal terrorismo politico, all'antiglobalizzazione, al satanismo.

Riprese il 4 per tornare a Södermalm, scese in Rosenlundsgatan e raggiunse a piedi Mosebacke. Si preparò caffè e tramezzini, e poi se ne andò a letto.

Dormì fino a pomeriggio inoltrato. Quando si svegliò annusò pensierosa il lenzuolo e constatò che era proprio ora di cambiare la biancheria del letto. Dedicò la serata di sabato a riordinare il suo appartamento. Portò fuori la spazzatura e raccolse i vecchi giornali in due sacchi che sistemò in un guardaroba nell'ingresso. Fece un'altra lavatrice, di biancheria intima e magliette, e un'altra ancora di jeans. Caricò la lavastoviglie, passò l'aspirapolvere e concluse lavando i pavimenti.

Erano le nove di sera ed era tutta sudata. Si preparò il bagno con abbondante bagnoschiuma. Si stese nella vasca, chiuse gli occhi e cominciò a riflettere. Quando si svegliò era mezzanotte e l'acqua era diventata gelida. Si alzò irritata e si asciugò prima di infilarsi a letto. Si riaddormentò quasi subito.

La mattina di domenica Lisbeth Salander andò su tutte le furie quando avviò il suo PowerBook e lesse la montagna di sciocchezze che erano state scritte su Miriam Wu. Si sentiva abbacchiata e piena di sensi di colpa. Non si era resa conto di quanto avrebbe dovuto sopportare Mimmi. La cui unica colpa era di essere una sua... conoscente? amica? amante?

Non sapeva esattamente quale parola avrebbe dovuto usare per descrivere la sua relazione con Mimmi, ma era consapevole che, comunque la si definisse, questa relazione era probabilmente finita. Sarebbe stata costretta a cancellare il nome di Mimmi dalla sua già breve lista di conoscenti. Dopo tutto quello che avevano scritto i media, dubitava che Mimmi avrebbe voluto avere ancora a che fare con quella pazza psicotica di Lisbeth Salander.

E questo la rendeva furiosa.

Memorizzò il nome di Tony Scala, il giornalista che aveva dato l'avvio alla battuta di caccia. Inoltre decise che avrebbe cercato e trovato anche un certo editorialista in giacca rigata che in un'umoristica analisi su un giornale della sera faceva allegramente uso dell'epiteto "sadolesbica".

L'elenco delle persone di cui Lisbeth era intenzionata a occuparsi cominciava a farsi piuttosto lungo.

Ma come prima cosa doveva trovare Zala.

Cosa sarebbe esattamente accaduto quando lo avesse trovato non lo sapeva.

La mattina di domenica Mikael fu svegliato alle sette e mezza dal telefono. Allungò la mano assonnato e rispose.

«Buon giorno» disse Erika Berger.

«Mmm» rispose Mikael.

«Sei solo?»

«Purtroppo.»

«Allora vai a farti una doccia e accendi la macchina del caffè. Fra quindici minuti avrai visite.»

«Visite?»

«Paolo Roberto.»

«Il pugile? Il re del ring?»

«Proprio lui. Mi ha telefonato e abbiamo parlato una mezz'ora.»

«Perché?»

«Perché mi ha telefonato? Be', ecco, ci conosciamo quel tanto che basta per salutarci quando ci incontriamo. Gli feci una lunga intervista quando partecipò al film di Hildebrand, e nel corso degli anni ci è capitato di incontrarci qua e là.»

«Non lo sapevo. Ma la domanda era perché viene da me.»

«Perché... credo sia meglio che te lo spieghi lui stesso.»

Mikael quasi non aveva fatto in tempo a uscire dalla doccia e a infilarsi i pantaloni che Paolo Roberto suonò alla porta. Mikael aprì e invitò il pugile ad accomodarsi. Mise una camicia pulita e preparò due espressi doppi che servì con un cucchiaino di latte. Paolo Roberto osservò impressionato il caffè.

«Voleva parlare con me?»

«L'idea è stata di Erika Berger.»

«Okay, sentiamo.»

«Io conosco Lisbeth Salander.»

Mikael alzò le sopracciglia.

«Davvero?»

«Sono rimasto un po' sorpreso quando Erika mi ha detto che anche lei la conosce.»

«Forse sarebbe meglio che mi raccontasse tutto dal principio.»

«Okay. Le cose stanno così. Sono tornato a casa l'altro ieri dopo un mese passato a New York e ho trovato Lisbeth su tutte quelle dannate locandine. I giornali stanno scrivendo una dannata massa di stronzate su quella ragazza. E non c'è una singola persona che sembri avere una dannata buona parola da dire su di lei.»

«È il giorno dei dannati, eh?»

Paolo Roberto rise.

«Mi scusi. Ma sono proprio furibondo. In effetti ho telefonato a Erika perché sentivo il bisogno di parlare con qualcuno e non sapevo esattamente con chi farlo. Siccome quel giornalista di Enskede lavorava per *Millennium* e siccome conosco un po' Erika Berger ho pensato a lei.»

«Okay.»

«Anche se Lisbeth Salander fosse impazzita e avesse fatto tutto quello che sostiene la polizia, deve comunque avere almeno un'opportunità. Il nostro è pur sempre un paese che garantisce i diritti dei cittadini e nessuno può essere giudicato senza processo.»

«Io la penso esattamente allo stesso modo» disse Mikael.

«L'ho capito dalle parole di Erika. Quando le ho telefonato credevo che anche voi di *Millennium* foste a caccia del suo scalpo, dato che quel giornalista, Dag Svensson, lavorava per voi. Ma Erika ha detto che anche lei crede nell'innocenza di Lisbeth.»

«Conosco Lisbeth Salander. Mi è difficile considerarla una pazza assassina.»

D'improvviso Paolo Roberto scoppiò a ridere.

«È una ragazza maledettamente stramba... ma è nelle fila dei buoni. A me piace.»

«Come mai la conosce?»

«Faccio boxe con Lisbeth da quando aveva diciassette anni.»

Mikael Blomkvist chiuse gli occhi per dieci secondi prima di alzare di nuovo lo sguardo e fissare Paolo Roberto. Come sempre, Lisbeth era piena di sorprese.

«Ovvio. Lisbeth Salander tira di boxe con Paolo Roberto. Siete anche della stessa categoria.»

«Non sto scherzando.»

«Le credo. Una volta Lisbeth mi raccontò che usava tirare di boxe con i ragazzi di un club.»

«Lasci che le racconti com'è andata. Dieci anni fa fui chiamato come allenatore extra per gli juniores che volevano cominciare a fare boxe giù al club di Zinkens. Io ero già un pugile conosciuto e il responsabile degli juniores pensava che potessi essere un'attrazione, così andavo giù al pomeriggio e facevo da sparring partner.»

«Aha.»

«Continuai per tutta l'estate e una parte dell'autunno. Fecero una campagna pubblicitaria con manifesti e via dicendo, per cercare di invogliare i giovani a provare la boxe. E in effetti attirarono un sacco di ragazzi sui quindici sedici anni e anche più. Parecchi erano immigrati. La boxe era una buona alternativa all'andare in città a fare casino. Chieda a me. Io ne so qualcosa.»

«Okay.»

«E poi un giorno nel bel mezzo dell'estate ecco che compare dal nulla questa ragazza mingherlina. Lei lo sa com'è, no? Entrò e disse che voleva imparare a tirare di boxe.»

«Posso immaginarmi la scena.»

«Ci fu uno scoppio di risate fragorose da una mezza dozzina di ragazzi che pesavano grossomodo il doppio di lei ed erano molto più grandi. Io ero tra quelli che ridevano. Non era niente di serio, volevamo solo prenderla un po' in giro. Avevamo anche un gruppo femminile, e io dissi qualche idiozia sul fatto che le ragazzine potevano allenarsi solo il giovedì o qualcosa del genere.»

«E lei non rise, suppongo.»

«No. Non rise. Mi guardò con i suoi occhi neri. Poi tese la mano per prendere un paio di guantoni che qualcuno aveva lasciato lì. Non erano neppure legati ed erano anche troppo grandi per lei. E noi ridemmo ancora più forte. Capisce?»

«Non fu un buon inizio.»

Paolo Roberto rise di nuovo.

«Siccome io ero il capo mi feci avanti e finsi di danzare un po' contro di lei.»

«Ooops.»

«Più o meno. Tutto d'un tratto fece partire un colpo fortissimo che mi prese dritto sul muso.»

Rise di nuovo.

«Io stavo facendo il buffone ed ero del tutto impreparato. E lei riuscì a rifilarmi due o tre sventole prima ancora che mi decidessi a parare. Aveva forza muscolare zero e i suoi pugni erano come colpi di piuma. Ma quando cominciai a parare cambiò tattica. Si muoveva in maniera istintiva e riuscì a mandare a segno altre sventole. Così cominciai a parare sul serio e scoprii che era più veloce di un dannato rettile. Se solo fosse stata più grossa e più forte ci avrei fatto un match, se capisce cosa intendo.»

«Capisco.»

«Allora cambiò tattica di nuovo e mi mollò un dannato colpo in mezzo alle gambe. Lo sentii eccome.»

Mikael annuì.

«Così io la colpii in faccia. Non era un cazzotto forte o roba del genere, solo un buffetto. Allora lei mi mollò un calcio sul ginocchio. Insomma, era una cosa fuori da ogni logica. Io ero tre volte più grosso e più pesante e lei non aveva la benché minima possibilità, eppure mi dava addosso come se ne andasse della sua vita.»

«Lei l'aveva provocata.»

«Più tardi lo capii. E me ne vergognai. Voglio dire... avevamo fatto pubblicità per cercare di attirare i giovani nel club, lei veniva lì a chiedere con la massima serietà di poter imparare la boxe e trovava una banda che si limitava a prenderla in giro. Io avrei perso la testa se qualcuno mi avesse trattato in quel modo.»

Mikael annuì.

«La cosa andò avanti per diversi minuti. Alla fine io l'afferrai e la buttai a terra e la tenni ferma finché smise di agitarsi. Aveva le lacrime agli occhi e mi guardava con una tale collera che... bah.»

«Così cominciò a tirare di boxe con lei.»

«Quando si fu calmata la feci alzare e le chiesi se intendesse sul serio imparare. Lei mi gettò addosso i guantoni e si avviò verso l'uscita. Io le corsi dietro e la bloccai. Le chiesi scusa e le dissi che se parlava sul serio le avrei insegnato, e che in tal caso avrebbe potuto cominciare il giorno dopo alle cinque.»

Tacque un momento e guardò lontano.

«La sera dopo avevamo il gruppo femminile e lei si presentò. La misi sul ring con una ragazza di nome Jennie Karlsson, aveva diciotto anni e tirava di boxe da oltre un anno. Il problema era ovviamente che non avevamo nessuno della categoria di peso di Lisbeth che avesse più di dodici anni. E io dissi a Jennie che siccome Lisbeth era una principiante assoluta avrebbe dovuto andarci piano e limitarsi ad accennare.»

«Come andò?»

«A essere sinceri... dopo dieci secondi Jennie aveva già un labbro gonfio. Per un intero round Lisbeth mise a segno un colpo dietro l'altro e riuscì a schivare tutti i tentativi di Jennie. E stiamo parlando di una ragazza che non aveva mai messo piede su un ring. Nel secondo round Jennie era così furibonda che fece sul serio eppure non riuscì ad andare a segno una sola volta. Io ero esterrefatto. Non avevo mai visto un pugile muoversi così veloce. Io sarei felice di essere veloce la metà di Lisbeth.»

Mikael annuì.

«Il problema era che i suoi colpi erano totalmente inutili. Cominciai ad allenarla. La tenni nel gruppo femminile per un paio di settimane e perse diversi incontri perché prima o poi qualcuno riusciva sempre ad andare a segno, e allora dovevamo interrompere e trascinarla nello spogliatoio perché andava su tutte le furie e cominciava a scalciare, a mordere, a picchiare.»

«Suona proprio da Lisbeth.»

«Non si arrendeva mai. Ma alla fine aveva fatto arrabbiare così tante ragazze che l'allenatore la cacciò via.»

«Ah sì?»

«Sì, era assolutamente impossibile tirare con lei. Aveva una sola tattica, che noi chiamavamo *terminator mode*, ed era di inchiodare l'avversario, non aveva nessuna importanza che si trattasse di riscaldamento o di sparring amichevole. E le ragazze molto spesso tornavano a casa con delle abrasioni per via dei suoi calci. Fu allora che ebbi un'idea. Avevo dei problemi con un ragazzo che si chiamava Samir. Aveva diciassette anni e veniva dalla Siria. Era un bravo pugile, robusto e con un tiro potente... ma non era capace di muoversi. Stava lì impalato tutto il tempo.»

«Okay.»

«Così chiesi a Lisbeth di venire al club un pomeriggio in cui dovevo allenarlo. La feci cambiare e la misi sul ring insieme a lui, con casco e paradenti e tutto il resto. Inizialmente Samir si rifiutò di fare lo sparring partner con lei perché era solo "una dannata ragazza" e tutto questo genere di discorsi da macho. Allora gli dissi a voce alta, perché tutti sentissero, che quello non era uno sparring e che scommettevo cinquecento corone che lei lo avrebbe inchiodato. A Lisbeth dissi che quello non era un allenamento e che Samir l'avrebbe mandata al tappeto sul serio. Lei mi guardò con quella sua espressione diffidente. Samir era ancora lì che blaterava quando suonò il gong. Lisbeth ce la mise tutta per la patria e per il re e gli diede un buffetto in faccia che lo fece sedere per terra. Era da un bel po' che la allenavo e aveva cominciato ad avere un po' di muscoli e un po' di peso nel tiro.»

«Samir fu deliziato, immagino.»

«Be', andarono avanti per mesi a parlare di quell'allenamento. Samir semplicemente le prese. Lei vinse ai punti. Avesse avuto più forza fisica gli avrebbe fatto davvero male. Dopo un po' Samir era così frustrato che cominciò a picchiare di brutto. Io ero terrorizzato che potesse andare a segno, perché allora avremmo dovuto chiamare l'ambulanza. Lisbeth rimediò dei lividi per avere parato col braccio qualche volta, e lui riusciva a mandarla contro le corde perché lei non poteva contrastare il peso che c'era nei colpi. Ma non arrivò mai neanche vicino a colpirla sul serio.»

«Accidenti. Avrei voluto esserci.»

«Quel giorno i ragazzi del club impararono a rispettare Lisbeth Salander. Perfino Samir. E io cominciai a farle fare da sparring partner a ragazzi molto più grossi e pesanti di lei. Era la mia arma segreta, un allenamento eccellente. Preparammo un programma: lei aveva il compito di mandare a segno cinque colpi in diversi punti del corpo, mascelle, fronte, stomaco e così via. E i ragazzi con cui boxava dovevano difendersi e proteggere quei punti. Fare boxe con Lisbeth Salander diventò, come dire, prestigioso. Era come battersi con un calabrone. In effetti la chiamavamo vespa e lei diventò una specie di mascotte del club. Credo che le piacesse, perché un giorno arrivò con una vespa tatuata sul collo.»

Mikael sorrise. Ricordava molto bene la sua vespa. Era citata anche nell'identikit della polizia.

«Quanto tempo andò avanti questa cosa?»

«Circa quattro anni, una sera la settimana. Io lavorai al club a tempo pieno solo quell'estate e poi occasionalmente. Chi si occupava di Lisbeth era il nostro allenatore degli juniores, Putte Karlsson. Poi Lisbeth cominciò a lavorare e non aveva più tempo di venire con la stessa frequenza, ma fino all'anno scorso ha continuato a farsi viva circa una volta al mese per allenarsi. Io la incontravo qualche volta all'anno e le facevo da sparring partner. Era un buon allenamento, si era sempre sudati dopo. Lei non parlava quasi mai con nessuno. Quando non faceva sparring era capace di stare a picchiare con impegno il sacco per due ore, come se fosse un nemico mortale.»

23.
Domenica 3 aprile - lunedì 4 aprile

Mikael preparò altri due caffè. Chiese scusa quando accese una sigaretta. Paolo Roberto fece spallucce. Mikael lo guardò meditabondo.

Paolo Roberto aveva fama di essere un tipo diretto, che diceva sempre esattamente quello che pensava. Mikael si era reso conto ben presto che era altrettanto diretto anche in privato, e che era anche una persona intelligente e modesta. Ricordò che aveva tentato la carriera politica come candidato socialdemocratico al Parlamento. Era un tipo dotato di un cervello pensante. Mikael lo trovava simpatico. Gli propose di darsi del tu.

«Perché sei venuto a raccontare queste cose proprio a me?»

«Lisbeth è piuttosto inguaiata. Non so cosa si possa fare, ma credo che probabilmente avrebbe bisogno di un amico nel suo angolo.»

Mikael annuì.

«Perché credi sia innocente?» domandò Paolo Roberto.

«È difficile da spiegare. Lisbeth è una persona dura, ma molto semplicemente io non credo alla storia che avrebbe ucciso Dag e Mia. In particolare non Mia. Sia perché non aveva nessun motivo...»

«... nessun motivo a noi noto.»

«Okay, Lisbeth non avrebbe nessun problema a usare la

violenza contro qualcuno che se lo fosse meritato. Ma non so. Ne ho parlato con Bublanski, il poliziotto che guida le indagini. Io credo che ci fosse un motivo per uccidere Dag e Mia. E credo che quel motivo si trovi nel reportage al quale Dag stava lavorando.»

«Se hai ragione, Lisbeth non avrà solo bisogno di qualcuno che la tenga per mano quando sarà catturata, le occorrerà tutt'altro genere di sostegno.»

«Lo so.»

Negli occhi di Paolo Roberto si accese un bagliore pericoloso.

«Se è innocente, allora è vittima di uno dei peggiori scandali giudiziari della storia. È stata indicata come assassina dai media e dalla polizia, e tutte le schifezze che sono state scritte...»

«Lo so.»

«Cosa possiamo fare? Posso essere d'aiuto in qualche modo?»

Mikael rifletté.

«La cosa migliore sarebbe tirare fuori un colpevole alternativo, che è quello a cui sto lavorando, e rintracciarla prima che qualche poliziotto le spari e la ammazzi. Lisbeth non è sicuramente il genere di persona che si consegna spontaneamente.»

Paolo Roberto annuì.

«E come la troviamo?»

«Non lo so. Ma in effetti c'è una cosa che potresti fare. A un livello molto pratico, se hai tempo e voglia.»

«Mia moglie sarà via per tutta la prossima settimana. Ho sia tempo che voglia.»

«Okay, pensavo al fatto che sei un pugile...»

«Sì?»

«Lisbeth ha un'amica, Miriam Wu, della quale certamente avrai letto.»

«Meglio nota come la sadolesbica... Sì, ho letto.»

«Ho il suo numero di cellulare e ho cercato di mettermi in contatto con lei. Ma chiude la comunicazione non appena sente che dall'altra parte c'è un giornalista.»

«La capisco.»

«Io non ho il tempo di darle la caccia. Ma ho letto che fa kick-boxing. Pensavo che se un famoso pugile la chiamasse...»

«Capisco. Speri che possa condurci da Lisbeth.»

«Quando la polizia l'ha interrogata, ha detto di non avere la più pallida idea di dove si trovi Lisbeth. Ma credo che valga la pena tentare.»

«Dammi il suo numero. La cercherò.»

Mikael gli diede il numero di cellulare e l'indirizzo di Lundagatan.

Gunnar Björck aveva passato le feste di Pasqua ad analizzare la situazione. Il suo futuro era appeso a un filo sottile, doveva giocare al meglio le sue pessime carte.

Mikael Blomkvist era un maledetto stronzo. La questione era soltanto se fosse possibile convincerlo a tacere su... sul fatto che lui aveva usufruito dei favori di quelle maledette ragazze. Aveva commesso un reato e non dubitava che, se si fosse risaputo, lo avrebbero licenziato. I giornali lo avrebbero fatto a pezzi. Un agente dei servizi segreti che sfrutta prostitute minorenni... se almeno quelle troiette non fossero state così giovani.

Ma rimanere passivi significava segnare il proprio destino. Saggiamente, Björck non aveva detto nulla a Blomkvist. Aveva letto nel suo viso e registrato la sua reazione. Blomkvist era angustiato. Voleva assolutamente quelle informazioni. Ma sarebbe stato costretto a pagare. E il prezzo sarebbe stato il suo silenzio. Era l'unica via d'uscita.

Zala rendeva possibile un'equazione del tutto nuova.

Dag Svensson aveva dato la caccia a Zala.

Bjurman aveva dato la caccia a Zala.

E Gunnar Björck era l'unico a sapere che esisteva un nesso fra Zala e Bjurman, il che significava che Zala era il legame fra Enskede e Odenplan.

Questo creava un'ulteriore, drammatica complicazione per il futuro benessere di Gunnar Björck. Era stato lui a fornire a Bjurman informazioni su Zalachenko – in amicizia e senza riflettere sul fatto che le informazioni erano ancora secretate. Si trattava di una sciocchezza, ma in effetti si era reso colpevole di un gesto passibile di incriminazione.

Inoltre dopo la visita di Mikael Blomkvist il venerdì prima aveva commesso anche un altro reato. Era un poliziotto, e se aveva informazioni utili a un'inchiesta era suo dovere passarle immediatamente alla polizia. Ma se avesse passato l'informazione a Bublanski o al procuratore Ekström automaticamente si sarebbe esposto. La storia sarebbe diventata di pubblico dominio. Non la storia delle puttane, quella di Zalachenko.

Nel corso del sabato aveva fatto una rapida visita al suo ufficio presso i servizi segreti a Kungsholmen. Aveva tirato fuori tutti i vecchi documenti su Zalachenko e dato una scorsa al materiale. Era stato lui stesso a stendere i rapporti, ma ormai erano passati anni e anni. Le carte più vecchie ne avevano quasi trenta. Il documento più recente risaliva a dieci anni prima.

Zalachenko.

Un essere sfuggente.

Zala.

Gunnar Björck aveva annotato anche il nomignolo, anche se non ricordava di averlo mai usato.

Il collegamento comunque era chiaro come il sole. Con Enskede. Con Bjurman. E con Lisbeth Salander.

Björck continuava a pensare. Ancora non riusciva a capire come si incastrassero tutti i pezzi del puzzle, ma credeva di capire per quale motivo Lisbeth fosse andata a Enskede. Poteva anche immaginare facilmente che in preda a un attacco di collera avesse ucciso Dag Svensson e Mia Bergman perché si rifiutavano di collaborare oppure perché l'avevano provocata. La ragazza aveva un movente che forse soltanto lui e altre due tre persone in tutto il paese conoscevano.

In fondo è matta da legare. Io spero con tutte le mie forze che qualche poliziotto le spari e la ammazzi al momento della cattura. Lei sa. E se parla può complicare tutta la storia.

Ma in qualsiasi modo Gunnar Björck ragionasse, rimaneva il fatto che Mikael Blomkvist era l'unica via di scampo per lui – e nella sua situazione attuale era l'unica cosa che gli interessasse. Avvertiva un crescente senso di disperazione. Bisognava indurre Blomkvist a trattarlo come una fonte segreta e a tacere sulle sue... scappatelle piccanti con quelle troiette. *Accidenti, se almeno Lisbeth Salander facesse saltare anche le cervella di Blomkvist.*

Guardò il numero di telefono di Zalachenko e valutò i pro e i contro del prendere contatto con lui. Non riusciva a decidersi.

Mikael si era imposto di riassumere costantemente i risultati delle sue ricerche. Quando Paolo Roberto se ne fu andato, dedicò un'ora all'operazione. Ne era nato un resoconto, quasi in forma di diario, in cui lasciava scorrere liberi i propri pensieri e al tempo stesso registrava attentamente ogni conversazione, ogni incontro e ogni ricerca che faceva. Criptava quotidianamente il documento in pgp e ne inviava copia via mail a Erika Berger e a Malin Eriksson, in modo che le sue collaboratrici fossero aggiornate.

Dag si era dedicato a Zala nelle ultime settimane prima

di morire. Il nome era comparso nell'ultima telefonata a Mikael, soltanto due ore prima che fosse ucciso. Gunnar Björck sosteneva di sapere qualcosa di Zala.

Mikael dedicò quindici minuti a riassumere ciò che aveva scovato su Björck, in realtà piuttosto poco.

Aveva sessantadue anni, era scapolo e veniva da Falun. Lavorava in polizia da quando aveva ventun anni. Aveva iniziato come agente di pattuglia, ma dopo gli studi di giurisprudenza era passato ai servizi segreti, già a ventisei o ventisette anni. Era il 1969 o il 1970, proprio alla fine dell'epoca di Per Gunnar Vinge a capo della Säpo.

Vinge era stato licenziato perché nel corso di una conversazione con il prefetto del Norrbotten, Ragnar Lassinanti, aveva affermato che Olof Palme era una spia dei russi. Poi ci furono l'affare I.B. e Holmér e il "postino" e l'omicidio Palme e uno scandalo dopo l'altro. Mikael non aveva idea di quale ruolo avesse interpretato Björck in quel dramma quasi trentennale all'interno dei servizi segreti, se ne aveva avuto uno.

La sua carriera fra il 1970 e il 1985 era un foglio bianco, cosa non strana trattandosi della Säpo, dato che tutto quanto aveva a che fare con le loro attività era secretato. Björck poteva essere rimasto a temperare matite in un ufficio oppure avere fatto l'agente segreto in Cina. Anche se quest'ultima ipotesi era piuttosto improbabile.

Nell'ottobre del 1985 Björck si era trasferito a Washington dove aveva prestato servizio presso l'ambasciata di Svezia per due anni. Dal 1988 era tornato a lavorare alla Säpo a Stoccolma. Nel 1996 era diventato un personaggio pubblico, nel senso che era stato nominato capodivisione aggiunto della sezione stranieri. Di cosa si occupasse, Mikael non lo sapeva con precisione. Dopo il 1996, in un certo numero di occasioni si era espresso sui mass-media riguardo all'estradizione di qualche arabo sospetto. Nel 1998 si era parlato di lui in relazione all'espulsione dal paese di alcuni diplomatici iracheni.

Cosa ha a che fare tutto questo con Lisbeth Salander e gli omicidi di Dag e Mia? Probabilmente un bel niente.

Ma Gunnar Björck sa qualcosa di Zala.

Perciò un collegamento deve esserci.

Erika Berger non aveva detto a nessuno, nemmeno a suo marito per il quale non aveva mai segreti, che sarebbe passata al "grande drago", il quotidiano *Svenska Morgon-Posten*. Sarebbe rimasta ancora circa un mese a *Millennium*. Era un po' angosciata. Sapeva che il tempo sarebbe volato e che tutto d'un tratto si sarebbe ritrovata al suo ultimo giorno.

Avvertiva anche un'insistente inquietudine per Mikael. Aveva letto la sua ultima mail con un senso di sconforto. Riconosceva i segni. Era esattamente lo stesso atteggiamento testardo che due anni prima l'aveva indotto a fermarsi a Hedestad, ed era la stessa ossessione con la quale aveva attaccato Wennerström. Dal Giovedì Santo per lui non esisteva nient'altro che il compito di scoprire chi avesse ucciso Dag e Mia e in qualche modo discolpare Lisbeth Salander.

Anche se lei simpatizzava appieno con questa sua intenzione – Dag e Mia erano stati anche amici suoi – in Mikael c'era tuttavia un lato con cui non riusciva a sentirsi totalmente a suo agio. Quando sentiva l'odore del sangue, lui era capace di accantonare molti scrupoli.

Nell'attimo stesso in cui le aveva telefonato il giorno prima, raccontandole di avere sfidato Bublanski come una specie di cowboy-macho, lei aveva capito che la caccia a Lisbeth Salander avrebbe finito per assorbirlo completamente in un futuro non troppo lontano. Sapeva per esperienza che sarebbe stato assolutamente intrattabile finché non avesse risolto il problema. Avrebbe oscillato fra egocentrismo e depressione. E da qualche parte all'interno di quell'equazione avrebbe anche corso rischi probabilmente del tutto inutili.

E poi Lisbeth Salander. Erika l'aveva incontrata una sola volta e sapeva troppo poco di quella strana ragazza per poter condividere la certezza di Mikael che fosse innocente. E se invece aveva ragione Bublanski? E se era stata davvero lei? E se Mikael fosse riuscito a rintracciarla e fosse andato incontro a una pazza malata di mente e armata?

Non si era sentita più tranquilla nemmeno dopo la sorpresa della telefonata di Paolo Roberto. Naturalmente era un bene che Mikael non fosse il solo dalla parte di Lisbeth, ma anche Paolo Roberto era un dannatissimo macho.

Inoltre doveva trovarsi un successore che fosse in grado di prendere il timone di *Millennium*. Cominciava a esserci fretta. Pensò di telefonare a Christer Malm e discutere la cosa con lui, ma si rese conto che non poteva informare lui e tenere Mikael all'oscuro di tutto.

Mikael era un reporter eccezionale ma come caporedattore sarebbe stato un disastro. Da quel punto di vista lei e Christer erano molto più simili, ma non era sicura che Christer avrebbe accettato l'offerta. Malin era troppo giovane e inesperta. Monika Nilsson troppo egocentrica. Henry Cortez era un bravo reporter, ma assolutamente troppo giovane e inesperto anche lui. Lottie Karim era troppo debole. E non era sicura che Christer e Mikael avrebbero apprezzato qualcuno reclutato da fuori.

Era proprio un gran pasticcio.

Non era così che voleva terminare i suoi anni a *Millennium*.

La sera di domenica Lisbeth Salander lanciò di nuovo Asphyxia 1.3 ed entrò nell'hard disk copiato *MikBlom/ laptop*. Constatò che al momento lui non era collegato alla rete e dedicò quindi un po' di tempo alla lettura di quanto di nuovo era arrivato negli ultimi due giorni.

Lesse il resoconto delle ricerche di Mikael e si domandò se scrivesse in maniera così dettagliata per lei e in tal caso cosa significasse. Naturalmente sapeva che lei poteva entrare nel suo computer e quindi la conclusione naturale era che desiderava che lei leggesse ciò che scriveva. Il punto però era che, sapendo che lei entrava nel suo computer, forse manipolava le informazioni. Notò di passaggio che non era andato molto lontano dall'avere sfidato a duello Bublanski sulla sua eventuale innocenza. Per qualche motivo questo le diede fastidio. Mikael Blomkvist non basava le sue conclusioni su fatti ma su sensazioni. *Che stupido ingenuo.*

Però aveva anche zoomato su Zala. *Bravo, Kalle Blomkvist.* Si domandò se si sarebbe mai interessato a Zala se lei non gli avesse segnalato quel nome.

Notò non troppo sorpresa che Paolo Roberto era entrato d'improvviso nel quadro. Era una bella notizia. Sorrise. Quel demonio arrogante le piaceva. Era macho fino alla punta delle dita e gliele dava di brutto quando si incontravano sul ring. Le poche volte che riusciva ad andare a segno, vale a dire.

Poi raddrizzò la schiena, leggendo l'ultimo messaggio di Mikael Blomkvist a Erika Berger.

Gunnar Björck, Säpo, ha informazioni su Zala.

Gunnar Björck conosceva Bjurman.

Lo sguardo di Lisbeth si offuscò quando tracciò con la mente un triangolo. Zala. Bjurman. Björck. *Sì, tutto questo ha un senso.* Non aveva mai visto il problema da quell'angolazione, prima. Forse Mikael Blomkvist in fondo non era poi così idiota. Ma ovviamente non capiva la connessione. Non la capiva nemmeno lei, benché avesse una conoscenza ben più profonda di ciò che era accaduto. Rifletté un attimo su Bjurman e si rese conto che il fatto che conoscesse Björck faceva di lui una mina vagante un po' più grande di quanto avesse immaginato in precedenza.

Constatò che probabilmente sarebbe stata costretta a farne una visita a Smådalarö.

Quindi entrò nell'hard disk di Mikael e creò un nuovo documento nella cartella *Lisbeth Salander* che battezzò *Angolo del ring*. Lui l'avrebbe visto la prossima volta che avesse acceso il computer.

1. *Sta' alla larga da Teleborian. È malvagio.*
2. *Miriam Wu non ha assolutamente nulla a che fare con questa storia.*
3. *Fai bene a puntare su Zala. È lui la chiave. Ma non lo troverai in nessun registro.*
4. *Esiste un collegamento fra Bjurman e Zala. Non so altro, ma ci sto lavorando. Björck?*
5. *Importante. C'è una seccante inchiesta di polizia su di me del febbraio 1991. Non ne conosco il numero di protocollo e non riesco a trovarla. Perché Ekström non l'ha data in pasto ai media? Risposta: nel suo computer non c'è. Conclusione: lui non ne sa niente. Come è possibile?*

Rifletté un momento, quindi aggiunse un post scriptum.

P.S. Mikael, io non sono innocente. Ma non ho ucciso Dag e Mia e non ho nulla a che fare con gli omicidi. Li ho incontrati quella sera subito prima che li ammazzassero, ma quando è successo io ero già andata via. Grazie di avermi creduto. Riferisci a Paolo che ha un gancio sinistro proprio debole.

Rifletté ancora un momento, e si rese conto che per una patita dell'informazione del suo calibro era troppo fastidioso non sapere con certezza. Perciò aggiunse un'altra riga.

P.S.2 Come fai a sapere quella faccenda di Wennerström?

Mikael Blomkvist trovò il documento di Lisbeth circa tre ore più tardi. Lesse il messaggio riga per riga almeno cinque volte. Finalmente un'affermazione chiara: non aveva ucciso Dag e Mia. Lui le credeva e provò un enorme sollievo. E finalmente aveva cominciato a parlargli, ancorché in modo criptico come sempre.

Notò anche che parlava di Dag e Mia, ma non di Bjurman. Mikael ritenne che dipendesse dal fatto che lui aveva menzionato solo Dag e Mia nella sua mail. Dopo un momento di riflessione creò *Angolo del ring 2*.

Ciao Sally,
grazie di avermi detto finalmente che sei innocente. Io ci credevo, ma anch'io sono stato influenzato dal cancan dei media e ho avuto dei dubbi. Perdonami. È stato un sollievo apprenderlo direttamente dalla tua tastiera. Ora resta solo da scoprire il vero assassino. È una cosa che io e te abbiamo già fatto in precedenza. Ma sarebbe più semplice se tu non fossi così criptica. Suppongo che tu legga il mio diario sulle ricerche. E quindi che tu sappia più o meno cosa faccio e come ragiono. Sono convinto che Björck sappia qualcosa e intendo parlargli ancora nei prossimi giorni.

Sono sulla pista sbagliata se spunto l'elenco dei clienti?
Questa storia dell'inchiesta di polizia mi sconcerta. Incaricherò Malin, la mia collaboratrice, di scovarmela. Tu dovevi avere sui dodici tredici anni. Cosa riguardava?
Prendo nota della tua posizione verso Teleborian.
M.
P.S. Nella faccenda di Wennerström hai commesso un errore. Lo sapevo già a Natale, a Sandhamn, ma non ti ho chiesto nulla dal momento che tu non ne parlavi. E non ho intenzione di raccontarti di quale errore si tratta, se non di persona davanti a una tazza di caffè.

La risposta arrivò circa tre ore più tardi.

Puoi anche lasciar perdere i clienti. È Zala che è interessante. E anche un gigante biondo. E quella famosa inchiesta è interessante perché qualcuno la vuole insabbiare. Non può essere un caso.

Il procuratore Ekström era di pessimo umore quando radunò la truppa di Bublanski per la preghiera mattutina del lunedì. Più di una settimana di caccia a un'indiziata con nome e cognome e un aspetto così particolare, e nessun risultato. L'umore di Ekström non migliorò quando Curt Svensson, che era stato reperibile durante il fine settimana, li informò sugli ultimi sviluppi.

«Un'intrusione?» disse Ekström sinceramente sbalordito.

«Il vicino ha chiamato domenica sera dopo aver notato per caso che il nastro sulla porta di Bjurman era rotto. Sono andato subito a fare un controllo.»

«E cosa hai scoperto?»

«Il nastro era stato tagliato in tre punti. Probabilmente con una lametta o un temperino. Bel lavoro. Davvero difficile da rilevare.»

«Furto con scasso? Ci sono piccoli criminali che si specializzano in defunti...»

«Nessuna effrazione. Ho controllato l'appartamento da cima a fondo. Tutti gli oggetti di valore, videoregistratore eccetera, c'erano ancora. Ma le chiavi della macchina di Bjurman erano in vista sul tavolo della cucina.»

«Le chiavi della macchina?» domandò Ekström.

«Holmberg era stato nell'appartamento mercoledì scorso per un ulteriore controllo nel caso ci fosse sfuggito qualcosa. Fra l'altro, aveva controllato la macchina. È certo che non c'era nessuna chiave sul tavolo della cucina quando ha lasciato l'appartamento sigillandolo con il nastro.»

«Non può averla dimenticata Holmberg? Tutti possono sbagliare.»

«Non ha mai usato quella chiave. Ha usato la copia che era nel mazzo di Bjurman e che era già in nostro possesso.»

Bublanski si passò la mano sul mento.

«Dunque non è un'effrazione.»

«Solo un'intrusione. Qualcuno è penetrato nell'appartamento di Bjurman per dare un'occhiata in giro. Dev'essere successo fra mercoledì e domenica sera, quando il vicino ha notato che il nastro era rotto.»

«In altre parole qualcuno ha cercato qualcosa... Jerker?»

«Non c'era più niente di importante là dentro.»

«Niente di evidente, in ogni caso. E il movente degli omicidi è ancora piuttosto oscuro. Siamo partiti dal presupposto che Lisbeth Salander è una psicopatica, ma anche gli psicopatici hanno bisogno di un movente.»

«Perciò cosa suggerisci?»

«Non saprei. Qualcuno passa al setaccio l'appartamento di Bjurman. Dunque bisogna rispondere a due domande. Primo: chi? Secondo: perché? Cos'è che ci è sfuggito?»

Per un momento scese il silenzio.

«Jerker...»

Jerker Holmberg sospirò rassegnato.

«Okay. Vado a casa di Bjurman e passo di nuovo tutto l'appartamento. Con le pinzette.»

Erano le undici di lunedì quando Lisbeth Salander si svegliò. Rimase a letto a poltrire ancora una mezz'ora prima di alzarsi, accendere la macchina del caffè e infilarsi sotto la doccia. Dopo essere uscita dal bagno si preparò due tramezzini e si sedette davanti al suo PowerBook per aggiornarsi su ciò che stava succedendo nel computer del procuratore Ekström e per leggere le edizioni in Internet dei quotidiani. Notò che l'interesse per gli omicidi di Enskede era calato. Poi aprì la cartella con le ricerche di Dag Svensson e lesse attentamente i suoi appunti sul confronto con il giornalista Per-Åke Sandström, il cliente delle prostitute che eseguiva incarichi per conto della mafia del sesso e sapeva qualcosa di Zala. Quando ebbe terminato di leggere si versò dell'altro caffè e si sedette nel vano della finestra a pensare.

Alle quattro aveva finito.

Le occorrevano dei soldi. Aveva tre carte di credito. Una era a nome di Lisbeth Salander ed era praticamente inutilizzabile. Una era a nome di Irene Nesser, ma Lisbeth preferiva evitare di utilizzarla perché avrebbe dovuto presentare il passaporto di Irene Nesser e sarebbe stato rischioso. Una era intestata alla Wasp Enterprises e rimandava a un conto con circa dieci milioni di corone che poteva essere rimpinguato tramite trasferimenti via Internet. Chiunque poteva usare la carta ma per farlo doveva presentare un documento.

Andò in cucina, aprì un barattolo e tirò fuori un rotolo di banconote. Aveva circa novecentocinquanta corone in contanti, quindi poco più che spiccioli. Fortunatamente aveva anche milleottocento dollari americani che erano lì a prendere polvere da quando era tornata in Svezia e potevano essere cambiati anonimamente in qualsiasi ufficio di cambio. Questo migliorava la situazione.

Si mise la parrucca di Irene Nesser, si vestì adeguatamente e infilò un cambio d'abiti e una scatola di make-up da teatro dentro uno zaino. Quindi diede avvio alla seconda spedizione da Mosebacke. Raggiunse a piedi Folkungagatan e proseguì fino a Erstagatan dove entrò da Watski subito prima della chiusura. Comperò del nastro isolante e una carrucola con otto metri di fune in cotone.

Tornò indietro con il 66. In Medborgarplatsen vide una

donna che aspettava l'autobus. Non la riconobbe subito, ma da qualche parte nella sua mente suonò un campanello d'allarme e quando la guardò di nuovo poté identificarla come Irene Flemström, contabile alla Milton Security. Si era fatta una nuova acconciatura più spiritosa. Lisbeth scivolò discretamente giù dall'autobus mentre Irene Flemström saliva. Si guardava intorno con attenzione, cercando volti noti. Passò davanti a Bofills Båge, raggiunse Södra Station e prese il treno navetta in direzione nord.

L'ispettore Sonja Modig strinse la mano a Erika Berger che le offrì subito del caffè. Nel cucinino notò che le tazze erano tutte spaiate e reclamizzavano partiti politici, organizzazioni sindacali e aziende.

«Vengono da veglie elettorali e interviste varie» spiegò Erika allungandole una tazza con il logo del Luf, la Gioventù liberale.

Sonja Modig passò tre ore alla scrivania di Dag Svensson, assistita dalla segretaria di redazione Malin Eriksson sia per capire di cosa trattassero il libro e l'articolo sia per orientarsi nel materiale di ricerca. Sonja era stupita dalla quantità. Erano depressi perché il portatile di Svensson era scomparso e il suo lavoro pareva inaccessibile, e invece di gran parte del materiale era stato fatto un back-up rimasto tutto il tempo negli uffici di *Millennium*.

Mikael Blomkvist non era in redazione ma Erika diede a Sonja un elenco di tutto il materiale che aveva rimosso dalla scrivania di Dag – e che consisteva esclusivamente nelle identità delle fonti. Alla fine Sonja telefonò a Bublanski e spiegò la situazione. Fu deciso che tutto il materiale, compreso il computer, fosse messo sotto sequestro per motivi tecnici relativi all'inchiesta e che il responsabile delle indagini preliminari avrebbe potuto, se fosse stato necessario, richiedere il sequestro anche delle informazioni rimosse. Dopo di che Sonja stese un verbale di sequestro e fu aiutata da Henry Cortez a trasportare il materiale alla sua macchina.

La sera di lunedì Mikael si sentiva profondamente frustrato. Dalla settimana precedente aveva spuntato complessivamente dieci dei nomi della lista. Aveva incontrato uomini preoccupati, sconvolti, scioccati. Constatò che il reddito medio di queste persone si aggirava intorno alle quattrocentomila corone l'anno. Era una patetica collezione di uomini spaventati.

In nessuna occasione tuttavia aveva avuto la sensazione che volessero nascondere qualcosa riguardo agli omicidi di Dag Svensson e Mia Bergman. Al contrario, parecchi di quelli con cui aveva parlato ritenevano che avrebbe solo peggiorato la loro situazione lasciare che i loro nomi fossero collegati anche al duplice omicidio.

Mikael avviò il suo iBook e controllò se era arrivata qualche nuova comunicazione da Lisbeth. Niente. Nel suo precedente messaggio aveva affermato che i clienti delle prostitute non erano interessanti e che stava sprecando il suo tempo. La maledisse con una tirata che Erika avrebbe definito al tempo stesso sessista e innovativa. Era affamato ma non aveva nessuna voglia di prepararsi da mangiare. Inoltre erano due settimane che non faceva la spesa, al di là del latte nel negozio sotto casa. Si infilò la giacca e scese alla taverna greca in Hornsgatan, dove ordinò agnello alla brace.

Lisbeth Salander aveva dato un'occhiata nell'androne e nella penombra del crepuscolo aveva fatto anche un paio di giri intorno. Si trattava di una palazzina poco isolata e dunque non adatta a quanto aveva intenzione di fare.

Il giornalista Per-Åke Sandström abitava al terzo piano,

che era anche l'ultimo. Le scale continuavano fino alla porta di una soffitta. E questo era accettabile.

Ma tutte le finestre dell'appartamento erano buie, il che indicava che il suo inquilino non era in casa.

Si allontanò di qualche isolato e raggiunse una pizzeria. Ordinò una hawaii e si sedette in un angolo per leggere i giornali della sera. Poco prima delle nove prese un caffè macchiato a un chiosco e fece ritorno alla palazzina. L'appartamento era ancora immerso nel buio. Si infilò su per le scale e andò a sedersi sul pianerottolo della soffitta, da dove poteva vedere la porta dell'appartamento di Per-Åke Sandström mezza rampa più in basso. Bevve il caffè mentre aspettava.

L'ispettore Hans Faste riuscì alla fine a rintracciare Cilla Norén, ventotto anni, leader del gruppo satanista Evil Fingers, presso lo studio Recent Trash Records in un capannone di Älvsjö. Fu una collisione culturale grossomodo delle stesse proporzioni di quella tra i conquistadores portoghesi e gli indiani caraibici.

Dopo molti tentativi falliti presso i genitori di Cilla, Faste era riuscito a rintracciarla, tramite la sorella, nello studio dove, a quanto pareva, stava collaborando alla produzione di un cd con il gruppo Cold Wax di Borlänge. Faste non li aveva mai sentiti nominare, ma constatò che il gruppo sembrava essere costituito da ragazzi sui vent'anni. Già quando entrò nel corridoio adiacente allo studio fu accolto da un'onda sonora che gli tolse il fiato. Osservò i Cold Wax attraverso una vetrata e attese finché non ci fu una pausa nella cortina sonora.

Cilla Norén aveva lunghi capelli neri con ciocche rosse e verdi e un make-up nero. Era piuttosto tondetta e indossava una T-shirt molto corta che mostrava il ventre con un piercing all'ombelico. Aveva una cintura borchiata intorno ai fianchi e sembrava uscita da un film horror francese.

Faste le mostrò il distintivo. Lei lo guardò scettica, continuando a masticare la sua gomma. Alla fine indicò una porta e lo condusse in una specie di stanza per la pausa caffè, dove lui quasi inciampò su un sacco dell'immondizia lasciato proprio sulla porta. Cilla riempì d'acqua una bottiglia di plastica e ne bevve circa metà, poi si sedette a un tavolo e accese una sigaretta. Fissò Hans Faste con occhi chiarissimi. Improvvisamente Faste non seppe più da che parte cominciare.

«Cos'è la Recent Trash Records?»

Lei pareva annoiata.

«È una casa discografica che produce nuovi gruppi musicali.»

«Qual è il tuo ruolo qui?»

«Sono un tecnico del suono.»

Faste la guardò.

«Hai studiato per diventarlo?»

«Naa. Ho imparato da sola.»

«E guadagni abbastanza per vivere?»

«Perché vuole saperlo?»

«Chiedevo soltanto. Suppongo che tu abbia letto di Lisbeth Salander in questi ultimi tempi.»

Lei annuì.

«Abbiamo saputo che la conosci. È vero?»

«Forse.»

«È vero o non è vero?»

«Dipende da cosa cerca.»

«Cerco di rintracciare una pazza ricercata che ha commesso un triplice omicidio. Voglio avere informazioni su Lisbeth Salander.»

«Non la sento da un anno.»

«Quando è stata l'ultima volta che l'hai incontrata?»

«Due anni fa. Al Kvarnen. Ci veniva sempre, poi ha smesso.»

«Hai cercato di contattarla?»

«L'ho chiamata qualche volta sul cellulare. Il numero non è più attivo.»

«Ma sapresti dove rintracciarla?»

«No.»

«Cos'è Evil Fingers?»

Cilla Norén assunse un'aria divertita.

«Non li legge i giornali?»

«Perché?»

«C'è scritto dappertutto che siamo un gruppo di sataniste.»

«E lo siete?»

«Ho forse l'aria di una satanista?»

«E che aria dovrebbe avere una satanista?»

«Non so chi sia più sballato, se la polizia o i giornali.»

«Stammi a sentire, signorina, questa è una faccenda seria.»

«Se siamo sataniste?»

«Rispondi alle mie domande invece di dire stupidate.»

«E quale sarebbe la domanda?»

Hans Faste chiuse gli occhi un secondo e pensò alla visita che aveva fatto a una centrale di polizia in Grecia, in occasione di un viaggio di piacere alcuni anni prima. Nonostante tutti i suoi problemi, la polizia greca aveva un grande vantaggio rispetto a quella svedese. Se Cilla Norén avesse mostrato lo stesso atteggiamento in Grecia, l'avrebbero ammanettata e ammorbidita con un paio di manganellate. La guardò.

«Lisbeth Salander era una delle Evil Fingers?»

«Non direi.»

«Cioè?»

«Lisbeth è probabilmente la persona con meno orecchio che io conosca.»

«Con meno orecchio?»

«È capace di distinguere fra tromba e batteria, ma è più o meno il massimo a cui arriva il suo talento musicale.»

«Volevo dire se faceva parte del gruppo Evil Fingers.»

«E io ho risposto proprio a quella domanda. Cosa crede che fossero le Evil Fingers?»

«Racconta.»

«Lei conduce un'indagine di polizia leggendo stupidi articoli di giornale?»

«Rispondi alla domanda.»

«Le Evil Fingers erano un gruppo rock. Alla metà degli anni novanta eravamo un gruppo di ragazze a cui piaceva l'hard rock e cantavamo per divertimento. Ci facemmo notare con la stella a cinque punte e un po' di *simpatia per il diavolo*. Poi ci siamo sciolte e io sono l'unica che lavora ancora con la musica.»

«E Lisbeth Salander non faceva parte del gruppo.»

«Come ho già detto.»

«Perché allora le nostre fonti sostengono che ne faceva parte?»

«Perché le vostre fonti sono più o meno altrettanto tonte dei giornali.»

«Spiegati.»

«Eravamo cinque ragazze nella band, e abbiamo continuato a incontrarci di tanto in tanto. Un tempo lo facevamo una volta alla settimana al Kvarnen. Adesso lo facciamo circa una volta al mese. Ma manteniamo i contatti.»

«E cosa fate quando vi incontrate?»

«Cosa crede che faccia la gente al Kvarnen?»

Hans Faste sospirò.

«Quindi vi incontrate per bere.»

«Ci limitiamo alla birra. E chiacchieriamo. Cosa fa lei quando si vede con gli amici?»

«E Lisbeth Salander come entra nel quadro?»

«La incontrai all'università popolare quando avevo diciotto anni. Lei compariva ogni tanto al Kvarnen e beveva una birra con noi.»

«Perciò le Evil Fingers non erano un'organizzazione.»

Cilla Norén lo guardò come se venisse da un altro pianeta. «Siete lesbiche?»

«Vuole un ceffone sul grugno?»

«Rispondi alla domanda.»

«Quello che siamo non la riguarda.»

«Piantala. Non provocarmi.»

«Hallo? La polizia sostiene che Lisbeth Salander ha ammazzato tre persone e mi viene a chiedere delle mie preferenze sessuali. Ma se ne vada all'inferno.»

«Ehi... Guarda che posso metterti dentro.»

«Per cosa? Fra parentesi, ho dimenticato di dirle che studio giurisprudenza da tre anni e che mio padre è Ulf Norén dello studio legale Norén e Knape. Ci vediamo in tribunale.»

«Credevo che ti occupassi di musica.»

«Lo faccio perché mi diverto. Crede che mi dia da vivere?»

«Non ho idea di come ti guadagni da vivere.»

«Certamente non come lesbica satanista, se è questo che pensa. E se è questo il punto di partenza della polizia nella caccia a Lisbeth Salander, allora capisco perché non riuscite a catturarla.»

«Sai dove si trova?»

Cilla Norén cominciò a ondeggiare con la parte superiore del corpo e alzò lentamente le mani davanti a sé.

«Sento che è qui vicino... ora controllo con le mie facoltà telepatiche...»

«Vedi di smetterla con queste idiozie.»

«Ehi, ho già detto che non la vedo da due anni. Non ho la più pallida idea di dove sia. C'è dell'altro?»

Sonja Modig aveva collegato il computer di Dag Svensson e dedicato la serata a catalogare il contenuto dell'hard disk e degli zip allegati. Rimase fino alle undici a leggere il suo libro.

E arrivò a capire due cose. Anzitutto si rese conto che Dag era un eccellente scrittore che con appassionante obiettività aveva descritto i meccanismi del mercato del sesso. Una sua lezione all'accademia di polizia sarebbe stata un utilissimo contributo all'insegnamento. Hans Faste era un valido esempio di persona bisognosa dell'aiuto di Dag Svensson.

Ma Sonja capì anche perché Mikael Blomkvist fosse dell'opinione che le ricerche di Dag potevano costituire un movente per gli omicidi. La denuncia dei clienti delle prostitute non avrebbe solo danneggiato un certo numero di persone. Alcuni degli attori principali, che avevano sentenziato in cause su reati sessuali o partecipato al dibattito pubblico sul tema, ne sarebbero stati totalmente rovinati. Blomkvist aveva ragione. Il libro conteneva motivi per uccidere.

Ma anche se un cliente a rischio di gogna mediatica avesse deciso di uccidere Dag Svensson, mancava però una simile connessione con l'avvocato Nils Bjurman che non figurava nel materiale. Cosa che non solo diminuiva la forza dell'argomentazione di Blomkvist, ma quasi rafforzava l'immagine di Lisbeth Salander come unica possibile indiziata.

Anche se il quadro del movente era poco chiaro per l'omicidio di Dag Svensson e Mia Bergman, Lisbeth Salander era comunque collegata alla scena del crimine e all'arma del delitto. Era difficile fraintendere indizi così evidenti. Indicavano che Lisbeth era la persona che aveva esploso i colpi mortali nell'appartamento di Enskede.

L'arma costituiva inoltre un legame diretto con l'omicidio di Bjurman. In quel caso non c'era alcun dubbio che esistessero un collegamento e un possibile movente – a giudicare dalla decorazione artistica sul ventre dell'avvocato, poteva trattarsi di un abuso sessuale o di un rapporto sadomaso. Era difficile immaginare che Bjurman si fosse volontariamente fatto tatuare in quella bizzarra maniera. O trovava una qualche sorta di godimento nell'umiliazione o Lisbeth – se poi era stata lei a eseguire il tatuaggio – l'aveva messo in qualche modo in una situazione di impotenza. Su come fossero andate le cose, Sonja Modig non voleva fare troppe congetture.

Peter Teleborian aveva confermato che la violenza di Lisbeth si rivolgeva solo contro persone che la minacciavano o la offendevano.

Sonja rifletté su ciò che Peter Teleborian aveva detto di Lisbeth Salander. Era sembrato sinceramente protettivo nei suoi confronti quando aveva detto di temere che alla sua ex paziente potesse succedere qualcosa. D'altra parte l'inchiesta era stata costruita in larga misura sulla sua analisi della ragazza – un soggetto sociopatico ai limiti della psicosi.

Ma la teoria di Mikael Blomkvist era attraente.

Si mordicchiò piano il labbro inferiore cercando di visualizzare qualche altro scenario diverso da quello con Lisbeth Salander come unico assassino. Alla fine prese una penna e scrisse esitando una riga sul blocnotes che aveva davanti.

Due moventi del tutto separati? Due assassini? Un'unica arma!

Aveva in testa un pensiero sfuggente che non riusciva a formulare esattamente, ma era una questione che intendeva sollevare durante la prossima preghiera mattutina con Bublanski. Non era capace di spiegarsi perché d'improvviso si sentisse così a disagio a pensare a Lisbeth Salander nel ruolo di unica esecutrice dei tre omicidi.

Decise che per quel giorno poteva bastare, spense risolutamente il computer e mise i dischi zippati sotto chiave nel cassetto della scrivania. Infilò la giacca, spense la lampada e stava giusto per chiudere a chiave la porta dell'ufficio quando sentì dei rumori più giù lungo il corridoio. Si fermò perplessa. Credeva di essere rimasta sola. Andò verso l'ufficio di Hans Faste. La porta era socchiusa, sentì che stava parlando al telefono.

«Questo è innegabilmente un collegamento» lo sentì dire.

Rimase un attimo indecisa sul da farsi, poi fece un respiro profondo e bussò. Faste alzò gli occhi stupefatto. Le fece il gesto di entrare.

«È ancora qui» disse al telefono. Ascoltò annuendo senza mollare Sonja con lo sguardo. «Okay, la informerò.» Poi chiuse la comunicazione.

«Bubbla» disse come spiegazione. «Cosa vuoi?»

«Qual è il collegamento?» domandò lei.

Faste la guardò con espressione indagatrice.

«Ti piace origliare dietro le porte?»

«No, ma avevi la porta semiaperta e hai detto quella frase proprio mentre stavo bussando.»

Faste alzò le spalle.

«Ho telefonato a Bubbla per informarlo che il laboratorio finalmente ha prodotto qualcosa di utilizzabile.»

«Aha.»

«Dag Svensson aveva un cellulare con carta prepagata Comviq. Sono riusciti a ricavare l'elenco delle chiamate. Ha confermato la conversazione con Mikael Blomkvist che era a cena a casa della sorella.»

«Bene. Ma non pensavo che Blomkvist avesse a che fare con gli omicidi.»

«Nemmeno io. Ma Svensson ha fatto un'altra telefonata quella sera. Alle nove e trentaquattro. La conversazione è durata tre minuti.»

«E?»

«Ha telefonato al numero di casa dell'avvocato Bjurman. In altre parole esiste un legame fra i due omicidi.»

Sonja si sedette lentamente sulla poltroncina dei visitatori.

«Certo, accomodati pure» disse Hans Faste.

Lei lo ignorò.

«Okay. Com'è lo schema temporale? Alle sette e mezza Svensson telefona a Mikael Blomkvist e si accordano per incontrarsi più tardi. Alle nove e mezza chiama Bjurman. Appena prima della chiusura, verso le dieci, Lisbeth Salander compera le sigarette dal tabaccaio di Enskede. Subito dopo le undici Blomkvist e sua sorella arrivano a Enskede e alle undici e undici lui dà l'allarme.»

«Sembra quadrare, miss Marple.»

«Invece non quadra affatto. Secondo il patologo, Bjurman è stato ucciso fra le dieci e le undici. Ma a quell'ora Lisbeth si trovava già a Enskede. Siamo sempre partiti dal presupposto che abbia ucciso prima Bjurman e poi la coppia di Enskede.»

«Ho parlato di nuovo con il patologo. La stima dell'ora della sua morte può avere fino a un'ora di approssimazione.»

«Ma dev'essere stato lui la prima vittima dal momento che abbiamo trovato l'arma del delitto a Enskede. Questo significherebbe che Lisbeth ha sparato a Bjurman dopo le nove e trentaquattro e quindi ha raggiunto immediatamente Enskede per comperare le sigarette dal tabaccaio. Ci si può davvero spostare in così poco tempo da Odenplan a Enskede?»

«Sì, certo che si può. Lisbeth non si muoveva con i mezzi pubblici come pensavamo prima. Aveva la macchina. Io e Sonny Bohman abbiamo appena fatto la prova e c'è tutto il tempo.»

«Ma poi aspetta un'ora prima di sparare a Dag Svensson e Mia Bergman. Cosa fa nel frattempo?»

«Prende il caffè con loro. Abbiamo le sue impronte digitali sulla tazzina.»

Faste la guardò trionfante. Sonja sospirò e restò in silenzio per un minuto.

«Hans, per te è una questione di prestigio. A volte sei un vero bastardo che manderebbe in bestia chiunque. Ad ogni modo avevo bussato per chiederti scusa del ceffone. Non ce n'era motivo.»

Lui la scrutò.

«Modig, tu forse pensi che io sia uno stronzo. Io invece credo che tu non sia professionale e non sia all'altezza della polizia. Per lo meno non a questi livelli.»

Sonja valutò diverse risposte, ma alla fine si strinse nelle spalle e si alzò.

«Okay. Almeno sappiamo come la pensiamo.»

«Certamente. E, credimi, non durerai a lungo qui dentro.»

Sonja Modig chiuse la porta con troppa energia rispetto alle sue intenzioni. *Non lasciare che quel maledetto idiota ti provochi.* Scese in garage e prese la macchina. Hans Faste intanto sorrideva soddisfatto verso la porta chiusa.

Mikael Blomkvist era appena tornato a casa quando il suo cellulare squillò.

«Ciao. Sono Malin. Puoi parlare?»

«Certo.»

«Ieri è successo qualcosa che mi ha colpita.»

«Racconta.»

«Stavo leggendo la raccolta di ritagli sulla caccia a Lisbeth Salander che abbiamo qui in redazione e mi è capitata fra le mani quella doppia pagina sul suo passato di paziente psichiatrica.»

«E?»

«Forse è un po' tirata per i capelli, ma mi chiedo perché ci sia un salto nella sua biografia.»

«Un salto?»

«Sì. Abbiamo una profusione di dettagli sul periodo in cui andava a scuola. Scontri con insegnanti e compagni di classe e via dicendo.»

«Un'insegnante ha detto che aveva paura di Lisbeth, quando era alle medie.»

«Birgitta Miåås.»

«Esatto.»

«E poi ci sono diversi particolari su Lisbeth alla clinica psichiatrica infantile. Più una quantità di dettagli su di lei presso le famiglie affidatarie durante l'adolescenza e sull'episodio di violenza a Gamla Stan e via dicendo.»

«Sì. Ma qual è il punto?»

«Lisbeth viene ricoverata in psichiatria quando sta per compiere tredici anni.»

«Sì.»

«Però non c'è una sola parola sul perché del ricovero.»

Mikael restò un momento in silenzio.

«Vorresti dire che...»

«Voglio dire che se una ragazzina di dodici anni viene ricoverata in psichiatria deve essere successo qualcosa che giustifichi il provvedimento. E nel caso di Lisbeth dovrebbe trattarsi di un gesto esplosivo che si dovrebbe notare nella biografia. E invece non c'è nessuna spiegazione.»

Mikael corrugò la fronte.

«Malin, io so da fonte certa che c'è un'inchiesta di polizia su Lisbeth datata febbraio 1991, quando lei aveva dodici anni. Nel protocollo però non c'è. Avevo giusto pensato di chiederti di scovarla.»

«Un'inchiesta deve essere protocollata. Altrimenti è illegale. Hai controllato?»

«No, ma la mia fonte dice che nel protocollo non c'è.»

Malin rimase un secondo in silenzio.

«E quanto è affidabile la tua fonte?»

«Tanto.»

Malin tacque per un altro secondo. Lei e Mikael arrivarono contemporaneamente alla stessa soluzione.

«Servizi segreti» disse Malin.

«Björck» disse Mikael.

24.
Martedì 5 aprile

Per-Åke Sandström, giornalista free-lance, quarantasette anni, ritornò al suo appartamento di Solna subito dopo mezzanotte. Era leggermente alticcio e avvertiva un nodo di panico in agguato dalle parti dello stomaco. Aveva passato la giornata a non fare disperatamente nulla. Per-Åke Sandström aveva semplicemente paura.

Erano trascorse quasi due settimane da quando Dag Svensson era stato ucciso a Enskede. Sandström aveva seguito esterrefatto il telegiornale quella sera. Aveva provato un'ondata di sollievo e speranza – Svensson era morto e di conseguenza quel famoso libro sul trafficking con il quale aveva pensato di inchiodarlo per reati sessuali era stato tolto di mezzo. *Diavolo, un'unica puttana di troppo e si era ritrovato incastrato.*

Odiava Dag Svensson. Aveva pregato e implorato, aveva *strisciato* davanti a quel maledetto bastardo.

Il giorno dell'omicidio era troppo euforico per pensare con chiarezza. Soltanto il giorno dopo aveva cominciato a riflettere. Se Svensson lavorava a un libro nel quale il suo nome era sbandierato come quello di uno stupratore con tendenze pedofile, probabilmente la polizia avrebbe cominciato a scavare nelle sue piccole scappatelle. Sant'Iddio... poteva essere sospettato degli omicidi.

Il panico si era un po' acquietato quando il volto di Lisbeth Salander era comparso su tutte le locandine sparse per il paese. *Chi cavolo è Lisbeth Salander?* Non aveva mai sentito parlare di lei. Ma era chiaro che la polizia la riteneva gravemente indiziata, e secondo quanto aveva dichiarato un certo procuratore il caso stava per essere risolto. Era possibile che non si sviluppasse nessun interesse intorno al suo nome. Ma per esperienza personale sapeva che i giornalisti conservano documenti e appunti. *Quel* Millennium *era un giornale di merda con una reputazione immeritata. E anche loro erano come tutti gli altri. Scavavano e cianciavano e rovinavano la gente.*

Non sapeva fino a che punto fosse arrivato il libro. Non sapeva cosa sapessero. Non aveva nessuno a cui chiedere. Si sentiva dentro un vuoto.

Nella settimana che era seguita aveva oscillato fra panico ed ebbrezza. La polizia non era venuta a cercarlo. Forse – con un colpo di fortuna pazzesco – se la sarebbe cavata. Se però avesse avuto sfortuna, la sua vita sarebbe finita.

Infilò la chiave nella serratura e la girò. Mentre apriva sentì d'improvviso un fruscio alle spalle e avvertì un dolore paralizzante all'altezza dell'osso sacro.

Gunnar Björck non era ancora andato a letto quando squillò il telefono. Era in pigiama e vestaglia, seduto in cucina al buio a meditare su quel dilemma. Nella sua lunga carriera non si era mai trovato neanche lontanamente di fronte a una situazione così complicata.

In un primo momento pensò di non rispondere. Diede un'occhiata all'orologio e vide che era già mezzanotte passata. Ma al decimo squillo non poté più resistere. Poteva anche essere importante.

«Sono Mikael Blomkvist» sentì dire dall'altra parte.

Dannazione.

«È mezzanotte passata. Stavo già dormendo.»

«Mi dispiace. Ma credo che possa interessarle quello che ho da dirle.»

«Cosa vuole?»

«Alle dieci convocherò una conferenza stampa per gli omicidi di Dag Svensson e Mia Bergman.»

Gunnar Björck deglutì.

«Illustrerò i dettagli del libro sull'industria del sesso che Dag Svensson stava per completare. L'unico cliente del quale farò il nome sarà lei.»

«Aveva promesso di darmi tempo...»

Sentì il panico nella sua stessa voce e si trattenne.

«Sono passati diversi giorni. Aveva detto che mi avrebbe chiamato dopo le feste. O lei parla, o io terrò la mia conferenza stampa.»

«Se terrà quella conferenza stampa non saprà mai nulla di Zala.»

«È possibile. Ma non sarà più un problema mio. Allora dovrà parlarne con gli incaricati dell'inchiesta ufficiale. E con il resto dei mass-media del paese, ovviamente.»

Non c'era spazio per trattare.

Björck accettò di incontrare Mikael Blomkvist ma riuscì a ottenere una breve proroga e a spostare l'appuntamento al mercoledì. Comunque era pronto.

Si sarebbe giocato il tutto per tutto.

Sandström non avrebbe saputo dire per quanto tempo fosse rimasto fuori gioco, ma quando si riprese era steso sul pavimento del soggiorno. Aveva male dappertutto e non riusciva a muoversi. Gli bastò un momento per rendersi conto che le mani erano immobilizzate dietro la schiena con qualcosa che sembrava nastro isolante. Ne aveva anche intorno ai piedi e sulla bocca. La luce era accesa e le tapparelle abbassate. Non riusciva proprio a capire cosa fosse successo.

A poco a poco divenne consapevole di alcuni rumori che sembravano provenire dal suo studio. Rimase immobile e tese l'orecchio, sentì un cassetto che veniva aperto e poi richiuso. *Una rapina?* Sentì rumore di carte smosse, come se qualcuno stesse frugando nei suoi cassetti.

Solo un'eternità di tempo dopo sentì dei passi dietro di sé. Tentò di voltare la testa ma non riuscì a vedere nessuno. Cercò di mantenere la calma.

D'improvviso un robusto cappio gli fu passato intorno alla testa e stretto al collo. Il panico gli fece quasi sciogliere gli intestini. Guardò in alto e vide la fune correre fino a una carrucola che era stata fissata al gancio del lampadario. Il nemico gli girò intorno ed entrò nel suo campo visivo. La prima cosa che vide fu un paio di stivaletti neri di piccola taglia.

Non sapeva cosa si fosse aspettato ma lo shock non avrebbe potuto essere maggiore quando alzò lo sguardo. Dapprincipio non riconobbe la pazza psicopatica la cui foto campeggiava fuori dalle edicole dal week-end di Pasqua. Aveva i capelli neri tagliati corti e non assomigliava alle immagini sui giornali. Era vestita completamente di nero, jeans, un giubbetto di cotone aperto, T-shirt, guanti.

Ma quello che lo terrorizzò maggiormente fu il suo viso. Truccato con rossetto nero, eyeliner e ombretto molto marcato verde-nerastro. Il resto del viso era dipinto di bianco. Dalla parte sinistra della fronte fino alla parte destra del mento era disegnata una larga linea rossa.

Era una maschera grottesca. La ragazza aveva un'aria da folle.

Il suo cervello opponeva resistenza. La situazione era troppo irreale.

Lisbeth Salander afferrò l'estremità della fune e tirò. Lui

sentì il cappio penetrargli nel collo e per qualche secondo non riuscì a respirare, poi però cercò di mettersi in piedi. Grazie alla carrucola, lei lo alzò senza alcuno sforzo. Quando lo ebbe portato in posizione verticale smise di tirare e fissò la fune intorno al tubo dell'acqua di un termosifone con qualche giro e un nodo parlato.

Quindi uscì di nuovo dal suo campo visivo. Restò via per più di un quarto d'ora. Quando ritornò, prese una sedia e gli si sedette proprio di fronte. Lui cercava di evitare di guardare il suo viso truccato ma non poteva farne a meno. Lei posò una pistola sul tavolo del soggiorno. *La sua pistola. L'aveva trovata nella scatola da scarpe nel guardaroba.* Una Colt 1911 Government, una piccola arma illegale che possedeva da diversi anni. Se l'era procurata per gioco da un conoscente, ma non l'aveva mai nemmeno provata. Davanti ai suoi occhi lei aprì il caricatore, lo riempì di munizioni, lo richiuse e mise un colpo in canna. Per-Åke Sandström stava per svenire. Si costrinse a incontrare il suo sguardo.

«Non capisco perché gli uomini debbano sempre documentare le loro perversioni» disse lei.

Parlava in tono sommesso, ma la sua voce era gelida. Sollevò un'immagine che aveva stampato dall'hard disk di Sandström.

«Suppongo che questa sia Ines Hammujärvi, diciassette anni, del villaggio estone di Riepalu nei dintorni di Narva. Ti sei divertito con lei?»

La domanda era retorica. Per-Åke Sandström non poteva rispondere. La sua bocca era sigillata col nastro e il suo cervello era incapace di formulare anche solo un pensiero. L'immagine mostrava... *Santo Iddio, perché ho conservato le immagini?*

«Tu lo sai chi sono io? Rispondi con un cenno.»

Per-Åke Sandström annuì.

«Tu sei un sadico porco, un verme e uno stupratore.»

Lui non si mosse.

«Ammettilo.»

Lui annuì. D'improvviso aveva gli occhi pieni di lacrime.

«Ora mettiamo bene in chiaro le regole» disse Lisbeth. «La mia opinione è che dovresti essere ucciso subito. Che tu sopravviva o no a questa notte mi è del tutto indifferente. Capisci?»

Lui annuì.

«A questo punto difficilmente ti sarà sfuggito che io sono una pazza che adora far fuori la gente. In modo particolare gli uomini.»

Indicò i quotidiani degli ultimi giorni che lui aveva accumulato sul tavolo del soggiorno.

«Ti toglierò il nastro dalla bocca. Se gridi o alzi la voce ti sistemo con questa.»

Gli mostrò una pistola elettrica.

«Questa roba spara settantacinquemila volt. Ora però ne può sparare solo sessantamila dato che l'ho usata una volta e non l'ho ricaricata. Capisci?»

Lui assunse un'aria dubbiosa.

«Ciò significa che i tuoi muscoli cesseranno di funzionare. È quello che ti è successo sulla porta quando sei tornato a casa dopo avere fatto baldoria.»

Gli scoccò un sorriso.

«Significa che le tue gambe non ti reggeranno più e che tu ti impiccherai da solo. Dopo che ti avrò sistemato, semplicemente mi alzerò e me ne andrò dal tuo appartamento.»

Lui annuì. *Santo Iddio, è proprio una pazza assassina.* Non riuscì più a controllarsi e le lacrime cominciarono a scorrergli copiose lungo le guance. Tirò su col naso.

Lei si alzò e gli strappò via il nastro. Il suo viso grottesco era a pochi centimetri da quello di lui.

«Zitto» disse lei. «Non una parola. Se parli senza permesso uso la pistola.»

Aspettò che finisse di tirare su col naso e si decidesse a guardarla.

«Hai un'unica possibilità di sopravvivere a questa notte» disse. «Una, non due. Ora ti farò delle domande. Se rispondi ti lascerò vivere. Annuisci se hai capito.»

Lui annuì.

«Se ti rifiuti di rispondere userò la pistola. Capito?»

Lui fece cenno di sì.

«Se menti oppure rispondi in maniera evasiva userò la pistola.»

Lui fece di nuovo cenno di sì.

«Non tratterò con te. Non ti offrirò una seconda possibilità. O rispondi immediatamente alle mie domande, o morirai. Se rispondi in modo soddisfacente, vivrai. Molto semplice.»

Lui annuì. Le credeva. Non aveva altra scelta.

«Ti prego» piagnucolò. «Non voglio morire...»

Lei lo guardò seria.

«Sarai tu stesso a decidere se vivere o morire. Ma hai appena contravvenuto alla mia prima regola di non parlare senza permesso.»

Lui serrò le labbra. *Mio Dio, questa è proprio matta da legare.*

Mikael Blomkvist si sentiva così frustrato e inquieto che non sapeva più che pesci pigliare. Alla fine si mise giacca e sciarpa e si incamminò verso la redazione in Götgatan. La sede di *Millennium* era immersa nel buio e nel silenzio. Mikael non accese nessuna luce ma avviò la macchina del caffè e si piazzò davanti alla finestra guardando giù in strada mentre aspettava che l'acqua passasse attraverso il filtro. Cercava di mettere ordine nei propri pensieri. Aveva l'impressione che tutta l'indagine sugli omicidi di Dag Svensson e Mia Bergman fosse un mosaico frantumato di cui certe tessere erano distinguibili ma altre mancavano del tutto. Da qualche parte in quel mosaico c'era un disegno. Che riusciva a intuire, ma non a vedere. Mancavano troppe tessere.

Fu colto dal dubbio. *Lei non è una pazza assassina* rammentò a se stesso. Gli aveva scritto di non avere sparato a Dag e Mia. E lui le credeva. Ma in qualche modo che non riusciva a capire lei era comunque intimamente collegata al mistero degli omicidi.

Cominciò lentamente a rivedere la teoria che aveva elaborato dopo essere entrato nell'appartamento di Enskede. Come se fosse del tutto ovvio, era partito dal presupposto che il reportage sul trafficking fosse l'unico movente plausibile per gli omicidi di Dag e Mia. Adesso cominciava a pensare, come Bublanski, che questo però non poteva spiegare l'omicidio di Bjurman.

Lisbeth gli aveva scritto di lasciar perdere i clienti delle prostitute e di concentrarsi su Zala. *Ma in che modo?* Cosa aveva voluto dire? Perché doveva sempre essere così complicata? Perché non poteva dire qualcosa di comprensibile?

Mikael ritornò nel cucinino e versò il caffè in una tazza marcata Sinistra giovanile. Andò a sedersi nel salotto della redazione, mise i piedi sul tavolino e si accese una sigaretta proibita.

Björck aveva a che fare con i clienti. Bjurman con Lisbeth Salander.

Poteva esserci più di un movente?

Restò seduto immobile, senza lasciarsi sfuggire il pensiero ma cambiando la prospettiva.

Il movente poteva essere Lisbeth Salander?

Mikael rimase lì con in testa un pensiero che non riusciva a tradurre in parole. Qualcosa di inesplorato. Non riusciva a spiegare a se stesso cosa intendesse esattamente con l'idea che Lisbeth poteva costituire di persona il movente per uccidere. Provò una fuggevole sensazione di trionfo.

Ma poi si rese conto di essere troppo stanco, versò il caffè nel lavello e andò a casa a dormire. Steso al buio nel suo letto riprese il filo e restò sveglio per due ore cercando di capire cosa significasse.

Lisbeth Salander accese una sigaretta e si rimise comoda sulla sedia che aveva piazzato davanti a lui. Accavallò le gambe e lo fissò. Per-Åke Sandström non aveva mai visto uno sguardo più intenso. Quando gli parlò, la sua voce era ancora sommessa.

«Nel gennaio del 2003 facesti visita per la prima volta a Ines Hammujärvi nel suo appartamento di Norsborg. Allora aveva appena compiuto sedici anni. Perché andasti da lei?»

Sandström non sapeva cosa rispondere. Non sapeva nemmeno spiegare come fosse iniziata e perché lui... Lisbeth alzò la pistola elettrica.

«Io... non lo so. Volevo averla. Lei era così bella.»

«Bella?»

«Sì. Era bella.»

«E tu ritenevi di avere il diritto di legarla al letto e di scoparla.»

«Lei era d'accordo. Lo giuro. Era consenziente.»

«La pagasti?»

Sandström si morse la lingua.

«No.»

«E perché? Era una puttana. Le puttane di solito si pagano.»

«Lei era... era un regalo.»

«Regalo?» domandò Lisbeth Salander. La sua voce aveva improvvisamente assunto un tono pericoloso.

«Mi fu offerta come compenso per un favore che avevo fatto a un'altra persona.»

«Per-Åke» disse Lisbeth Salander. «Non sarà per caso che stai evitando di rispondere alle mie domande?»

«Lo giuro. Risponderò a tutto quello che mi domanderai. Non mentirò.»

«Bene. Quale favore e quale persona.»

«Avevo portato qui degli steroidi anabolizzanti. Avevo fatto un reportage in Estonia e avevo portato in Svezia le pasticche nella mia macchina. Ci ero andato con Harry Ranta, anche se non era in macchina con me.»

«Come conoscesti Harry Ranta?»

«Lo conosco da molto tempo. Dagli anni ottanta. Ma era soltanto un amico. Andavamo al bar insieme.»

«E fu Harry Ranta a offrirti Ines Hammujärvi come... regalo?»

«Sì... no, scusa. Quello successe più tardi qui a Stoccolma. Fu suo fratello Atho Ranta.»

«Vorresti dire che Atho Ranta bussò semplicemente alla tua porta e ti chiese se volevi andare a Norsborg a scopare con Ines?»

«No... io ero a... facemmo una festa a... cazzo, non ricordo dove eravamo...»

D'improvviso si mise a tremare in maniera incontrollabile e sentì le ginocchia che si piegavano, dovette puntellarsi per riuscire a stare fermo.

«Rispondi con calma e in maniera sensata» disse Lisbeth Salander. «Non ti impicco se hai solo bisogno di tempo per raccogliere i pensieri. Ma se cerchi di sgattaiolare allora... poff.»

D'improvviso assunse un'aria angelica. Angelica quanto poteva esserlo una persona con quella maschera grottesca.

Per-Åke Sandström fece un cenno d'assenso. Deglutì.

Aveva sete, si sentiva la bocca secca e la corda che gli stringeva il collo.

«Dove ti stavi ubriacando non ha nessuna importanza. Ma come fu che Atho Ranta ti offrì Ines?»

«Parlavamo di... noi... gli dissi che volevo...» Cominciò a piangere.

«Gli dicesti che volevi una delle sue puttane.»

Lui annuì.

«Ero ubriaco. Lui disse che lei aveva bisogno... che aveva bisogno...»

«Di cosa aveva bisogno?»

«Atho disse che lei aveva bisogno di essere punita. Faceva storie. Non si comportava come voleva lui.»

«E lui come voleva che si comportasse?»

«Voleva che si prostituisse per lui. Mi offrì di... Io ero ubriaco e non sapevo cosa facevo. Non volevo... Perdonami.»

Singhiozzò.

«Non è a me che devi chiedere perdono. Comunque, ti offristi di aiutare Atho a punire Ines e andaste da lei.»

«Non andò così.»

«Allora raccontami come andò. Perché accompagnasti Atho a casa di Ines?»

Teneva in bilico la pistola elettrica sul ginocchio. Lui cominciò di nuovo a tremare.

«Andai da Ines perché la volevo. Lei era lì, in vendita. Era a casa di un'amica di Harry Ranta. Non ricordo il nome. Atho legò Ines al letto e io... io feci sesso con lei. Atho guardava.»

«No. Tu non facesti sesso con lei. Tu la violentasti.»

Lui non rispose.

«Non è vero?»

Lui annuì.

«Cosa diceva Ines?»

547

«Lei non diceva niente.»

«Protestava?»

Lui scosse la testa.

«Dunque trovava divertente che un maiale di cinquant'anni la legasse e la scopasse.»

«Era ubriaca. Non gliene importava.»

Lisbeth sospirò rassegnata.

«Okay. Continuasti ad andarla a trovare?»

«Era così... lei mi voleva.»

«Balle.»

L'uomo la guardò disperato. Poi annuì.

«Io... io la violentavo. Harry e Atho mi avevano dato il permesso. Volevano che fosse... che fosse addestrata.»

«Li pagavi?»

Lui annuì.

«Quanto?»

«Era un prezzo da amici. Li aiutavo con il contrabbando.»

«Quanto?»

«Qualche biglietto da mille in tutto.»

«In una delle immagini Ines è qui nel tuo appartamento.»

«La portò Harry.»

Tirò di nuovo su col naso.

«Dunque con qualche biglietto da mille ti procurasti una ragazza con la quale potevi fare quello che volevi. Quante volte la violentasti?»

«Non so... qualche volta.»

«Okay. Chi è il capo di questa banda?»

«Mi ammazzeranno se faccio la spia.»

«La cosa non mi riguarda. In questo momento io per te sono ben più spinosa dei fratelli Ranta.»

Sollevò la pistola elettrica.

«Atho. Lui è il maggiore. Harry è quello che cura la parte pratica.»

«E il resto della banda?»

«Io conosco solo Harry e Atho. Ma c'è anche la ragazza di Atho. E un ragazzo che chiamano... non lo so. Pelle qualcosa. Lui è svedese. Non so chi sia. È un tossico che fa le commissioni.»

«La ragazza di Atho?»

«Silvia. Fa la puttana.»

Lisbeth tacque un momento, per riflettere. Poi alzò lo sguardo.

«Chi è Zala?»

Per-Åke Sandström impallidì. *La stessa domanda su cui insisteva Dag Svensson.* Rimase in silenzio così a lungo che la pazza cominciava ad avere un'aria irritata.

«Non lo so» rispose alla fine. «Non so chi sia.»

Lisbeth Salander si rabbuiò.

«Finora ti sei comportato bene. Non sprecare la tua unica possibilità» disse.

«Lo giuro sul mio onore. Non so chi sia. Il giornalista che hai ammazzato...»

Tacque, improvvisamente consapevole del fatto che non era una buona idea menzionare la sua orgia di sangue a Enskede.

«Sì?»

«Lui mi chiese la stessa cosa. Ma non lo so. Se lo sapessi lo direi. Lo giuro. È una persona che conosce Atho.»

«Tu hai parlato con lui.»

«Un minuto al telefono. Ho parlato con qualcuno che ha detto di chiamarsi Zala. Anzi, è stato lui a parlare con me.»

«Perché?»

Per-Åke Sandström batté le palpebre. Negli occhi gli gocciolavano perle di sudore e il moccio gli colava lungo il mento.

«Io... volevano che gli facessi un altro grosso favore.»

«Stai cominciando a tirarla un po' troppo per le lunghe» lo ammonì Lisbeth Salander.

«Volevano che facessi un altro viaggio a Tallinn e portassi qui una macchina che era già stata preparata. Amfetamina. Io non volevo.»

«Perché non volevi?»

«Era troppo. Erano dei gangster. Volevo tirarmi fuori. Avevo anche un lavoro a cui badare.»

«Vorresti dire che tu eri solo un gangster della domenica?»

«Io non sono un delinquente» disse lui facendosi piccolo piccolo.

«Noo, ma quando mai.»

La voce di Lisbeth Salander esprimeva un tale disprezzo che Per-Åke Sandström chiuse gli occhi.

«Continua. Come entrò Zala nel quadro?»

«Fu un incubo.»

Tacque e tutto d'un tratto le lacrime ricominciarono a scorrere. Si morse il labbro talmente forte che ne uscì sangue.

«Sei troppo lento» disse Lisbeth Salander gelida.

«Atho continuava a insistere. Harry mi mise in guardia, mi disse che Atho cominciava a incazzarsi e che lui non sapeva cosa sarebbe potuto succedere. Alla fine acconsentii a incontrare Atho. Era l'agosto dell'anno scorso. Andai con Harry a Norsborg...»

La sua bocca continuava a muoversi ma le parole non si sentivano più. Gli occhi di Lisbeth Salander si strinsero. Lui ritrovò la voce.

«Atho era fuori di sé. È un tipo brutale. Non puoi immaginare quanto. Disse che non potevo più tirarmi indietro e che se non facevo come diceva non ne sarei uscito vivo. E che ne avrei avuto una dimostrazione.»

«Sì?»

«Mi costrinsero ad andare con loro. Viaggiammo in direzione di Södertälje. Atho mi disse di infilarmi un cappuccio. Un sacchetto che mi legò sugli occhi. Ero spaventato a morte.»

«Dunque viaggiasti con un sacchetto infilato sulla testa. Cosa accadde poi?»

«La macchina si fermò. Non so dove ci trovassimo.»

«Dov'è che ti avevano messo il sacchetto?»

«Subito prima di Södertälje.»

«E quanto tempo passò prima che arrivaste a destinazione?»

«Forse... forse circa trenta minuti. Mi fecero scendere. Eravamo in una specie di magazzino.»

«Cosa successe?»

«Harry e Atho mi guidarono all'interno. Dentro era illuminato. La prima cosa che vidi fu un poveraccio steso su un pavimento di cemento. Era legato. Era ridotto in uno stato pietoso.»

«Chi era?»

«Si chiamava Kenneth Gustafsson. Ma questo lo venni a sapere più tardi. Loro non dissero mai il suo nome.»

«E poi?»

«C'era anche un altro uomo lì. Era il tizio più gigantesco che avessi mai visto. Era enorme. Tutto muscoli.»

«Com'era?»

«Biondo. Sembrava la personificazione del demonio.»

«Nome?»

«Non lo disse mai.»

«Okay. Un gigante biondo. Altri?»

«C'era un altro uomo. Uno un po' malandato. Biondo. Con la coda di cavallo.»

Magge Lundin.

«Altri?»

«Solo io e Harry e Atho.»

«Continua.»

«Il biondo, il gigante, mi diede una sedia. Non disse una

sola parola. Era Atho che parlava. Disse che il tizio sul pavimento era una spia. Voleva che vedessi con i miei occhi cosa succedeva a quelli che facevano storie.»

Per-Åke Sandström adesso piangeva senza freni.

«Sei troppo lento» disse ancora una volta Lisbeth.

«Il biondo lo alzò da terra e lo mise su un'altra sedia proprio di fronte a me. Eravamo a un metro di distanza. Io lo guardai negli occhi. Il gigante gli si piazzò alle spalle e gli mise le mani intorno al collo... Lui... lui...»

«Lo strangolò?» gli venne in aiuto Lisbeth Salander.

«Sì... no... lo *stritolò* letteralmente. Credo che gli abbia spezzato il collo a mani nude. Sentii il rumore e me lo vidi morire davanti.»

Per-Åke Sandström ondeggiò appeso alla fune. Le lacrime scorrevano senza controllo. Non l'aveva mai raccontato prima. Lisbeth gli concesse un minuto per ricomporsi.

«E dopo?»

«L'altro uomo, quello con la coda di cavallo, accese una sega a motore e gli tagliò la testa e le mani. Quando ebbe finito, il gigante mi si avvicinò. Mi circondò il collo con le mani. Cercai di smuoverle. Ce la misi tutta ma non riuscii a spostarle di un millimetro. Però lui non strinse. Si limitò a tenere lì le mani per un po'. Nel frattempo Atho prese il cellulare e fece una telefonata. Parlava in russo. Tutto d'un tratto disse che Zala voleva parlare con me e mi mise il telefono accanto all'orecchio.»

«Cosa ti disse Zala?»

«Che si aspettava che io facessi quella commissione. Mi domandò se volevo ancora tirarmi indietro. Io gli promisi di andare a Tallinn a prendere la macchina con l'amfetamina. Che altro potevo fare?»

Lisbeth restava seduta in silenzio. Osservava sovrappensiero il giornalista piangente appeso alla fune e pareva riflettere su qualcosa.

«Descrivimi la sua voce.»

«Non... non so. Sembrava normale.»

«Profonda? Acuta?»

«Profonda. Ordinaria. Rude.»

«In che lingua parlavate?»

«Svedese.»

«Accento?»

«Sì... forse un leggero accento. Però parlava un ottimo svedese. E con Atho parlava in russo.»

«Tu capisci il russo?»

«Un po'. Non molto. Solo un po'.»

«Cosa gli disse Atho?»

«Solo che la dimostrazione era finita. Nient'altro.»

«Hai mai raccontato questa storia a qualcun altro?»

«No.»

«Dag Svensson?»

«No... no.»

«Dag Svensson venne a trovarti?»

Sandström annuì.

«Non sento.»

«Sì.»

«Perché?»

«Sapeva che io andavo... a puttane.»

«Cosa ti chiese?»

«Voleva sapere...»

«Sì?»

«Zala. Mi chiese di Zala. La seconda volta.»

«La seconda volta?»

«Prese contatto con me due settimane prima di morire. Poi tornò due giorni prima che tu... che...»

«Che io gli sparassi?»

«Esatto.»

«E allora ti chiese di Zala.»

«Sì.»

«Cosa gli raccontasti?»

«Niente. Non potevo dire niente. Ammisi che gli avevo parlato al telefono. Tutto qui. Non dissi nulla del diavolo biondo e di cosa avevano fatto a Gustafsson.»

«Okay. Cosa ti chiese esattamente Dag Svensson?»

«Io... voleva solo sapere di Zala. Tutto qui.»

«E tu non raccontasti niente?»

«Niente di importante. Io non so niente.»

Lisbeth Salander tacque per un po'. *C'era qualcosa che non diceva.* Si mordicchiò pensierosa il labbro inferiore.

«A chi raccontasti delle visite di Dag Svensson?»

Sandström impallidì.

Lisbeth sventolò la pistola elettrica.

«Telefonai a Harry Ranta.»

«Quando?»

L'uomo deglutì.

«La stessa sera che Svensson venne a trovarmi la prima volta.»

Lisbeth continuò a interrogarlo ancora per una mezz'ora, ma ormai contribuiva solo con ripetizioni e pochi altri dettagli. Alla fine lei si alzò e mise la mano sulla fune.

«Sei uno dei vermi più schifosi che abbia mai incontrato» disse Lisbeth Salander. «Ciò che hai fatto a Ines meriterebbe la pena capitale. Ma ti ho promesso che avresti avuto salva la vita se avessi risposto alle mie domande. E io mantengo sempre le mie promesse.»

Si chinò e sciolse il nodo. Per-Åke Sandström si afflosciò in un misero mucchio sul pavimento. Provava un sollievo quasi euforico. Da terra la vide mettere uno sgabello sul tavolino, salirci sopra e togliere la carrucola. Poi riavvolse la fune e la infilò in uno zaino. Quindi scomparve in bagno e ci restò dieci minuti. Si sentiva scorrere l'acqua. Quando tornò era senza trucco.

Si era strofinata a fondo il viso.

«Puoi liberarti da solo.»

Lasciò cadere un coltello da cucina sul pavimento.

La sentì trafficare nell'ingresso. Sembrava si stesse cambiando. Poi sentì aprirsi e chiudersi la porta d'ingresso. Solo una mezz'ora più tardi si liberò del nastro isolante. Fu quando si sedette sul divano del soggiorno che scoprì che la ragazza aveva preso la sua Colt 1911 Government.

Lisbeth Salander tornò a casa a Mosebacke solo alle cinque del mattino. Si tolse la parrucca di Irene Nesser e andò immediatamente a dormire, senza avviare il computer per controllare se Mikael Blomkvist avesse risolto il mistero dell'inchiesta scomparsa.

Si svegliò alle nove e dedicò tutto il martedì a scovare informazioni sui fratelli Atho e Harry Ranta.

Atho Ranta aveva un curriculum alquanto sinistro nel casellario giudiziario. Era cittadino finlandese ma era nato in Estonia ed era approdato in Svezia nel 1971. Dal 1972 al 1978 aveva lavorato come carpentiere in un cementificio. Era stato licenziato dopo che l'avevano sorpreso a rubare in un cantiere ed era stato condannato a sette mesi di carcere. Fra il 1980 e il 1982 aveva lavorato per un'impresa edile molto più piccola. Era stato licenziato dopo che ripetutamente si era presentato al lavoro ubriaco. Per il resto degli anni ottanta si era guadagnato da vivere come portiere, tecnico di una ditta che faceva manutenzione di caldaie, lavapiatti e bidello. Ma era sempre stato licenziato, sorpreso ubriaco fradicio o coinvolto in baruffe di vario genere. Il lavoro di bidello si era concluso in pochi mesi perché un'insegnante l'aveva denunciato per pesanti molestie sessuali e minacce.

Nel 1987 era stato condannato a una pena pecuniaria e a un mese di detenzione per furto d'auto, guida in stato di ebbrezza e ricettazione. L'anno seguente per detenzione illegale di arma. Nel 1990 per oltraggio al pudore, ma nell'estratto del casellario giudiziario non era specificata la natura del reato. Nel 1991 era stato citato in giudizio per minacce, ma era stato assolto. Nello stesso anno aveva avuto una condanna con la condizionale per contrabbando di alcolici. Nel 1992 gli avevano dato tre mesi per lesioni personali a un'amica e minacce alla sorella di questa. Poi era stato tranquillo fino al 1997, quando era stato condannato per ricettazione e lesioni gravi. Quella volta gli avevano dato dieci mesi.

Suo fratello, Harry Ranta, l'aveva raggiunto in Svezia nel 1982 e negli anni ottanta aveva lavorato a lungo come magazziniere. Il casellario giudiziario riportava tre condanne a suo carico. La prima nel 1990 per truffa. La seconda nel 1992 per lesioni gravi, ricettazione, furto e stupro per un totale di due anni di galera. Era stato estradato in Finlandia ma nel 1996 era già tornato in Svezia, dove era stato nuovamente condannato a dieci mesi di detenzione per lesioni gravi e stupro. In seguito a un ricorso la Corte d'appello lo aveva assolto dall'accusa di stupro ma aveva confermato la condanna per lesioni, e si era fatto sei mesi. Nel 2000 era stato citato in giudizio per minacce e stupro, ma la denuncia era stata ritirata e il caso era stato chiuso.

Lisbeth riuscì a rintracciare il loro ultimo domicilio: Atho abitava a Norsborg, Harry ad Alby.

Paolo Roberto si sentiva frustrato. Per la centesima volta fece il numero di Miriam Wu e ottenne in risposta soltanto il messaggio registrato che l'abbonato non era raggiungibile. Era andato all'indirizzo di Lundagatan più volte al giorno da quando aveva accettato l'incarico di rintracciarla. La porta del suo appartamento era sempre chiusa.

Diede un'occhiata all'orologio. Erano passate da poco le otto di martedì sera. La ragazza doveva pur ritornare a casa. Capiva perfettamente il desiderio di Miriam Wu di starsene in disparte, ma l'assalto dei media aveva ormai superato la fase peggiore e si stava placando. Decise che tanto valeva piantare le tende davanti al suo portone, nel caso si fosse decisa a comparire anche solo per un cambio d'abiti, piuttosto che continuare a fare la spola. Riempì una caraffa termica di caffè e preparò qualche tramezzino. Prima di lasciare il suo appartamento si fece il segno della croce davanti al crocefisso con la Madonna.

Parcheggiò a circa trenta metri dal portone di Lundagatan e spostò indietro il sedile per avere più spazio per le gambe. Aveva acceso la radio a basso volume e attaccato al cruscotto col nastro adesivo una foto di Miriam Wu ritagliata da un giornale. Un vero bocconcino, pensò. Osservava con pazienza le poche persone che passavano sul marciapiede. Nessuna era lei.

Ogni dieci minuti provava a telefonarle. Rinunciò verso le nove, quando il cellulare lo avvisò con un segnale acustico che la batteria si stava esaurendo.

Per-Åke Sandström trascorse la giornata di martedì in uno stato che si sarebbe potuto definire di apatia. Aveva dormito sul divano del soggiorno, incapace di andare a letto e incapace di arrestare le crisi di pianto che lo colpivano a intervalli regolari. La mattina di martedì era sceso allo spaccio e aveva comperato una bottiglia da un quarto di acquavite. Poi era tornato al suo divano e ne aveva bevuta metà.

Solo verso sera si era reso conto del suo stato e aveva cominciato a riflettere sul da farsi. Avrebbe voluto non avere mai sentito parlare dei fratelli Atho e Harry Ranta e delle loro puttane. Non riusciva a capacitarsi di essere stato così stupido da lasciarsi attirare nell'appartamento di Norsborg dove Atho aveva legato Ines Hammujärvi imbottita di stupefacenti al letto e lo aveva sfidato a dimostrare chi ce l'aveva più resistente. Avevano fatto a turno e lui aveva vinto la gara completando nel corso della sera e della notte un numero maggiore di prestazioni sessuali di vario genere.

A un certo punto Ines si era rianimata e aveva cominciato a protestare. Atho aveva dovuto dedicare una mezz'ora a riempirla alternativamente di botte e di alcol, dopo di che la ragazza si era calmata e lui era stato invitato a riprendere i suoi esercizi.

Maledetta puttana.

Dannazione, quanto era stato idiota.

Non poteva aspettarsi pietà da *Millennium*. Loro vivevano di simili scandali.

Quella pazza di Lisbeth Salander lo spaventava a morte.

Per non parlare del gigante biondo.

Non poteva andare alla polizia.

Non poteva cavarsela da solo. Credere che i problemi si risolvano da soli vuol dire illudersi. Gli restava un'unica magra alternativa per tentare di trovare un briciolo di comprensione e una qualche soluzione. Anche se si rendeva conto che aveva la consistenza di un fuscello di paglia.

Ma era la sua unica alternativa.

Si fece coraggio e chiamò Harry Ranta sul cellulare. Non ebbe risposta. Continuò a chiamarlo fino alle dieci di sera, quindi si arrese. Dopo avere riflettuto a lungo (ed essersi scolato il resto dell'acquavite) telefonò ad Atho Ranta. Gli rispose la ragazza di Atho, Silvia. Gli disse che i fratelli Ranta erano in vacanza a Tallinn. No, Silvia non aveva modo di contattarli. No, non aveva la minima idea di quando avessero in mente di ritornare. Erano in Estonia a tempo indeterminato.

Silvia pareva contenta.

Per-Åke Sandström sprofondò nel suo divano. Non sapeva se era demoralizzato o sollevato per il fatto che Atho

Ranta era irreperibile e quindi lui era impossibilitato a parlargli. Ma il messaggio sottinteso era chiaro. Per vari motivi i fratelli Ranta si erano messi in guardia e avevano deciso di andarsene in vacanza a Tallinn. Il che non contribuiva a tranquillizzare Sandström.

25.
Martedì 5 aprile - mercoledì 6 aprile

Paolo Roberto non si era addormentato, ma era così profondamente immerso nei suoi pensieri che gli occorse un momento prima di accorgersi della donna che verso le undici di sera stava arrivando a piedi da Högalidskyrkan. La inquadrò nello specchietto retrovisore. Solo quando passò sotto un lampione, il pugile girò di scatto la testa e riconobbe immediatamente Miriam Wu.

Si raddrizzò sul sedile. Il suo primo impulso fu di uscire dalla macchina. Poi si rese conto che così facendo avrebbe potuto spaventarla e che era meglio aspettare che arrivasse davanti al portone.

Nell'attimo stesso in cui formulò il pensiero vide un furgone scuro arrivare dal fondo della strada e frenare all'altezza della ragazza e un uomo – uno spaventoso bestione biondo – saltare giù dalla portiera scorrevole e afferrare Miriam Wu. La ragazza evidentemente era stata colta di sorpresa. Cercava di divincolarsi, ma il gigante biondo le serrava il polso in una stretta d'acciaio.

Paolo Roberto restò a bocca aperta quando vide la gamba destra di Miriam Wu sollevarsi descrivendo un rapido arco. *Certo, faceva kick-boxing.* Il calcio colpì in pieno la testa del gigante biondo, ma la cosa non parve turbarlo minimamente. Alzò la mano e le mollò un ceffone. Paolo Roberto poté sentire lo schiocco del colpo a quella distanza. Miriam Wu cadde a terra come colpita da un fulmine. Il gigante biondo si chinò e la raccolse con una mano, gettandola letteralmente nel furgone. Solo allora Paolo Roberto richiuse la bocca e si ridestò. Spalancò la portiera e si precipitò fuori.

Ma subito si rese conto dell'inutilità del suo gesto. Il furgone nel quale Miriam Wu era stata buttata come un sacco di patate ripartì facendo un'inversione a U e si stava già allontanando prima ancora che lui avesse anche solo preso velocità. Il veicolo scomparve verso Högalidskyrkan. Paolo Roberto si voltò di scatto, si precipitò alla macchina e si fiondò al volante. Partì a razzo e fece anche lui inversione. Quando arrivò all'incrocio, il furgone era già scomparso. Frenò e guardò verso Högalidsgatan, quindi decise di tentare la sorte svoltando a sinistra verso Hornsgatan.

Arrivato in Hornsgatan si trovò davanti il semaforo rosso ma non c'era traffico. Si sporse un po' e si guardò intorno. Gli unici fanalini posteriori che riuscì a vedere stavano giusto svoltando a sinistra e risalendo verso il ponte di Liljeholmen all'altezza di Långholmsgatan. Non poté distinguere se fosse proprio il furgone, ma era l'unico veicolo in vista e Paolo Roberto schiacciò l'acceleratore. Fu bloccato dal semaforo rosso in Långholmsgatan e fu costretto a lasciar passare i veicoli provenienti da Kungsholmen mentre i secondi scorrevano. Quando l'incrocio fu libero accelerò e partì nonostante fosse ancora rosso. Sperava di cuore che nessuna macchina della polizia lo fermasse proprio in quel momento. Superò il ponte di Liljeholmen a una velocità ben superiore a quella consentita e giunto dall'altra parte accelerò ulteriormente. Ancora non sapeva se era proprio quello il furgone che aveva intravisto e, in tal caso, se avesse già svoltato verso Gröndal o Årsta. Tentò ancora la sorte e schiacciò fino in fondo l'acceleratore. Andava a circa centocinquanta chilometri all'ora superando in un soffio i pochi veicoli rispettosi dei limiti, e pensò che qualche automobilista avrebbe annotato il suo numero di targa.

All'altezza di Bredäng avvistò di nuovo il furgone. Lo inseguì fino ad arrivargli a circa cinquanta metri di distanza per accertarsi che fosse proprio quello giusto. Poi rallentò assestandosi sui novanta all'ora e restando a circa duecento metri di distanza. Solo allora ricominciò a respirare.

Miriam Wu sentì il sangue scorrerle lungo il collo nell'attimo stesso in cui atterrò all'interno del furgone. Sanguinava. L'uomo le aveva spaccato il labbro e forse anche il naso. L'aggressione era arrivata come un fulmine a ciel sereno, e nonostante avesse provato a resistere era stata spazzata via in meno di un secondo. Sentì il furgone ripartire ancor prima che il suo aggressore avesse fatto in tempo a chiudere la portiera scorrevole. Per un attimo, durante l'inversione, il gigante biondo fu sul punto di perdere l'equilibrio.

Miriam Wu si girò puntellandosi con l'anca. Quando il gigante biondo si voltò verso di lei, fece partire il calcio. Lo colpì alla testa. Vide il segno lasciato dal suo tacco. Era un calcio che avrebbe dovuto fargli male.

Lui la guardò sconcertato. Quindi sorrise.

Santo Iddio, che razza di mostro è mai questo?

Lei sferrò un altro calcio, ma lui le agguantò la gamba e le torse il piede con tanta forza che la fece urlare di dolore e rotolare sulla pancia.

Poi si chinò sopra di lei e la schiaffeggiò a mano aperta. La colpì sulla testa. Miriam Wu vide le stelle. Le pareva di essere stata picchiata con un martello. Lui le si sedette sulla schiena. Lei cercò di spingerlo in su ma era talmente pesante che non riuscì a smuoverlo di un millimetro. Il gigante le torse le braccia dietro la schiena bloccandogliele con delle manette. Ora era inerme. Miriam Wu avvertì d'improvviso un terrore paralizzante.

Mikael Blomkvist superò il Globen tornando a casa da Tyresö. Aveva dedicato il pomeriggio e la sera a parlare con tre persone i cui nomi erano nell'elenco dei clienti, ma non ne aveva ricavato assolutamente nulla. Aveva solo incontrato dei poveracci in preda al panico che erano già stati faccia a faccia con Dag Svensson e aspettavano che il cielo crollasse loro sulla testa. Avevano pregato e implorato. Li aveva cancellati tutti dall'elenco dei possibili colpevoli.

Prese il cellulare proprio mentre passava sul ponte di Skanstull e telefonò a Erika Berger. Nessuna risposta. Telefonò a Malin Eriksson. Nemmeno lei rispondeva. Era tardi. Aveva bisogno di qualcuno con cui discutere.

Si domandò se Paolo Roberto avesse avuto qualche risultato con Miriam Wu e fece il suo numero. Dopo cinque squilli ebbe risposta.

«Pronto.»

«Salve. Sono Blomkvist. Mi chiedevo com'era andata...»

«Blomkvist, sono a *sscrraaap sscrraap* macchina con Miriam.»

«Non sento.»

«*Sscr sscrrrraap scrraaa.*»

«Non ti sento più.»

Poi la comunicazione si interruppe.

Paolo Roberto imprecò. La batteria si era esaurita nel momento in cui oltrepassava Fittja. Premette il tasto on e il telefono si rianimò. Fece il 112 ma nell'attimo stesso in cui gli rispondevano il telefono si spense di nuovo.

Dannazione.

Aveva un caricabatteria da collegare al cruscotto. Ma naturalmente era sul cassettone nell'ingresso, a casa. Buttò il cellulare sul sedile del passeggero e si concentrò per non perdere di vista le luci posteriori del furgone. Guidava una Bmw col serbatoio pieno, il furgone non poteva sfuggirgli. Ma non voleva richiamare l'attenzione, dunque si portò a qualche centinaio di metri di distanza.

Un mostro zeppo di steroidi picchia una ragazza proprio sotto i miei occhi. Quel demonio, voglio averlo fra le mani.

Se Erika Berger fosse stata lì, l'avrebbe chiamato macho-cowboy. Paolo Roberto in quel momento si sarebbe definito imbestialito.

Mikael Blomkvist passò in Lundagatan ma constatò che la casa di Miriam Wu era al buio. Fece un altro tentativo di chiamare Paolo Roberto ma ricevette l'informazione che l'abbonato al momento non era raggiungibile. Borbottò qualcosa e se ne andò a casa, dove si preparò caffè e tramezzini.

Il viaggio stava durando più di quanto Paolo Roberto si fosse aspettato. Superarono Södertälje, quindi imboccarono la E20 in direzione Strängnäs. Subito dopo Nykvarn il furgone uscì, inoltrandosi lungo strade secondarie attraverso la campagna del Södermanland.

Con ciò il rischio di attirare l'attenzione e di essere scoperto aumentava. Paolo Roberto alleggerì la pressione sull'acceleratore e si portò a una distanza ancora maggiore dal furgone.

Non ne era certo, ma per quanto poteva capire stavano viaggiando lungo la sponda del lago Yngern. A un certo punto non vide più il furgone. Accelerò. Sbucò su un lungo rettilineo e frenò.

Il furgone era sparito. Nella zona c'erano diverse deviazioni. L'aveva perso.

Miriam Wu aveva male alla nuca e al viso, ma era riuscita a dominare l'angoscia. L'uomo non l'aveva più colpita. Aveva potuto mettersi seduta, con la schiena contro il sedile di guida. Aveva le mani bloccate dietro la schiena e un largo nastro adesivo sulla bocca. Una narice era piena di sangue e le rendeva difficile respirare.

Osservò il gigante biondo. Dopo che l'aveva ammanettata non aveva più detto una parola, ignorandola totalmente. Lei guardò il segno che gli aveva lasciato il suo calcio. Era un colpo che avrebbe dovuto causare un'estesa lesione, ma lui sembrava non essersene quasi accorto. Era una cosa strana.

L'uomo era gigantesco e statuario. I suoi muscoli mostravano che ogni settimana passava ore e ore in qualche palestra. Ma non era un culturista. La sua muscolatura aveva tutta l'aria di essere naturale. Le mani parevano dei grossi badili. Miriam capì perché quando l'aveva schiaffeggiata era stato come se l'avesse picchiata con un martello.

Il furgone avanzava sobbalzando lungo una strada sconnessa.

Miriam non aveva idea di dove si trovassero, al di là del fatto che pensava che avessero viaggiato a lungo in direzione sud lungo la E4 prima di imboccare delle strade secondarie.

Sapeva che anche se avesse avuto le mani libere non avrebbe avuto la benché minima possibilità contro il gigante biondo. Si sentiva totalmente inerme.

Malin Eriksson telefonò a Mikael Blomkvist poco dopo le undici. Mikael era appena arrivato a casa e, accesa la macchina del caffè, si stava preparando dei tramezzini in cucina.

«Scusa se ti chiamo così tardi. Ci ho provato per ore ma non rispondevi al cellulare.»

«Scusa. L'ho tenuto spento mentre incontravo alcuni clienti delle prostitute.»

«Ho trovato qualcosa che potrebbe essere interessante» disse Malin.

«Sentiamo.»

«Bjurman. Sai che dovevo esplorare i suoi trascorsi.»

«Sì.»

«Era nato nel 1950 e si era iscritto a giurisprudenza nel 1970. Si era laureato nel 1976, aveva cominciato a lavorare nel 1978 presso lo studio legale Klang e Reine e nel 1989 si era messo in proprio.»

«Okay.»

«Inoltre aveva lavorato come cancelliere in pretura qualche settimana, nel 1976, e subito dopo la laurea, dal 1976 al 1978, come giurista alla direzione della polizia di stato.»

«Aha.»

«Ho controllato quali mansioni avesse, e non è stato facile. Era la persona di riferimento per le questioni giuridiche ai servizi segreti. Lavorava alla sezione stranieri.»

«Cosa diavolo stai dicendo?»

«Che potrebbe averci lavorato insieme a quel tale, Björck.»

«Quel bastardo. Non ha detto una parola sul fatto di avere lavorato con Bjurman.»

Il furgone doveva essere nelle vicinanze. Paolo Roberto si era tenuto a distanza e talvolta lo aveva perso di vista ma lo aveva sempre riagganciato, prima di perderlo del tutto. Fece manovra e tornò indietro in direzione nord. Guidava lentamente e cercava con lo sguardo tutte le possibili deviazioni.

Dopo solo centocinquanta metri scorse d'improvviso un cono di luce brillare in un'apertura nel fitto sipario di alberi. Vide una piccola strada che s'inoltrava nel bosco e sterzò.

La percorse per una decina di metri e poi parcheggiò. Non si curò di chiudere a chiave la macchina. Tornò sulla strada principale, la attraversò e saltò oltre il fosso. Avrebbe voluto avere con sé una torcia tascabile quando cominciò ad avanzare attraverso alberi e arbusti.

Il bosco era soltanto una stretta fascia verso la strada. D'improvviso uscì su uno spiazzo sterrato. Intravide alcune basse costruzioni immerse nel buio e fece per raggiungerle quando si accese una luce sopra un portone.

Si accucciò e rimase immobile. Un secondo più tardi si accesero anche le luci all'interno della costruzione. Sembrava un deposito, era lungo circa una trentina di metri con una stretta fila di finestre sulla parte alta della facciata. Lo spiazzo era pieno di container e sulla destra era parcheggiato un autocarro giallo. A fianco dell'autocarro intravide una Volvo bianca. Alla luce della lampada esterna vide il furgone, parcheggiato una ventina di metri davanti a lui.

In quel momento nel portone davanti a lui si aprì una porticina. Un uomo con i capelli biondi e il ventre prominente uscì dal deposito e si accese una sigaretta. Quando si girò, Paolo Roberto riuscì a distinguere una coda di cavallo.

Si mantenne immobile con un ginocchio appoggiato a terra. Era perfettamente visibile, a meno di venti metri, ma la fiamma dell'accendino aveva temporaneamente ridotto la capacità dell'uomo di vedere nel buio. Fu allora che si udì un gemito semisoffocato provenire dal furgone. L'uomo si mosse in quella direzione. Paolo Roberto si appiattì lentamente a terra.

Quando la portiera scorrevole si aprì, Paolo Roberto vide il gigante biondo balzare a terra e poi chinarsi dentro il veicolo e tirare fuori Miriam Wu. Se la infilò sotto un braccio e la tenne salda con disinvoltura mentre lei scalciava nell'aria. I due uomini parvero scambiare qualche parola ma Paolo Roberto non riuscì a sentire cosa dicessero. Poi l'uomo con la coda di cavallo aprì la portiera dalla parte del guidatore e saltò a bordo. Avviò il motore e girò nello spiazzo descrivendo uno stretto arco. Il cono di luce dei fari passò a qualche metro soltanto da Paolo Roberto. Il furgone scomparve lungo una via d'accesso e lui sentì il rombo del motore affievolirsi e dissolversi.

Il gigante biondo fece passare Miriam Wu attraverso la porticina. Paolo Roberto intravide un'ombra dietro le finestre. Sembrava si stesse muovendo verso il fondo del deposito.

Allora si alzò cautamente in piedi. I suoi abiti erano umidi. Era al tempo stesso sollevato e preoccupato. Sollevato perché era riuscito a rintracciare il furgone e aveva Miriam Wu a portata di mano. Preoccupato perché il gigante biondo la maneggiava come se fosse stata una borsa della spesa mezza vuota. Quello che aveva potuto vedere di lui era che aveva una corporatura enorme e dava un'impressione di grande potenza.

La soluzione più ragionevole sarebbe stata quella di ritirarsi e dare l'allarme alla polizia. Ma il suo cellulare era scarico. Inoltre aveva solo una vaga idea di dove si trovassero e non era sicuro di saper descrivere la strada. E non aveva nessuna idea di cosa stesse succedendo a Miriam Wu.

Descrisse un lento semicerchio intorno al deposito e constatò che c'era soltanto un ingresso. Dopo due minuti era al punto di partenza, e doveva prendere una decisione. Non dubitava che il gigante biondo fosse un *bad guy*. Aveva malmenato e rapito Miriam Wu. Tuttavia non si sentiva particolarmente intimorito – aveva molta fiducia nelle proprie capacità e sapeva di poter rispondere per le rime se si veniva alle mani. La questione era se l'uomo fosse armato e se ci fossero anche altre persone. Esitava. Probabilmente non c'era nessun altro tranne Miriam Wu e il gigante biondo.

Il portone di carico era sufficientemente ampio perché

l'autocarro potesse passarci senza problemi, e nel portone era inserita la porticina. Paolo Roberto si avvicinò, abbassò la maniglia e aprì la porticina. Si trovò in un grande deposito bene illuminato pieno di ciarpame, scatoloni rotti e immondizia.

Miriam Wu sentiva le lacrime scorrere lungo le guance. Non piangeva tanto per il dolore quanto per il senso di impotenza. Durante il tragitto il gigante l'aveva trattata come se fosse fatta d'aria. Quando il furgone si era fermato, le aveva strappato via il nastro dalla bocca. L'aveva sollevata e trasportata dentro senza il minimo sforzo, e l'aveva mollata sul pavimento di cemento senza ascoltare né preghiere né proteste. Quando la guardava, i suoi occhi erano gelidi.

Miriam Wu capì che sarebbe morta lì dentro.

Il gigante le voltò la schiena e si avvicinò a un tavolo dove aprì una bottiglia di acqua minerale che bevve a lunghe sorsate. Non le aveva bloccato le gambe, e Miriam Wu cominciò lentamente ad alzarsi in piedi.

Lui si girò e le sorrise. Si trovava più vicino di lei alla porta. Miriam non avrebbe avuto nessuna possibilità di riuscire a passargli davanti indenne. Scivolò in ginocchio rassegnata e s'infuriò con se stessa. *Che il diavolo mi porti se mi arrenderò senza combattere.* Si mise di nuovo in piedi e strinse i denti. *Avanti, dannato ciccione.*

Si sentiva goffa e sbilanciata con le mani bloccate dietro la schiena, ma quando lui le andò incontro cominciò a muoversi in circolo cercando un punto debole. Gli tirò un calcio fulmineo contro le costole, piroettò su se stessa, scalciò di nuovo mirando all'inforcatura. Colpì l'anca e arretrò di un metro, cambiando gamba per il calcio successivo. Con le mani dietro la schiena non aveva sufficiente equilibrio per colpire la faccia, ma mise a segno un calcio potente contro lo sterno.

570

Lui le afferrò la spalla e la fece ruotare come una bambola di carta. Poi le sferrò un unico pugno, e non particolarmente forte, contro i reni. Miriam urlò come una pazza quando il dolore le attraversò il diaframma. Crollò di nuovo sulle ginocchia. Lui le mollò ancora un ceffone e lei si accasciò sul pavimento. Lui alzò un piede e le tirò un calcio nel fianco. Miriam restò senza fiato. Aveva sentito il rumore delle costole che si spezzavano.

Paolo Roberto non vide nulla ma improvvisamente udì Miriam che urlava di dolore, un grido acuto che subito si spense. Si girò nella direzione da cui era giunto e strinse i denti. C'era un altro locale dietro una parete divisoria. Attraversò senza far rumore il primo ambiente e sbirciò con circospezione dalla porta proprio nell'attimo in cui il gigante biondo rovesciava Miriam sulla schiena. Il gigante scomparve per alcuni secondi dal suo campo visivo. Ritornò con una sega a motore che piazzò sul pavimento davanti alla ragazza.

«Voglio una risposta a una domanda semplice semplice.»

Il gigante aveva una voce curiosamente infantile, come se non l'avesse ancora cambiata. Paolo Roberto notò un accento particolare nella sua parlata.

«Dov'è Lisbeth Salander?»

«Non lo so» mormorò Miriam.

«Risposta sbagliata. Ti darò ancora una possibilità prima di mettere in funzione questa.»

Si sedette sui talloni e diede una pacca alla sega.

«Dove si nasconde Lisbeth Salander?»

Miriam Wu scosse la testa.

Paolo Roberto esitava. Ma quando il gigante biondo allungò la mano per prendere la sega entrò a passi decisi nel locale e gli sferrò un destro potente contro i reni.

Paolo Roberto non era diventato un pugile di fama mondiale comportandosi da vigliacco sul ring. Nella sua carriera da professionista aveva disputato trentatré match vincendone ventotto. Quando colpiva si aspettava una reazione. Ad esempio che l'oggetto delle sue attenzioni si accasciasse e avesse male da qualche parte. Paolo Roberto ebbe la sensazione di avere sbattuto il pugno a tutta forza contro un muro di cemento. Non aveva mai provato niente di simile in tutti gli anni in cui aveva tirato di boxe. Guardò esterrefatto il colosso che aveva davanti.

Il gigante biondo si voltò e guardò il pugile con altrettanto stupore.

«Che ne diresti di prendertela con qualcuno della tua categoria?» disse Paolo Roberto.

Gli tirò una serie di destro-sinistro-destro contro il diaframma gonfiando i muscoli. Erano colpi pesanti. Ma gli pareva di martellare contro un muro. L'unico effetto fu che il gigante arretrò di mezzo passo, più per lo stupore che per effetto dei pugni. Tutto d'un tratto sorrise.

«Ma tu sei Paolo Roberto» disse.

Paolo Roberto si fermò sconcertato. Aveva appena messo a segno quattro colpi che da manuale avrebbero dovuto stendere il gigante biondo permettendo a lui di tornare nel suo angolo e all'arbitro di cominciare il conto alla rovescia. Invece non uno dei suoi pugni pareva avere sortito il benché minimo effetto.

Santo Iddio. Questa cosa non è normale.

Poi, quasi al rallentatore, vide il gancio destro del biondino arrivare attraverso l'aria. Il gigante era lento e segnalava il colpo in anticipo. Paolo Roberto si scansò e parò parzialmente con la spalla sinistra. Ebbe la sensazione di essere stato colpito da un tubo di ferro.

Fece due passi indietro, pieno di rispetto per il suo avversario.

C'è qualcosa che non va. Nessuno può colpire così duro.

Parò automaticamente un gancio sinistro con l'avambraccio e avvertì subito un intenso dolore. Non fece in tempo a parare il gancio destro che arrivò dal nulla e gli si abbatté sulla fronte.

Paolo Roberto volò come un guanto all'indietro attraverso la porta. Atterrò con un gran baccano contro una pila di sgabelli di legno e scosse la testa. Sentì subito il sangue che gli colava sul viso. *Mi ha spaccato il sopracciglio. Bisognerà ricucirlo. Di nuovo.*

Il gigante rientrò nel suo campo visivo e Paolo Roberto istintivamente rotolò di lato. Per un pelo riuscì a evitare i suoi enormi pugni. Arretrò rapidamente di tre quattro passi e alzò le braccia in posizione di difesa. Era scosso.

Il gigante biondo lo guardò con espressione incuriosita e quasi divertita. Poi assunse la stessa posizione di difesa. *Questo è un pugile.* Cominciarono lentamente a girare in cerchio.

I centottanta secondi che seguirono furono il match più bizzarro che Paolo Roberto avesse mai disputato. Mancavano corde e guantoni. Secondi e arbitro non esistevano. Non c'era nessun gong a mandare le parti ognuna nel proprio angolo del ring per qualche secondo di pausa con acqua e sali e un asciugamano con cui togliere il sangue dagli occhi.

Paolo Roberto si rese conto d'improvviso che stava lottando per la vita. Tutti quegli anni di allenamento, di pugni contro il sacco di sabbia, di sparring e l'esperienza accumulata nei match si radunarono nell'energia che riuscì a sviluppare quando l'adrenalina cominciò a pompare con un'intensità che non aveva mai sperimentato prima.

Adesso non misurava più i colpi. Volavano in un'alternanza nella quale Paolo Roberto metteva tutta la sua forza. Sinistro, destro, sinistro, sinistro di nuovo e un martellare con il destro contro la faccia, schivare il gancio sinistro, arretrare di un passo, attaccare con il destro. Ogni colpo che sferrava andava a segno.

Stava combattendo l'incontro più importante della sua vita. Lottava con il cervello e con i pugni, e riusciva a schivare o parare ogni colpo che il gigante gli indirizzava contro.

Mise a segno un gancio destro perfetto contro una mascella che gli diede l'impressione di essersi rotto un osso della mano. Avrebbe dovuto far afflosciare a terra l'avversario in un mucchio. Diede un'occhiata alle sue nocche e vide che erano insanguinate. Notò arrossamenti e gonfiori sul viso del gigante biondo, che però non sembrava nemmeno accorgersi dei suoi pugni.

Paolo Roberto arretrò e fece una pausa di valutazione. *Non è un pugile. Si muove come un pugile, ma non è capace di tirare di boxe. Finge soltanto. Non sa parare. Segnala i colpi. Ed è lento come una lumaca.*

Un attimo dopo il gigante mandò a segno un gancio sinistro contro il suo torace. Era la seconda volta che colpiva davvero. Paolo Roberto sentì il dolore invadergli il corpo quando le costole scricchiolarono. Cercò di arretrare ma inciampò e cadde sulla schiena. Per un secondo vide il gigante torreggiare sopra di lui ma riuscì a rotolare di lato e si rimise in piedi barcollando.

Indietreggiò e cercò di radunare le forze.

Il gigante gli era nuovamente addosso e lui si trovava sulla difensiva. Schivò, schivò di nuovo e si scansò. Avvertiva una fitta ogni volta che parava un colpo con la spalla.

Poi arrivò l'attimo che ogni pugile almeno una volta ha sperimentato con terrore. La sensazione che può comparire dal nulla nel bel mezzo di un incontro. La sensazione di non farcela. *Dannazione, sto per perdere.*

È l'attimo decisivo di quasi tutti gli incontri di boxe.

È l'attimo in cui le forze improvvisamente ti abbandonano e l'adrenalina pompa così intensamente da diventare paralizzante, e una capitolazione rassegnata fa capolino come uno spettro sul ring.

È l'attimo che distingue dilettanti da professionisti e vincitori da perdenti. Pochi pugili sull'orlo di quel baratro hanno la forza di capovolgere il match e trasformare una sconfitta annunciata in una vittoria.

Paolo Roberto fu colpito da quella sensazione. Sentiva un ronzio in testa che lo stordiva e per un momento gli parve di osservare la scena da fuori, come se stesse guardando il gigante biondo attraverso l'obiettivo di una macchina fotografica. Si trattava di vincere o sparire.

Arretrò descrivendo un ampio semicerchio per recuperare le forze e guadagnare tempo. Il gigante lo seguiva determinato ma lento, come se sapesse che il match era già deciso ma volesse prolungare il round. *Sa chi sono. È un dilettante. Ma ha una forza quasi inconcepibile e sembra del tutto indifferente a qualsiasi colpo.*

I pensieri vorticavano tumultuosi nella sua testa mentre cercava di valutare la situazione e decidere cosa fare.

Stava rivivendo quella notte di due anni prima a Mariehamn. La sua carriera di pugile professionista era finita nella maniera più brutale quando aveva incontrato l'argentino Sebastián Luján o, per essere più esatti, quando aveva incontrato il diretto di Sebastián Luján. Aveva sperimentato il primo knockout della sua vita ed era rimasto privo di sensi per quindici secondi.

Aveva spesso pensato a cosa mai fosse andato storto. Era in ottima forma. Era concentrato. Sebastián Luján non era meglio di lui. Ma l'argentino aveva mandato a segno un colpo perfetto e tutto d'un tratto il round si era trasformato in una tempesta oceanica.

Più tardi aveva rivisto in video se stesso barcollare indifeso sul ring come una specie di Paperino. Il knockout era arrivato ventitré secondi dopo.

Sebastián Luján non era più bravo o più in forma di lui. I margini erano così ristretti che il match avrebbe potuto concludersi anche nella maniera opposta.

L'unica differenza che in seguito era riuscito a individuare era che Luján era più affamato di lui. Quando Paolo Roberto era salito sul ring a Mariehamn era pronto a vincere ma non aveva una vera voglia di battersi. Non era più questione di vita o di morte. Una sconfitta non sarebbe stata una catastrofe.

Due anni più tardi era ancora un boxeur. Non era più un professionista e disputava solo incontri amichevoli. Ma continuava ad allenarsi, e non aveva messo su né peso né pancia. Naturalmente non era più uno strumento così bene accordato come lo era stato in vista dei match per il titolo mondiale, ma era *Paolo Roberto* e ancora non perdeva colpi. E a differenza di quello di Mariehamn, il match nel deposito a sud di Nykvarn significava letteralmente o vita o morte.

Paolo Roberto prese una decisione. Si fermò di botto e lasciò avvicinare il gigante. Fece una finta col sinistro e puntò tutto su un gancio destro. Ci mise tutta la forza di cui disponeva e fece partire un tiro fulmineo che colpì l'avversario sulla bocca e sul naso. Il suo attacco arrivò del tutto inatteso. Finalmente sentì che qualcosa stava cedendo. Continuò con un sinistro-destro-sinistro, sempre puntando al viso.

Il gigante biondo rispose al rallentatore con un destro. Paolo Roberto lo vide segnalare il tiro con molto anticipo e schivò il pugno enorme. Vide l'altro spostare il peso e capì che aveva intenzione di dare seguito con il sinistro. Invece di parare, si piegò all'indietro e lasciò che il gancio gli passasse davanti al naso. Rispose con un colpo potente subito sotto le costole. Quando il gigante si girò per fronteggiare l'attacco, lui lasciò partire verso l'alto un gancio sinistro e lo colpì di nuovo sul naso.

Finalmente sentiva che quello che stava facendo era giusto e che aveva lui il controllo del match. Il nemico arretrava. Sanguinava dal naso. E non sorrideva più.

Poi il gigante biondo tirò un calcio.

Il suo piede scattò cogliendo totalmente di sorpresa Paolo Roberto. Era abituato alle regole della boxe e non si aspettava un calcio. Gli sembrò di essere stato colpito nella parte bassa della coscia destra, subito sopra il ginocchio. Un dolore acuto gli si diffuse per tutta la gamba. *No.* Fece un passo indietro, e di nuovo inciampò.

Il gigante abbassò lo sguardo su di lui. Per un breve attimo i loro sguardi si incrociarono. Il messaggio non poteva essere frainteso. *Il match era finito.*

Gli occhi del gigante si dilatarono quando Miriam Wu lo colpì da dietro con un calcio in mezzo alle gambe.

Ogni singolo muscolo nel corpo di Miriam urlava di dolore, ma in qualche modo era riuscita a far passare le mani ammanettate sotto il sedere così da portarle davanti. Nelle sue condizioni era stata una prestazione acrobatica.

Le dolevano le costole, il collo, la schiena e i lombi e aveva difficoltà a mettersi in piedi. Alla fine aveva raggiunto barcollando la porta e aveva visto Paolo Roberto – *da dove diavolo era spuntato?* – colpire il gigante biondo con un gancio destro e una serie di pugni al viso prima di essere abbattuto da un calcio.

Miriam si rese conto che non le importava un fico secco di sapere come e perché Paolo Roberto fosse arrivato lì. Lui era un *good guy*. Per la prima volta in vita sua provava un desiderio assassino di fare del male a un'altra persona. Fece qualche rapido passo in avanti e mobilitò ogni grammo di energia e tutti i muscoli validi che aveva. Arrivò vicino al gigante da dietro e gli stampò il calcio in mezzo alle gambe. Non era una mossa elegante, ma ebbe l'effetto desiderato.

Mimmi annuì saggiamente fra sé. Gli uomini possono anche essere grandi e grossi come case e fatti di granito ma hanno sempre le palle allo stesso posto. E il calcio era stato così perfetto che avrebbe meritato una citazione nel *Guinness dei primati*.

Per la prima volta il gigante biondo sembrò scosso. Emise un gemito e si afferrò il basso ventre scivolando in ginocchio.

Miriam rimase lì indecisa per qualche secondo prima di rendersi conto del fatto che doveva dare un seguito a quell'azione e cercare di andare a una conclusione. Stava per tirargli un calcio in faccia, ma con sua sorpresa lui alzò un braccio. Avrebbe dovuto essergli impossibile riprendersi così in fretta. Ma l'impressione fu quella di colpire il tronco di un albero. Lui le prese il piede, la fece cadere e cominciò a tirare. Lei lo vide alzare un pugno e scalciò disperatamente con la gamba libera. Lo colpì sopra l'orecchio nell'attimo stesso in cui il pugno di lui si abbatteva sulla sua tempia. Miriam Wu ebbe l'impressione di avere picchiato a tutta forza la testa contro un muro. La vista le si oscurò mentre al tempo stesso vedeva dei lampi.

Il gigante biondo cominciò a rimettersi in piedi.

Fu allora che Paolo Roberto lo colpì sulla nuca con l'asse nella quale era inciampato. Il gigante biondo cadde in avanti atterrando con un tonfo.

Paolo Roberto si guardò intorno con un senso di irrealtà. Il gigante biondo era a terra. Miriam Wu aveva lo sguardo vitreo e sembrava completamente ko. I loro sforzi congiunti gli avevano fatto guadagnare una breve pausa.

Paolo Roberto riusciva a malapena a reggersi sulla gamba destra e temeva che un muscolo si fosse strappato proprio sopra il ginocchio. Si avvicinò zoppicando a Miriam e la tirò in piedi. Si muoveva, ma il suo sguardo era ancora fisso e sfuocato. Senza una parola se la issò in spalla e cominciò a zoppicare verso l'uscita. Il dolore al ginocchio destro era talmente acuto che a tratti era costretto a saltellare su una gamba sola.

Uscire nell'aria scura e fredda gli sembrò una liberazione. Ma non aveva tempo di fermarsi. Attraversò lo spiazzo e si diresse verso la cortina di alberi, lungo lo stesso percorso che aveva fatto arrivando. Non appena fu tra gli alberi inciampò su un ceppo con le radici all'aria e cadde a terra. Miriam gemette, e lui sentì la porta del deposito aprirsi con uno schianto.

Il gigante biondo era una sagoma monumentale nel rettangolo di luce. Paolo Roberto mise una mano sulla bocca di Miriam. Si chinò e le sussurrò all'orecchio di stare assolutamente zitta e immobile.

Poi tastò sul terreno sotto il ceppo e trovò un sasso che era più grande del suo pugno. Si fece il segno della croce. Per la prima volta nella sua vita di peccatore, Paolo Roberto era pronto, se necessario, a uccidere un altro essere umano. Era così malridotto che sapeva di non poter affrontare un altro round. Ma nessuno, neppure un mostro biondo che era un vero e proprio errore della natura, avrebbe potuto combattere con il cranio fracassato. Strinse la pietra e sentì che era di forma ovale con un margine tagliente.

Il gigante biondo andò all'angolo del deposito, quindi fece un lungo giro nello spiazzo. Si fermò a meno di dieci passi dal punto in cui Paolo Roberto stava trattenendo il respiro. Il gigante tendeva l'orecchio e scrutava, ma non poteva sapere in quale direzione si fossero dileguati nella notte. Dopo qualche minuto sembrò rendersi conto anche lui dell'inutilità della ricerca. Ritornò con determinazione all'interno del deposito e vi rimase circa un minuto. Poi spense le luci e uscì di nuovo con un borsone, dirigendosi verso la Volvo bianca. Partì a razzo e scomparve lungo una delle vie d'accesso. Paolo Roberto ascoltò in silenzio, fino a quando il rombo del motore non si fu spento in lontananza. Quando abbassò lo sguardo vide gli occhi della ragazza luccicare nel buio.

«Salve, Miriam» disse. «Mi chiamo Paolo e non devi avere paura di me.»

«Lo so.»

La sua voce era debole. Lui si appoggiò sfinito contro il ceppo e sentì l'adrenalina scendere a zero.

«Non so come farò a rimettermi in piedi» disse. «Ma ho una macchina parcheggiata dall'altra parte della strada. Saranno circa centocinquanta metri da qui.»

Il gigante biondo frenò e svoltò in una piazzola di sosta subito a est di Nykvarn. Era scosso e si sentiva la testa strana.

Per la prima volta in vita sua era stato sconfitto in un combattimento. E l'uomo che gli aveva inflitto la punizione era Paolo Roberto... il pugile. Gli pareva un sogno di quelli che si fanno nelle notti inquiete. Non riusciva a capire da dove diavolo fosse sbucato. Tutto d'un tratto era semplicemente lì.

Era pazzesco.

I colpi di Paolo Roberto non li aveva nemmeno sentiti. E la cosa non lo stupiva. Ma quel calcio, quello sì che l'aveva sentito. E quel colpo tremendo sulla nuca gli aveva oscurato la vista. Toccò piano con le dita e sentì un bernoccolo enorme. Premette leggermente ma non avvertì nessun dolore. Eppure si sentiva confuso e stordito. Con la punta della lingua si accorse che aveva perso un dente nell'arcata superiore sinistra. In bocca aveva il sapore del sangue. Prese il naso fra pollice e indice e lo piegò piano. Sentì una specie di schiocco dentro la testa e capì che era rotto.

Aveva fatto la cosa giusta prendendo il borsone e lasciando il deposito prima che ci arrivasse la polizia. Ma aveva commesso un grosso errore. Su Discovery Channel aveva visto che i poliziotti della scientifica trovano sempre *forensic evidences* in quantità sulla scena del delitto. Sangue. Capelli. Dna.

Non aveva la benché minima voglia di tornare al deposito, ma non aveva scelta. Doveva ripulire tutto. Fece un'inversione a U e ripartì. Subito fuori Nykvarn incrociò un'automobile, ma non ci fece caso.

Il viaggio di ritorno verso Stoccolma fu un incubo. Paolo Roberto aveva il sangue che gli colava negli occhi ed era malridotto in tutto il corpo. Guidava come un ubriaco e sentiva che sbandava sulla carreggiata. Si asciugò gli occhi con una mano e si toccò cautamente il naso. Gli faceva proprio male, riusciva a respirare solo attraverso la bocca. Cercava ininterrottamente con lo sguardo una Volvo bianca e gli parve di incrociarne una dalle parti di Nykvarn.

Quando uscì sulla E20 cominciò ad andare un po' meglio. Aveva pensato di fermarsi a Södertälje, ma non avrebbe saputo dove andare. Diede un'occhiata a Miriam Wu, ancora ammanettata, sprofondata nel sedile posteriore senza cintura di sicurezza. Era stato costretto a portarla a braccia fino alla macchina e non appena l'aveva deposta sul sedile si era addormentata. O forse era svenuta per le lesioni riportate, o aveva semplicemente spento il motore per sfinimento. Rimase un attimo indeciso. Alla fine imboccò la E4 e si diresse verso Stoccolma.

Mikael Blomkvist aveva dormito solo un'oretta quando il telefono cominciò a far baccano. Sbirciò l'ora e vide che erano appena passate le quattro. Si protese assonnato verso il ricevitore. Era Erika. All'inizio non capì cosa gli stesse dicendo.

«Paolo Roberto è... dove?»

«All'ospedale di Södersjukhuset con Miriam Wu.»

«Cosa ci fa al Södersjukhuset?»

La voce di Erika suonava paziente ma decisa.

«Mikael, prendi un taxi e va' a scoprirlo. Sembrava in stato confusionale, parlava di una sega a motore e di una casa nei boschi e di un mostro che non è capace di tirare di boxe.»

Mikael batté le palpebre senza capire, poi scosse la testa e allungò la mano per prendere i pantaloni.

Paolo Roberto aveva un'aria davvero malconcia, steso su una barella con addosso solo un paio di boxer. Mikael aveva aspettato più di un'ora prima di poterlo vedere. Il naso era nascosto da dei cerotti di sostegno. L'occhio sinistro era coperto da un tampone e il sopracciglio era stato ricucito con cinque punti. Aveva il torace fasciato e versamenti di sangue e abrasioni un po' su tutto il corpo. Il ginocchio destro era immobilizzato.

Mikael Blomkvist gli passò un bicchiere di caffè che aveva preso al distributore automatico nel corridoio ed esaminò criticamente il suo viso.

«Hai l'aria di uno che ha avuto un incidente» disse. «Cosa è successo?»

Paolo Roberto scosse la testa e incontrò lo sguardo di Mikael.

«Un dannatissimo mostro» rispose.

«Cosa è successo?»

Paolo Roberto scosse di nuovo la testa e si esaminò le mani. Le nocche erano così rovinate che aveva difficoltà a reggere il bicchiere del caffè. Era pieno di cerotti. Sua moglie aveva un atteggiamento molto tiepido verso la boxe e sarebbe andata su tutte le furie.

«Sono un pugile» disse. «Voglio dire, quando ero attivo non avevo paura di salire sul ring contro chicchessia. Ho ricevuto qualche batosta, e sono capace di darle e di prenderle. Quando colpisco, di solito si siedono a terra e stanno male.»

«Ma questo tizio non lo faceva.»

Paolo Roberto scosse la testa per la terza volta. Raccontò con calma e dettagliatamente ciò che era accaduto durante la notte.

«L'ho colpito almeno trenta volte. Quattordici quindici volte alla testa. Quattro volte alle mascelle. All'inizio controllavo la potenza, non volevo mica ammazzarlo, volevo solo difendermi. Ma alla fine cercavo di mettercela proprio tutta. Uno dei colpi avrebbe dovuto spaccargli una mascella. Ma quel maledetto mostro si è limitato a scuotere un po' la testa, e ha ripreso ad attaccare. Quello lì non era un essere umano normale, che il diavolo mi porti!»

«Che aspetto aveva?»

«Era come un robot anticarro. Non sto esagerando. Era alto più di due metri, e avrà pesato circa centotrenta o centoquaranta chili. Non scherzo quando dico che era fatto solo di muscoli e di uno scheletro di cemento armato. Un diavolo di gigante biondo che molto semplicemente non sentiva il dolore.»

«Non l'avevi mai visto prima?»

«Mai. Non era un boxeur. Ma in qualche strano modo anche lo era.»

«Cosa intendi?»

Paolo Roberto rifletté un momento.

«Non aveva la più pallida idea di come si tira di boxe. Con le finte riuscivo ad aprire la sua guardia, non sapeva neanche lontanamente come ci si deve muovere per non essere colpiti. Però al tempo stesso cercava di muoversi come un pugile. Alzava le braccia e si metteva in posizione di uscita come un vero boxeur. Come se avesse fatto boxe ma senza avere ascoltato una sola parola dell'allenatore.»

«Okay...»

«Quello che ha salvato la vita a me e alla ragazza è che si muoveva lentamente. Tirava dei colpi che segnalava con un mese d'anticipo, perciò io potevo schivarli o pararli. È riuscito a colpirmi solo due volte, il primo è stato un colpo in faccia di cui puoi vedere da te le conseguenze, l'altro un colpo che mi ha spezzato una costola. Ma tutti e due sono andati a segno solo a metà. Se avesse fatto veramente centro, mi avrebbe staccato la testa.»

D'improvviso Paolo Roberto scoppiò a ridere. Una risata gorgogliante.

«Che c'è?»

«Che ho vinto. Quel pazzo ha cercato di ammazzarmi e io ho vinto. Sono riuscito a mandarlo al tappeto. Ma ho dovuto usare una dannata asse di legno per metterlo ko per la conta.»

Poi tornò serio.

«Se Miriam Wu non l'avesse colpito fra le gambe proprio al momento giusto, lo sa il diavolo come sarebbe andata.»

«Sono molto, molto felice che abbia vinto tu. E Miriam Wu dirà la stessa cosa quando si sveglierà. Sai per caso come sta?»

«È conciata grossomodo come me. Ha una commozione cerebrale, diverse costole e il setto nasale rotti e contusioni ai lombi.»

Mikael si chinò in avanti e poggiò una mano sul ginocchio di Paolo Roberto.

«Se mai dovessi avere bisogno di un favore...» disse Mikael.

Paolo Roberto annuì e accennò un sorriso.

«Blomkvist, se dovessi avere tu bisogno un'altra volta di un favore...»

«Sì?»

«... chiama Sebastián Luján.»

26.
Mercoledì 6 aprile

L'ispettore Jan Bublanski non era affatto di buonumore quando incontrò Sonja Modig nel parcheggio del Södersjukhuset subito prima delle sette. Mikael Blomkvist gli aveva telefonato svegliandolo. A poco a poco si era reso conto che durante la notte era successo qualcosa di drammatico, e a sua volta aveva telefonato a Sonja svegliandola. Si unirono a Blomkvist all'ingresso e insieme raggiunsero la stanza dove stava riposando Paolo Roberto.

Bublanski ebbe qualche difficoltà ad assimilare tutti i dettagli, ma gradualmente accettò l'idea che Miriam Wu era stata rapita e che Paolo Roberto le aveva date al rapitore. Be', a giudicare dalla faccia dell'ex pugile professionista non era del tutto pacifico chi le avesse date a chi. Comunque gli avvenimenti della notte avevano reso l'inchiesta su Lisbeth Salander ancora più complicata. Niente in quel maledetto caso sembrava essere normale.

Sonja Modig fece la prima domanda rilevante, chiedendo a Paolo Roberto come mai fosse finito in quella storia.

«Sono un buon amico di Lisbeth Salander.»

Bublanski e Sonja Modig si guardarono dubbiosi.

«E come mai la conosce?»

«Lisbeth combatte spesso con me in allenamento.»

Bublanski fissò lo sguardo su un punto della parete alle

spalle di Paolo Roberto. Sonja Modig ridacchiò. Nulla in quel caso sembrava essere normale, semplice. Un po' alla volta comunque riuscirono ad annotare tutti i fatti rilevanti.

«Adesso vorrei fare alcune osservazioni» disse Mikael Blomkvist in tono secco.

Tutti lo guardarono.

«Primo. L'identikit dell'uomo che guidava il furgone corrisponde a quello che feci a suo tempo della persona che aggredì Lisbeth Salander esattamente nello stesso punto di Lundagatan. Un tizio alto e biondo con la coda di cavallo e la pancia. Okay?»

Bublanski annuì.

«Secondo. Lo scopo del rapimento era di costringere Miriam Wu a svelare dove si nasconde Lisbeth Salander. Questi due biondini le stanno dunque dando la caccia da prima degli omicidi. Okay?»

Sonja Modig annuì.

«Terzo. Se ci sono diversi attori in questa storia, Lisbeth Salander non è quella "pazza solitaria" che ci è stata dipinta.»

Né Bublanski né Sonja Modig dissero nulla.

«Credo sia difficile sostenere che il tizio con la coda di cavallo è membro di un gruppo di lesbiche sataniste.»

Sonja stirò le labbra.

«Quarto. Io credo che questa storia abbia qualcosa a che fare con un uomo chiamato Zala. Dag Svensson si era concentrato su di lui nelle ultime due settimane e aveva raccolto tutte le informazioni di rilievo nel suo computer. Dag lo collegava con l'omicidio di una prostituta di Södertälje che si chiamava Irina Petrova. L'autopsia ha rivelato che la donna aveva subìto pesanti percosse. Talmente pesanti che almeno tre delle lesioni erano mortali. Il verbale dell'autopsia non chiarisce quale tipo di oggetto sia stato usato per ucciderla, ma le ferite ricordano molto da vicino quelle che sono state inferte sia a Miriam Wu sia a Paolo Roberto. Le mani del gigante biondo potrebbero essere il corpo contundente in questione.»

«E Bjurman?» domandò Bublanski. «Ammettiamo pure che qualcuno potesse avere motivo di far tacere Dag Svensson. Ma chi poteva avere motivo di assassinare il tutore di Lisbeth Salander?»

«Non lo so. Non tutti i pezzi del puzzle sono andati al loro posto, ma da qualche parte c'è un collegamento fra Bjurman e Zala. È l'unica ipotesi ragionevole. Che ne direste di ricominciare a pensare cambiando punto di vista? Se Lisbeth Salander non è colpevole, significa che gli omicidi sono stati commessi da qualcun altro. Io sono convinto che questi crimini abbiano in qualche modo a che fare con l'industria del sesso. E Lisbeth Salander preferirebbe morire piuttosto che essere implicata in qualcosa del genere. Ve l'ho già detto che ha una morale molto severa.»

«Quale sarebbe in tal caso il suo ruolo?»

«Non saprei. Testimone? Antagonista? Magari è andata a Enskede per mettere in guardia Dag e Mia che la loro vita era in pericolo. Non dimentichiamoci che è una ricercatrice di eccezionale bravura.»

Bublanski mise in moto la macchina. Telefonò alla polizia di Södertälje e comunicò le informazioni che aveva avuto da Paolo Roberto chiedendo che localizzassero il deposito in disuso a sudest del lago Yngern. Poi telefonò all'ispettore Jerker Holmberg – abitava a Flemingsberg e di conseguenza era il più vicino a Södertälje – e lo pregò di contattare la polizia di Södertälje e di collaborare alle indagini sulla scena del crimine.

Holmberg richiamò circa un'ora più tardi. Era appena arrivato sul posto. La polizia di Södertälje non aveva avuto nessun problema a trovare il deposito. Stava bruciando insieme ad altri due più piccoli lì a fianco e i vigili del fuoco erano impegnati a domare le fiamme. Che si trattasse di un incendio doloso era chiaro dalla presenza di due taniche di benzina abbandonate.

Bublanski provò un senso di frustrazione che rasentava la collera.

Cosa diavolo stava succedendo? Chi era il gigante biondo? Chi era in realtà Lisbeth Salander? E perché rintracciarla sembrava impossibile?

La situazione non migliorò quando il procuratore Richard Ekström entrò in campo nel corso della riunione delle nove. Bublanski fece una relazione sui drammatici sviluppi del mattino e propose di modificare le priorità nelle indagini, dal momento che si erano verificati diversi fatti misteriosi che creavano confusione nello scenario dell'inchiesta.

Il racconto di Paolo Roberto confermava la storia dell'aggressione a Lisbeth in Lundagatan e diminuiva la forza dell'ipotesi che gli omicidi fossero stati il gesto folle di una donna sola e malata. Questo non significava che i sospetti contro di lei si potessero archiviare – prima si doveva trovare una spiegazione plausibile alla presenza delle sue impronte digitali sull'arma del delitto. Ma adesso le indagini dovevano concentrarsi sull'individuazione di un colpevole alternativo, e l'unica ipotesi praticabile sembrava essere quella di Mikael Blomkvist, secondo cui gli omicidi avevano a che fare con le imminenti rivelazioni di Dag Svensson circa il mercato del sesso. Bublanski individuò tre punti principali.

Il primo consisteva nell'identificare il gigante biondo e il suo compare con la coda di cavallo che avevano rapito e picchiato Miriam Wu. Il gigante biondo aveva un aspetto talmente particolare che avrebbe dovuto essere relativamente facile da individuare. Ma Curt Svensson ricordò che anche Lisbeth Salander aveva un aspetto particolare e che la polizia dopo due settimane di ricerche non aveva ancora la più pallida idea di dove si trovasse.

Il secondo consisteva nell'istituire un gruppo che lavorasse all'elenco dei clienti contenuto nel computer di Dag Svensson. Ma non era un compito da poco. È vero che gli investigatori avevano a disposizione il computer usato dal giornalista a *Millennium* e il back-up del suo portatile scomparso, ma questi contenevano diversi anni di ricerche e migliaia di pagine la cui catalogazione avrebbe richiesto molto tempo. Il gruppo necessitava di rinforzi e Bublanski affidò su due piedi a Sonja Modig il compito di coordinare il lavoro.

Il terzo consisteva nell'individuare un soggetto sconosciuto di nome Zala. A questo riguardo il gruppo degli investigatori avrebbe cercato appoggio nella squadra speciale d'indagine sul crimine organizzato che si era già imbattuta in quel nome in alcune occasioni. Bublanski affidò questo incarico a Hans Faste.

Infine Curt Svensson avrebbe portato avanti la ricerca di Lisbeth Salander.

La relazione di Bublanski durò solo sei minuti ma scatenò una disputa di un'ora. Faste fu irremovibile nella sua opposizione alle direttive e non fece alcun tentativo di nascondere il suo dissenso. Questa reazione stupì Bublanski, che certamente non aveva mai amato granché Faste ma comunque l'aveva sempre considerato un poliziotto competente.

Secondo Faste, il centro delle indagini, a prescindere da ogni informazione collaterale, doveva rimanere fisso su Lisbeth Salander. La catena di indizi contro di lei era così solida che era assurdo anche solo cominciare a lavorare all'ipotesi di un colpevole alternativo.

«Queste sono soltanto chiacchiere. Abbiamo un soggetto psicotico con inclinazioni violente comprovate regolarmente nel corso degli anni. Credi davvero che tutte quelle perizie psichiatriche siano uno scherzo? È collegata al luogo del delitto. Sappiamo che pratica la prostituzione e che ha una somma enorme di denaro sul suo conto in banca.»

«Sono consapevole di tutto questo.»

«Segue una specie di culto erotico lesbico. E ci scommetterei la testa che quella lesbica di Cilla Norén sa più di quanto non dia a vedere.»

Bublanski alzò la voce.

«Faste, piantala con questa solfa. Sei ossessionato da questa interpretazione omo. Non è professionale.»

Si pentì immediatamente di essersi espresso di fronte a tutto il gruppo e non con Faste in privato. Ma il procuratore Ekström interruppe il battibecco. Sembrava indeciso su quale linea seguire. Alla fine però optò per quella di Bublanski. Togliergli il suo appoggio avrebbe significato destituirlo dal ruolo di responsabile dell'inchiesta.

«Facciamo come dice Bublanski.»

Bublanski guardò con la coda dell'occhio Sonny Bohman e Niklas Eriksson della Milton Security.

«Se ho ben capito vi abbiamo ancora solo per altri tre giorni e dobbiamo sfruttare al massimo la situazione. Bohman, puoi per favore affiancare Curt Svensson nella caccia a Lisbeth Salander? Eriksson, tu puoi continuare a lavorare insieme a Sonja Modig?»

Ekström rifletté un momento e alzò la mano proprio mentre gli altri stavano già per andarsene.

«Una cosa. Su questa faccenda di Paolo Roberto teniamo un profilo bassissimo. I media diventerebbero isterici se nell'inchiesta dovesse comparire un altro volto noto. Quindi non una parola al di fuori di questa stanza.»

Sonja Modig catturò al volo Bublanski subito dopo la riunione.

«Ho perso la pazienza con Faste. Non è professionale» disse Bublanski.

«So come ci si sente» sorrise lei. «Ho cominciato con il computer di Dag Svensson già lunedì scorso.»

«Lo so. A che punto sei arrivata?»

«Aveva una dozzina di versioni del manoscritto e una quantità enorme di materiale, e mi è difficile decidere ciò che è essenziale e ciò che non lo è. Solo per aprire e scorrere velocemente tutti i documenti ci vorranno diversi giorni.»

«Niklas Eriksson?»

Sonja esitò. Quindi si girò e chiuse la porta dell'ufficio di Bublanski.

«Detto sinceramente... non voglio parlare male di lui, ma non è di grande aiuto.»

Bublanski aggrottò le sopracciglia.

«Parla chiaro.»

«Non so, lui non è un vero poliziotto come lo è stato Bohman. Dice un sacco di cretinate, ha grossomodo lo stesso atteggiamento di Hans Faste nei confronti di Miriam Wu e non sembra molto interessato a quello che stiamo facendo. Non so come, ma deve avere un problema con Lisbeth Salander.»

«Eh?»

«Ho la sensazione che ci sia sotto qualcosa.»

Bublanski annuì lentamente.

«Peccato. Almeno Bohman è okay, ma in realtà anche a me non va molto a genio che ci siano degli estranei nell'inchiesta.»

Sonja Modig annuì.

«Cosa dobbiamo fare?»

«Tu dovrai sopportarlo fino alla fine della settimana. Armanskij ha detto che si ritireranno se non ci saranno risultati. Datti da fare, scava, e tieni conto che dovrai fare il lavoro da sola.»

La ricerca di Sonja Modig fu interrotta già dopo quarantacinque minuti, a causa del suo allontanamento dall'inchiesta. Tutto d'un tratto fu convocata nell'ufficio del procuratore Ekström dove c'era già Bublanski. Tutti e due gli uomini erano paonazzi. Il giornalista free-lance Tony Scala era appena uscito con lo scoop che Paolo Roberto aveva salvato la lesbica sadomaso Miriam Wu da un rapimento. Il testo conteneva parecchi dettagli che potevano essere noti solo agli inquirenti. Ed era formulato in modo tale che pareva che la polizia stesse valutando la possibilità di citare in giudizio Roberto per violenza aggravata.

Ekström aveva già ricevuto parecchie telefonate da giornalisti che volevano informazioni sul ruolo del pugile. Il procuratore era quasi isterico e accusò Sonja di aver fatto trapelare la storia. Lei respinse immediatamente l'accusa, ma invano. Ekström voleva sollevarla dall'indagine. Bublanski era furioso e prese senza esitazione le sue parti.

«Sonja dice di non avere raccontato niente a nessuno. E a me basta. È una follia escludere un investigatore competente già addentro nel caso.»

Ekström era evidentemente diffidente. Alla fine si sedette dietro la sua scrivania e puntò i piedi. La sua decisione era irrevocabile.

«Modig, non posso dimostrare che lasci trapelare informazioni, ma non mi fido più di te per questa indagine. Sei esclusa dall'inchiesta con effetto immediato. Prenditi il resto della settimana libero. Riceverai altri incarichi lunedì.»

Sonja non aveva scelta. Assentì e si avviò verso la porta. Bublanski la fermò.

«Sonja. *For the record.* Io non credo per niente a questa accusa e tu hai la mia piena fiducia. Ma non sono io che decido. Passa dal mio ufficio prima di andare a casa.»

Lei annuì. Ekström era furibondo. Il colorito di Bublanski aveva assunto una tonalità preoccupante.

Sonja Modig ritornò nel suo ufficio, dove lei e Niklas Eriksson stavano lavorando sul materiale di Dag Svensson. Era arrabbiata e aveva il pianto in gola. Eriksson le lanciò un'occhiata e notò che c'era qualcosa che non andava, ma non disse niente e lei lo ignorò. Si sedette dietro la sua scrivania e fissò un punto davanti a sé. Nella stanza scese un silenzio pesante.

Alla fine Eriksson si scusò e disse che doveva andare alla toilette. Le chiese se doveva portarle del caffè. Lei scosse la testa.

Quando fu uscito, Sonja si alzò e si infilò la giacca. Prese la sua borsa a tracolla e andò nell'ufficio di Bublanski. Lui le indicò una sedia.

«Sonja, non mi arrenderò finché Ekström non escluderà anche me dall'inchiesta. Non lo accetto, e ho intenzione di farne un caso. Per il momento tu rimani per mio ordine. Capito?»

Lei annuì.

«Non andrai a casa a riposarti per il resto della settimana come ha detto Ekström. Ti ordino di andare alla redazione di *Millennium* e di fare un'altra chiacchierata con Mikael Blomkvist. Gli chiederai molto semplicemente di farti da guida nell'hard disk di Dag Svensson. A *Millennium* ne hanno una copia. Risparmieremo molto tempo se lavoreremo con qualcuno che conosce già il materiale e può scartare ciò che non è importante.»

Sonja Modig respirava un po' meglio.

«Non ho detto niente a Niklas Eriksson.»

«Mi occuperò io di lui. Hai visto Faste?»

«No. Se n'è andato via subito dopo la riunione.»

Bublanski sospirò.

Mikael Blomkvist era tornato a casa dall'ospedale alle otto del mattino. Si rendeva conto che aveva dormito davvero troppo poco e che doveva essere lucido in vista dell'incontro del pomeriggio con Gunnar Björck a Smådalarö. Si spogliò e puntò la sveglia per le dieci e mezza, concedendosi circa due ore di meritato riposo. Dopo di che fece la doccia, si rasò e indossò una camicia pulita. Aveva appena superato Gullmarsplan quando Sonja Modig lo chiamò sul cellulare dicendo che doveva parlargli. Mikael le spiegò che aveva un impegno e non gli era possibile incontrarla. Lei gli disse di cosa si trattava e lui la indirizzò a Erika Berger.

Sonja raggiunse la redazione di *Millennium*. Studiò Erika Berger e constatò che le piaceva quella donna sicura di sé e un po' dominatrice, con le fossette e la frangia bionda. Assomigliava un po' a una Laura Palmer di *Twin Peaks* invecchiata. Si chiese se anche lei fosse lesbica, dal momento che tutte le donne di quell'inchiesta secondo Faste sembravano avere quell'inclinazione, ma ricordò di avere letto da qualche parte che era sposata con Greger Backman, l'artista. Erika ascoltò la sua richiesta di aiuto con aria preoccupata.

«C'è un problema» disse.

«Si spieghi» disse Sonja.

«Non è che noi non vogliamo aiutare la polizia. Tra l'altro avete già tutto il materiale del computer di Dag. Si tratta piuttosto di un dilemma di carattere etico. Mass-media e polizia non funzionano granché bene insieme.»

«Mi creda, l'ho capito proprio stamattina» sorrise Sonja.

«In che senso?»

«Niente, niente. Era soltanto una riflessione personale.»

«Okay. Per mantenere la loro credibilità i mass-media devono tenersi a distanza dalle autorità. I giornalisti che frequentano la centrale e collaborano alle indagini finiscono per diventare i galoppini della polizia.»

«Ne ho conosciuto qualcuno» disse Sonja. «Ma, se ho ben capito, succede anche il contrario. I poliziotti diventano i galoppini di certi giornali.»

Erika rise.

«È vero, ma noi di *Millennium* semplicemente non possiamo permetterci quel genere di giornalismo prezzolato. Comunque qui non si tratta di interrogare qualcuno dei collaboratori di *Millennium*, nel qual caso ci metteremmo senz'altro a disposizione, bensì di avanzare una richiesta formale perché *Millennium* appoggi attivamente l'inchiesta della polizia mettendo a disposizione il suo materiale giornalistico.»

Sonja annuì.

«I punti di vista sono due. Il primo è che si tratta dell'omicidio di un collaboratore del giornale, ragion per cui vi daremo tutto l'aiuto che potremo. Ma l'altro è che ci sono informazioni che non possiamo passare alla polizia perché riguardano le nostre fonti.»

«Posso venirvi incontro. Posso impegnarmi a proteggere le vostre fonti. Non ho alcun interesse nei loro confronti.»

«Non si tratta dei suoi onesti propositi o della nostra fiducia in lei. Si tratta del fatto che non riveliamo mai una fonte, a prescindere dalle circostanze.»

«Okay.»

«Inoltre, noi di *Millennium* stiamo conducendo una nostra indagine sull'omicidio, che è dunque da considerare come un lavoro giornalistico. Saremo disposti a collaborare con la polizia quando avremo del materiale da pubblicare, ma non prima.»

Erika Berger corrugò la fronte e si mise a riflettere. Alla fine annuì fra sé.

«Però devo anche poter vivere con me stessa. Facciamo così... Lei può lavorare con la nostra collaboratrice Malin Eriksson. Malin conosce quel materiale, e sa stabilire dove corre il confine. Le farà da guida attraverso il libro di Dag Svensson, del quale avete già una copia, allo scopo di stilare un elenco dei potenziali colpevoli.»

Irene Nesser era totalmente ignara dei drammatici avvenimenti della notte quando prese il treno navetta da Södra Station a Södertälje. Indossava una giacca di pelle nera semilunga, pantaloni scuri e un maglione rosso lavorato a mano. Portava un paio di occhiali che aveva alzato sulla fronte.

A Södertälje raggiunse a piedi la fermata dell'autobus per Strängnäs e fece il biglietto per Stallarholmen. Scese un bel po' a sud di Stallarholmen subito dopo le undici. Si trovava a una fermata isolata, dalla quale non si vedeva nessuna costruzione. Visualizzò mentalmente la mappa. Aveva il lago Mälaren a nordest, e l'area era punteggiata di case, alcune abitate tutto l'anno e altre di villeggiatura. La proprietà dell'avvocato Bjurman si trovava in una zona a quasi tre chilometri dalla fermata dell'autobus. Bevve un sorso d'acqua da una bottiglia di plastica e si mise a camminare. Tre quarti d'ora dopo era arrivata.

Cominciò col fare un giro d'ispezione per studiare la zona. Sulla destra a circa centocinquanta metri c'era la casa più vicina, che al momento non era abitata. Sulla sinistra c'era un burrone. Superò altre due case prima di arrivare a un piccolo villaggio turistico in cui notò alcuni segni di presenza umana, una finestra aperta e il suono di una radio. Ma c'erano almeno trecento metri da lì alla casa di Bjurman. Di conseguenza avrebbe potuto lavorare relativamente indisturbata.

Aveva con sé le chiavi recuperate nell'appartamento dell'avvocato e non ebbe problemi ad aprire la porta d'ingresso. La prima misura che prese fu quella di svitare l'imposta di una finestrella sul retro, per avere a disposizione una via di fuga nel caso si fosse presentata qualche sgradita sorpresa alla porta principale. La sgradita sorpresa che si figurava era che a qualche poliziotto potesse venire in mente di fare una visita alla casa.

Lo chalet di Bjurman era una costruzione piuttosto vecchia e piccola composta da un vasto soggiorno, una camera da letto e un cucinino con l'acqua corrente. I servizi erano costituiti da una latrina nel giardino. Dedicò venti minuti a rovistare dentro armadi, guardaroba e cassettoni. Non trovò nemmeno l'ombra di qualcosa che potesse avere a che fare con Lisbeth Salander o Zala.

Alla fine uscì in giardino ed esaminò la latrina e la legnaia. Non c'era nulla di valore, e nessuna documentazione. Il viaggio era stato dunque inutile.

Si sedette sui gradini della veranda, bevve dell'acqua e mangiò una mela.

Mentre stava andando a risistemare l'imposta si fermò di botto nell'ingresso e osservò una scaletta d'alluminio alta circa un metro. Tornò nel soggiorno ed esaminò il soffitto foderato di legno. La botola fra due travi che portava in soffitta era quasi invisibile. Andò a prendere la scaletta, aprì la botola e trovò subito cinque raccoglitori formato A4.

Il gigante biondo era preoccupato. Un sacco di cose erano andate storte, una dopo l'altra.

Sandström si era fatto vivo con i fratelli Ranta. Era terrorizzato e aveva riferito che Dag Svensson stava realizzando un reportage sui loro traffici di donne. E fin lì non c'erano grossi problemi. Che i media denunciassero Sandström non gli interessava minimamente, e i fratelli Ranta avrebbero potuto mantenere per un po' un basso profilo dopo avere preso la Baltic Star per un periodo di vacanza sull'altra sponda del Baltico. Difficilmente le chiacchiere di quel giornalista li avrebbero portati in tribunale, ma anche se fosse successo il peggio avevano fatto salti mortali già altre volte. Faceva parte del loro lavoro.

Ma Lisbeth Salander era riuscita a sfuggire a Magge Lundin. Era incomprensibile, dal momento che quella ragazza era pur sempre una bambolina in confronto a Lundin, il cui compito in fondo era solo di caricarla su una macchina e portarla al deposito a sud di Nykvarn.

Poi Sandström aveva ricevuto un'altra visita, e questa volta Dag Svensson era sulle tracce di Zala. Il che cambiava completamente la prospettiva. Fra il panico di Bjurman e le ricerche di Svensson, si era sviluppata una situazione potenzialmente pericolosa.

Un gangster che non sa gestire le conseguenze è un dilettante. E Bjurman era un dilettante. Il gigante biondo aveva sconsigliato Zala di avere a che fare con Bjurman, ma per Zala il nome di Lisbeth Salander era stato irresistibile. La odiava. Una cosa assolutamente irrazionale. Era stato come premere un pulsante.

Era successo per puro caso che il gigante biondo si fosse trovato a casa di Bjurman la sera in cui Dag Svensson aveva telefonato. Lo stesso dannato giornalista che aveva già creato problemi con Sandström e i fratelli Ranta. Il gigante era andato da Bjurman per tranquillizzarlo o minacciarlo, secondo necessità, per via del fallito rapimento di Lisbeth Salander. La telefonata di Svensson aveva gettato l'avvocato nel panico. Si era intestardito a mostrarsi irragionevole. Tutto d'un tratto voleva tirarsi fuori.

Come se non bastasse, aveva preso la sua pistola da cowboy per minacciarlo. Il gigante biondo l'aveva guardato esterrefatto e gliel'aveva tolta di mano. Indossava già i guanti, le impronte non sarebbero state un problema. E comunque non aveva avuto nessuna alternativa una volta che Bjurman era andato in tilt.

Ovviamente Bjurman sapeva di Zala. Perciò era una zavorra. Non sapeva esattamente perché l'avesse costretto a spogliarsi, ma quell'uomo non gli piaceva per niente e aveva voluto sottolinearlo. Era rimasto quasi confuso quando aveva visto il tatuaggio sul suo ventre. IO SONO UN

SADICO PORCO, UN VERME E UNO STUPRATORE.

Per un attimo aveva quasi avuto compassione di lui. Era un tale imbecille. Ma lavorava in un settore in cui non si poteva permettere che questo tipo di sentimenti disturbasse l'attività pratica. Di conseguenza l'aveva portato in camera da letto, l'aveva fatto inginocchiare e aveva usato un cuscino come silenziatore.

Aveva poi dedicato cinque minuti a frugare l'appartamento alla ricerca anche del minimo collegamento con Zala. L'unica cosa che aveva trovato era il numero del proprio cellulare. Per sicurezza aveva preso con sé anche il cellulare di Bjurman.

Il problema successivo era stato Dag Svensson. Ovviamente si sarebbe fatto vivo con la polizia dopo il ritrovamento del cadavere di Bjurman. E avrebbe raccontato che era stato ucciso qualche minuto dopo che lui gli aveva telefonato chiedendogli informazioni su Zala. Non occorreva molta fantasia per rendersi conto che così Zala sarebbe diventato oggetto di ampie speculazioni.

Il gigante biondo si considerava furbo, ma aveva un enorme rispetto per la terrificante abilità strategica di Zala.

Lavoravano insieme da circa dodici anni. Era stato un periodo molto fecondo e il gigante biondo guardava a Zala con venerazione, quasi come a un mentore. Era capace di stare seduto per ore ad ascoltarlo mentre spiegava la natura umana e le sue debolezze, e i molti modi per trarne profitto.

Ma ora la loro attività commerciale traballava. Le cose avevano cominciato ad andare male.

Dalla casa di Bjurman era andato direttamente a Enskede e aveva parcheggiato la Volvo bianca due isolati più in là. Per sua fortuna il portone non era chiuso perfettamente. Salite le scale aveva suonato alla porta con la targhetta Svensson-Bergman.

Non aveva avuto il tempo di frugare l'appartamento o

prendere con sé le carte. Aveva esploso due colpi – c'era anche una donna. Poi, preso il computer portatile di Dag Svensson che era sul tavolo del soggiorno, aveva fatto dietrofront, aveva raggiunto la macchina e si era allontanato da Enskede. L'unica sciocchezza era stata quella di lasciar cadere l'arma mentre cercava allo stesso tempo di tenere in equilibrio il computer e trovare le chiavi della macchina. Si era fermato per un decimo di secondo, ma il revolver era scivolato giù dalle scale della cantina e aveva giudicato una perdita di tempo eccessiva tornare indietro a recuperarlo. Era consapevole di avere un aspetto che la gente ricordava facilmente, e la cosa più importante era sparire di lì prima di essere notato.

La perdita del revolver era stata fonte di critiche da parte di Zala. Finché non ne erano risultate le implicazioni. Non si erano mai stupiti tanto come quando la polizia tutto d'un tratto aveva dato inizio a una battuta di caccia a Lisbeth Salander. L'arma lasciata sul luogo del delitto si era trasformata in una combinazione inaspettatamente fortunata.

Che però aveva creato a sua volta un nuovo problema. Lisbeth Salander era un altro anello debole. Conosceva Bjurman e conosceva Zala. Poteva fare due più due. Quando lui e Zala ne avevano discusso, si erano trovati d'accordo. Dovevano scovarla e seppellirla da qualche parte. Meglio se per sempre. Col tempo l'inchiesta sarebbe stata archiviata e avrebbe cominciato ad accumulare polvere.

Avevano puntato sul fatto che Miriam Wu potesse condurli da lei. Ma le cose erano andate di nuovo storte. *Paolo Roberto.* Proprio lui fra tutti. Sbucato fuori dal nulla. E secondo i giornali era per giunta amico di Lisbeth.

Il gigante biondo era sconcertato.

Dopo i fatti di Nykvarn era andato a casa di Magge Lundin a Svavelsjö, a qualche centinaio di metri dal quartier generale del Motoclub Svavelsjö. Non era un nascondiglio ideale, ma non aveva avuto alternative, aveva dovuto trovare in fretta un posto in cui aspettare che le ecchimosi in faccia sparissero prima di lasciare discretamente la zona. Toccò il naso rotto e tastò il bernoccolo sulla nuca. Il gonfiore si stava lentamente riducendo.

Tornare indietro e dare fuoco a tutta la baracca era stata una mossa saggia. Aveva fatto pulizia.

D'improvviso si raggelò.

Bjurman. Gli aveva fatto una rapida visita un'unica volta nella sua casa di campagna fuori Stallarholmen all'inizio di febbraio, quando Zala aveva accettato l'incarico di occuparsi di Lisbeth Salander. Bjurman aveva un dossier su Lisbeth nel quale stava scartabellando. Come diavolo aveva potuto dimenticarsene? Quello poteva portare a Zala.

Scese in cucina e spiegò a Magge Lundin perché dovevano andare con la massima urgenza a Stallarholmen a fare un altro falò.

L'ispettore Bublanski dedicò la pausa pranzo a cercare di mettere ordine nell'inchiesta che, lo sentiva, stava per sfuggirgli completamente di mano. Con Curt Svensson e Sonny Bohman si occupò della caccia a Lisbeth Salander. Nuove segnalazioni erano giunte, fra l'altro, da Göteborg e Norrköping. Göteborg fu scartata quasi subito, ma Norrköping aveva un vago potenziale. Informarono i colleghi locali e misero sotto prudente sorveglianza un indirizzo al quale, a quanto pareva, era stata notata una ragazza che assomigliava a Lisbeth.

Cercò Hans Faste per tentare un colloquio diplomatico, ma non era in sede e non rispondeva al cellulare. Dopo la burrascosa riunione del mattino Faste si era dileguato come una nube temporalesca.

Quindi rivolse la sua attenzione a Richard Ekström per

esaminare la questione di Sonja Modig. Espose le motivazioni per cui riteneva che la decisione di escluderla dall'inchiesta fosse insensata. Ekström si rifiutò di ascoltare e Bublanski decise di aspettare che passasse il fine settimana prima di affrontare di petto quella situazione idiota. Il rapporto fra responsabile dell'inchiesta e responsabile delle indagini preliminari cominciava a farsi insostenibile.

Subito dopo le tre del pomeriggio uscì in corridoio e vide Niklas Eriksson lasciare l'ufficio di Sonja. Era ancora impegnato a esaminare il contenuto dell'hard disk di Dag Svensson. Cosa che era diventata perfettamente inutile dal momento che non c'era nessun vero poliziotto a controllare ciò che poteva sfuggirgli. Decise di passare Eriksson a Curt Svensson per il resto della settimana.

Prima che avesse avuto il tempo di dire qualcosa, però, Eriksson scomparve nella toilette in fondo al corridoio. Bublanski si diresse verso l'ufficio per aspettarlo, grattandosi l'orecchio. Dalla soglia guardò la sedia vuota di Sonja.

Poi il suo sguardo cadde sul cellulare che Eriksson aveva lasciato sulla mensola dietro la sedia.

Bublanski esitò un secondo. Diede un'occhiata alla porta della toilette, che era ancora chiusa. Poi entrò nella stanza, si infilò in tasca il cellulare di Eriksson, tornò a passi rapidi nel proprio ufficio e chiuse la porta.

Andò all'elenco delle chiamate. Alle nove e cinquantasette, cinque minuti dopo che si era conclusa la riunione del mattino, Eriksson aveva chiamato un numero di cellulare. Bublanski alzò il ricevitore del proprio telefono e compose il numero. Rispose il giornalista Tony Scala.

L'ispettore riattaccò e fissò il cellulare di Eriksson. Poi si alzò con in viso un'espressione tempestosa. Aveva fatto due passi verso la porta quando il telefono sulla sua scrivania squillò. Tornò indietro e ruggì il suo nome nel ricevitore.

«Qui Jerker. Sono ancora al deposito dalle parti di Nykvarn.»

«Aha.»

«L'incendio è stato domato. Nelle ultime due ore abbiamo proceduto al sopralluogo. La polizia di Södertälje ha portato qui un cane da cadaveri nel caso ci fosse qualcuno sotto le macerie.»

«E?»

«Niente. Abbiamo fatto una pausa perché il cane facesse riposare un po' il naso. È necessario, gli odori sono molto forti sul luogo di un incendio.»

«Vieni al dunque.»

«Abbiamo mollato il cane un po' più in là perché si facesse una corsa. Ha segnalato la presenza di un cadavere in un punto nel bosco a circa settantacinque metri dal deposito. Abbiamo scavato. Dieci minuti fa abbiamo rinvenuto una gamba umana con tanto di piede e scarpa. Sembra una scarpa da uomo. I resti erano poco sotto la superficie.»

«Accidenti. Jerker, devi...»

«Ho già preso il comando e interrotto lo scavo. Voglio qui il medico legale e i tecnici della scientifica prima di andare avanti.»

«Molto ben fatto, Jerker.»

«E non è tutto. Cinque minuti fa il cane ha segnalato un altro cadavere a circa ottanta metri dal primo.»

Lisbeth Salander aveva preparato il caffè sul fornello di Bjurman, mangiato un'altra mela e trascorso due ore a leggere pagina dopo pagina il materiale su di lei. Era impressionata. L'avvocato aveva messo un impegno enorme in quel compito, e catalogato le informazioni come se si fosse trattato di un hobby appassionante. Aveva trovato informazioni che lei stessa ignorava.

Lesse il diario di Holger Palmgren con sentimenti contrastanti. Era contenuto in due taccuini neri rilegati. Palmgren aveva cominciato a tenerlo quando lei aveva quindici anni e aveva appena abbandonato la sua seconda famiglia affidataria, una coppia di una certa età di Sigtuna, il marito sociologo e la moglie scrittrice di libri per bambini. Lisbeth era stata con loro dodici giorni e aveva percepito che erano infinitamente orgogliosi di dare il loro contributo alla società mostrando pietà verso di lei e che si aspettavano che lei mostrasse una profonda gratitudine verso di loro. Lisbeth ne aveva avuto abbastanza quando la sua molto provvisoria madre adottiva aveva tessuto ad alta voce le proprie lodi con una vicina di casa, sottolineando quanto fosse importante che qualcuno si occupasse dei giovani che avevano problemi così evidenti. *Io non sono un dannato progetto sociale* voleva gridare ogni volta che la madre affidataria la mostrava ai conoscenti. Il dodicesimo giorno aveva rubato cento corone dalla piccola cassa e aveva preso l'autobus per Upplands-Väsby e poi il treno per la stazione centrale di Stoccolma. La polizia l'aveva trovata sei settimane dopo, in casa di un uomo di sessantasette anni a Haninge.

Lui era okay. Le offriva vitto e alloggio, e lei in cambio non doveva fare granché. Gli bastava poterle dare una sbirciatina quando era nuda. Non l'aveva mai nemmeno sfiorata. Lisbeth sapeva che quell'uomo poteva essere definito un pedofilo, ma non lo aveva mai considerato una minaccia, era solo un essere umano molto chiuso e socialmente handicappato. Si sentiva quasi affine a lui, quando ripensava a quei giorni. Entrambi provavano un forte senso di estraneità.

Alla fine un vicino l'aveva notata e aveva avvertito la polizia. Un assistente sociale aveva messo grande impegno a cercare di convincerla a denunciare l'uomo per abusi sessuali. Lei si era cocciutamente rifiutata di ammettere che fosse successo qualcosa di sconveniente, e in ogni caso aveva quindici anni ed era consenziente. *Al diavolo*. Poi era intervenuto Holger Palmgren a liberarla. Aveva cominciato a tenere il diario su di lei in quello che sembrava un tentativo di chiarire i propri stessi dubbi. Le prime frasi erano state scritte nel dicembre 1993.

L. mi appare sempre più come l'adolescente più difficile con cui abbia mai avuto a che fare. La questione è se faccio bene o no a oppormi a un suo nuovo ricovero alla St. Stefan. Ha già scartato due famiglie affidatarie in tre mesi e corre il rischio di finire male con le sue scappatelle. Devo decidere al più presto se rinunciare al mio incarico ed esigere che siano dei veri e propri esperti a occuparsi di lei. Non so cosa sia giusto e cosa sia sbagliato. Oggi ho avuto un colloquio serio con lei.

Lisbeth ricordava ogni singola parola di quel colloquio serio. Era l'antivigilia di Natale. Holger Palmgren l'aveva portata a casa sua e l'aveva sistemata nella camera degli ospiti. Dopo avere preparato spaghetti al ragù per cena, l'aveva fatta accomodare sul divano del soggiorno sedendosi su una poltrona di fronte a lei. Si era vagamente domandata se anche Palmgren volesse vederla nuda. Invece le aveva parlato come a un adulto.

Il suo monologo era durato due ore. Lei quasi non aveva risposto quando l'aveva interpellata. Le aveva spiegato che al momento poteva scegliere se essere di nuovo rinchiusa alla St. Stefan o andare ad abitare presso una famiglia affidataria. Le aveva promesso che avrebbe cercato di trovarle una famiglia accettabile, ma esigeva che lei approvasse la sua scelta. Aveva deciso di farle trascorrere la giornata di Natale lì per darle il tempo di riflettere. La scelta doveva essere totalmente sua, ma entro Santo Stefano al più tardi voleva una risposta chiara e una promessa vincolante. Doveva promettere che, in caso di problemi, si sarebbe rivolta a lui anziché scappare. Poi l'aveva mandata a letto e si era messo a scrivere le prime righe della sua personale cartella clinica su Lisbeth Salander.

La minaccia – ossia l'alternativa di essere ricondotta alla St. Stefan subito dopo Natale – l'aveva spaventata più di quanto Holger Palmgren avrebbe potuto immaginare. Lisbeth trascorse un infelicissimo Natale sorvegliando sospettosa ogni mossa che Palmgren faceva. A Santo Stefano non aveva ancora cominciato a palparla né mostrava il minimo segno di volerla sbirciare di nascosto. Al contrario si era estremamente irritato quando lei per provocarlo era andata nuda dalla camera degli ospiti al bagno. Alla fine gli aveva fatto le promesse che pretendeva. E aveva mantenuto fede alla parola data. Be', più o meno.

Nel suo diario Palmgren aveva commentato metodicamente ogni incontro con lei. A volte erano solo tre righe, altre volte pagine e pagine di osservazioni e riflessioni. Di tanto in tanto Lisbeth rimaneva a bocca aperta. Palmgren era ancora più acuto di quanto già pensasse. Aveva raccontato anche alcuni episodi in cui lei aveva creduto di imbrogliarlo e lui invece l'aveva smascherata.

Dopo il diario Lisbeth prese in mano l'indagine di polizia del 1991.

E d'improvviso tutti i pezzi del puzzle andarono a posto. Le sembrò che la terra cominciasse a ondeggiarle sotto i piedi.

Lesse le perizie psichiatriche redatte da un certo dottor Jesper H. Löderman, in cui un certo dottor Peter Teleborian era uno dei riferimenti più importanti. Löderman era stato una delle carte del pubblico ministero quando avevano cercato di farla istituzionalizzare al compimento dei diciotto anni.

Trovò anche una busta con della corrispondenza fra Peter Teleborian e Gunnar Björck. Le lettere erano datate 1991, subito dopo che era successo Tutto il Male.

Nella corrispondenza non si diceva nulla a chiare lettere, ma sotto i piedi di Lisbeth si aprì una botola. Le occorse qualche minuto per comprendere le implicazioni. Björck faceva riferimento a quello che doveva essere stato un colloquio faccia a faccia. La sua formulazione era impeccabile, ma fra le righe diceva che sarebbe stato perfetto se Lisbeth Salander avesse trascorso il resto della sua vita rinchiusa in manicomio.

È importante che la ragazzina si distanzi dalla situazione contingente. Io non sono in grado di giudicare il suo stato mentale e la misura in cui deve essere curata, ma più a lungo potrà rimanere istituzionalizzata, meno rischi ci saranno che crei problemi nell'ambito in questione.

Nell'ambito in questione.
Lisbeth assaporò l'espressione.

Peter Teleborian era stato il responsabile del suo trattamento alla St. Stefan. Non si era trattato di un caso. Già dal tono personale della corrispondenza poteva trarre la conclusione che quelle lettere non erano destinate a vedere la luce.

Peter Teleborian conosceva Gunnar Björck.

Lisbeth si mordicchiò il labbro inferiore mentre rifletteva. Non aveva mai condotto nessuna ricerca su Teleborian. Aveva cominciato a lavorare come medico legale, ma anche i servizi segreti hanno bisogno di consultare medici legali o psichiatri per varie questioni. Capì che se avesse cominciato a scavare avrebbe trovato un collegamento. Da qualche parte agli inizi delle loro carriere le strade di Teleborian e di Björck si erano incontrate. Quando Björck aveva avuto bisogno di qualcuno che potesse seppellire viva Lisbeth Salander si era rivolto a Teleborian.

Ecco com'era andata. Quello che sarebbe potuto sembrare un caso assumeva d'improvviso una dimensione completamente diversa.

Rimase seduta immobile, lo sguardo fisso davanti a sé. Non esistono innocenti. Esistono solo gradi diversi di responsabilità. E qualcuno aveva delle responsabilità nei confronti di Lisbeth Salander. Doveva assolutamente fare una visitina a Smådalarö. Supponeva che nessun altro avrebbe avuto voglia di discutere di giustizia garantista con lei, dunque tanto valeva accontentarsi di una chiacchierata con Gunnar Björck.

Ma aveva proprio voglia di farla, quella chiacchierata.

Non le era necessario portare con sé tutti i documenti. Li aveva letti, sarebbero rimasti impressi per sempre nella sua memoria. Prese con sé il diario di Holger Palmgren, l'inchiesta di polizia di Björck del 1991, la perizia psichiatrica del 1996 che aveva portato alla sua dichiarazione di incapacità e la corrispondenza fra Peter Teleborian e Gunnar Björck. A quel punto lo zaino era pieno.

Chiuse la porta, ma non aveva ancora fatto in tempo a girare la chiave nella serratura che sentì un rombo di moto alle sue spalle. Si guardò intorno. Era troppo tardi per cercare di nascondersi e non aveva la benché minima possibilità di sfuggire correndo a due motociclisti in sella a delle Harley-Davidson. Scese con circospezione i gradini della veranda e andò loro incontro sullo spiazzo davanti alla casa.

Bublanski marciò furioso attraverso il corridoio e constatò che Niklas Eriksson non era ancora tornato. La toilette era vuota. Proseguì lungo il corridoio e d'improvviso lo vide con in mano un bicchiere di plastica del distributore automatico del caffè dentro l'ufficio di Curt Svensson e Sonny Bohman.

Bublanski fece dietrofront senza essere visto e raggiunse il procuratore al piano di sopra. Spalancò la porta senza bussare e interruppe Ekström nel bel mezzo di una telefonata.

«Vieni» disse.

«Come?» disse Ekström.

«Metti giù il telefono e vieni.»

L'espressione di Bublanski indusse Ekström a fare come gli veniva detto. In quel momento non gli era difficile capire perché i colleghi avessero battezzato Bublanski "agente Bubbla". La sua faccia sembrava infatti una grossa bolla paonazza. Raggiunsero l'ufficio di Curt Svensson nel bel mezzo della pausa caffè. Bublanski marciò su Eriksson, lo afferrò saldamente per il ciuffo e lo voltò verso Ekström.

«Ahi! Ma che cavolo sta facendo? Le dà di volta il cervello?»

«Bublanski!» esclamò Ekström terrorizzato.

Ekström era sconvolto. Curt Svensson e Sonny Bohman erano rimasti a bocca aperta.

«È tuo questo?» domandò Bublanski sbandierando il cellulare.

«Mi lasci!»

«È IL TUO CELLULARE QUESTO?»

«Sì, accidenti. Mi lasci andare.»

«No, al contrario. Sei in arresto.»

«Eh?»

«Sei in stato di fermo per violazione del segreto istruttorio e per avere intralciato un'inchiesta di polizia.» Quindi seguitò, sempre rivolto a Eriksson: «Oppure vuoi darci una spiegazione plausibile del perché a giudicare dall'elenco delle chiamate hai telefonato a un giornalista di nome Tony Scala alle nove e cinquantasette di stamattina, subito dopo la nostra riunione e subito prima che Scala pubblicasse delle informazioni che avevamo appena deciso di mantenere segrete?»

Magge Lundin non credette ai suoi occhi quando vide Lisbeth Salander nello spiazzo davanti alla casa di campagna di Bjurman. Aveva studiato una cartina e il gigante biondo gli aveva fornito una descrizione dettagliata della strada. Dopo avere ricevuto le istruzioni per andare a Stallarholmen ad appiccare un incendio, aveva raggiunto a piedi la sede del club nell'ex tipografia fuori Svavelsjö e aveva preso Sonny Nieminen con sé. L'aria era tiepida e il tempo perfetto per far fare il primo giro alle moto dopo l'inverno. Avevano tirato fuori le tute di pelle e coperto il tragitto da Svavelsjö a Stallarholmen senza fretta.

Ed ecco che c'era lì ad aspettarli Lisbeth Salander.

Era un bonus che avrebbe lasciato il demonio biondo senza parole.

Le si avvicinarono sui due lati e si fermarono a un paio di metri. Quando i motori si spensero, nel bosco calò un silenzio totale. Magge Lundin non sapeva bene cosa dire, ma alla fine ritrovò la parola.

«Ma guarda un po'. È un pezzo che ti stiamo cercando, Salander.»

Tutto d'un tratto sorrise. Lisbeth lo guardava senza espressione. Notò che aveva ancora il segno rosso di una ferita recente su una guancia, là dove l'aveva colpito con il mazzo delle chiavi. Alzò lo sguardo e fissò le cime degli alberi alle spalle di Lundin. Poi lo riabbassò. I suoi occhi erano di un nero inquietante.

«Ho avuto una settimana pesante e sono di pessimo umore. E lo sai qual è la cosa peggiore? Che ogni volta che mi giro mi ritrovo fra i piedi qualche maledetto imbecille con la pancia cadente che mostra i muscoli. Adesso ho intenzione di andarmene di qui. Spostati.»

Magge Lundin restò a bocca aperta. All'inizio credette di avere sentito male. Poi senza volerlo cominciò a ridere. La situazione era spassosa. Ecco lì una ragazza pelle e ossa che poteva entrargli nel taschino, che alzava la cresta con due uomini grandi e grossi con addosso i gilet del Motoclub Svavelsjö, i più pericolosi dei pericolosi, presto membri effettivi degli Hell's Angels. Avrebbero potuto smontarla e infilarla in una scatola da biscotti. E lei alzava la cresta.

Anche se era matta da legare – come evidentemente doveva essere, stando sia agli articoli dei giornali sia al modo in cui si stava comportando – i loro gilet dovevano comunque incutere rispetto. Ma la ragazza non ne mostrava. Erano cose che non potevano essere tollerate, per quanto spassosa potesse essere la situazione. Magge Lundin guardò Sonny Nieminen con la coda dell'occhio.

«Credo che questa lesbica abbia bisogno di un po' di uccello» disse. Abbassò il cavalletto e smontò dalla moto. Mosse lentamente due lunghi passi verso Lisbeth e la guardò dall'alto in basso. Lei non si spostò di un millimetro. Magge Lundin scosse la testa e sospirò. Poi le mollò un manrovescio con la stessa forza di cui Mikael Blomkvist aveva avuto un assaggio in occasione del loro incontro in Lundagatan.

Ma si trovò a colpire l'aria. Nell'attimo stesso in cui la mano avrebbe dovuto colpire il suo viso, Lisbeth aveva fatto un passo indietro e adesso era ferma appena fuori dalla sua portata.

Sonny Nieminen si chinò sul manubrio della sua Harley-Davidson e osservò divertito il compare di club. Lundin si fece paonazzo e avanzò rapidamente di altri due passi. Lisbeth arretrò di nuovo. Lundin aumentò la velocità.

Lisbeth si fermò di botto e gli scaricò in faccia mezza bomboletta di gas lacrimogeno. Gli occhi cominciarono a bruciargli come fuoco. La punta dello stivaletto di Lisbeth scattò con forza e si trasformò in energia cinetica fra le sue gambe. Magge Lundin scivolò in ginocchio senza fiato portandosi quindi a un'altezza comoda per Lisbeth. Lei si con-

centrò e gli stampò un calcio in faccia, proprio come se avesse piazzato un angolo su un campo di calcio. Si sentì uno
scricchiolio orrendo prima che Lundin si afflosciasse in silenzio come un sacco di patate.

Sonny Nieminen impiegò diversi secondi per rendersi
conto che davanti ai suoi occhi si era svolto qualcosa di assurdo. Cominciò ad abbassare il cavalletto della sua Harley-
Davidson, ma lo mancò e fu costretto a chinare lo sguardo
per controllare. Poi, tanto per andare sul sicuro, si tastò la
giacca alla ricerca della pistola che teneva nella tasca interna. Mentre stava per abbassare la lampo colse un movimento con la coda dell'occhio.

Quando alzò lo sguardo vide Lisbeth che si avventava
contro di lui come una palla di cannone. Saltò a piedi uniti e gli sferrò con tutta la sua forza un calcio sull'anca in-
sufficiente a fargli male ma sufficiente a ribaltare sia lui che
la moto. Nieminen riuscì per un soffio a non rimanere con la
gamba incastrata sotto la moto, e arretrò di qualche passo
incespicando prima di ritrovare l'equilibrio.

Quando inquadrò di nuovo Lisbeth vide il suo braccio
ruotare e un sasso grosso come un pugno sibilare nell'aria.
Si chinò d'istinto. Il sasso gli mancò la testa per pochi centimetri.

Finalmente riuscì a estrarre la pistola, e cercò di togliere
la sicura. Quando alzò gli occhi per la terza volta Lisbeth
gli era già addosso. Lesse la malvagità nel suo sguardo e per
la prima volta provò un senso di stupefatta paura.

«Buona notte» disse Lisbeth.

Gli premette la pistola elettrica in mezzo alle gambe. E
gli sparò settantacinquemila volt tenendo gli elettrodi contro il suo corpo per almeno venti secondi. Sonny Nieminen
si trasformò in un vegetale.

Lisbeth sentì un rumore dietro di sé e si voltò a guardare Magge Lundin. A fatica si era risollevato sulle ginocchia

e stava per rimettersi in piedi. Lei lo osservò perplessa. L'uomo brancolava nelle nebbie brucianti del gas lacrimogeno.

«Ti ammazzerò!» lo sentì sbraitare d'improvviso.

Farfugliava e andava a tentoni. Lisbeth piegò la testa di lato e lo osservò di nuovo pensierosa. Poi lui urlò.

«Maledetta puttana!»

Lisbeth si chinò a raccogliere la pistola di Sonny Nieminen e constatò che era una P-83 Wanad di fabbricazione polacca.

Aprì il caricatore e controllò che fosse pieno. Le munizioni erano Makarov da nove millimetri. Mise un colpo in canna. Poi scavalcò con un lungo passo Sonny Nieminen e si avvicinò a Lundin, prese la mira stringendo l'arma con due mani e gli sparò a un piede. L'uomo ululò per il dolore e ruzzolò di nuovo a terra.

Lisbeth lo fissò, incerta se fargli alcune domande sull'identità del gigante biondo in compagnia del quale l'aveva visto al caffè Blombergs, che secondo il giornalista Per-Åke Sandström aveva ucciso proprio insieme a lui una persona in un magazzino. Mmm. Forse avrebbe dovuto fargliele prima di spargli.

Sia perché Lundin non sembrava in condizione di sostenere una conversazione sia perché c'era la possibilità che qualcuno avesse udito lo sparo. Doveva abbandonare la zona senza indugio. Avrebbe potuto rivedersi con Lundin in seguito e interrogarlo in una situazione più tranquilla. Mise la sicura alla pistola, se la infilò nella tasca della giacca e raccolse il suo zaino.

Aveva percorso circa dieci metri lungo il viale d'accesso alla casa di Bjurman quando si fermò e fece dietrofront. Ritornò lentamente sui suoi passi e studiò la moto di Magge Lundin.

«*Harley-Davidson*» disse. «Mitica.»

27.
Mercoledì 6 aprile

Era una splendida giornata primaverile quando Mikael Blomkvist diresse l'automobile di Erika Berger verso sud lungo Nynäsvägen. Sui campi scuri si poteva già indovinare un accenno di verde e l'aria era calda. Sarebbe stata una giornata perfetta per dimenticare tutti i problemi e andare a ritemprarsi nella casetta di Sandhamn.

Si era accordato con Gunnar Björck di incontrarsi all'una ma era in anticipo e si fermò a Dalarö per bere un caffè e leggere i giornali. Non si era preparato all'incontro. Björck aveva qualcosa da raccontare e Mikael era fermamente convinto che prima di lasciare Smådalarö avrebbe finalmente saputo qualcosa di Zala. Qualcosa che avrebbe potuto condurlo oltre.

Björck gli andò incontro sullo spiazzo davanti alla casa. Appariva più deciso e sicuro di sé rispetto a due giorni prima. *Quale mossa hai in mente?* Mikael non gli strinse la mano.

«Posso darle delle informazioni su Zala» esordì Gunnar Björck. «Ma a delle condizioni.»

«Sentiamo.»

«Il mio nome non deve comparire nel reportage di *Millennium*.»

«Okay.»

Björck assunse un'aria sorpresa. Blomkvist aveva accettato alla leggera il punto sul quale si era preparato a discutere lungamente. Quella era la sua unica carta. Informazioni sugli omicidi in cambio di anonimato. E Blomkvist senza battere ciglio aveva accettato di rinunciare a quello che avrebbe potuto essere un titolone per il giornale.

«Dico sul serio» aggiunse Björck sospettoso. «Voglio che venga messo per iscritto.»

«Può metterlo per iscritto quanto vuole, ma un documento del genere non varrebbe nulla. Lei ha commesso dei reati dei quali io sono a conoscenza e che in teoria sarei tenuto a denunciare. Ma ha anche delle informazioni che io voglio e sta usando la sua posizione per comperare il mio silenzio. Ho riflettuto sulla cosa e accetto. Le facilito le cose impegnandomi a non fare il suo nome su *Millennium*. O si fida di quello che dico, o non si fida.»

Björck rifletté.

«Anch'io ho delle condizioni» continuò Mikael. «Il prezzo del mio silenzio è che lei mi racconti tutto quello che sa. Se scopro che mi ha tenuto nascosto qualcosa l'accordo salta. Farò finire il suo nome su ogni singola locandina della Svezia, proprio come ho fatto con Wennerström.»

Björck rabbrividì al pensiero.

«Okay» disse. «Vedo che non ho scelta. Lei mi promette che il mio nome non sarà menzionato su *Millennium*. Io le racconterò chi è Zala. Ma voglio essere protetto come fonte.»

Björck tese la mano. Mikael la strinse. Si era appena impegnato a tenere nascosto un reato, ma la cosa non lo toccava affatto. Aveva promesso che né lui né *Millennium* avrebbero scritto su Björck, ma Dag Svensson aveva già scritto tutta la storia di Björck nel suo libro. E il libro di Dag Svensson sarebbe uscito. Mikael era fermamente deciso a provvedere in tal senso.

L'allarme fu trasmesso alla polizia di Strängnäs alle tre e diciotto. La telefonata arrivò direttamente al centralino della polizia, non attraverso il pronto intervento. Un certo signor Öberg, proprietario di una casa di campagna subito a est di Stallarholmen, diceva di avere sentito uno sparo e di essere andato a controllare. Aveva trovato due uomini molto malconci. Be', uno dei due non era poi così malconcio ma stava soffrendo parecchio. E sì, certo, la casa era di proprietà di Nils Bjurman. Proprio il defunto avvocato Nils Bjurman del quale avevano scritto così tanto i giornali.

La polizia di Strängnäs aveva avuto una mattinata laboriosa a causa di una vasta operazione di controllo del traffico all'interno dell'area comunale già decisa da tempo. Ma nel pomeriggio il controllo del traffico era stato interrotto dopo che una donna di cinquantasette anni era stata uccisa dal convivente nella loro abitazione di Finninge. Quasi contemporaneamente era scoppiato un incendio con una vittima a Storgärdet, e come ciliegina sulla torta due automobili avevano fatto un frontale all'altezza di Vargholmen sulla Enköpingsvägen. Tutto questo era successo nell'arco di pochi minuti, per cui buona parte delle risorse della polizia di Strängnäs era impegnata.

L'agente di guardia tuttavia aveva seguito gli sviluppi della vicenda di Nykvarn e aveva colto al volo che sembrava avere qualcosa a che fare con la ricercata Lisbeth Salander. E siccome anche Nils Bjurman rientrava nell'inchiesta l'agente aveva fatto due più due. E preso provvedimenti. Anzitutto spedì di gran fretta a Stallarholmen l'unica squadra di pronto intervento disponibile. Poi telefonò ai colleghi di Södertälje per chiedere appoggio. La polizia di Södertälje non era meno indaffarata, dal momento che buona parte delle sue risorse era concentrata sugli scavi intorno al deposito incenerito a sud di Nykvarn, ma il possibile collegamento fra Nykvarn e Stallarholmen indusse l'agente di guardia di Södertälje a inviare due pattuglie a Stallarholmen per affiancare la squadra di Strängnäs. L'agente di guardia a Strängnäs cercò anche di parlare con l'ispettore Jan Bublanski della polizia giudiziaria. Lo trovò sul cellulare.

Bublanski era alla Milton Security per una discussione molto seria con il direttore generale Dragan Armanskij e i due collaboratori Fräklund e Bohman. Il collaboratore Niklas Eriksson era assente.

Bublanski ordinò a Curt Svensson di recarsi immediatamente alla casa di campagna di Bjurman. Nel caso l'avesse trovato, avrebbe dovuto portare con sé Hans Faste. Dopo un attimo di riflessione, Bublanski telefonò anche a Jerker Holmberg che si trovava ancora più vicino. Holmberg per di più aveva delle novità.

«Stavo giusto pensando di chiamarti. Abbiamo appena identificato il cadavere nella buca.»

«Non è possibile. Non così in fretta.»

«Tutto è possibile quando i morti sono così gentili da avere con sé il portafoglio con tanto di carta d'identità plastificata.»

«Okay. Chi è?»

«Un personaggio ben noto. Kenneth Gustafsson, quarantaquattro anni, di Eskilstuna. Conosciuto come "il vagabondo". Ti suona un campanello?»

«Altroché. Dunque, "il vagabondo" giace in una buca a Nykvarn. Non ho tenuto sotto controllo la piccola delinquenza di Sergels Torg, ma lui era uno importante negli anni novanta nel giro di spacciatori, ladruncoli e drogati.»

«Proprio lui. O almeno, la carta d'identità nel portafoglio è la sua. L'identificazione vera e propria la farà il medico legale. Che avrà da mettere insieme un bel puzzle. "Il vagabondo" è stato tagliato in almeno cinque o sei pezzi.»

«Mmm. Paolo Roberto ha detto che quel biondino con il quale si è battuto minacciava Miriam Wu con una sega a motore.»

«Lo squartamento può benissimo essere stato fatto con una sega a motore, non ho guardato attentamente. Intanto abbiamo cominciato a scavare anche nell'altro punto segnalato dal cane. Stanno montando la tenda.»

«Bene. Jerker, so che è stata una giornata lunga, ma potresti fermarti anche stasera?»

«Sì, certo. Okay. Comincio col fare un salto su a Stallarholmen.»

Bublanski chiuse la comunicazione e si massaggiò gli occhi.

La squadra di Strängnäs arrivò alla casa di campagna di Bjurman alle tre e quarantaquattro. E nel viale d'accesso si scontrò con un uomo che cercava di allontanarsi a bordo di una Harley-Davidson finendo invece contro il mezzo della polizia. Non si trattò comunque di un incidente. Gli agenti smontarono dalla camionetta e identificarono Sonny Nieminen, trentasette anni, delinquente noto fin dalla metà degli anni novanta. Nieminen non sembrava in gran forma, e fu subito bloccato. Mentre gli mettevano le manette, gli agenti notarono sorpresi che la sua giacca di pelle era rotta sulla schiena. Un quadrato di circa venti centimetri di lato era stato asportato proprio nel centro. Faceva un effetto alquanto strano. Sonny Nieminen non volle commentare la cosa.

Gli agenti fecero gli ultimi duecento metri prima della casa. Lì trovarono un portuale in pensione di nome Öberg che stava fasciando un piede a un certo Carl-Magnus Lundin, trentasei anni, presidente della ben nota banda criminale del Motoclub Svavelsjö.

Il capo della squadra era l'ispettore di polizia Nils-Henrik Johansson. Smontò dalla camionetta, si aggiustò il cinturone e osservò l'uomo steso a terra. Poi pronunciò la classica battuta del poliziotto.

«Allora, cosa è successo?»

Il portuale in pensione si interruppe e guardò Johansson.

«Sono stato io a telefonare.»

«Ha parlato di una sparatoria.»

«Ho riferito di avere sentito uno sparo, di essere venuto a fare un sopralluogo e di avere trovato questi due. Questo qui è stato colpito al piede e ne ha anche prese parecchie. Credo che abbia bisogno di un'ambulanza.»

Öberg guardò con la coda dell'occhio la squadra di pronto intervento.

«Ah ecco, vedo che avete preso anche l'altro. Era a terra anche lui quando sono arrivato, ma non sembrava ferito. Dopo un po' si è ripreso ma non ha voluto restare.»

Jerker Holmberg arrivò insieme alla polizia di Södertälje proprio mentre l'ambulanza stava partendo. Ricavò un breve riassunto dalla squadra di pronto intervento. Né Lundin né Nieminen avevano voluto spiegare come mai si trovassero lì. Lundin proprio non era in grado di parlare.

«Dunque: due motociclisti in tuta di pelle, una Harley-Davidson, una ferita da arma da fuoco e nessun'arma. Ho capito bene?» domandò Holmberg.

Johansson annuì. Holmberg rifletté un momento.

«Possiamo dare per scontato che nessuno dei due ragazzi è arrivato qui sul sellino posteriore?»

«Credo che sia considerato poco virile nella loro cerchia» disse Johansson.

«In tal caso manca una moto. E dal momento che manca anche l'arma possiamo trarre la conclusione che una terza persona si è allontanata dal posto.»

«Sembrerebbe plausibile.»

«La cosa però ci crea un problema. Se questi due signori di Svavelsjö sono arrivati ognuno sulla propria moto, manca anche il veicolo sul quale è arrivata la terza persona. Questa terza persona non può essersene andata via col suo veicolo in sella a una moto. E dalla Strängnäsvägen a qui c'è un bel pezzo di strada.»

«A meno che non abitasse nella casa.»

«Mmm» disse Jerker Holmberg. «La casa è di proprietà del defunto avvocato Bjurman, che sicuramente ormai non ci abita più.»

«Potrebbero esserci state una quarta persona e una macchina.»

«Ma perché non andare via insieme in tal caso? Penso che non si tratti solo del furto di una Harley-Davidson, per quanto possano essere ricercate quelle moto.»

Si soffermò un attimo a riflettere, quindi pregò la squadra di pronto intervento di mandare due agenti in uniforme a cercare un qualche veicolo abbandonato nelle stradine lì intorno e a bussare alle porte del vicinato per chiedere se qualcuno avesse visto qualcosa di insolito.

«Sono poche le case abitate in questa stagione» disse Johansson, ma promise che avrebbero fatto del loro meglio.

Poi Holmberg aprì la porta della casa, che fino a quel momento nessuno aveva varcato. Trovò immediatamente i raccoglitori sul tavolo della cucina, con i documenti di Bjurman su Lisbeth Salander. Si sedette e cominciò stupefatto a sfogliarli.

Jerker Holmberg ebbe fortuna. Già trenta minuti dopo che avevano cominciato a bussare alle porte delle case, in gran parte disabitate, gli agenti si imbatterono nella settantaduenne Anna Viktoria Hansson, che aveva trascorso la giornata primaverile a fare pulizia in un giardino all'incrocio con la diramazione che portava alla zona delle case di villeggiatura. Certo, la sua vista era ancora ottima. Sì, aveva notato una ragazza bassa in giacca scura che era passata a piedi verso l'ora di pranzo. Verso le tre erano passate due persone in moto. Avevano fatto un gran baccano. E poco dopo la ragazza era tornata indietro su una delle moto. Poi era arrivata la polizia.

Proprio mentre Jerker Holmberg riceveva il rapporto arrivò anche Curt Svensson.

«Che succede?» chiese.

Jerker Holmberg guardò il collega con aria cupa.

«Non so bene come spiegarlo» rispose.

«Jerker, stai cercando di farmi credere che Lisbeth Salander è comparsa nella casa di campagna di Bjurman e da sola ha conciato per le feste i capoccia del Motoclub Svavelsjö?» domandò Bublanski al telefono. La sua voce suonava tesa.

«Be', è allenata da Paolo Roberto...»

«Jerker. Taci.»

«Carl-Magnus Lundin ha una ferita da arma da fuoco al piede. Rischia di zoppicare per sempre. La pallottola è uscita dal tallone.»

«Almeno non gli ha sparato in testa.»

«Non ce n'è stato bisogno. Da quanto ho capito, Lundin ha delle brutte contusioni al volto, e la mandibola e due denti rotti. Quelli dell'ambulanza sospettavano anche una commozione cerebrale. Oltre alla ferita al piede aveva anche forti dolori all'inguine.»

«E Nieminen?»

«Lui sembra intero. Ma a sentire l'uomo che ha dato l'allarme era a terra privo di sensi quando lui è arrivato. Dopo un po' si è ripreso e ha cercato di andarsene proprio mentre arrivava la squadra di Strängnäs.»

Per la prima volta dopo molto tempo Bublanski era completamente ammutolito.

«E poi c'è un dettaglio un po' misterioso...» disse Jerker Holmberg.

«Ancora?»

«Non so bene come spiegarlo. La giacca di pelle di Nieminen... Lui era arrivato in moto.»

«Sì?»

«Era rotta.»

«In che senso, rotta?»

«Ne mancava un pezzo. Un quadrato di circa venti centimetri di lato, ritagliato dalla schiena. Proprio nel punto in cui è stampato il marchio del Motoclub Svavelsjö.»

Bublanski assunse un'espressione interrogativa.

«Perché mai Lisbeth Salander avrebbe dovuto ritagliare un pezzo della giacca di quel tipo? Un trofeo?»

«Non ne ho idea. Ma stavo pensando a una cosa» disse Jerker Holmberg.

«Ovvero?»

«Lundin ha la pancia ed è biondo con la coda di cavallo. Uno dei tizi che ha rapito l'amica di Lisbeth, Miriam Wu, era biondo e aveva la pancia e la coda di cavallo.»

Lisbeth Salander non provava una tale euforia da quando, molti anni prima, era andata sull'ottovolante a Gröna Lund. Aveva fatto tre giri, ma avrebbe potuto farne altri tre se i suoi soldi non fossero finiti.

Constatò che una cosa è portare una Kawasaki 125, che in realtà è solo un motorino truccato da moto, e un'altra avere il controllo di una Harley-Davidson con i suoi millequattrocentocinquanta centimetri cubi di cilindrata. I primi trecento metri sulla strada sterrata erano stati una specie di montagne russe. Si era sentita come un giroscopio vivente. Aveva rischiato di finire fuori strada due volte, ed era riuscita a domare la moto solo all'ultimo secondo. Le sembrava di cavalcare un alce impazzito.

Inoltre il casco si ostinava a scenderle davanti agli occhi, nonostante ci avesse inserito un'imbottitura extra, il quadrato di pelle che aveva ritagliato dalla giacca di Sonny Nieminen.

Non osava fermarsi a sistemare il casco per paura di non riuscire a tenere in equilibrio la moto, così pesante. Aveva le gambe troppo corte per arrivare ad appoggiare del tutto i piedi a terra e temeva che si rovesciasse. Se fosse successo, non sarebbe mai riuscita a raddrizzarla.

Le cose andarono meglio non appena sbucò sulla strada sterrata più larga. E quando, qualche minuto più tardi, si immise sulla Strängnäsvägen si arrischiò a mollare il manubrio con una mano per sistemare il casco. Poi diede gas. Percorse il tratto di strada fino a Södertälje a tempo di record, sorridendo deliziata per tutto il tragitto. Subito prima di Södertälje incrociò due auto della polizia che viaggiavano a sirene spiegate.

La scelta più saggia sarebbe stata quella di mollare la moto già a Södertälje e far prendere a Irene Nesser il treno per Stoccolma, ma Lisbeth non poté resistere alla tentazione. Svoltò sulla E4 e accelerò. Stava attenta a non superare i limiti di velocità, be', almeno non di troppo, ma le sembrava comunque di essere in caduta libera. Solo all'altezza di Älvsjö abbandonò l'autostrada, e raggiunse la zona della fiera dove riuscì a parcheggiare la bestia senza farla ribaltare. Fu con profondo dispiacere che lasciò la moto e il casco, e il ritaglio di pelle con il logo della giacca di Sonny Nieminen, per avviarsi a piedi verso la stazione e il treno navetta. Era gelata fin nelle ossa. Scese a Södra Station, raggiunse a piedi il suo appartamento a Mosebacke e lì si infilò subito nella vasca da bagno.

«Il suo nome è Alexander Zalachenko» disse Gunnar Björck. «Ma in realtà lui non esiste. Non lo troverà mai nei registri dell'anagrafe.»

Zala. Alexander Zalachenko. Finalmente un nome.

«Chi è e come posso rintracciarlo?»

«Non è una persona che le andrebbe di trovare.»

«Mi creda, io desidero moltissimo incontrarlo.»

«Quelle che adesso le passerò sono informazioni secretate. Se si dovesse sapere che le ho detto queste cose, sarei processato e condannato. È uno dei segreti più delicati della difesa svedese. Deve capire perché è così importante che mi garantisca la protezione come fonte.»

«L'ho già fatto.»

«Lei è abbastanza vecchio per ricordarsi la guerra fredda.»

Mikael annuì. *Veniamo al dunque.*

«Alexander Zalachenko nacque nel 1940 in Ucraina, che allora faceva parte dell'Unione Sovietica. Quando aveva un anno iniziarono l'"operazione Barbarossa" e l'offensiva tedesca sul fronte orientale. Entrambi i genitori di Zalachenko morirono in guerra. Almeno questo è quanto Zalachenko crede. Nemmeno lui sa cosa accadde veramente. I suoi primi ricordi sono di un orfanotrofio negli Urali.»

Mikael annuì per segnalare che stava seguendo.

«L'orfanotrofio si trovava in una città di confine ed era finanziato dall'Armata Rossa. Zalachenko ricevette un'istruzione militare fin dalla più tenera età. Si era pur sempre negli anni peggiori dello stalinismo. Dopo la caduta dell'Unione Sovietica è venuta alla luce una quantità di documenti che dimostrano come fossero stati fatti diversi esperimenti per creare un organico di soldati scelti, ottimamente addestrati fra gli orfani cresciuti dallo stato. Zalachenko era uno di loro.»

Mikael annuì nuovamente.

«Per farla breve. Quando ebbe cinque anni fu mandato in una scuola dell'esercito. Risultò che era molto dotato. All'età di quindici anni, nel 1955, venne trasferito in una scuola militare a Novosibirsk dove insieme ad altri duemila allievi fu addestrato per tre anni per le *Spetsnaz*, ossia le unità di élite.»

«Okay. Era un ardito soldato-bambino.»

«Nel 1958, a diciott'anni, fu trasferito a Minsk alla scuola speciale del Gru. Lo sa cos'è il Gru?»

«Sì.»

«La sigla sta per *Glavnoje razvedyvatelnoje upravlenije*, ossia il servizio informazioni militare direttamente collegato al più alto comando militare dell'esercito. Il Gru non dev'essere confuso con il Kgb, che invece era la polizia segreta civile.»

«Lo so.»

«Nei film di James Bond il più delle volte le spie più importanti a livello internazionale fanno parte del Kgb. Ma nella realtà il Kgb era la polizia segreta interna del regime, che gestiva i lager in Siberia e ammazzava gli oppositori con un colpo alla nuca nei sotterranei della Lubjanka. Chi si faceva carico dello spionaggio e delle operazioni all'estero era il più delle volte il Gru.»

«Somiglia sempre più a una lezione di storia. Continui.»

«Quando Alexander Zalachenko ebbe vent'anni fu mandato per la prima volta all'estero. La destinazione era Cuba. Fu un periodo di addestramento, all'epoca aveva un grado corrispondente grossomodo a quello nostro di sottotenente. Rimase là due anni, e visse la crisi di Cuba e l'invasione della Baia dei Porci.»

«Okay.»

«Nel 1963 tornò a Minsk per continuare l'addestramento. Quindi fu mandato prima in Bulgaria e poi in Ungheria. Nel 1965 fu promosso tenente ed ebbe il suo primo stazionamento nell'Europa occidentale, a Roma, dove rimase dodici mesi. Fu il suo primo incarico sotto copertura. Era un civile con passaporto falso e senza contatti con l'ambasciata.»

Mikael annuì. Senza volerlo cominciava a essere affascinato da quella storia.

«Nel 1967 fu trasferito a Londra. Lì organizzò l'esecuzione di un agente del Kgb che aveva disertato. Nei dieci anni successivi diventò uno degli agenti più importanti del Gru. Faceva parte di un'élite di soldati politici devoti. Era stato addestrato fin dall'infanzia. Conosceva alla perfezione almeno sei lingue. Si è finto giornalista, fotografo, pubblicitario, marinaio... poteva assumere qualsiasi ruolo. Era un artista della sopravvivenza e un esperto di camuffamenti e manovre diversive. Aveva un gruppo di agenti con i quali organizzava operazioni in proprio, parecchie delle quali erano esecuzioni portate a termine in paesi del Terzo Mondo. Ma potevano essere anche ricatti, minacce e altri incarichi. Nel 1969 diventò capitano, nel 1972 maggiore e nel 1975 raggiunse il grado di tenente colonnello.»

«Com'è che finì in Svezia?»

«Ci sto arrivando. Nel corso degli anni si era lasciato un po' corrompere e aveva messo da parte del denaro qua e là. Beveva troppo e aveva un debole per le donne. Tutto questo non sfuggiva ai suoi superiori, ma era ancora un favorito e quindi erano indulgenti sulle quisquilie. Nel 1976 fu inviato in Spagna per un incarico. Una sera si ubriacò di brutto e fece una figuraccia. La missione fallì e lui d'improvviso cadde in disgrazia. Gli fu ordinato di rientrare in Unione Sovietica. Lui scelse di ignorare l'ordine e si cacciò in una situazione ancora peggiore. Il Gru ordinò a un addetto militare dell'ambasciata di Madrid di rintracciarlo e di convincerlo. Ma qualcosa andò molto storto durante il colloquio e Zalachenko uccise l'addetto dell'ambasciata. E di punto in bianco si trovò senza alternative. Aveva bruciato tutti i ponti. Scelse di disertare.»

«Okay.»

«Preparò una falsa pista che portava a un incidente nautico in Portogallo e una che lasciava intendere che si fosse rifugiato negli Stati Uniti. In realtà si nascose nel paese più improbabile d'Europa. Raggiunse la Svezia e prese contatto con i servizi segreti chiedendo asilo. Una bella pensata, dal momento che le probabilità che una squadra della morte del Kgb o del Gru venisse a cercarlo qui erano quasi nulle.»

Gunnar Björck tacque.

«E?»

«Cosa deve fare un governo se un'autentica superspia sovietica tutto d'un tratto diserta e chiede asilo politico? Qui in Svezia quello che era appena salito in carica era un governo borghese, e questa fu una delle primissime questioni che dovemmo discutere con il nuovo primo ministro. Quei conigli ovviamente cercarono di liberarsi di lui, ma non potevano rispedirlo in Unione Sovietica, ne sarebbe nato uno scandalo di proporzioni inimmaginabili. Provarono a dirottarlo verso gli Stati Uniti o l'Inghilterra, ma Zalachenko si rifiutò di andarci. Gli Stati Uniti non gli piacevano e diceva che l'Inghilterra era uno dei paesi in cui l'Unione Sovietica aveva agenti ai più alti livelli all'interno dei servizi segreti. E non voleva andare in Israele perché gli ebrei non gli andavano a genio. Aveva deciso di stabilirsi in Svezia.»

Il tutto suonava talmente improbabile che Mikael cominciò a chiedersi se Gunnar Björck non si stesse prendendo gioco di lui.

«Perciò rimase qui in Svezia?»

«Esatto.»

«E la notizia non trapelò?»

«Per molti anni è stato uno dei segreti militari meglio custoditi della Svezia. La verità è che traemmo un enorme vantaggio da Zalachenko. Per un periodo tra la fine degli anni settanta e l'inizio degli anni ottanta, fu il disertore più importante a livello internazionale. Mai prima di allora il capo operativo di uno dei gruppi d'élite del Gru aveva disertato.»

«Aveva informazioni da vendere?»

«Proprio così. E giocò bene le sue carte vendendole a rate quando gli tornava più utile. In quantità sufficiente perché potessimo identificare un agente al quartier generale della Nato a Bruxelles, un agente a Roma, il contatto di una rete di spie a Berlino, i sicari prezzolati di cui si era servito ad Ankara e Atene. Sulla Svezia non sapeva granché, ma aveva informazioni su operazioni all'estero che noi a nostra volta potevamo vendere ricevendo altri favori in cambio. Quell'uomo era un'autentica miniera d'oro.»

«In altre parole, cominciaste a collaborare con lui.»

«Gli procurammo una nuova identità, tutto quello che gli occorreva era un passaporto e un po' di denaro, per il resto se la sarebbe cavata da solo. Era esattamente ciò che era stato addestrato a fare.»

Mikael rimase in silenzio un momento per assimilare la storia. Poi alzò lo sguardo su Björck.

«Lei mi ha mentito, la prima volta che sono stato qui.»

«Davvero?»

«Mi ha detto di avere conosciuto Bjurman al club di tiro della polizia negli anni ottanta. In realtà l'aveva conosciuto molto tempo prima.»

Gunnar Björck annuì pensieroso.

«È stata una reazione automatica. Sono informazioni secretate. E non avevo motivo di spiegarle come e quando io e Bjurman ci fossimo conosciuti. È stato solo quando mi ha chiesto di Zala che ho fatto il collegamento.»

«Mi racconti cosa successe.»

«Avevo trentatré anni e lavoravo ai servizi segreti da tre. Bjurman ne aveva ventisei e si era laureato da poco. Aveva trovato lavoro alla Säpo, dove si occupava di certe questioni giuridiche. In realtà si trattava di un posto da praticante. Bjurman viene da Karlskrona, suo padre lavorava nel servizio informazioni militare.»

«E?»

«Sia io sia Bjurman in realtà non eravamo affatto qualificati per occuparci di un elemento del calibro di Zalachenko. Ma lui prese contatto con noi il giorno stesso delle elezioni del 1976. Alla sede centrale della polizia non c'era quasi anima viva, erano tutti o in libertà o impegnati in compiti di sorveglianza e simili. E fu proprio quello il momento che Zalachenko scelse per entrare nel commissariato di Norrmalm e dichiarare che chiedeva asilo politico e voleva parlare con qualcuno dei servizi segreti. Non diede nessun nome. Io ero di turno. Pensai che si trattasse di un normale rifugiato, per cui presi con me Bjurman come appoggio e andai al commissariato di Norrmalm.»

Björck si sfregò gli occhi.

«Con la massima tranquillità e chiarezza ci disse come si chiamava, chi era e che lavoro faceva. Bjurman prendeva appunti. Dopo un momento mi resi conto di chi avevo davanti e fui sul punto di esplodere. Interruppi il colloquio e portai via Zalachenko di gran fretta. Non sapevo che fare. Presi una stanza all'Hotel Continental di fronte alla stazione centrale e ce lo infilai. Lasciai Bjurman a fargli da baby-sitter mentre io scendevo alla reception a telefonare al mio capo.» D'improvviso Björck scoppiò a ridere. «Ci comportammo come dei perfetti dilettanti. Ma andò proprio così.»

«Chi era il suo capo?»

«Non ha nessuna importanza. E non intendo fare altri nomi.»

Mikael alzò le spalle e lasciò correre senza discutere.

«Sia io sia il mio capo ci rendemmo conto del fatto che si trattava di una faccenda della massima segretezza e che si dovevano coinvolgere meno persone possibile. In particolare Bjurman non avrebbe mai dovuto avere a che fare con quella storia, era molto al di sopra del suo livello. Ma ormai sapeva già tutto, dunque era preferibile tenere lui piuttosto che mettere al corrente anche qualcun altro. E suppongo che lo stesso ragionamento sia stato fatto anche per un pivello come me. In totale eravamo in sette, collegati in vario modo con i servizi segreti, a sapere dell'esistenza di Zalachenko.»

«Quanti sono a conoscenza di questa storia?»

«Dal 1976 agli inizi degli anni novanta... complessivamente circa venti persone distribuite fra governo, alta dirigenza militare e Säpo.»

«E dopo?»

Björck alzò le spalle.

«Nell'attimo stesso in cui l'Unione Sovietica crollò lui perse d'interesse.»

«Ma cosa accadde dopo che Zalachenko arrivò in Svezia?»

Björck restò in silenzio così a lungo che Mikael cominciò ad agitarsi sulla sedia.

«Se devo essere sincero... Zalachenko fu un colpo di fortuna e noi che eravamo coinvolti ci costruimmo sopra le nostre carriere. Non mi fraintenda, era anche un lavoro a tempo pieno. Io fui nominato referente di Zalachenko in Svezia e nel corso dei primi dieci anni ci incontravamo non meno di un paio di volte la settimana. Questo negli anni importanti, quando lui era pieno di informazioni fresche. Ma si trattava anche di tenerlo sotto controllo.»

«In che senso?»

«Zalachenko non era un tipo facile. Sapeva essere incredibilmente incantevole ma anche totalmente paranoico. A periodi abusava di alcolici e allora diventava violento. Più di una volta mi capitò di dover fare delle spedizioni notturne per sistemare qualche storia in cui era rimasto invischiato.»

«Per esempio?»

«Per esempio, una volta in un locale aveva finito per litigare con qualcuno e aveva conciato per le feste due buttafuori che avevano provato a calmarlo. Era un tipo piuttosto piccolo e mingherlino, ma aveva un addestramento straordinario al combattimento corpo a corpo e purtroppo in alcune occasioni dava dimostrazione di questa sua competenza. Una volta andai a recuperarlo alla polizia.»

«In questo modo rischiava di attirare l'attenzione su di sé. Non sembra molto professionale.»

«Ma lui era fatto così. Non aveva commesso reati qui in Svezia, non era mai stato arrestato. Gli fornimmo un passaporto, una carta d'identità e un nome svedesi. E aveva una casa in un sobborgo di Stoccolma il cui affitto era pagato dai servizi segreti. Riceveva anche uno stipendio dalla Säpo, che lo voleva sempre a disposizione. Ma non potevamo proibirgli di andare al bar o di ingarbugliarsi in affari di donne. Potevamo solo fare pulizia dopo che era passato. Quello fu il mio compito fino al 1985, quando ebbi un nuovo incarico e il ruolo di assistente di Zalachenko passò ad altri.»

«E Bjurman?»

«Detto francamente, Bjurman era una zavorra. Non aveva acume, era l'uomo sbagliato nel posto sbagliato. In fondo era rimasto implicato nella faccenda di Zalachenko per caso. Comunque fu utilizzato solo nei primissimi tempi e in qualche singola occasione più avanti per delle formalità giuridiche. Ci pensò il mio capo a risolvere il problema di Bjurman.»

«In che modo?»

«Nel modo più semplice possibile. Gli fu trovato un lavoro presso uno studio legale che ci era, per così dire, molto vicino...»

«Klang e Reine.»

Gunnar Björck diede un'occhiata tagliente a Mikael. Poi annuì.

«Bjurman non era una gran mente, ma se la cavava. E nel corso degli anni ha continuato a ricevere incarichi dalla Säpo, indagini minori e altre cose del genere. Perciò anche lui in un certo senso ha costruito la sua carriera su Zalachenko.»

«E dov'è oggi Zala?»

Björck esitò un attimo.

«Non lo so. I miei contatti con lui si allentarono dopo il 1985, e negli ultimi dodici anni non l'ho più incontrato. L'ultima cosa che ho sentito dire su di lui è che avrebbe lasciato la Svezia nel 1992.»

«Ma adesso è tornato. È ricomparso in relazione ad affari di armi, droga e trafficking.»

«Non dovrei esserne sorpreso» sospirò Björck. «Ma lei non sa con certezza se sta cercando questo Zala o qualcuno di completamente diverso.»

«La probabilità che in questa storia compaiano due Zala è microscopica. Qual era il suo nome svedese?»

Björck guardò Mikael.

«Questo non ho intenzione di rivelarlo.»

«Si sta tirando indietro.»

«Lei voleva sapere chi fosse Zala. Io gliel'ho raccontato. Ma non intendo offrirle l'ultimo pezzo del puzzle prima di avere constatato che ha tenuto fede alla sua parte dell'accordo.»

«Zala probabilmente ha commesso tre omicidi e la polizia sta dando la caccia alla persona sbagliata. Se crede che io mi accontenti di questo, ebbene si sbaglia.»

«Come fa a sapere che l'assassino non è Lisbeth Salander?»

«Lo so.»

Gunnar Björck sorrise a Mikael. Tutto d'un tratto si sentiva molto più sicuro.

«Io credo che l'assassino sia Zala» disse Mikael.

«Sbagliato. Zala non ha sparato a nessuno.»

«Come fa a dirlo?»

«Zala ha sessantacinque anni ed è gravemente menomato. Gli è stato amputato un piede e fatica a camminare. Non può essere andato in giro fra Odenplan ed Enskede ad ammazzare gente. Se vuole uccidere qualcuno deve prima prenotare il servizio di trasporto per anziani e disabili.»

Malin Eriksson sorrise gentilmente a Sonja Modig.

«Questo lo deve chiedere a Mikael.»

«Okay.»

«Io non posso discutere le sue ricerche con lei.»

«Ma se l'uomo che viene chiamato Zala fosse un possibile colpevole...»

«Deve discuterne con Mikael» ripeté Malin. «Io posso aiutarla spiegandole a cosa stava lavorando Dag Svensson, ma non posso dirle nulla delle ricerche che stiamo conducendo noi.»

Sonja sospirò.

«Capisco il principio. Cosa mi può dire delle persone di questo elenco?»

«Solo quello che ha scritto Dag, ma niente sulle fonti. Penso di poterle dire però che Mikael ha spuntato circa una dozzina di nomi, e li ha eliminati tutti. Forse può aiutarla.»

Sonja annuì dubbiosa. *No, non può aiutarmi. La polizia deve comunque bussare a quelle porte e condurre un interrogatorio formale. Un giudice. Cinque avvocati. Diversi politici e giornalisti... e colleghi. Ne verrà fuori un allegro carosello.* Si rese conto che la polizia avrebbe dovuto cominciare a occuparsi di quell'elenco già il giorno dopo gli omicidi.

Il suo sguardo cadde su uno dei nomi. Gunnar Björck.

«Non c'è l'indirizzo di quest'uomo.»

«No.»

«Perché?»

«Lavora alla Säpo e quindi il suo indirizzo è segreto. Al momento è in malattia. Dag non è riuscito a rintracciarlo.»

«E voi ci siete riusciti?» chiese Sonja sorridendo.

«Lo chieda a Mikael.»

Sonja fissò la parete sopra la scrivania di Dag Svensson. Stava riflettendo.

«Posso farle una domanda personale?»

«Prego.»

«Chi credete sia stato a uccidere i vostri amici e l'avvocato Bjurman?»

Malin rimase in silenzio. Avrebbe voluto che Mikael Blomkvist fosse lì a fronteggiare quelle domande. Era sgradevole essere interrogata dalla polizia pur essendo innocente. E ancora più sgradevole non poter spiegare esattamente a cosa fosse arrivato *Millennium*. Malin sentì la voce di Erika alle sue spalle.

«Il nostro punto di partenza è che gli omicidi siano stati commessi in relazione alle rivelazioni alle quali Dag stava lavorando. Ma non sappiamo chi sia stato a sparare. Mikael punta su uno sconosciuto che viene chiamato Zala.»

Sonja Modig si voltò e fissò il caporedattore di *Millennium*. Erika Berger tese due tazze di caffè a Malin e Sonja. Erano decorate una con il logo dell'Htf, la Federazione svedese degli impiegati di commercio, e una con quello dei cristiano-democratici. Erika sorrise cortesemente. Poi se ne andò nella sua stanza.

Tornò fuori di nuovo tre minuti più tardi.

«Ha appena chiamato il suo capo. Il suo cellulare era spento. Deve richiamarlo subito.»

Quanto successo nella casa di campagna di Bjurman scatenò un'attività febbrile nel pomeriggio. In tutto il paese fu diffuso l'avviso che Lisbeth Salander finalmente era risalita in superficie. Si segnalava che probabilmente la ragazza viaggiava su una Harley-Davidson di proprietà di Magge Lundin e che era armata e aveva sparato a una persona nei pressi di Stallarholmen.

La polizia istituì dei posti di blocco agli ingressi di Strängnäs, Mariefred e Södertälje. I treni navetta fra Södertälje e Stoccolma furono ispezionati per ore in serata. Tuttavia ragazze di bassa statura, con o senza una Harley-Davidson, non ne furono trovate.

Solo alle sette di sera una macchina della polizia notò una Harley-Davidson parcheggiata fuori dai padiglioni della fiera di Stoccolma, ad Älvsjö, il che spostò il centro delle ricerche da Södertälje alla capitale. Da Älvsjö giunse inoltre la segnalazione che era stato rinvenuto anche un brandello di giacca di pelle con il logo del Motoclub Svavelsjö. La novità indusse l'ispettore Bublanski a spingersi gli occhiali sulla fronte e a fissare imbronciato il buio fuori dal suo ufficio a Kungsholmen.

La giornata aveva preso una piega cupa. Il rapimento dell'amica di Lisbeth, l'intervento di Paolo Roberto, poi un incendio doloso e un piccolo delinquente sepolto nei boschi dalle parti di Södertälje. E per concludere un incomprensibile episodio a Stallarholmen.

Bublanski andò nella sala riunioni grande dove c'era una carta di Stoccolma e dintorni. Il suo sguardo cercò nell'ordine Stallarholmen, Nykvarn, Svavelsjö e infine Älvsjö, le quattro località che per motivi diversi erano venute in primo piano. Spostò lo sguardo su Enskede e sospirò. Aveva la sgradevole sensazione che la polizia si trovasse in ritardo di diversi chilometri rispetto all'evoluzione degli eventi. In effetti non ci capiva un'acca. Di qualsiasi cosa si trattasse, la faccenda era molto più complicata di quanto avessero inizialmente creduto.

Mikael Blomkvist era completamente all'oscuro del dramma di Stallarholmen. Lasciò Smådalarö verso le tre del pomeriggio. Si fermò a una stazione di servizio e bevve un caffè mentre cercava di digerire quella storia.

Mikael era profondamente frustrato. Aveva ottenuto così tanti dettagli da Björck da restarne stupito. Ma Björck si era anche fermamente rifiutato di fornirgli l'ultimo pezzo del puzzle: l'identità svedese di Zalachenko. Si sentiva gabbato. Tutto d'un tratto Björck si era interrotto e si era cocciutamente rifiutato di concludere.

«Abbiamo fatto un accordo» aveva insistito Mikael.

«E io ne ho soddisfatto la mia parte. Le ho raccontato chi è Zalachenko. Se vuole altre informazioni dobbiamo fare un nuovo accordo. Deve garantirmi che il mio nome sarà lasciato totalmente fuori e che non ci saranno conseguenze spiacevoli.»

«Come potrei farlo? Non ho nessun potere sulla polizia, e prima o poi arriverà anche a lei.»

«Non sono preoccupato per quello. Voglio che lei mi garantisca che non farà mai il mio nome in relazione alla storia delle puttane.»

Mikael aveva notato che Björck sembrava ansioso di nascondere più i suoi legami con il mercato del sesso che il fatto di avere svelato importanti informazioni segrete. Questo diceva qualcosa della sua personalità.

«Le ho già promesso che non scriverò una sola parola su di lei in quel contesto.»

«Voglio che mi garantisca anche che non scriverà di me in relazione alla storia di Zalachenko.»

Garanzie di quel tipo Mikael non intendeva darne. Poteva arrivare fino a trattare Björck come una fonte anonima, ma non poteva garantirgli l'anonimato assoluto. Alla fine avevano deciso di riflettere sulla questione qualche giorno prima di riprendere la discussione.

Mentre Mikael era seduto al bar della stazione di servizio con in mano il suo bicchiere di carta pieno di caffè, sentiva di avere qualcosa proprio davanti al naso. C'era così vicino che riusciva a indovinare i contorni delle figure, ma l'immagine rimaneva sfuocata. Poi gli venne in mente che c'era un'altra persona che forse poteva fare un po' di luce sulla vicenda. Si trovava anche abbastanza vicino alla clinica di Ersta. Guardò l'ora, si alzò in fretta e ripartì per andare a trovare Holger Palmgren.

Gunnar Björck era inquieto. Dopo l'incontro con Blomkvist si sentiva esausto. La schiena gli doleva più che mai. Prese tre compresse di analgesico e andò a stendersi sul divano del soggiorno. I pensieri gli martellavano in testa. Dopo un'oretta si alzò, mise il bollitore sul fornello e tirò fuori del tè in bustine. Si sedette al tavolo della cucina e cominciò a meditare.

Poteva fidarsi di Mikael Blomkvist? Ormai le sue carte le aveva giocate quasi tutte ed era nelle sue mani. Però aveva tenuto per sé l'informazione più importante. L'identità di Zala e il suo vero ruolo nel contesto. Una carta decisiva che aveva ancora nella manica.

Come diavolo aveva fatto a finire in quel casino? Lui non era un delinquente. Tutto quello che aveva fatto era stato di pagare qualche puttana. Era scapolo. Quella dannata sedicenne non faceva nemmeno finta che lui le piacesse. L'aveva guardato con disgusto.

Troia maledetta. Se solo non fosse stata così giovane. Se avesse avuto più di vent'anni la situazione non sarebbe stata così rovinosa. I media l'avrebbero massacrato, se fosse trapelato qualcosa. Anche Blomkvist provava disgusto per lui. E non cercava nemmeno di nasconderlo.

Zalachenko.

Un protettore. Che ironia. Aveva scopato una delle puttane di Zalachenko. Anche se Zalachenko era abbastanza furbo da restare dietro le quinte.

Bjurman e Salander.

E Blomkvist.

Una via d'uscita.

Dopo qualche ora andò nel suo studio e tirò fuori il foglietto con il numero di telefono che aveva recuperato in ufficio qualche giorno prima. E non era l'unica cosa che aveva tenuto nascosta a Mikael Blomkvist. Sapeva esattamente dove si trovava Zalachenko, anche se non gli parlava da dodici anni. E non aveva nessuna voglia di farlo, mai più.

Zalachenko era un dritto. Avrebbe capito. Sarebbe sparito dalla faccia della terra. Sarebbe andato all'estero e si sarebbe messo in pensione. Ma se l'avessero preso sarebbe stata una catastrofe. Allora sì che poteva crollare tutto quanto.

Esitò prima di alzare il ricevitore e comporre il numero.

«Salve. Sono Sven Jansson» disse. Un nome di copertura che non usava da molto tempo. Zalachenko si ricordava perfettamente di lui.

28.
Mercoledì 6 aprile - giovedì 7 aprile

Bublanski incontrò Sonja Modig davanti a un caffè e un tramezzino da Wayne's in Vasagatan alle otto di sera. Lei non aveva mai visto il suo capo così cupo. La informò su tutto quello che era successo durante la giornata. Sonja rimase a lungo in silenzio. Alla fine allungò la mano e la posò sul pugno chiuso di Bublanski. Era la prima volta che lo toccava e non c'era nient'altro che solidarietà e amicizia. Lui fece un sorriso triste e le diede una pacca affettuosa sulla mano alla stessa maniera cameratesca.

«Forse dovrei andare in pensione» disse.

Lei gli sorrise indulgente.

«Questa inchiesta sta andando a scatafascio» continuò lui. «Ho parlato con Ekström di tutto quello che è successo nel corso della giornata e lui mi ha detto di fare come meglio credo. Sembra incapace di agire.»

«Non voglio parlare male dei miei superiori, ma per quanto mi riguarda Ekström può andare a farsi fottere.»

Bublanski annuì.

«Sei formalmente reintegrata nell'inchiesta. Ma sospetto che non verrà a chiederti scusa.»

Lei alzò le spalle.

«In questo preciso momento ho l'impressione che tutta l'inchiesta poggi su di me e su di te» disse Bublanski. «Faste stamattina se n'è andato sbattendo la porta e ha tenuto il cellulare spento tutto il giorno. Se non si fa vivo domani mattina, dovrò emettere un avviso di ricerca.»

«Se Faste si tiene alla larga dall'inchiesta è tanto di guadagnato. Cosa succederà a Niklas Eriksson?»

«Niente. Io l'avrei fatto citare in giudizio, ma Ekström non se l'è sentita. L'abbiamo sbattuto fuori, e io sono andato da Armanskij e gliene ho parlato seriamente. Abbiamo interrotto la collaborazione con la Milton Security, il che significa che abbiamo perso anche Sonny Bohman. È un peccato. Era un bravo poliziotto.»

«Come l'ha presa Armanskij?»

«Era distrutto. La cosa interessante è che...»

«Sì?»

«Ha detto che a Lisbeth Salander Eriksson non piaceva. Si è ricordato che un paio d'anni fa gli aveva detto che avrebbe dovuto licenziarlo. Sosteneva fosse un bastardo ma non voleva spiegare perché. Ma Armanskij non ha seguito il suo consiglio.»

«Okay.»

«Curt è ancora giù a Södertälje. Stanno per fare un sopralluogo a casa di Carl-Magnus Lundin. Jerker è impegnato a recuperare pezzo per pezzo i resti del buon vecchio Kenneth Gustafsson detto "il vagabondo" dalle parti di Nykvarn. E poco fa mi ha chiamato di nuovo per dirmi che c'è qualcuno anche nell'altra fossa. A giudicare dagli indumenti si tratta di una donna. Sembra che sia sepolta lì da più tempo.»

«Un cimitero nel bosco. Jan, questa storia sembra essere più spaventosa di quanto credessimo all'inizio. Suppongo che non sospettiamo di Lisbeth Salander anche per i delitti di Nykvarn.»

Bublanski sorrise per la prima volta dopo parecchie ore.

«No. Probabilmente per quelli la dobbiamo escludere. Ma è armata e ha sparato a Lundin.»

«Ma gli ha sparato a un piede e non in testa. Nel caso di Magge Lundin forse non fa grande differenza, ma siamo partiti dal presupposto che chi ha commesso gli omicidi di Enskede deve essere un ottimo tiratore.»

«Sonja... questa è una storia veramente assurda. Magge Lundin e Sonny Nieminen sono due individui violenti con una fedina penale lunga un chilometro. È vero che Lundin ha messo su qualche chilo e non è in gran forma, ma è pericoloso. E Nieminen è un tipo brutale del quale anche ragazzi grandi e grossi di solito hanno paura. Non riesco a capire come una ragazza piccola e mingherlina possa averli conciati in quel modo. Lundin è ridotto molto male.»

«Mmm.»

«Non che non si meritasse una lezione. Ma semplicemente non capisco come sia potuto succedere.»

«Lo chiederemo a lei quando la troveremo. In fondo si sa che è un tipo violento.»

«In ogni caso non riesco neppure a immaginarmi cosa sia successo in quella casa di campagna. Si tratta di due individui con i quali, anche singolarmente, avrebbe avuto dei problemi ad azzuffarsi Curt Svensson, che non è certo una mammoletta.»

«Il punto è se aveva motivo di prendersela con Lundin e Nieminen.»

«Una ragazza sola con due perfetti idioti psicopatici in una casa di campagna deserta. Qualche motivo me lo potrei immaginare» disse Bublanski.

«Può essere stata aiutata da qualcuno? Possono esserci state altre persone sul posto?»

«Dall'esame tecnico non risulta niente del genere. Lisbeth è stata all'interno della casa. C'era una tazza di caffè sul tavolo. Ma abbiamo la settantaduenne Anna Viktoria Hansson che funge da guardiano della zona e nota chiunque vada e venga, e giura e spergiura che gli unici a passare sono stati la ragazza e i due motociclisti di Svavelsjö.»

«Come ha fatto Lisbeth a entrare in casa?»

«Con le chiavi. Scommetto che le ha prese nell'appartamento di Bjurman. Ti ricorderai...»

«... il nastro tagliato. Sì. Si è data da fare.»

Sonja Modig tamburellò con le dita per qualche secondo, poi affrontò un nuovo argomento.

«È stato chiarito se era proprio Lundin quello del rapimento di Miriam Wu?»

Bublanski annuì.

«A Paolo Roberto sono state mostrate le foto di tre dozzine di biker. L'ha identificato immediatamente senza la minima esitazione. Dice che è l'uomo che ha visto al deposito di Nykvarn.»

«E Mikael Blomkvist?»

«Non sono riuscito a trovarlo. Non risponde al cellulare.»

«Okay. Ma Lundin corrisponde all'identikit dell'uomo dell'aggressione in Lundagatan. Possiamo dunque supporre che il Motoclub Svavelsjö fosse a caccia di Lisbeth già da un bel po'. Perché?»

Bublanski allargò le braccia.

«Può essere che si sia rifugiata nella casa di campagna di Bjurman già quando abbiamo cominciato a cercarla?» chiese Sonja Modig.

«Ci avevo pensato anch'io. Ma Jerker crede di no. La casa non sembra essere stata usata di recente e abbiamo un testimone che sostiene che è arrivata in zona solo oggi.»

«Perché è andata là? Dubito che avesse un appuntamento con Lundin.»

«Difficile. Deve esserci andata per cercare qualcosa. L'unica cosa che abbiamo trovato sono un paio di raccoglitori con l'indagine personale di Bjurman su Lisbeth Salander.

C'è tutto il materiale possibile su di lei proveniente dai servizi sociali e dall'ufficio tutorio, e anche vecchie annotazioni scolastiche. Ma mancano dei raccoglitori. Sono numerati sul dorso. Abbiamo l'uno, il quattro e il cinque.»

«Mancano il due e il tre.»

«E forse anche altri oltre il cinque.»

«Il che fa sorgere una domanda. Perché Lisbeth dovrebbe cercare informazioni su se stessa?»

«Posso immaginare due motivi. O vuole nascondere qualcosa che Bjurman ha scritto su di lei, o vuole scoprire qualcosa. Ma c'è un'ulteriore domanda.»

«Aha.»

«Perché Bjurman dovrebbe mettere insieme un'indagine personale di ampio respiro su di lei e nasconderla nella propria casa di campagna? A quanto pare, Lisbeth ha trovato i raccoglitori in un sottotetto. Lui era il suo tutore ed era incaricato di tenere sotto controllo il suo conto in banca e cose del genere. Ma i raccoglitori danno l'impressione che fosse quasi ossessionato dall'esigenza di tracciare un quadro completo della sua vita.»

«Bjurman sembra sempre più un losco individuo. Ci pensavo oggi mentre esaminavo l'elenco dei clienti delle prostitute alla redazione di *Millennium*. Mi aspettavo di trovarmi d'improvviso davanti il suo nome.»

«Bjurman aveva una cospicua raccolta di violente immagini pornografiche, quella che hai trovato tu nel suo computer. È una cosa su cui riflettere. Sei giunta a qualche conclusione?»

«Non so. Mikael Blomkvist sta spuntando la lista, ma secondo quella ragazza, Malin Eriksson di *Millennium*, non ha trovato niente di interessante. Jan... devo dirti una cosa.»

«Cosa?»

«Io non credo che sia stata Lisbeth Salander. Mi riferisco a Enskede e Odenplan. Quando abbiamo cominciato ne ero fermamente convinta come tutti gli altri, ma non ci credo più. Anche se non riesco a spiegare perché.»

Bublanski annuì. Si rendeva conto di essere d'accordo con Sonja Modig.

Il gigante biondo camminava avanti e indietro irrequieto nella casa di Magge Lundin a Svavelsjö. Si fermò accanto alla finestra della cucina e cercò con lo sguardo lungo la strada. A quell'ora avrebbero dovuto essere già di ritorno. Avvertiva un'insistente inquietudine dalle parti del diaframma. C'era qualcosa che non andava.

Inoltre non gli piaceva stare solo in quella casa. Non la conosceva. Accanto alla sua stanza, al piano di sopra, c'era un solaio e spesso si sentivano degli scricchiolii. Cercò di scuotersi di dosso quel senso di disagio. Sapeva che erano sciocchezze, ma stare solo lo aveva sempre messo a disagio. Non aveva nessuna paura degli esseri umani in carne e ossa, ma trovava che ci fosse qualcosa di indescrivibilmente orribile nelle case deserte in campagna. I molti rumori mettevano in moto la sua fantasia. Non riusciva a liberarsi della sensazione che qualcosa di oscuro e malvagio lo stesse osservando attraverso lo spiraglio di una porta. Certe volte gli pareva di sentire dei respiri.

Quando era più giovane lo canzonavano per la sua paura del buio. Vale a dire, lo canzonavano finché lui non correggeva in maniera energica i coetanei e talvolta anche i ragazzi decisamente più grandi che si divertivano con simili passatempi. Era bravo a correggere.

Però era imbarazzante. Detestava il buio e la solitudine. E odiava le creature che abitavano il buio e la solitudine. Avrebbe voluto che Lundin tornasse a casa. La sua presenza avrebbe ristabilito l'equilibrio, anche se di solito non scambiavano neanche una parola e non stavano nemmeno nella stessa stanza. Avrebbe sentito rumori e movimenti veri e avrebbe saputo che c'erano altri esseri umani nelle vicinanze.

Accese lo stereo e cercò irrequieto qualcosa da leggere sulle mensole. Purtroppo la vena intellettuale di Lundin lasciava parecchio a desiderare e dovette accontentarsi di una collezione di riviste di motori, giornaletti per soli uomini e consunti polizieschi tascabili del genere che non l'aveva mai attirato. La solitudine gli sembrava sempre più insopportabile. Si mise a pulire e oliare l'arma da fuoco che custodiva dentro il suo borsone, e l'operazione ebbe un qualche effetto calmante.

Ma alla fine non fu più capace di starsene dentro casa. Fece due passi fuori in giardino solo per prendere una boccata d'aria fresca. Tenendosi fuori dalla vista della casa dei vicini, si fermò in un punto da cui poteva guardare quelle finestre illuminate dietro le quali c'erano degli esseri umani. Se restava assolutamente immobile riusciva a captare in lontananza della musica.

Al momento di rientrare nella catapecchia di Lundin avvertì un estremo senso di disagio, e rimase a lungo fermo sulle scale esterne con il cuore che martellava prima di scuotersi di dosso quel fastidio e aprire risolutamente la porta.

Alle sette scese al pianterreno e accese la tv per guardare il telegiornale sul quarto canale. Ascoltò sbalordito i titoli di testa e poi la descrizione della sparatoria davanti alla casa di campagna di Bjurman a Stallarholmen. Era la notizia più importante.

Salì di corsa le scale verso la sua camera e cacciò i suoi effetti personali nel borsone. Due minuti più tardi uscì dalla porta principale e partì a razzo sulla Volvo bianca.

Si era allontanato proprio all'ultimo secondo. Solo qualche chilometro dopo Svavelsjö incrociò due macchine della polizia con le luci blu che si stavano dirigendo verso il paese.

Mikael Blomkvist riuscì con grande fatica a incontrare Holger Palmgren alle sei di sera di mercoledì. La fatica era consistita nel convincere il personale a lasciarlo passare. Aveva insistito con tanta tenacia che l'infermiera responsabile aveva telefonato a un certo dottor A. Sivarnandan, il quale evidentemente abitava a poca distanza dalla clinica. Sivarnandan era arrivato dopo quindici minuti e si era occupato personalmente dell'insistente giornalista. All'inizio era stato assolutamente irremovibile. Nelle ultime due settimane diversi giornalisti avevano rintracciato Holger Palmgren e avevano cercato con i metodi più disparati e talvolta quasi disperati di ottenere da lui una dichiarazione. Holger Palmgren stesso aveva categoricamente rifiutato di accettare tali visite e il personale aveva ordine di non far passare nessuno.

Sivarnandan aveva seguito con la massima preoccupazione gli sviluppi della vicenda. Era sconvolto dai titoli che Lisbeth Salander aveva provocato sui mass-media e aveva notato che il suo paziente era caduto in uno stato di profonda depressione, che sospettava fosse il risultato della sua incapacità di agire. Palmgren aveva interrotto la riabilitazione e passava le giornate a leggere i quotidiani e seguire la caccia a Lisbeth Salander alla tv. Per il resto stava seduto nella sua camera a lambiccarsi il cervello.

Mikael aveva testardamente spiegato a Sivarnandan che non voleva incomodare Holger Palmgren e che il suo scopo non era di ottenere una dichiarazione. Gli aveva detto che era un buon amico di Lisbeth Salander, che dubitava della sua colpevolezza e che stava disperatamente cercando informazioni che potessero fare luce su alcuni aspetti del suo passato.

Il dottor Sivarnandan era un osso duro. Mikael era stato costretto a sedersi e a spiegare minuziosamente il proprio ruolo nel dramma. Soltanto dopo più di mezz'ora di discussione Sivarnandan si era arreso. Aveva pregato Mikael di aspettarlo ed era salito da Palmgren per chiedergli se voleva accettare la visita.

Dopo dieci minuti era tornato.

«Ha accettato di incontrarla. Se lei non gli andrà a genio, la sbatterà fuori. E non potrà scrivere niente a proposito di questa visita.»

«Le assicuro che non scriverò nemmeno una riga.»

Holger Palmgren aveva una piccola stanza con un letto, un cassettone, un tavolo e qualche sedia. Era un magro spaventapasseri con i capelli bianchi ed evidenti difficoltà di equilibrio, ma si alzò comunque in piedi quando Mikael fu introdotto nella stanza. Non gli tese la mano, ma gli indicò una delle sedie intorno al piccolo tavolo. Mikael si sedette. Anche il dottor Sivarnandan rimase.

Dapprincipio Mikael non riusciva a capire Palmgren perché farfugliava.

«Chi è lei, che dice di essere amico di Lisbeth, e cosa vuole?»

Mikael si appoggiò allo schienale. Rifletté un momento.

«Holger, non c'è bisogno che lei mi dica nulla. Ma la prego di ascoltare quello che ho da dire prima di decidere se buttarmi fuori.»

Palmgren annuì e si trascinò fino alla sedia di fronte a Mikael.

«Ho incontrato Lisbeth Salander per la prima volta circa due anni fa. Le avevo affidato un incarico del quale non posso parlare. Lei mi raggiunse dove temporaneamente abitavo e lavorammo insieme per diverse settimane.»

Si chiese fino a che punto dovesse spingersi, e scelse di mantenersi il più possibile vicino alla verità.

«Nel corso della vicenda successero due cose. La prima fu che Lisbeth mi salvò la vita. L'altra fu che per un periodo fummo intimi. Imparai a conoscerla e ad apprezzarla.»

Senza entrare troppo in dettagli, Mikael raccontò della sua relazione con lei e di come si fosse repentinamente conclusa quando Lisbeth era sparita.

Quindi passò a raccontare del proprio lavoro a *Millennium* e di come Dag Svensson e Mia Bergman fossero stati uccisi e lui si fosse trovato improvvisamente coinvolto nella caccia a un assassino.

«Mi rendo conto che è stato disturbato parecchio dai giornalisti negli ultimi tempi e che i giornali hanno pubblicato un mare di sciocchezze. Tutto quello che posso fare è assicurarle che non sono qui per raccogliere materiale per un altro articolo. Sono qui per Lisbeth, come suo amico. Probabilmente sono una delle pochissime persone nel paese che in questo momento stanno senza esitazione e senza intenti subdoli dalla sua parte. Sono convinto che lei sia innocente. E credo che dietro gli omicidi ci sia un uomo di nome Zalachenko.»

Mikael fece una pausa. Negli occhi di Palmgren c'era stato un guizzo quando aveva nominato Zalachenko.

«Se lei può aiutarmi a fare luce sul passato di Lisbeth, questa è l'occasione giusta. Se non vuole aiutarla, allora sto perdendo il mio tempo, e so anche da che parte sta.»

Palmgren non aveva detto una sola parola. Ma un altro lampo era passato nei suoi occhi. E sorrideva. Cercò di parlare più lentamente e chiaramente che poté.

«Lei vuole veramente aiutarla.»

Mikael fece cenno di sì.

Holger Palmgren si chinò in avanti.

«Descriva il divano del suo soggiorno.»

Mikael ricambiò il sorriso.

«Nelle occasioni in cui sono stato a casa sua aveva un divano consunto e orrendo che potrebbe avere un certo valore come curiosità. Direi primi anni cinquanta. I due cuscini erano informi, rivestiti di un tessuto marrone a disegni gialli. Il tessuto era strappato in vari punti e l'imbottitura ne usciva fuori.»

D'improvviso Holger Palmgren scoppiò in una risata. Più che altro un rantolo. Guardò il dottor Sivarnandan.

«In ogni caso è stato nell'appartamento. Dottore, pensa che sia possibile offrire un caffè al mio ospite?»

«Certamente.» Il dottor Sivarnandan si alzò e lasciò la stanza. Sulla soglia si girò verso Mikael e gli fece un cenno di assenso.

«Alexander Zalachenko» disse Palmgren non appena la porta si fu richiusa.

Mikael spalancò gli occhi.

«Conosce questo nome?»

Palmgren annuì.

«Me lo fece Lisbeth. Credo sia importante che io racconti questa storia a qualcuno... nell'eventualità che muoia all'improvviso, cosa non del tutto improbabile.»

«Lisbeth? Come faceva a conoscerlo?»

«Lui è il padre di Lisbeth Salander.»

All'inizio Mikael non riusciva a capire ciò che Palmgren stava dicendo. Poi le parole gli entrarono in testa.

«Cosa diavolo sta dicendo?»

«Zalachenko arrivò qui negli anni settanta. Era un qualche genere di rifugiato politico, non ho mai capito del tutto la storia e Lisbeth era sempre molto avara di informazioni. E questa era una cosa di cui assolutamente non voleva parlare.»

Il suo certificato di nascita. Padre ignoto.

«Zalachenko è il padre di Lisbeth» ripeté Mikael.

«Un'unica volta mi raccontò cosa era successo. Fu circa un mese prima del mio ictus. E questo è quanto ho capito. Zalachenko arrivò qui alla metà degli anni settanta. Conobbe la mamma di Lisbeth nel 1977, si misero insieme e il risultato furono due figlie.»

«Due?»

«Lisbeth e sua sorella Camilla. Sono gemelle.»

«Buon Dio, mi sta dicendo che ce n'è in giro un'altra uguale?»

«No, sono molto diverse. Ma questa è un'altra storia. La mamma di Lisbeth si chiamava Agneta Sofia Sjölander. Aveva diciassette anni quando conobbe Alexander Zalachenko. Non so esattamente come si incontrarono, ma da quello che ho capito lei era una ragazza piuttosto insicura e quindi una facile preda per un uomo più maturo e più esperto. Probabilmente era innamorata persa.»

«Capisco.»

«Zalachenko si dimostrò un tipo tutt'altro che simpatico. Era anche molto più vecchio di lei, come le ho detto. Suppongo che cercasse una donna remissiva, ma non molto di più.»

«Capisco.»

«Lei naturalmente fantasticava su un futuro insieme, ma lui non era affatto interessato al matrimonio. Non si sposarono mai, però nel 1979 lei cambiò cognome, da Sjölander a Salander. Probabilmente fu il suo modo di sottolineare che stavano insieme.»

«In che senso?»

«Zala. *Sala*nder.»

«Buon Dio» disse Mikael.

«Avevo cominciato a verificare questa storia subito prima di ammalarmi. La donna aveva potuto farlo perché sua madre, la nonna materna di Lisbeth dunque, si chiamava Salander. Col tempo Zalachenko dimostrò di essere un autentico psicopatico. Beveva e malmenava brutalmente Agneta. Da quanto ho capito i maltrattamenti furono una costante dell'infanzia delle figlie. Zalachenko poteva stare lontano anche per lunghi periodi, ma poi d'improvviso era lì di nuovo, in Lundagatan. E ogni volta era la stessa storia. Zalachenko andava lì per fare sesso e per bere e finiva sempre per maltrattare Agneta Salander in vari modi. Ed era ben più di semplice violenza fisica. Lui era armato e minaccioso, e nel suo comportamento c'erano elementi di sadismo e di terrorismo psicologico. Col passare degli anni le cose non fecero che peggiorare. La mamma di Lisbeth viveva in preda al terrore.»

«Picchiava anche le bambine?»

«No. Era del tutto disinteressato alle figlie. Quasi non le salutava. La mamma era solita mandarle in camera quando arrivava Zalachenko, e non potevano uscirne senza permesso. In qualche rara occasione lui diede uno scappellotto a Lisbeth o a sua sorella, ma perché disturbavano o stavano in qualche modo fra i piedi. Tutta la sua violenza la rivolgeva contro la madre.»

«Accidenti. Povera Lisbeth.»

Holger Palmgren annuì.

«Tutto questo Lisbeth me lo raccontò circa un mese prima che mi venisse l'ictus. Era la prima volta che parlava apertamente di ciò che era successo. Proprio in quel periodo avevo deciso che era ora di finirla con tutte quelle sciocchezze della dichiarazione di incapacità e via dicendo. Lisbeth è sana di mente quanto lei o me, e io mi stavo preparando a ridiscutere il suo caso davanti al tribunale. Poi arrivò l'ictus... e quando mi risvegliai mi ritrovai qui.»

Spalancò le braccia. Un'infermiera bussò alla porta ed entrò per servire il caffè. Palmgren rimase in silenzio fino a quando non ebbe lasciato la stanza.

«E comunque ci sono dei dettagli che non capisco. Agneta Salander era stata costretta a rivolgersi all'ospedale dozzine di volte. Ho letto la sua cartella clinica. Era palese che subiva gravi maltrattamenti e i servizi sociali avrebbero dovuto intervenire. Ma non successe mai niente. Lisbeth e Camilla venivano accompagnate in un centro di accoglienza quando la madre veniva ricoverata in ospedale, ma non appena la dimettevano ritornava a casa e aspettava il round successivo. Ma forse Agneta non aveva una rete di protezione sociale ed era troppo impaurita per fare qualcosa di diverso. Poi successe qualcosa. Lisbeth lo chiama Tutto il Male.»

«Di cosa si tratta?»

«Zalachenko non si era fatto vivo per mesi. Lisbeth aveva compiuto dodici anni. Aveva quasi cominciato a credere che lui fosse sparito per sempre. Ma non era così. Un giorno eccolo di ritorno. Agneta chiuse Lisbeth e la sorella nella loro camera. Poi andò a letto con Zalachenko. Lui cominciò a malmenarla. Godeva quando la faceva soffrire. Ma quella volta nella camera non c'erano due bambine piccole... Le figlie reagivano in maniera totalmente diversa. Camilla era terrorizzata all'idea che qualcuno venisse a sapere cosa succedeva a casa loro. Reprimeva tutto e fingeva di non vedere che la madre veniva picchiata. Quando il pestaggio era finito di solito andava ad abbracciare il papà fingendo che andasse tutto bene.»

«Era il suo modo di proteggersi.»

«Certo. Ma Lisbeth era di tutt'altro calibro. Quella volta andò in cucina, prese un coltello e fece in tempo a colpire Zalachenko con cinque coltellate prima che lui riuscisse a strapparle il coltello e a tirarle un pugno. Non erano ferite profonde, ma lui sanguinava come un maiale sgozzato e scomparve.»

«È proprio da Lisbeth.»

Palmgren rise.

«Sì. Non litighi mai con Lisbeth Salander. Il suo atteggiamento nei confronti del mondo esterno è che, se qualcuno la minaccia con una pistola, lei se ne procura una più grande. È questo che mi spaventa profondamente, tenuto conto di cosa sta succedendo in questo momento.»

«È questo Tutto il Male?»

«No. A quel punto successero due cose. Io non riesco a capire. Zalachenko era ferito, deve pur essersi rivolto a qualche ospedale. E dovrebbe esserci stata anche un'indagine di polizia.»

«Ma?»

«Ma da quanto sono riuscito a scoprire non successe assolutamente nulla. Ricevettero la visita di un uomo che parlò con Agneta. Lisbeth non sa cosa si dissero o chi fosse quel tale. Ma la madre disse a Lisbeth che Zalachenko aveva perdonato tutto.»

«Perdonato?»

«Questa fu l'espressione che usò.»

E d'improvviso Mikael capì.

Björck. O qualcuno dei suoi colleghi. Per fare pulizia dopo il passaggio di Zalachenko. Maledetto porco.

Chiuse gli occhi.

«Credo di sapere cosa successe. E qualcuno dovrà pagare per questo. Ma continui il suo racconto.»

«Zalachenko non si fece vedere per parecchi mesi. Lisbeth lo aspettava e intanto si preparava. Andava a scuola un giorno sì e due no e sorvegliava sua madre. Aveva una paura folle che Zalachenko le facesse del male. Aveva dodici anni e si sentiva responsabile per la madre, che non osava andare alla polizia e rompere con Zalachenko, o forse molto semplicemente non capiva la gravità della situazione. Ma proprio il giorno in cui Zalachenko ricomparve Lisbeth era a scuola. Tornò a casa quando lui stava andando via. Non le disse niente. Solo le rise in faccia. Lisbeth entrò e trovò la madre priva di sensi sul pavimento della cucina.»

«Ma Zalachenko non fece nulla a Lisbeth?»

«No. Lei lo raggiunse di corsa proprio mentre stava salendo in macchina. Lui abbassò il finestrino, probabilmente per dirle qualcosa. Ma Lisbeth si era preparata. Lanciò dentro la macchina un cartone del latte pieno di benzina. Poi buttò un fiammifero acceso.»

«Buon...»

«Aveva già cercato di uccidere suo padre una volta, la seconda ci furono anche le conseguenze. Era difficile che un uomo che bruciava come una torcia dentro una macchina in Lundagatan potesse passare inosservato.»

«In ogni caso sopravvisse.»

«Zalachenko ne uscì molto malconcio, con gravi ustioni sul viso e in altre parti del corpo. Gli dovettero amputare un piede. E Lisbeth finì nella clinica psichiatrica infantile St. Stefan.»

Lisbeth Salander rilesse con attenzione il materiale su di sé che aveva trovato nella casa di campagna di Bjurman. Poi si sedette nel vano della finestra e aprì il portasigarette di Mimmi. Accese una sigaretta e guardò fuori verso Djurgården. Aveva scoperto alcuni dettagli sulla sua vita che non aveva mai saputo prima.

Tanti pezzi del puzzle erano andati al loro posto. E lei si sentiva raggelare. Era interessata soprattutto all'inchiesta di polizia, redatta da Gunnar Björck nel 1991. Non era sicura di quale degli uomini che avevano parlato con lei fosse Björck, ma credeva di saperlo. Si era presentato con un altro nome, Sven Jansson. Ricordava ogni particolare del suo viso, ogni parola che aveva detto e ogni gesto che aveva fatto nelle tre occasioni in cui l'aveva incontrato.

Era stato il caos.

Zalachenko bruciava come una torcia dentro la macchina. Era riuscito a spalancare la portiera e a rotolare giù per terra ma era rimasto agganciato con una gamba alla cintura di sicurezza nel cuore di quell'inferno di fuoco. Erano accorse delle persone che avevano cercato di spegnere le fiamme. Poi erano arrivati i pompieri che avevano domato l'incendio. Era arrivata anche l'ambulanza, e lei aveva cercato di convincere i paramedici a lasciar perdere Zalachenko e a occuparsi invece di sua madre. L'avevano spinta da parte. Era arrivata la polizia, e c'erano dei testimoni. Lei aveva cercato di spiegare cos'era successo ma pareva che nessuno le prestasse ascolto e tutto d'un tratto si era ritrovata sul sedile posteriore della macchina della polizia e c'erano voluti minuti, minuti, minuti che erano diventati quasi un'ora prima che la polizia finalmente entrasse nell'appartamento e trovasse la mamma.

Sua madre, Agneta Sofia Salander, era priva di conoscenza. Aveva subito dei danni cerebrali. Le percosse avevano causato la prima di una lunga serie di piccole emorragie cerebrali. Non sarebbe guarita mai più.

D'improvviso Lisbeth capì perché nessuno aveva mai letto i verbali dell'inchiesta della polizia, perché Holger Palmgren non era riuscito a ottenerli e perché anche il procuratore Richard Ekström non vi aveva accesso. Non era un'inchiesta della polizia pubblica. Era stata condotta da un bastardo della polizia segreta. Era munita di timbri che dicevano che era secretata ai sensi della legge sulla sicurezza nazionale.

Alexander Zalachenko aveva lavorato per la Säpo.

Non era stata un'inchiesta. Era stato un insabbiamento. Zalachenko era più importante di Agneta Salander. Lui non doveva essere identificato e dato in pasto al pubblico. Zalachenko non esisteva.

Il problema non era Zalachenko, era Lisbeth Salander, la piccola pazza che minacciava di far saltare uno dei segreti più importanti del regno.

Un segreto del quale non aveva mai avuto la minima idea. Rifletté. Zalachenko aveva incontrato sua madre poco dopo essere arrivato in Svezia. E si era presentato con il suo vero nome. Non aveva ancora un nome di copertura né un'identità svedese. Questo spiegava perché in tutti quegli anni non avesse mai trovato il suo nome in nessun registro ufficiale. Lei sapeva come si chiamava realmente, ma lui aveva avuto un nuovo nome dallo stato svedese.

Capì qual era il punto. Se Zalachenko fosse stato citato in giudizio per maltrattamenti, l'avvocato di Agneta Salander avrebbe cominciato a scavare nel suo passato. *Dove lavora, signor Zalachenko? Come si chiama?*

Se Lisbeth Salander fosse finita nelle mani dei servizi sociali forse qualcuno avrebbe cominciato a frugare. Lei era troppo giovane per essere incriminata, ma se il fatto della bomba incendiaria fosse stato investigato in dettaglio sarebbe successa la stessa cosa. Aveva davanti agli occhi i titoli dei giornali. L'inchiesta doveva essere condotta da una persona fidata. E poi secretata e sepolta così in profondità che nessuno potesse trovarla. E anche Lisbeth Salander doveva essere sepolta così in profondità che nessuno potesse trovarla.

Gunnar Björck.

St. Stefan.

Peter Teleborian.

Lisbeth era su tutte le furie.

Caro stato... devo fare un discorsetto con te, se mai troverò qualcuno con cui parlare.

Si domandò cosa avrebbe pensato il ministro delle Politiche sociali se si fosse trovato una molotov dentro le porte del ministero. Ma in mancanza di un responsabile Peter Teleborian poteva essere un buon sostituto. Prese nota mentalmente di occuparsi di lui subito dopo avere sistemato tutto il resto.

Quello che ancora non riusciva a capire era il contesto. Zalachenko era improvvisamente ricomparso dopo tutti quegli anni. Rischiava di essere esposto alla gogna mediatica da Dag Svensson. *Due colpi. Dag Svensson e Mia Bergman.* Un'arma con sopra le sue impronte digitali...

Zalachenko, o chiunque fosse stato mandato a realizzare l'esecuzione, non poteva sapere che lei aveva trovato il revolver dentro la sua scatola nel cassetto della scrivania di Bjurman e che l'aveva maneggiato. Forse era stato un caso, ma per lei era stato chiaro fin dall'inizio che doveva esserci un collegamento fra Bjurman e Zala.

La storia però non quadrava ancora. Continuò a riflettere, esaminando i pezzi del puzzle a uno a uno.

C'era solo una risposta plausibile.

Bjurman.

Bjurman aveva svolto un'indagine personale su di lei. Aveva fatto il collegamento fra lei e Zalachenko. E si era rivolto a Zalachenko.

Lei aveva un filmato che mostrava Bjurman che la violentava. Era la sua spada sul collo di Bjurman. Bjurman doveva avere pensato che Zalachenko avrebbe potuto costringere Lisbeth a rivelare dove teneva il filmato.

Saltò giù dal vano della finestra, aprì il cassetto della scrivania e tirò fuori il cd. Con un pennarello ci aveva scritto sopra *Bjurman*. Non l'aveva nemmeno infilato in una custodia. Non lo aveva più guardato da quando lo aveva proiettato in prima visione per Bjurman due anni prima. Lo soppesò nella mano e lo rimise nel cassetto.

Bjurman era un idiota. Se avesse fatto quello che doveva e l'avesse fatta dichiarare non più incapace l'avrebbe lasciato in pace. Zalachenko invece non l'avrebbe mai lasciato in pace. E Bjurman si sarebbe trasformato nel suo tirapiedi. Peraltro sarebbe stata una punizione adeguata.

La rete di Zalachenko. Qualcuno dei tentacoli arrivava al Motoclub Svavelsjö.

Il gigante biondo.

Lui era la chiave.

Doveva trovarlo e costringerlo a svelarle dove si trovava Zalachenko.

Accese un'altra sigaretta e osservò la rocca di Skeppshol-men. Spostò lo sguardo sull'ottovolante di Gröna Lund. D'un tratto si scoprì a parlare ad alta voce fra sé. Imitava una voce che aveva visto una volta in un film alla tv.

Paaapaaà, sto venendo a preendeertii.

Se qualcuno l'avesse sentita, avrebbe tratto la conclusio-ne che le mancava proprio qualche rotella. Alle sette e mez-za accese la televisione per aggiornarsi sugli ultimi sviluppi della caccia a Lisbeth Salander. Ed ebbe lo shock della sua vita.

Bublanski riuscì a trovare Hans Faste sul cellulare subito dopo le otto di sera. Non furono frasi di cortesia quelle che si scambiarono attraverso la linea telefonica. Bublanski non gli domandò dove fosse stato, ma lo informò freddamente sugli sviluppi della giornata.

Faste rimase molto scosso.

Ne aveva avuto abbastanza di tutto il circo e aveva fatto qualcosa che non aveva mai fatto in servizio. In un accesso di collera se n'era andato in città. Poco dopo aveva spento anche il cellulare, e si era piazzato al bar della stazione cen-trale, dove aveva bevuto un paio di birre mentre schiuma-va di rabbia.

Poi era andato a casa, e dopo la doccia si era addormen-tato.

Aveva bisogno di dormire.

Si era svegliato in tempo per il telegiornale e gli occhi gli erano quasi schizzati fuori dalle orbite quando aveva visto i titoli. Un cimitero a Nykvarn. Lisbeth Salander che ave-va sparato a un capo del Motoclub Svavelsjö. Una battuta di caccia nei sobborghi meridionali. La rete si stava chiu-dendo.

Aveva acceso il cellulare.

Quel demonio di Bublanski aveva chiamato quasi subito

informandolo che adesso le indagini erano ufficialmente indirizzate alla ricerca di un colpevole alternativo e che lui doveva dare il cambio a Jerker Holmberg nell'esame della scena del crimine a Nykvarn. Durante il collasso dell'inchiesta Salander, Faste si sarebbe dedicato a collezionare mozziconi di sigaretta nel bosco. Altri avrebbero dato la caccia a Lisbeth Salander.

Cosa diavolo aveva a che fare il Motoclub Svavelsjö con tutto questo?

Pensa se c'era davvero qualcosa dietro il ragionamento di quella maledetta stronza.

Non era possibile.

Doveva essere stata Lisbeth Salander.

Voleva essere lui a catturarla. Desiderava così fortemente afferrarla che quasi gli dolevano le mani tanto forte stringeva il cellulare.

Holger Palmgren osservava tranquillo Mikael Blomkvist che camminava avanti e indietro davanti alla finestra della sua piccola stanza. Erano quasi le sette e mezza di sera, avevano parlato ininterrottamente per più di un'ora. Alla fine Palmgren picchiettò sul tavolo per attirare l'attenzione di Mikael.

«Si sieda, prima di consumare completamente le scarpe» disse.

Mikael si sedette.

«Tutti questi segreti» continuò. «Non avevo mai capito il nesso prima che lei mi raccontasse del passato di Zalachenko. Tutto quello che avevo erano le perizie su Lisbeth che stabilivano che è mentalmente disturbata.»

«Peter Teleborian.»

«Deve avere fatto un qualche accordo con Björck. Tra loro dev'esserci una collaborazione di qualche genere.»

Mikael annuì meditabondo. Comunque fossero andate le

cose, Peter Teleborian sarebbe stato oggetto di un'indagine giornalistica. «Lisbeth mi ha detto di tenermi alla larga da lui. Che era malvagio» continuò.

Holger Palmgren lo guardò severo.

«Quando lo ha detto?»

Mikael tacque. Poi sorrise e guardò Palmgren.

«Altri segreti. Dannazione. Io ho comunicato con lei durante la fuga. Al computer. Da parte sua si è trattato solo di brevi messaggi criptici, ma mi ha sempre messo sulla strada giusta.»

Holger Palmgren sospirò.

«E questo naturalmente non l'ha raccontato alla polizia.»

«No. Non proprio.»

«Ufficialmente non l'ha raccontato neppure a me. La ragazza ci sa fare, con i computer.»

Non immagina quanto.

«Ho una grande fiducia nella sua capacità di cadere in piedi. Avrà anche poco, ma è di quelli che sopravvivono.»

Mica tanto poco. Ha rubato tre miliardi di corone. Non dovrebbe soffrire la fame. Proprio come Pippi Calzelunghe, ha un forziere pieno d'oro.

«Quello che non riesco a capire» disse Mikael «è perché lei non abbia fatto niente in tutti questi anni.»

Holger Palmgren sospirò di nuovo. Si sentiva infinitamente giù di morale.

«Io ho fallito» disse. «Quando divenni il suo tutore lei era soltanto una di una fila di adolescenti difficili. Mi sono occupato di dozzine di giovani così. Ricevetti l'incarico da Stefan Brådhensjö quando era direttore dei servizi sociali. Allora lei era già ricoverata alla St. Stefan e nel primo anno non la incontrai nemmeno. Parlai un paio di volte con Teleborian e lui mi spiegò che era psicotica e stava ricevendo tutte le migliori cure possibili e immaginabili. E io naturalmente gli credetti. Ma parlai anche con Jonas Beringer, che all'epoca era il direttore della clinica. Credo che non avesse nulla a che fare con questa storia. Su mia richiesta fece una valutazione e ci accordammo per cercare di reinserirla nella società attraverso una famiglia affidataria. All'epoca lei aveva quindici anni.»

«E nel corso degli anni lei l'ha sempre sostenuta.»

«Non abbastanza. Lottai per lei dopo l'episodio della metropolitana. Ormai avevo imparato a conoscerla e mi piaceva molto. Aveva spina dorsale. Riuscii a non farla istituzionalizzare di nuovo. Ma il compromesso fu che fosse dichiarata incapace.»

«Björck non poteva andare in giro a stabilire quello che doveva decidere il tribunale. Avrebbe attirato l'attenzione. Ma voleva Lisbeth rinchiusa, così cercò di costruire un'immagine buia di lei con perizie psichiatriche formulate fra gli altri da Teleborian, nella speranza che il tribunale prendesse una decisione conseguente. Invece i giudici seguirono la sua linea.»

«Io non ho mai ritenuto che dovesse stare sotto tutela. Ma se devo essere completamente sincero, non feci molto contro quella decisione. Avrei dovuto agire prima e con più forza. Ma volevo bene a Lisbeth e... continuavo a rimandare. Avevo troppa carne al fuoco. Poi mi ammalai.»

Mikael annuì.

«Non penso che debba biasimarsi. Lei è una delle poche persone che in effetti sono state dalla sua parte in tutti questi anni.»

«Il problema è che non sapevo che avrei dovuto agire. Lisbeth era sotto la mia tutela, ma non mi aveva mai detto una parola su Zalachenko. Quando uscì dalla St. Stefan ci volle del tempo prima che dimostrasse la benché minima fiducia nei miei confronti. Fu solo dopo il processo che percepii che lentamente cominciava a comunicare con me anche oltre le necessarie formalità.»

«Come fu che cominciò a raccontarle di Zalachenko?»

«Suppongo che nonostante tutto avesse cominciato a fidarsi di me. Inoltre io avevo più volte affrontato l'argomento dell'annullamento della sua dichiarazione di incapacità. Lei ci pensò su diversi mesi. Poi un giorno telefonò e disse che voleva incontrarmi. Aveva finito di pensare. E mi raccontò tutta la storia su Zalachenko e come considerava ciò che era successo.»

«Capisco.»

«Allora forse capisce anche che era parecchio ciò che dovevo assimilare. Fu allora che cominciai a ficcare il naso qua e là. E ovviamente non trovai traccia di Zalachenko in nessun registro svedese. Mi era difficile essere certo che non si fosse inventata tutto.»

«Quando lei ebbe l'ictus, il tutore di Lisbeth diventò Bjurman. Non può essere stato un caso.»

«No. Non so se arriveremo mai a poterlo provare, ma sospetto che scavando abbastanza in profondità finiremo per trovare... il successore di Björck che si occupava di fare pulizia negli affari di Zalachenko.»

«Ora capisco il rifiuto totale di Lisbeth di parlare con gli psicologi o con le autorità» disse Mikael. «Ogni volta che ha cercato di farlo la sua situazione è soltanto peggiorata. Ha provato a spiegare ciò che era successo a dozzine di adulti e nessuno l'ha ascoltata. Si è trovata da sola a tentare di difendere la madre da uno psicopatico. Alla fine ha fatto l'unica cosa che poteva fare. E anziché dirle "ben fatto" e "brava ragazza" l'hanno rinchiusa in manicomio.»

«Non è proprio così semplice. Io spero che lei capisca che c'è qualcosa che non va, in Lisbeth» disse Palmgren in tono duro.

«Cosa vorrebbe dire?»

«Lei è consapevole del fatto che la ragazza ha avuto non pochi problemi durante la crescita e a scuola e via dicendo.»

«È stato scritto su tutti i giornali. Probabilmente anch'io avrei avuto una carriera scolastica disastrata se fossi cresciuto come lei.»

«I suoi problemi vanno molto oltre le condizioni che aveva in casa. Io ho letto tutte le perizie psichiatriche su di lei e non ho trovato una diagnosi. Ma credo che possiamo essere d'accordo sul fatto che Lisbeth Salander non è come le persone normali. Ha mai giocato a scacchi con lei?»

«No.»

«Ha una memoria fotografica fuori del comune.»

«Questo lo so. L'ho capito quando la frequentavo.»

«Le piacciono gli enigmi. Una volta era da me per il pranzo di Natale e io l'ho indotta con l'inganno a risolvere alcuni problemi tratti da un test d'intelligenza. Di quelli che ti mostrano cinque simboli molto simili e tu devi capire come sarà il sesto.»

«Aha.»

«Avevo provato io stesso a farlo e ne avevo azzeccati solo metà. E dire che ci avevo dedicato due sere. Lei diede un'occhiata al foglio e rispose correttamente a ogni singola domanda.»

«Okay» disse Mikael. «Lisbeth è una ragazza molto speciale.»

«Estremamente in difficoltà nelle relazioni con gli altri. Io avrei detto sindrome di Asperger, o qualcosa del genere. Le descrizioni cliniche dei pazienti con diagnosi di sindrome di Asperger in molti punti concorderebbero molto bene con quella di Lisbeth. Ma ci sono altrettanti punti che non quadrano.»

Tacque per un momento.

«Lei non è affatto pericolosa per la gente che la lascia in pace e la tratta con rispetto.»

Mikael annuì.

«Però è senza dubbio violenta» continuò Palmgren a bassa voce. «Se viene provocata o minacciata può rispondere con estrema violenza.»

Mikael annuì di nuovo.

«La domanda è cosa facciamo noi adesso» disse Holger Palmgren.

«Adesso ci mettiamo a cercare Zalachenko» rispose Mikael.

In quell'attimo il dottor Sivarnandan bussò alla porta.

«Spero di non disturbare. Ma se siete interessati a Lisbeth Salander forse dovreste accendere la tv e guardare il telegiornale.»

29.
Mercoledì 6 aprile - giovedì 7 aprile

Lisbeth Salander fremeva di rabbia. Quel mattino si era recata tranquillamente alla casa di campagna di Bjurman. Non aveva più acceso il computer dalla sera prima e nel corso della giornata era stata troppo occupata per ascoltare le notizie. Era preparata al fatto che l'episodio di Stallarholmen avrebbe dato origine a un po' di titoli, ma era del tutto impreparata alla tempesta che le si rovesciò addosso con il telegiornale.

Miriam Wu era ricoverata al Södersjukhuset, massacrata da un gigante biondo che l'aveva rapita davanti alla sua abitazione in Lundagatan. Le sue condizioni erano giudicate gravi.

Era stato Paolo Roberto a salvarla. Come il pugile fosse finito in un deposito abbandonato a Nykvarn era incomprensibile. Era stato intervistato mentre usciva dall'ospedale ma non aveva voluto fare nessun commento. Dalla faccia pareva che avesse combattuto dieci round con le mani legate dietro la schiena.

I resti di due cadaveri erano stati trovati sepolti nei boschi intorno alla zona dov'era stata portata Miriam Wu. La sera fu data notizia che la polizia aveva individuato un terzo punto in cui scavare. Forse c'erano altri cadaveri sepolti.

Poi la caccia a Lisbeth Salander.

La rete si stava stringendo intorno a lei. Nel corso della giornata la polizia l'aveva rintracciata in una zona di case di villeggiatura nei dintorni di Stallarholmen. La ragazza era armata e pericolosa. Aveva sparato a uno o forse addirittura a due Hell's Angels. La sparatoria aveva avuto luogo nei pressi della casa di campagna di Nils Bjurman. La polizia era propensa a credere che fosse riuscita a fuggire tra le maglie della rete e ad abbandonare la zona.

Il responsabile delle indagini preliminari Richard Ekström aveva tenuto una conferenza stampa. Ma aveva risposto alle domande in maniera evasiva. No, non poteva rispondere alla domanda se Lisbeth Salander fosse in relazione con gli Hell's Angels. No, non poteva confermare la notizia che era stata vista nei pressi del deposito a Nykvarn. No, non c'era nulla che dimostrasse che si trattava di un regolamento di conti nell'ambito della malavita. No, non era provato che Lisbeth Salander fosse la sola responsabile degli omicidi di Enskede – la polizia, sosteneva Ekström, non lo aveva mai affermato, la cercava solo per interrogarla in merito agli omicidi.

Lisbeth corrugò la fronte. Evidentemente nell'ambito dell'inchiesta era successo qualcosa.

Si collegò alla rete e come prima cosa lesse i giornali, dopo di che entrò negli hard disk del procuratore Ekström, di Dragan Armanskij e di Mikael Blomkvist.

La posta elettronica di Ekström conteneva un certo numero di interessanti comunicazioni, non ultimo un promemoria inviato dall'ispettore Jan Bublanski della polizia giudiziaria alle cinque e ventidue. Il promemoria era conciso ma conteneva una critica sferzante del modo in cui Ekström stava guidando le indagini preliminari. Il messaggio si concludeva quasi con un ultimatum. L'ispettore Bublanski esigeva che l'ispettore Modig fosse reintegrata nell'inchiesta con effetto immediato, che il centro dell'inchiesta fosse spostato in modo da prendere in considerazione anche dei colpevoli alternativi per gli omicidi di Enskede, e che fosse avviata un'indagine approfondita sullo sconosciuto che andava sotto il nome di Zala.

Le accuse contro Lisbeth Salander sono costruite su un unico pesante indizio, le sue impronte digitali sull'arma del delitto. Questa però è una prova del fatto che la ragazza ha maneggiato l'arma, ma non del fatto che sia stata lei a sparare e ancor meno del fatto che abbia sparato contro le vittime dell'omicidio.

Ora sappiamo che altri attori sono coinvolti in questo dramma, che la polizia di Södertälje ha rinvenuto due cadaveri sepolti nel terreno e che è stato segnalato un terzo punto che dovrà essere esaminato. Il deposito a Nykvarn è di proprietà di un cugino di Carl-Magnus Lundin. Dovrebbe essere evidente che Lisbeth Salander, per quanto possa essere violenta e quale che sia il suo profilo psicologico, difficilmente può avere a che fare con tutto questo.

Bublanski concludeva con la constatazione che, nel caso le sue richieste non fossero state accolte, sarebbe stato costretto ad abbandonare l'inchiesta, cosa che non avrebbe fatto in silenzio. Ekström aveva replicato che Bublanski poteva fare come meglio credeva.

Lisbeth trovò altre informazioni sconcertanti nell'hard disk di Dragan Armanskij. In un breve scambio di mail con l'amministrazione della Milton Security rendeva noto che Niklas Eriksson lasciava l'azienda con effetto immediato. Gli sarebbero state versate tre mensilità a titolo di liquidazione più il corrispettivo delle ferie residue. Con una mail al custode dava ordine che quando Eriksson fosse arrivato in sede venisse scortato alla propria scrivania per liberarla di tutti gli effetti personali e quindi allontanato dal posto di lavoro. Con un'altra alla sezione tecnica dava ordine che il pass di Eriksson fosse immediatamente disattivato.

Ma la cosa più interessante di tutte era un breve scambio di mail fra Dragan Armanskij e l'avvocato della Milton Security, Frank Alenius. Armanskij chiedeva come Lisbeth Salander potesse essere meglio rappresentata nel caso in cui l'avessero catturata. Alenius rispondeva che non c'era motivo che la Milton si facesse carico di un'ex dipendente che aveva commesso degli omicidi – al contrario un coinvolgimento in una simile vicenda avrebbe potuto essere negativo per l'immagine dell'azienda. Armanskij replicava stizzito che la colpevolezza di Lisbeth Salander era ancora una questione aperta e che dunque si sarebbe trattato di dare appoggio a un'ex dipendente che Dragan Armanskij personalmente riteneva innocente.

Lisbeth aprì l'hard disk di Mikael Blomkvist e constatò che il giornalista non lo accendeva dalle prime ore del giorno precedente. Lì dunque non c'erano novità.

Sonny Bohman appoggiò la cartelletta sul tavolo nell'ufficio di Dragan Armanskij. Poi si sedette pesantemente. Fräklund la prese e la aprì, e cominciò a leggere. Armanskij era in piedi davanti alla finestra, a guardare Gamla Stan.

«Questo è l'ultimo rapporto che posso consegnare. A partire da oggi sono escluso dall'inchiesta.»

«Non è colpa tua» disse Fräklund.

«No, non è colpa tua» confermò Armanskij, sedendosi. Aveva raccolto tutto il materiale che Bohman gli aveva fornito in quasi due settimane in una pila sul tavolo.

«Tu hai fatto un buon lavoro, Sonny. Ho parlato con Bublanski. Si è perfino rammaricato di dover fare a meno di te, ma non aveva altra scelta per via di Eriksson.»

«È okay. Ho scoperto che mi trovo molto meglio qui alla Milton che giù a Kungsholmen.»

«Puoi farci un riassunto?»

«Be', se lo scopo era trovare Lisbeth Salander, abbiamo tutti fallito. È un'inchiesta molto confusa e forse Bublanski non ha il pieno controllo delle indagini.»

«Hans Faste...»

«Hans Faste è un tipaccio. Ma il problema non è solo Faste o l'inchiesta confusa. Bublanski ha cercato di sviluppare il più possibile tutti gli spunti. Ma Lisbeth è stata molto brava a cancellare le proprie tracce.»

«Il tuo lavoro non consisteva solo nel rintracciare Lisbeth» intervenne Armanskij.

«No, e sono molto felice che non abbiate informato Eriksson del mio secondo incarico quando abbiamo iniziato. Il mio lavoro consisteva anche nel fare da tua talpa in modo che Lisbeth non fosse impiccata innocente.»

«E qual è la tua convinzione oggi?»

«Quando abbiamo iniziato ero piuttosto sicuro che fosse colpevole. Oggi non so. Sono saltati fuori così tanti elementi contrastanti...»

«Sì?»

«... che non la considererei più come il principale sospettato. Propendo sempre più per l'idea che ci sia qualcosa di valido nel ragionamento di Mikael Blomkvist.»

«Il che significa che dobbiamo trovare dei colpevoli alternativi. Vogliamo ricominciare dal principio?» disse Armanskij, versando il caffè ai partecipanti alla riunione.

Lisbeth Salander visse una delle serate peggiori della sua vita. Ripensò all'attimo in cui aveva lanciato la bomba incendiaria nell'automobile di Zalachenko. In quell'attimo gli incubi erano svaniti e aveva provato una grande pace interiore. Nel corso degli anni aveva avuto altri problemi, ma si era trattato di lei ed era stata capace di gestirsi. Adesso si trattava di Mimmi.

Mimmi era finita all'ospedale, dopo essere stata pestata a sangue. Mimmi era innocente. Non aveva nulla a che fare con tutto ciò. Il suo unico torto era di conoscere Lisbeth Salander.

Lisbeth maledisse se stessa. Era colpa sua. Fu assalita dai rimorsi. Aveva tenuto segreto il proprio indirizzo e agito accuratamente in modo da essere al sicuro. E poi aveva ingannato Mimmi portandola ad abitare all'indirizzo che tutti conoscevano.

Come aveva potuto essere così avventata?

Tanto valeva che l'avesse conciata per le feste con le sue stesse mani.

Si sentiva così infelice che le salirono le lacrime agli occhi. Lisbeth Salander non piangeva mai. Si asciugò le lacrime.

Alle dieci e mezza era così inquieta che non poteva più stare chiusa in casa. Si infilò la giacca e scivolò fuori nella notte. Camminando lungo strade secondarie scese fino a Ringvägen e si fermò sul viale d'accesso al Södersjukhuset. Voleva andare da Mimmi e svegliarla e dirle che sarebbe andato tutto bene. Poi vide le luci blu di un'auto della polizia a Zinken e si infilò in una traversa.

Poco dopo mezzanotte era di nuovo a casa a Mosebacke. Era congelata e dopo essersi spogliata si infilò nel suo letto dell'Ikea. Non riusciva a dormire. All'una si alzò e attraversò nuda l'appartamento. Entrò nella camera degli ospiti dove, dopo avere sistemato un letto e un cassettone, non aveva mai più messo piede. Si sedette sul pavimento con la schiena appoggiata al muro e fissò l'oscurità.

Lisbeth Salander con una stanza degli ospiti. Che assurdità.

Restò seduta lì fino alle due, tremando dal freddo. Poi cominciò a piangere. Non riusciva a ricordare che le fosse mai successo prima.

Alle due e mezza del mattino Lisbeth si era fatta la doccia e si era vestita. Accese la macchina del caffè, si preparò dei tramezzini e avviò il computer. Entrò nell'hard disk di Mikael Blomkvist. Non capiva perché non avesse aggiornato il suo diario delle ricerche, ma non aveva avuto la forza di pensarci durante la notte.

Il diario era ancora fermo allo stesso punto. Aprì la cartella *Lisbeth Salander*. Trovò subito un nuovo documento, *Lisbeth-importante*. Lo aprì. Era stato creato a mezzanotte e cinquantadue. Cliccò due volte e lesse.

Lisbeth,
contattami immediatamente. Questa storia è peggio di quanto mi fossi mai sognato. So chi è Zalachenko e credo di sapere cosa sia successo. Ho parlato con Palmgren. Ho capito che ruolo aveva Teleborian e perché era così importante rinchiuderti in clinica. Credo di sapere chi ha ucciso Dag e Mia. Credo di sapere anche perché, ma mi mancano dei pezzi decisivi di questo puzzle. Non capisco che ruolo avesse Bjurman.
TELEFONAMI. CONTATTAMI SUBITO. NOI POSSIAMO RISOLVERE QUESTA STORIA.
Mikael

Lisbeth lesse il documento due volte. *Kalle Blomkvist* si era dato da fare. Ma bravo. Credeva ancora che fosse possibile risolvere qualcosa.

Era animato dalle migliori intenzioni. Voleva essere d'aiuto.

Non capiva che, qualsiasi cosa fosse successa, la sua vita ormai era finita.

Era finita prima ancora che lei compisse tredici anni.

C'era soltanto una soluzione.

Creò un documento e cercò di dare una risposta a Mikael Blomkvist, ma troppi pensieri le ronzavano in testa e c'erano così tante cose che avrebbe voluto dirgli.

Lisbeth Salander innamorata. Che assurdità.

Lui non avrebbe mai dovuto saperlo. Non gli avrebbe mai dato la soddisfazione di godere dei suoi sentimenti.

Eliminò il documento e rimase a fissare lo schermo vuoto. Mikael in effetti non meritava il suo completo silenzio. Era stato fedelmente nel suo angolo del ring come un soldatino di piombo. Creò un nuovo documento e scrisse un'unica riga.

Grazie per essermi stato amico.

Anzitutto doveva prendere una serie di decisioni logistiche. Le occorreva un mezzo di trasporto. La Honda color vinaccia parcheggiata in Lundagatan sarebbe stata comoda ma era da escludere. Nulla nel portatile del procuratore Ekström indicava che nel corso dell'inchiesta qualcuno avesse scoperto che lei aveva comperato una macchina, forse perché l'acquisto era recente e lei non aveva neppure avuto il tempo di farla registrare e assicurare. Ma non poteva fare conto che Mimmi non avesse parlato della macchina quando era stata interrogata dalla polizia, e sapeva che Lundagatan era tenuta sotto controllo.

Della motocicletta la polizia sapeva, e comunque sarebbe stato troppo complicato andare a recuperarla in Lundagatan. Inoltre, dopo una serie di giornate quasi estive, era previsto tempo instabile e lei non aveva granché voglia di andarsene in giro in motocicletta su strade scivolose di pioggia.

Un'alternativa avrebbe potuto essere noleggiare una macchina a nome di Irene Nesser, ma la cosa avrebbe comportato dei rischi. C'era sempre la possibilità che qualcuno la riconoscesse e che il nome di Irene Nesser diventasse di conseguenza inutilizzabile. Il che non doveva succedere dal momento che quella era la sua porta di servizio per uscire dal paese.

Poi fece un sorriso storto. Ovviamente c'era un'altra possibilità ancora. Entrò nella rete della Milton Security navigando fino al parco macchine che era gestito dalla reception. La Milton Security disponeva di novantacinque vetture, in buona parte utilizzate per servizi di sorveglianza, dunque con i colori della società, e dislocate in diversi autosilos in giro per la città. Ma c'erano anche delle normali automobili civili che potevano essere usate al bisogno per spostamenti di servizio. Quelle erano nel garage della sede centrale della Milton a Slussen. In pratica, dietro l'angolo.

Scorrendo i file personali scelse il collaboratore Marcus Collander che era appena andato in ferie per due settimane. Aveva lasciato il numero di telefono di un albergo delle Canarie. Lisbeth cambiò il nome dell'albergo e mescolò le cifre del numero di telefono. Poi inserì l'annotazione che Collander aveva lasciato in officina una delle auto civili per un problema all'impianto frenante. Scelse una Toyota Corolla con il cambio automatico che aveva già usato in precedenza e specificò che sarebbe rientrata la settimana successiva.

Poi riprogrammò le telecamere di sorveglianza che sarebbe stata costretta a superare. Fra le quattro e le quattro e mezza avrebbero mostrato una replica di ciò che era successo nella mezz'ora precedente, ma con l'indicazione temporale corrente.

Subito prima delle quattro del mattino lo zaino era pronto. Ci aveva messo due cambi di indumenti, due bombolette di gas lacrimogeno e la pistola elettrica carica. Valutò le due armi che aveva collezionato. Scartò la Colt 1911 Government di Sandström e scelse la P-83 Wanad polacca di Sonny Nieminen dal cui caricatore mancava una pallottola. Era più snella, le stava meglio in mano. La infilò nella tasca della giacca.

Lisbeth spense il suo PowerBook ma lo lasciò in vista sulla scrivania. Aveva trasferito il contenuto dell'hard disk sulla rete in un back-up criptato, dopo di che aveva cancellato tutto l'hard disk con un programma da lei ideato che garantiva che nemmeno lei avrebbe potuto ricostruirne il contenuto. Non prese il PowerBook, che le sarebbe solo stato d'intralcio. Invece prese il palmare.

Si guardò intorno nello studio. Aveva la sensazione che non sarebbe più tornata nell'appartamento di Mosebacke e pensò che stava lasciando dietro di sé dei segreti che forse avrebbe dovuto distruggere. Diede un'occhiata all'orologio e si rese conto di avere fretta. Si guardò intorno un'ultima volta, poi spense la lampada della scrivania.

Raggiunse a piedi la Milton Security. Entrò dal garage e prese l'ascensore fino all'amministrazione. Non incontrò nessuno nei corridoi deserti e non ebbe nessun problema a recuperare le chiavi della macchina dall'armadietto aperto della reception.

Trenta secondi più tardi era di nuovo in garage, nella Corolla che aveva scelto. Buttò lo zaino sul sedile del passeggero e sistemò il sedile di guida e lo specchietto retrovisore. Utilizzò il suo vecchio pass per aprire il portone del garage.

Poco prima delle quattro e mezza del mattino svoltava da Söder Mälarstrand sul Västerbron. Cominciava a fare chiaro.

. Mikael Blomkvist si svegliò alle sei e mezza del mattino. Non aveva puntato la sveglia eppure aveva dormito solo tre ore. Si alzò, avviò il suo iBook e aprì la cartella *Lisbeth Salander*. Trovò subito la sua concisa risposta.

Grazie per essermi stato amico.

Mikael avvertì un senso di gelo lungo la spina dorsale. Non era la risposta che aveva sperato di ricevere. Suonava piuttosto come un addio. *Lisbeth Salander sola contro il mondo.* Andò in cucina e accese la macchina del caffè, poi proseguì verso il bagno. Si infilò un paio di jeans consunti e si rese conto che nelle ultime settimane non aveva avuto il tempo di fare la lavatrice e non aveva più una sola camicia pulita. Infilò una felpa color vinaccia e una giacca grigia.

Mentre si stava preparando la colazione in cucina notò d'improvviso un bagliore metallico sul bancone tra il forno a microonde e la parete. Con l'aiuto di una forchetta recuperò un mazzo di chiavi.

Le chiavi di Lisbeth Salander. Le aveva prese dopo l'aggressione in Lundagatan, e una volta a casa le aveva messe sopra il microonde insieme alla sua borsa. Dovevano essere cadute. E così non le aveva consegnate a Sonja Modig quando era venuta a prendere la borsa.

Fissò le chiavi. Tre grandi e tre piccole. Quelle grandi erano per portone, porta di casa e serratura di sicurezza. *Il suo appartamento.* Per le porte di Lundagatan non andavano bene. Dove diavolo abitava?

Osservò più da vicino le chiavi piccole. Una doveva essere quella della sua Kawasaki. Un'altra era una tipica chiave da cassetta di sicurezza o da cassetta di deposito. Sollevò la terza. Portava inciso il numero 24914. L'illuminazione lo colpì con forza.

Una casella postale. Lisbeth Salander ha una casella postale.

Cercò gli uffici postali di Södermalm sull'elenco del telefono. Da Lundagatan, Ringen era troppo lontano. Forse Hornsgatan. Oppure Rosenlundsgatan.

Spense la macchina del caffè, lasciò perdere la colazione e con la Bmw di Erika Berger raggiunse Rosenlundsgatan. La chiave non andava bene. Proseguì per Hornsgatan. La chiave entrava perfettamente nella serratura della casella

24914. Aprì e trovò ventidue buste che infilò nella tasca esterna della borsa del computer.

Continuò lungo Hornsgatan, parcheggiò vicino al cinema e fece colazione al Copacabana di Berglunds Strand. Mentre aspettava il suo caffè macchiato esaminò le buste a una a una. Erano tutte indirizzate alla Wasp Enterprises. Nove erano state spedite dalla Svizzera, otto dalle isole Cayman, una dalle Channel Islands e quattro da Gibilterra. Senza sensi di colpa le aprì. Le prime ventuno contenevano estratti conto bancari e altre carte di banca. Mikael Blomkvist constatò che Lisbeth Salander era ricca sfondata.

La ventiduesima busta era più gonfia. L'indirizzo era scritto a mano. Sulla busta era impresso un timbro che informava che veniva da Buchanan House, Queensway Quay, Gibilterra. La lettera acclusa, in inglese, recava un'intestazione che precisava che il mittente era un certo Jeremy S. MacMillan, avvocato. L'uomo aveva una elegante calligrafia.

Gentile Signora Salander,
Le scrivo per confermarLe che il 20 gennaio è stato concluso il pagamento della Sua proprietà. Come da accordi, Le allego copia di tutta la documentazione e ne trattengo l'originale. So di rispondere così alle Sue disposizioni.
Mi permetta di aggiungere che mi auguro stia bene. La Sua visita non annunciata l'estate scorsa mi ha molto rallegrato e, devo dire, la Sua presenza è stata davvero piacevole.
Rimango a Sua disposizione, cordialmente.
J.S.M.

La lettera era datata 24 gennaio. Evidentemente Lisbeth Salander non vuotava molto spesso la sua casella postale. Mikael diede una scorsa alla documentazione allegata. Si trattava del contratto d'acquisto di un appartamento sito in un immobile al numero 9 di Fiskargatan a Mosebacke.

Il caffè gli andò di traverso. Il prezzo d'acquisto ammontava a venticinque milioni di corone, il pagamento era stato effettuato in due tranche con un intervallo di dodici mesi.

Lisbeth Salander vide un uomo robusto con i capelli scuri aprire la porta laterale dell'Auto-Expert di Eskilstuna. Si trattava di un garage con autonoleggio e officina. Una tipica officina dozzinale. Mancavano dieci minuti alle sette e secondo un cartello scritto a mano sulla porta principale il garage non avrebbe aperto prima delle sette e mezza. Lisbeth attraversò la strada e aprì la porta laterale, seguendo all'interno l'uomo che era appena entrato, il quale sentì i suoi passi e si voltò.

«Refik Alba?» domandò lei.

«Sì. Chi è lei? Non ho ancora aperto.»

Lisbeth sollevò la P-83 Wanad di Sonny Nieminen e gliela puntò in faccia impugnandola a due mani.

«Non ho né tempo né voglia di stare a discutere con lei. Voglio vedere il suo registro dei noleggi. E lo voglio vedere ora. Ha dieci secondi.»

Refik Alba aveva quarantadue anni. Era curdo, nato a Diyarbakir, e di armi ne aveva viste in vita sua. Ma rimase paralizzato. Poi si rese conto che se una pazza entrava nel suo garage con una pistola in mano non c'era molto da discutere.

«È nel computer» disse.

«Lo avvii.»

Lui obbedì.

«Cosa c'è dietro quella porta?» domandò lei mentre il computer cominciava a ronzare e lo schermo a baluginare.

«Soltanto un guardaroba.»

«Apra la porta.»

Dentro c'erano solo delle tute.

«Okay. Ci si infili dentro, così evito di farle del male.»

Lui obbedì senza protestare.

«Tiri fuori il cellulare, lo metta sul pavimento e lo mandi verso di me con un calcio.»

Lui fece come gli era stato detto.

«Bene. Adesso chiuda la porta.»

Il computer era antiquato. Ci volle un'eternità perché il documento con le registrazioni dei noleggi si aprisse. Lisbeth constatò che la Volvo bianca utilizzata dal gigante biondo era stata noleggiata in due occasioni, in gennaio e in marzo, e non era stata ancora riconsegnata. Il gigante pagava la tariffa settimanale dei noleggi a lungo termine.

Il suo nome era Ronald Niedermann.

Lisbeth esaminò i raccoglitori sulla mensola sopra il computer. Su uno era scritto in lettere ordinate sul dorso *Documenti*. Tirò giù il raccoglitore e cercò Ronald Niedermann. Quando aveva noleggiato la macchina in gennaio aveva presentato il passaporto e Refik Alba ne aveva fatto una fotocopia. Lisbeth riconobbe immediatamente il gigante biondo. A detta del passaporto era tedesco, aveva trentacinque anni ed era nato ad Amburgo. Il fatto che Refik Alba avesse fotocopiato il passaporto significava che Ronald Niedermann era un normale cliente e non un conoscente che aveva preso in prestito la macchina.

In calce Refik Alba aveva annotato un numero di cellulare e un numero di una casella postale a Göteborg.

Lisbeth rimise al suo posto il raccoglitore e spense il computer. Si guardò intorno e vide un cuneo di gomma sul pavimento accanto alla porta d'ingresso. Lo prese, raggiunse il guardaroba e bussò sulla porta con la canna della pistola.

«Mi sente lì dentro?»

«Sì.»

«Lo sa chi sono?»

Silenzio.

Deve essere cieco, se non mi ha riconosciuta.

«Okay. Sa chi sono. Ha paura di me?»

«Sì.»

«Non deve avere paura di me, signor Alba. Non le farò del male. E comunque ho quasi finito. Le chiedo scusa per il disturbo.»

«Eh... okay.»

«Ha abbastanza aria per respirare lì dentro?»

«Sì... Cos'è che vuole?»

«Volevo controllare se una certa donna aveva noleggiato un'auto da lei due anni fa» mentì Lisbeth. «Non ho trovato quel che cercavo. Ma non è colpa sua. Ancora qualche minuto e me ne andrò.»

«Okay.»

«Metterò il cuneo di gomma sotto la porta. È abbastanza leggera, riuscirà a sfondarla, ma le servirà un po' di tempo. Non è necessario che chiami la polizia, non mi rivedrà mai più. Può aprire come tutti gli altri giorni e fingere che tutto questo non sia mai successo.»

Le probabilità che l'uomo non telefonasse alla polizia erano piuttosto scarse, ma offrirgli un'alternativa su cui riflettere non guastava. Lasciò il garage e raggiunse dietro l'angolo la sua Toyota Corolla presa in prestito. Una volta dentro, si cambiò rapidamente assumendo le sembianze di Irene Nesser.

Era irritata per non essere riuscita a trovare un indirizzo stradale del gigante biondo, magari di Stoccolma. Aveva trovato solo un numero di una casella postale dall'altra parte della Svezia. Ma era l'unica traccia che aveva. *Okay. Andiamo a Göteborg.*

Prese la E20 in direzione ovest verso Arboga. Accese la radio ma il notiziario era appena finito. Captò una stazione pubblicitaria. Ascoltò David Bowie che cantava *putting out fire with gasoline*. Non aveva idea di chi cantasse cosa, ma le parole della canzone le parvero profetiche.

30.
Giovedì 7 aprile

Mikael fissava il portone del numero 9 di Fiskargatan a Mosebacke. Era uno degli indirizzi più discretamente esclusivi di Stoccolma. Infilò la chiave nella serratura. Entrava perfettamente. La bacheca con i nomi degli inquilini nell'androne non fu di nessun aiuto. La palazzina ospitava per la maggior parte uffici, ma parevano esserci anche normali abitazioni. Che il nome di Lisbeth Salander non comparisse non lo stupì, ma gli sembrava comunque inverosimile che quello fosse il suo nascondiglio. Salì per le scale leggendo le targhe sulle porte. Non gli suonava nessun campanello. Poi arrivò all'ultimo piano e lesse *V. Kulla* sulla porta.

Mikael si batté la fronte. Poi sorrise. Le concedeva che la scelta del nome fosse non una presa in giro rivolta a lui personalmente ma qualcos'altro di privato – ma dove altro *Kalle Blomkvist* avrebbe potuto cercare Lisbeth Salander se non a *Villekulla*, la Villa Villacolle di Pippi Calzelunghe?

Suonò il campanello e aspettò un minuto. Poi tirò fuori le chiavi e aprì la serratura di sicurezza e quella sotto.

Nell'attimo stesso in cui aprì la porta, l'allarme cominciò a fischiare.

Il cellulare di Lisbeth Salander cominciò a squillare quando lei si trovava sulla E20 all'altezza di Glanshammar subito dopo Örebro. Rallentò immediatamente e si fermò in una piazzola. Tirò fuori il palmare dalla tasca della giacca e lo collegò al cellulare.

Quindici secondi prima qualcuno aveva aperto la porta del suo appartamento. L'allarme non era collegato con nessun istituto di sorveglianza. Aveva solo il compito di avvisarla se qualcuno si introduceva in casa o comunque apriva la porta. Dopo trenta secondi l'intruso avrebbe avuto una spiacevole sorpresa da una bomba luminosa inserita in quello che sembrava il contatore dell'elettricità accanto alla porta. Lisbeth sorrise fra sé e cominciò a fare il conto alla rovescia.

Mikael fissò frustrato il display dell'allarme accanto alla porta. Non aveva preso in considerazione la possibilità che l'appartamento fosse protetto da un allarme. Un cronometro digitale contava i secondi alla rovescia. Alla redazione di *Millennium* la sirena entrava in funzione se nessuno digitava il codice di quattro cifre entro trenta secondi, e poco dopo comparivano un paio di muscolose guardie di un istituto di vigilanza.

Il suo primo impulso fu di chiudere la porta e allontanarsi velocemente. Invece rimase lì come congelato.

Quattro cifre. Impossibile comporre il codice esatto per caso.
... 25-24-23-22...
Dannata Pippi Calz...
... 19-18...
Che codice useresti?
... 15-14-13...
Mikael sentiva crescere il panico.
... 10-9-8...
Alzò la mano e digitò disperatamente l'unico numero che

gli era venuto in mente, 9277, le cifre che corrispondevano alle lettere WASP sulla tastiera del cellulare.

Con grande stupore di Mikael, il conto alla rovescia si fermò con sei secondi di margine. L'allarme fischiò un'ultima volta, poi il display si azzerò e si accese una luce verde.

Lisbeth sbarrò gli occhi. Pensò di avere visto male. Si mise a scuotere il palmare che le pareva si stesse comportando in maniera del tutto irrazionale. Il conto alla rovescia si era interrotto sei secondi prima che la bomba luminosa fosse attivata. E un attimo dopo il display si era azzerato.

Impossibile.

Nessun'altra persona al mondo conosceva il codice. Non c'era nemmeno un istituto di vigilanza collegato all'allarme.

Come?

Non riusciva a immaginare come fosse stato possibile. La polizia? No. Zala? Escluso.

Compose un numero telefonico sul cellulare e aspettò che la telecamera di sorveglianza si collegasse e cominciasse a inviare le immagini. La telecamera era nascosta in quello che sembrava un allarme antincendio sul soffitto dell'ingresso e riprendeva un'immagine al secondo. Lisbeth ricevette la sequenza dall'inizio – l'attimo in cui la porta veniva aperta ed entrava in funzione l'allarme. Sul suo viso si diffuse lentamente un sorriso storto quando vide dall'alto Mikael Blomkvist che per circa mezzo minuto eseguiva una pantomima sincopata, poi si decideva a digitare un codice, infine si appoggiava allo stipite della porta con l'espressione di chi ha appena schivato un infarto.

Quel dannato *Kalle Blomkvist* era riuscito a scovarla.

Aveva le chiavi che lei aveva perso in Lundagatan. Era stato abbastanza sveglio da ricordare che *Wasp* era il suo pseudonimo in rete. E se aveva trovato l'appartamento, forse aveva perfino capito che era di proprietà della Wasp Enterprises. Mentre lei guardava le immagini, lui cominciò a muoversi a scatti attraverso l'ingresso e presto scomparve dal campo visivo dell'obiettivo.

Merda. Come ho potuto essere così prevedibile. E perché ho lasciato lì...

I suoi segreti adesso sarebbero stati accessibili agli occhi curiosi di Mikael Blomkvist.

Dopo due minuti di riflessione decise che non aveva più nessuna importanza. Aveva cancellato l'hard disk. Quello era ciò che contava. Forse era perfino un vantaggio che fosse stato proprio Mikael Blomkvist a trovare il suo nascondiglio. Lui la conosceva già più di qualsiasi altra persona. Avrebbe fatto la cosa giusta. Non l'avrebbe venduta. O almeno così sperava. Ingranò la marcia e riprese pensierosa il viaggio verso Göteborg.

Malin Eriksson si imbatté in Paolo Roberto sulle scale della redazione di *Millennium* mentre stava arrivando verso le nove. Lo riconobbe subito, si presentò e lo fece entrare. Il pugile zoppicava vistosamente. Malin sentì profumo di caffè e capì che Erika era già al lavoro.

«Salve, Erika. Ti ringrazio di avermi ricevuto» disse Paolo Roberto.

Erika studiò impressionata la collezione di lividi e ammaccature che aveva in faccia prima di baciarlo sulla guancia.

«Che disastro» disse.

«Non è la prima volta che mi rompo il naso. Dove diavolo è Blomkvist?»

«In giro da qualche parte a giocare al detective e a cercare indizi. Come al solito è impossibile comunicare con lui. A parte una strana mail stanotte, è da ieri mattina che non lo sento. Grazie di avere... sì, insomma, grazie.»

Indicò la sua faccia.

Paolo Roberto rise.

«Vuoi del caffè? Hai detto che hai qualcosa da raccontare. Malin, vieni anche tu.»

Presero posto nelle comode poltroncine per i visitatori nella stanza di Erika.

«È quel dannato gigante biondo con il quale mi sono battuto. Ho detto a Mikael che il suo stile non valeva un fico secco anche se si metteva in posizione di difesa con i pugni alzati e girava in tondo come se fosse stato un boxeur. Dava l'impressione di avere comunque fatto una qualche sorta di allenamento.»

«Mikael me ne ha parlato ieri al telefono» disse Malin.

«Non riuscivo a cancellare quell'immagine dalla mente. Ieri pomeriggio, quando sono tornato a casa, mi sono messo al computer e ho mandato una mail a un po' di club di boxe in giro per l'Europa. Ho raccontato quello che era successo e ho descritto il più dettagliatamente possibile quel giovanotto.»

«Okay.»

«Credo di avere fatto centro.»

Mise sul tavolo davanti a Erika e Malin un'immagine spedita via fax. Sembrava scattata durante un allenamento in una palestra. Due boxeur ascoltavano le istruzioni di un uomo corpulento più anziano, con un cappello di pelle a tesa stretta e una tuta da ginnastica. Intorno al ring c'era una mezza dozzina di persone. Sullo sfondo un tipo grande e grosso reggeva uno scatolone. Somigliava a uno skinhead. Era stato cerchiato con un pennarello.

«La foto risale a diciassette anni fa. Il ragazzo si chiama Ronald Niedermann. All'epoca aveva diciotto anni e quindi oggi dovrebbe averne circa trentacinque. Sembra proprio il gigante che ha rapito Miriam Wu. Non posso assicurare al cento per cento che sia lui. La foto è un po' troppo vecchia e di cattiva qualità, ma la somiglianza è molto forte.»

«Da dove ti è arrivata?»

«Dal Dynamic di Amburgo. Da un vecchio allenatore che si chiama Hans Münster.»

«Aha?»

«Ronald Niedermann ha tirato per il club per un anno alla fine degli anni ottanta. O per meglio dire, ha cercato di tirare per il club. Ho ricevuto la mail stamattina e ho parlato al telefono con Münster prima di venire qui. Niedermann è di Amburgo e negli anni ottanta faceva parte di un gruppo di skinhead. Ha un fratello di qualche anno più vecchio che era un ottimo pugile e fu tramite lui che entrò nel club. Niedermann aveva una forza spaventosa e un fisico quasi unico. Münster ha detto che non aveva mai visto nessuno che picchiasse così duro, nemmeno fra i migliori. Una volta misurarono l'intensità della sua forza e finì praticamente fuori della scala.»

«Avrebbe potuto fare carriera» disse Erika.

Paolo Roberto scosse la testa.

«A detta di Münster era impossibile portarlo sul ring. E questo per diversi motivi. Anzitutto non riusciva a imparare la boxe. Stava troppo fermo, muoveva solo i pugni. Era straordinariamente goffo. Quadra tutto perfettamente. Ma peggio ancora, non capiva la propria forza. Di tanto in tanto in allenamento riusciva a mandare a segno qualche colpo e allora gli effetti erano devastanti. Nasi maciullati, mandibole rotte e altri danni del tutto gratuiti. Non potevano continuare a tenerlo.»

«Era capace di boxare, e tuttavia non lo era» disse Malin.

«Esatto. Ma la causa diretta che lo costrinse a smettere fu di tipo medico.»

«Come sarebbe?»

«Quel ragazzo sembrava quasi invulnerabile. Non aveva nessuna importanza quante ne prendesse, lui si dava una scrollata e riprendeva a battersi. Soffriva di una malattia molto rara che si chiama *analgesia congenita*.»

«Analgesia...?»

«Congenita. Ho fatto una piccola ricerca. Si tratta di un vizio genetico per cui le sinapsi nervose non funzionano come dovrebbero. Lui non può sentire il dolore.»

«Santo cielo! Una condizione d'oro per un boxeur.»

Paolo Roberto scosse la testa.

«Al contrario. È una malattia pericolosissima. La maggior parte di quelli che ne soffrono muoiono relativamente giovani, a venti venticinque anni. Il dolore è il sistema d'allarme del corpo, segnala se c'è qualcosa che non va. Se metti la mano su una piastra arroventata senti male e la ritiri subito. Se soffrissi di quella malattia non ti accorgeresti di niente fino a sentire odore di carne bruciata.»

Malin ed Erika si guardarono.

«Dunque è una cosa seria?» domandò Erika.

«Assolutamente. Ronald Niedermann non può sentire proprio nulla e se ne va in giro come sotto l'effetto di una diffusa anestesia. Se la cava perché ha un'altra caratteristica genetica che compensa la prima, ha un fisico imponente con un'ossatura estremamente robusta che lo rende quasi invulnerabile. Ha una forza bruta unica. E deve avere anche dei tessuti che guariscono in fretta.»

«Comincio a capire che dev'essere stato un match molto interessante quello che hai sostenuto con lui.»

«Già. Ma non voglio riprovarci. L'unica cosa che gli ha fatto effetto è stato il calcio che Miriam Wu gli ha stampato in mezzo alle gambe. È caduto in ginocchio... il che deve però dipendere da un riflesso automatico collegato a un colpo di quel tipo, dato che lui comunque non può sentire dolore. E credetemi, io sarei rimasto secco se mi avessero colpito a quel modo.»

«Ma come hai fatto allora a batterlo?»

«Chi soffre di questa malattia ovviamente si fa male né più né meno della gente normale. Anche se Niedermann ha un'ossatura di cemento armato, quando l'ho colpito sulla nuca con l'asse di legno è crollato, probabilmente per una commozione cerebrale.»

Erika guardò Malin.

«Chiamo immediatamente Mikael» disse Malin.

Mikael sentì la suoneria del cellulare, ma era così sottosopra che rispose solo al quinto squillo.

«Sono Malin. Paolo Roberto crede di avere identificato il gigante biondo.»

«Bene» disse Mikael distratto.

«Dove sei?»

«È difficile da spiegare.»

«Sembri un po' strano.»

«Scusami. Cosa dicevi?»

Malin riassunse brevemente il racconto di Paolo Roberto.

«Okay» disse Mikael. «Parti da questo e vedi se riesci a trovarlo in qualche registro. Credo che il tempo stringa. Chiamami sul cellulare.»

Mikael chiuse la comunicazione senza nemmeno dirle ciao.

In quel momento Mikael era accanto a una finestra e stava ammirando un panorama grandioso che si stendeva dalla città vecchia fin verso il Baltico. Si sentiva stordito, quasi sotto shock. Aveva fatto un giro nell'appartamento di Lisbeth. A destra dell'ingresso c'era la cucina. Poi venivano soggiorno, studio, camera da letto e infine una piccola camera degli ospiti che sembrava non fosse mai stata utilizzata. Il materasso era ancora avvolto nella plastica e non c'erano coperte e lenzuola. Tutti i mobili erano dell'Ikea ed erano nuovi di zecca.

Ma non era quello il punto.

Ciò che sconvolgeva Mikael era che Lisbeth avesse comperato il vecchio pied-à-terre di Percy Barnevik, del valore di venticinque milioni di corone. L'intero appartamento misurava trecentocinquanta metri quadrati.

Mikael passò attraverso corridoi quasi spettrali, tanto erano vuoti, e sale con parquet in legni vari a formare disegni, e tappezzerie Tricia Guild del genere che faceva mormorare deliziata Erika. Al centro dell'appartamento c'era un soggiorno meravigliosamente luminoso con dei caminetti che Lisbeth sembrava non avere mai acceso e un enorme balcone con una vista fantastica. E poi lavanderia, sauna, palestra, dispensa e un bagno con una vasca King Size. C'era perfino la cantina, vuota tranne che per una bottiglia di porto Quinta do Noval – Nacional! – del 1976 ancora intatta. Mikael aveva qualche difficoltà a immaginare Lisbeth con in mano un bicchiere di porto. Un biglietto dell'agente immobiliare chiariva che era il benvenuto nella nuova casa.

La cucina raccoglieva ogni attrezzatura possibile e immaginabile intorno a una scintillante isola-cottura da gourmet con forno a gas e una Corradi Chateau 120 di cui Mikael non aveva mai sentito parlare e sulla quale Lisbeth probabilmente aveva solo bollito l'acqua del tè.

Mikael guardò con rispetto la macchina per l'espresso collocata su un bancone a parte. Era una Jura Impressa X7 con annesso raffreddalatte. Anche quella sembrava non essere mai stata usata, probabilmente faceva già parte della cucina quando Lisbeth aveva acquistato l'appartamento. Mikael sapeva che nel mondo delle macchine da caffè la Jura equivaleva alla Rolls-Royce – un apparecchio professionale per uso domestico che costava circa settantamila corone. Lui ne aveva una molto più semplice che ne costava circa tremilacinquecento – uno dei pochi investimenti stravaganti che aveva fatto per la propria casa.

Nel frigorifero c'erano un cartone di latte ancora chiuso, formaggio, burro, un tubetto di pasta di uova di pesce e un vasetto mezzo vuoto di cetrioli in salamoia. Nella dispensa quattro barattoli semivuoti di vitamine, tè in bustine, caffè per la normalissima macchina da caffè americano che c'era sul bancone, due filoni di pane e un pacco di fette biscottate. Sul tavolo c'era un cestino con delle mele. Nel congelatore un gratin di pesce e tre pasticci al bacon. Questo fu tutto il cibo che Mikael trovò nell'appartamento. Nel sacchetto dell'immondizia sotto il lavello accanto all'isola-cottura trovò diverse confezioni vuote di Billys Pan Pizza.

Era tutto sproporzionato. Lisbeth aveva rubato alcuni miliardi e si era procurata un appartamento per un reggimento. Ma a lei bastavano i tre locali che aveva arredato. Le altre stanze erano vuote.

Mikael terminò il tour nello studio. In tutto l'appartamento non c'era neanche un fiore. Sulle pareti mancavano quadri e poster. Non c'erano tappeti o centrini. Non aveva trovato un solo oggetto decorativo, un candelabro o altro che parlasse di casa o fosse stato conservato per ragioni sentimentali.

Si sentì stringere il cuore. Aveva un gran desiderio di trovare Lisbeth e di abbracciarla forte.

Probabilmente lei l'avrebbe morso, se solo ci avesse provato.

Maledetto Zalachenko.

Si sedette alla sua scrivania e aprì la cartelletta con l'inchiesta di Björck del 1991. Non lesse tutto il materiale, cercò di selezionarlo.

Avviò il PowerBook di Lisbeth. Era completamente vuoto. Aveva fatto pulizia. Era un cattivo presagio.

Aprì i cassetti della scrivania e trovò subito la Colt 1911 Government da nove millimetri e un caricatore con sette pallottole. Era la pistola che Lisbeth Salander aveva sottratto al giornalista Per-Åke Sandström, cosa che Mikael ignorava totalmente. Non era ancora arrivato alla lettera S nell'elenco dei clienti delle prostitute.

Poi trovò il cd con scritto *Bjurman*.

Lo infilò nell'iBook, e ne conobbe il contenuto. Paralizzato dallo shock guardò Lisbeth Salander che veniva maltrattata, violentata e quasi uccisa. Era evidente che era stato registrato da una telecamera nascosta. Non lo guardò per intero, saltò di spezzone in spezzone, uno peggio dell'altro.

Bjurman.

Il suo tutore l'aveva stuprata e lei aveva documentato tutto fin nei minimi dettagli. La data digitale dimostrava che la registrazione risaliva a quando ancora non si conoscevano. Diversi pezzi del puzzle andarono a posto.

Björck e Bjurman insieme a Zalachenko negli anni settanta.

Zalachenko e Lisbeth Salander e una bomba confezionata con un cartone del latte agli inizi degli anni novanta.

Poi di nuovo Bjurman, in veste di tutore dopo Holger Palmgren. Il cerchio si era chiuso. L'avvocato aveva aggredito la sua assistita. Credeva che fosse una ragazza disturbata e indifesa, ma Lisbeth Salander non era indifesa. Era la ragazza che a dodici anni aveva affrontato un assassino di professione del Gru e l'aveva reso handicappato a vita.

Lisbeth Salander era la donna che odiava gli uomini che odiano le donne.

Ripensò a quando l'aveva conosciuta a Hedestad. Doveva essere stato qualche mese dopo lo stupro. Non riusciva a ricordare che lei avesse anche solo accennato a qualcosa del genere. E comunque non gli aveva svelato granché di se stessa. Mikael non riusciva nemmeno a immaginare cosa ne avesse fatto di Bjurman, però non l'aveva ucciso. *Stranamente.* L'avrebbe fatto già due anni prima, se avesse voluto.

Doveva averlo controllato in qualche modo e per qualche scopo che Mikael non riusciva a immaginare. Ma forse lo strumento con cui lei controllava Bjurman era davanti a lui sulla scrivania. Il filmato. Finché Lisbeth avesse avuto quel filmato, Bjurman sarebbe stato suo schiavo. E Bjurman si era rivolto a quello che credeva fosse un amico. Zalachenko. Il peggior nemico di Lisbeth. Suo padre.

Poi, una catena di eventi. Bjurman era stato ucciso e così pure Dag Svensson e Mia Bergman.

Ma come? Cosa poteva avere trasformato Dag Svensson in una minaccia?

D'improvviso Mikael capì ciò che *doveva* essere successo a Enskede.

L'attimo dopo trovò un foglio di carta sul pavimento sotto la finestra. Lisbeth aveva stampato una pagina, l'aveva appallottolata e lanciata lontano. Lui distese il foglio. Era un articolo dall'edizione in rete dell'*Aftonbladet* sul rapimento di Miriam Wu.

Mikael non sapeva quale ruolo avesse avuto Miriam nel dramma – se ne aveva avuto uno –, ma sapeva che era una delle poche amicizie di Lisbeth. Forse l'unica. Lisbeth le aveva regalato il suo vecchio appartamento. E adesso Miriam era all'ospedale, massacrata.

Niedermann e Zalachenko.

Prima sua madre. Poi Miriam Wu. Lisbeth doveva essere fuori di sé dall'odio.

Era stata gravemente provocata.

E adesso era a caccia.

All'ora di pranzo Dragan Armanskij ricevette una telefonata dalla clinica di Ersta. Se la aspettava, anche se da parte sua aveva evitato di fare altrettanto. Temeva di dover dire a Holger Palmgren che Lisbeth Salander era colpevole.

Adesso poteva almeno dirgli che c'erano dei ragionevoli dubbi sulla sua colpevolezza.

«Dove sei arrivato?» gli chiese Palmgren sorvolando sui convenevoli.

«Con cosa?» domandò Dragan Armanskij.

«Con la tua indagine su Lisbeth.»

«E cosa ti fa credere che stia conducendo un'indagine?»

«Non sprecare il mio tempo.»

Armanskij sospirò.

«Hai ragione» disse.

«Voglio che tu mi venga a trovare» disse Palmgren.

«Okay. Posso venire da te nel week-end.»

«No. Voglio che tu venga qui stasera. Abbiamo molte cose da discutere.»

Mikael si era preparato caffè e tramezzini nella cucina di Lisbeth. Quasi quasi sperava di sentire d'improvviso il rumore della chiave nella serratura. Ma non era una speranza granché concreta. L'hard disk vuoto nel suo PowerBook lasciava intendere che Lisbeth aveva lasciato il suo nascondiglio per sempre. Mikael aveva scoperto il suo indirizzo troppo tardi.

Alle due e mezza del pomeriggio era ancora seduto dietro la scrivania. Aveva letto la non-inchiesta di Björck tre volte. Era una specie di promemoria per un non meglio precisato superiore. La raccomandazione era semplice. Procurare uno psichiatra addomesticato che ricoverasse Lisbeth Salander in una clinica psichiatrica infantile per un paio d'anni. La ragazzina era disturbata, come dimostrava il suo comportamento.

Mikael intendeva dedicare grande attenzione a Björck e Teleborian nel prossimo futuro. Non vedeva l'ora. Il suo cellulare cominciò a squillare interrompendo la catena dei pensieri.

«Ciao. Sono ancora io, Malin. Credo di avere qualcosa.»

«Cosa?»

«Non c'è nessun Ronald Niedermann registrato all'anagrafe in Svezia. Non c'è nell'elenco del telefono, nel registro automobilistico, in quelli fiscali né da nessun'altra parte.»

«Okay.»

«Ma senti qui. Nel 1998 è stata registrata una società per azioni, la Kab Import, che ha come indirizzo una casella postale a Göteborg. La società si occupa di importazioni di componenti elettronici. L'amministratore delegato si chiama Karl Axel Bodin, dunque Kab, ed è nato nel 1941.»

«Non mi suona nessun campanello.»

«Nemmeno a me. Nel consiglio d'amministrazione c'è poi un revisore che lavora anche in un paio di dozzine di altre società delle quali redige i bilanci. Sembra essere uno di quei ragionieri da dichiarazioni dei redditi di piccole imprese. E la società pare più o meno dormiente sin dalla fondazione.»

«Okay.»

«Il terzo membro del consiglio d'amministrazione è un certo R. Niedermann. Non ha un codice fiscale svedese. È nato il 18 gennaio del 1970 e figura come rappresentante della società sul mercato tedesco.»

«Bene, Malin. Molto bene. Abbiamo qualche altro indirizzo oltre alla casella postale?»

«No, ma ho rintracciato Karl Axel Bodin. È registrato all'anagrafe della Svezia occidentale e risulta domiciliato al 612 di Gosseberga. È un immobile agricolo nelle vicinanze di Nossebro a nordest di Göteborg.»

«Cosa sappiamo di lui?»

«Due anni fa ha dichiarato introiti per duecentosessantamila corone. Secondo il nostro amico alla polizia, nessuna annotazione nel casellario giudiziario. Ha il porto d'armi per una carabina da alci e per un fucile da caccia. Ha due automobili, una Ford e una Saab, entrambe vecchi modelli. Nessuna annotazione nemmeno presso l'ufficiale giudiziario. È scapolo e si definisce agricoltore.»

«Un tipo anonimo senza problemi con la giustizia.»

Mikael rifletté qualche secondo. Doveva fare una scelta.

«Ancora una cosa. Dragan Armanskij della Milton Security ha telefonato diverse volte chiedendo di te.»

«Okay. Grazie, Malin. Lo richiamo io.»

«Mikael... va tutto bene?»

«No, non va tutto bene. Mi farò vivo io.»

Sapeva di sbagliare. Come bravo cittadino avrebbe dovuto alzare il telefono e chiamare Bublanski. Ma se lo avesse fatto sarebbe stato costretto a raccontare la verità su Lisbeth Salander oppure sarebbe finito in un garbuglio di mezze verità e cose taciute. Ma non era quello il vero problema.

Lisbeth Salander stava dando la caccia a Niedermann e Zalachenko. Mikael non sapeva fin dove fosse arrivata, ma se lui e Malin erano riusciti a trovare il 612 di Gosseberga, anche Lisbeth Salander poteva averlo fatto. Era dunque probabile che fosse in viaggio verso Gosseberga.

Se Mikael avesse chiamato la polizia e detto dove si nascondeva Niedermann, sarebbe stato costretto a rivelare anche che Lisbeth Salander probabilmente stava andando là. Era ricercata per tre omicidi e per la sparatoria di Stallarholmen. Di conseguenza sarebbe stata mobilitata la forza d'intervento nazionale o qualche altra squadra di caccia per catturarla.

Ed era altamente probabile che Lisbeth Salander avrebbe opposto una resistenza violenta.

Mikael tirò fuori carta e penna e fece un elenco di ciò che non poteva o non voleva raccontare alla polizia.

Come prima cosa scrisse *Indirizzo*.

Lisbeth si era data molto da fare per procurarsi un indirizzo segreto. Lì lei aveva la sua vita e i suoi segreti. E lui non aveva intenzione di tradirla.

Poi scrisse *Bjurman*, seguito da un punto di domanda.

Guardò con la coda dell'occhio il cd che aveva davanti sul tavolo. Bjurman aveva violentato Lisbeth. L'aveva quasi uccisa e aveva abusato pesantemente della propria posizione di suo tutore. Su questo non c'erano dubbi. Avrebbe meritato di essere denunciato per il porco che era. Ma lì si presentava un dilemma. Lisbeth non l'aveva denunciato. Avrebbe voluto essere sbattuta in prima pagina per via di un'inchiesta di polizia i cui dettagli più riservati sarebbero trapelati nel giro di poche ore? Non gliel'avrebbe mai perdonato. Le immagini tratte dal filmato avrebbero avuto la ribalta sui giornali.

Rifletté un momento, quindi decise che spettava a Lisbeth scegliere se agire o no. Ma se lui era riuscito a rintracciare il suo appartamento, prima o poi ci sarebbe riuscita anche la polizia. Infilò il cd in una custodia e lo mise nella borsa del computer.

Poi scrisse *Indagine di Björck*. Il rapporto del 1991 era stato secretato. Ma faceva luce su tutto il resto. Menzionava Zalachenko e chiariva il ruolo di Björck, e insieme alla lista dei clienti delle prostitute ricavata dal computer di Dag Svensson avrebbe fatto vivere a Björck qualche ora di sudori freddi di fronte a Bublanski. E anche Peter Teleborian sarebbe finito nella merda.

La cartelletta avrebbe comunque condotto la polizia a Gosseberga... ma lui avrebbe avuto almeno qualche ora di vantaggio.

Avviò Word e in un nuovo documento elencò tutti i fatti essenziali che aveva scoperto nel corso delle ultime ventiquattr'ore parlando con Björck e con Palmgren e leggendo materiale che aveva trovato in casa di Lisbeth. Impiegò circa un'ora. Alla fine trasferì il documento su un cd.

Si chiese se dovesse farsi vivo con Dragan Armanskij, ma decise di lasciar perdere. Di carne al fuoco ne aveva già abbastanza.

Mikael fece una sosta alla redazione di *Millennium*, dove si chiuse nella sua stanza con Erika Berger.

«Si chiama Zalachenko» disse senza tanti convenevoli. «È un vecchio sicario sovietico dei servizi segreti. Ha disertato nel 1976 ottenendo un permesso di soggiorno in Svezia e uno stipendio dalla Säpo. Dopo il crollo dell'Urss è diventato un gangster a tempo pieno come molti altri, si dedica al trafficking e ad affari di armi e droga.»

Erika Berger mise giù la penna.

«Okay. Perché non sono sorpresa che spunti fuori anche il Kgb?»

«Non il Kgb. Il Gru. I servizi segreti militari.»

«Dunque si tratta di una faccenda seria.»

Mikael annuì.

«Vuoi dire che è stato lui a uccidere Dag e Mia?»

«Non personalmente. Ha mandato qualcuno. Quel Niedermann che Malin ha scoperto.»

«E lo puoi dimostrare?»

«Quasi. Alcune sono solo supposizioni. Comunque Bjurman è stato ucciso perché ha chiesto aiuto a Zalachenko per liberarsi di Lisbeth.»

Mikael le disse del cd che Lisbeth teneva nel cassetto della scrivania.

«Zalachenko è suo padre. A metà degli anni settanta Bjurman lavorava per la Säpo e fu uno di quelli che accolsero Zalachenko quando disertò. Poi diventò avvocato e porco a tempo pieno, ma continuò a fornire servizi alla Säpo. Sono convinto che ci sia un gruppetto molto interno che si incontra di tanto in tanto in qualche sauna per decidere cosa fare del mondo e conservare il segreto su Zalachenko. Scommetto che il resto della Säpo non ha mai sentito nominare il ragazzo. Lisbeth minacciò di mandare in frantumi il segreto. Per questo la chiusero in clinica.»

«Non può essere vero.»

«Invece sì» disse Mikael. «Lisbeth non era facile da trattare allora come non lo è adesso... ma da quando aveva dodici anni è una minaccia per la sicurezza del paese.»

Fece un rapido riassunto della storia.

«Ce ne sono di cose da digerire in questa vicenda» disse Erika. «E Dag e Mia...»

«Sono stati uccisi perché Dag aveva scoperto il collegamento fra Bjurman e Zalachenko.»

«E cosa succederà adesso? Queste cose dovremmo raccontarle alla polizia, no?»

«In parte, non tutte. Ho trasferito tutte le informazioni essenziali su questo cd. Lisbeth sta dando la caccia a Zalachenko e io ho intenzione di rintracciarla. Niente del contenuto del disco deve trapelare.»

«Mikael... questa cosa non mi piace. Non possiamo nascondere informazioni relative a un'indagine per omicidio.»

«E non lo faremo. Ho in mente di telefonare a Bublanski. Ma ho idea che Lisbeth stia andando a Gosseberga. Non dimentichiamo che è ricercata per triplice omicidio, che se chiamiamo la polizia quelli mobilitano la forza d'intervento nazionale con le sue armi dotate di munizioni da caccia, e che in tal caso il rischio che lei opponga resistenza è piuttosto forte. E allora potrebbe succedere di tutto.»

Si interruppe e sorrise senza allegria.

«Se non altro, dobbiamo tenere fuori la polizia per evitare che la forza d'intervento nazionale venga decimata. Devo assolutamente trovarla prima.»

Erika sembrava dubbiosa.

«Non ho intenzione di svelare i segreti di Lisbeth. Bublanski può scoprirseli da solo. Ora ti chiedo un favore. Questa cartelletta contiene l'indagine di Björck del 1991 e la corrispondenza fra Björck e Teleborian. Voglio che tu ne faccia una copia e la invii a Bublanski o a Sonja Modig. Quanto a me, parto per Göteborg fra venti minuti.»

«Mikael...»

«Lo so. Ma voglio stare dalla parte di Lisbeth fino in fondo, in questo combattimento.»

Erika strinse le labbra e non disse nulla. Poi annuì. Mikael si avviò verso la porta.

«Sii prudente» disse Erika quando lui era già uscito.

Pensò che avrebbe dovuto seguirlo. Era l'unica cosa decente da fare. Ma non gli aveva ancora detto che stava per lasciare *Millennium* e che tutto era finito, qualsiasi cosa accadesse. Prese la cartelletta e andò alla fotocopiatrice.

La casella si trovava in un ufficio postale all'interno di un centro commerciale. Lisbeth non conosceva Göteborg e non sapeva esattamente in che parte della città fosse, ma aveva localizzato l'ufficio postale e si era piazzata a un caffè da dove riusciva a vedere la casella attraverso una vetrina con appeso un poster che reclamizzava il nuovo BancoPosta – la versione migliorata delle buone vecchie Poste.

Irene Nesser aveva un make-up più discreto di quello di Lisbeth Salander. Portava qualche stupida collana e leggeva *Delitto e castigo*, che aveva trovato in una rivendita di libri usati un isolato più a nord. Non aveva fretta, girava le pagine a intervalli regolari. Aveva dato inizio alla sorveglianza all'ora di pranzo ma non sapeva a che ora la casella venisse svuotata di solito, ogni quanto succedesse, se per quella giornata fosse già stata svuotata, se ci sarebbe andato qualcuno. Ma era il suo unico indizio. Nell'attesa beveva caffè macchiato.

Si era quasi appisolata con gli occhi aperti quando d'improvviso vide aprirsi la casella. Sbirciò l'orologio. Le due meno un quarto. *Che colpo di fortuna.*

Lisbeth si alzò velocemente e si avvicinò alla vetrina. Un uomo in giacca di pelle nera che stava lasciando l'area delle caselle postali. Lo raggiunse fuori in strada. Era un giovane smilzo sui vent'anni, che svoltò dietro l'angolo e si fermò accanto a una Renault parcheggiata, che aprì con la chiave. Lisbeth Salander memorizzò il numero di targa e tornò di corsa alla Corolla che aveva parcheggiato cento metri più in giù lungo la stessa strada. Raggiunse la Renault mentre svoltava in Linnégatan. Seguì il giovane sulla Avenyn e poi verso Nordstan.

Mikael Blomkvist fece appena in tempo a prendere il rapido X2000 delle cinque e dieci. Fece il biglietto in treno pagando con la carta di credito e andò a sedersi nel vagone ristorante ordinando un pranzo tardivo.

Avvertiva un senso di inquietudine che lo rodeva con insistenza, temeva di essersi mosso in ritardo. Sperava che Lisbeth lo chiamasse ma sapeva che non l'avrebbe fatto.

Lei aveva cercato di uccidere Zalachenko nel 1991. E adesso lui aveva risposto, dopo tutti quegli anni.

Holger Palmgren aveva fatto un'analisi corretta. Lisbeth aveva sperimentato ampiamente sulla propria pelle che non valeva la pena parlare con le autorità.

Mikael diede un'occhiata alla borsa del computer. Aveva preso con sé la Colt che aveva trovato nel cassetto della scrivania di Lisbeth. Non sapeva perché l'avesse fatto, ma sentiva istintivamente che non doveva lasciarla nell'appartamento. Anche se riconosceva che non era un ragionamento granché logico.

Mentre il treno transitava sopra il ponte di Arsta accese il cellulare e chiamò Bublanski.

«Cosa vuole?» chiese Bublanski irritato.

«Chiudere» disse Mikael.

«Chiudere cosa?»

«Tutta questa maledetta storia. Vuole sapere chi ha ucciso Dag e Mia e anche Bjurman?»

«Se è in possesso di questa informazione, gradirei esserne messo al corrente.»

«L'assassino si chiama Ronald Niedermann. È quel famoso gigante biondo con cui si è battuto Paolo Roberto. È cittadino tedesco, ha trentacinque anni e lavora per un verme che si chiama Alexander Zalachenko. Zala.»

Bublanski rimase in silenzio. Poi sospirò sonoramente. Mikael lo sentì voltare un foglio e schiacciare il pulsante di una penna biro.

«È sicuro?»

«Sì.»

«Okay. Dove si trovano Niedermann e questo Zalachenko?»

«Ancora non lo so. Ma non appena lo scopro, glielo comunico. Erika Berger le farà avere un'indagine di polizia del 1991, appena ne avrà fatta una copia. Lì troverà tutte le informazioni su Zalachenko e Lisbeth Salander.»

«Cosa intende?»

«Zalachenko è il padre di Lisbeth. È un sicario russo che ha disertato durante la guerra fredda.»

«Sicario russo» gli fece eco Bublanski in tono dubbioso.

«Alcuni personaggi della Säpo l'hanno spalleggiato insabbiando ogni sua traccia.»

Mikael sentì che Bublanski prendeva una sedia e si sedeva.

«Credo sia meglio che venga qui e faccia una deposizione formale.»

«Spiacente, non ho tempo.»

«Prego?»

«In questo momento non sono a Stoccolma. Ma mi farò vivo non appena avrò trovato Zalachenko.»

«Blomkvist... Lei non ha bisogno di dimostrare alcunché. Anch'io ho dei dubbi sulla colpevolezza di Lisbeth Salander.»

«Posso ricordarle che io sono solo un semplice investigatore privato che non sa un'acca del lavoro della polizia?»

Sapeva che era infantile, ma chiuse la comunicazione senza nemmeno salutare. E telefonò ad Annika Giannini.

«Ciao sorellina.»

«Ciao. Novità?»

«Altroché. Probabilmente domani avrò bisogno di un buon avvocato.»

Lei sospirò.

«Cosa hai combinato?»

«Niente di grave, per ora, ma potrei essere fermato per avere ostacolato le indagini o qualcosa di simile. Ma non è per questo che ti chiamo. Tu non mi puoi rappresentare.»

«E perché no?»

«Perché voglio che tu rappresenti Lisbeth Salander. E non puoi difendere sia me che lei.»

Mikael le raccontò il succo della storia. Annika Giannini mantenne un silenzio funesto.

«E tu hai una documentazione di tutto questo...» disse alla fine.

«Sì.»

«Devo rifletterci. Lisbeth ha bisogno di un bravo penalista...»

«Tu saresti perfetta.»

«Mikael...»

«Stammi un po' a sentire, sorellina. Non sei tu quella che è arrabbiata con me perché non ho chiesto aiuto quando ne ho avuto bisogno?»

Quando ebbero finito di parlare Mikael rimase un momento in silenzio a riflettere. Poi chiamò Holger Palmgren.

Non aveva nessun motivo preciso per farlo, ma pensava che dovesse essere informato del fatto che lui stava seguendo delle tracce e sperava che l'intera vicenda si sarebbe conclusa in poche ore.

Il problema naturalmente era che anche Lisbeth aveva le sue tracce da seguire.

Lisbeth Salander si allungò per prendere una mela dallo zaino senza staccare lo sguardo. Era stesa a terra ai margini di un boschetto con il tappetino della Corolla come improvvisato materassino. Si era cambiata, ora indossava un paio di pantaloni sportivi multitasche verdi, un maglione pesante e un bomber imbottito.

Il podere di Gosseberga era a circa quattrocento metri dalla strada provinciale ed era composto da due gruppi di costruzioni. Il nucleo principale si trovava più o meno a centoventi metri da lei. Comprendeva una casa di legno bianca a due piani, un rustico e una stalla distante una settantina di metri dall'abitazione. Da una porta della stalla intravedeva il muso di un'automobile bianca, forse una Volvo, ma era troppo lontana per esserne sicura.

Fra lei e le costruzioni sulla destra c'era un campo di terra argillosa che si estendeva per circa duecento metri fino a un piccolo lago. Il viale d'accesso attraversava il campo e spariva in un'area boscosa in direzione della provinciale. All'imbocco c'era una costruzione che aveva l'aria di una casa abbandonata, con le finestre chiuse da pezzi di stoffa chiara. A nord c'era una striscia di bosco che faceva da paravento verso i vicini, un pugno di case a circa seicento metri di distanza. La fattoria di fronte a lei era dunque abbastanza isolata.

Si trovava nelle vicinanze del lago Anten in un paesaggio di colline tondeggianti in cui i campi coltivati si alternavano a piccoli centri abitati e compatte aree boscose. La cartina stradale non forniva una descrizione dettagliata della zona, ma Lisbeth aveva seguito la Renault nera lungo la E20, svoltando verso Sollebrunn ad Alingsås. Dopo circa quaranta minuti l'automobile aveva imboccato una strada sterrata con un cartello che indicava Gosseberga. Lei aveva parcheggiato dietro un fienile in un boschetto circa cento metri a nord della deviazione ed era tornata indietro a piedi.

Non aveva mai sentito parlare di Gosseberga, ma le pareva di capire che stesse a indicare la casa e la stalla che vedeva davanti a sé. Sulla provinciale era passata davanti alla cassetta della posta. C'era scritto Pl. 192 – K.A. Bodin. Il nome non le diceva nulla.

Aveva descritto un semicerchio intorno alle costruzioni e aveva scelto con cura il suo punto d'osservazione. Alle sue spalle il sole stava tramontando. Da quando aveva preso posizione verso le tre e mezza del pomeriggio, era successa un'unica cosa. Alle quattro l'autista della Renault era uscito dalla casa. Sulla porta aveva scambiato qualche parola con una persona che lei non aveva potuto vedere. Quindi se n'era andato e non era più tornato. Per il resto, non aveva notato nessun movimento. Aspettava con pazienza e osservava le costruzioni con un piccolo binocolo Minolta a otto ingrandimenti.

Mikael Blomkvist tamburellava irritato sul tavolino del vagone ristorante. Il rapido X2000 era fermo a Katrineholm. Ormai era lì da quasi un'ora, secondo gli altoparlanti a causa di un non meglio identificato guasto. Le Ferrovie si scusavano per il ritardo.

Mikael sospirò e andò a riempirsi di nuovo la tazza di caffè. Solo un quarto d'ora più tardi il treno ripartì con uno strattone. Guardò l'ora. Le otto.

Avrebbe dovuto prendere l'aereo oppure noleggiare una macchina.

La sensazione di essere in ritardo si faceva sempre più forte.

Alle sei qualcuno aveva acceso la luce in una stanza al pianterreno e poco dopo si era accesa anche una lampada esterna. Lisbeth intravedeva delle ombre in quella che doveva essere la cucina a destra della porta d'ingresso, ma non riusciva a distinguere altro.

Tutto d'un tratto la porta si aprì e ne uscì il gigante biondo di nome Ronald Niedermann. Indossava pantaloni scuri e una polo aderente che metteva in risalto i muscoli. Lisbeth annuì fra sé. Finalmente una conferma del fatto che era nel posto giusto. Constatò ancora una volta che Niedermann era veramente un bestione. Ma era fatto di carne e ossa come tutte le altre persone, qualsiasi cosa Paolo Roberto e Miriam Wu avessero sperimentato. Niedermann girò intorno alla casa e scomparve per qualche minuto dentro la stalla dove c'era la macchina. Ritornò con una valigetta e rientrò in casa.

Dopo qualche minuto tornò fuori. Era in compagnia di un uomo anziano, basso e mingherlino, che zoppicava e si sosteneva con una stampella. Era troppo buio, Lisbeth non poteva distinguere i suoi lineamenti, ma sentì un brivido gelato correrle lungo la schiena.

Paaapaaà, sono quiii.

Seguì con lo sguardo Zalachenko e Niedermann che camminavano lungo il viale d'accesso. Si fermarono accanto al rustico e Niedermann prese della legna. Poi tornarono in casa e chiusero la porta.

Lisbeth Salander rimase ferma diversi minuti dopo che erano rientrati. Poi abbassò il binocolo e si ritirò di una decina di metri fino a trovarsi completamente nascosta dietro gli alberi. Aprì lo zaino e tirò fuori una caraffa termica, si versò del caffè nero e si mise in bocca una zolletta di zucchero che cominciò a succhiare. Poi tolse la pellicola trasparente a un panino al formaggio che aveva comperato in una stazione di servizio e lo mangiò. Rifletteva.

Quando ebbe terminato recuperò dallo zaino la P-83 Wanad polacca di Sonny Nieminen. Estrasse il caricatore e controllò che fosse tutto a posto. Fece una prova a vuoto. Aveva sei pallottole calibro nove Makarov nel caricatore. Sarebbero bastate. Inserì il caricatore e mise un colpo in canna. Inserì la sicura e infilò l'arma nella tasca destra della giacca.

Lisbeth cominciò la manovra di avvicinamento descrivendo una traiettoria circolare attraverso il bosco. Aveva percorso circa centocinquanta metri quando d'improvviso si fermò nel bel mezzo di un passo.

Sul margine della sua copia di *Arithmetica* Pierre de Fermat aveva scarabocchiato le parole: *Ho una dimostrazione invero meravigliosa di questa asserzione, ma il margine è troppo stretto per contenerla.*

Il quadrato si era trasformato in un cubo, $x^3 + y^3 = z^3$, e i matematici avevano speso secoli a cercare una risposta. Per arrivare finalmente a risolvere l'enigma negli anni novanta, Andrew Wiles aveva lottato dieci anni, con l'aiuto del programma informatico più avanzato al mondo.

E di colpo lei capì. La risposta era così disarmante nella sua semplicità. Un gioco di cifre che si allineavano e d'improvviso andavano a posto in una semplice formula che era da considerare più che altro un rebus.

Fermat ovviamente non aveva nessun computer e la soluzione di Andrew Wiles si basava su una matematica che ancora non era stata inventata quando lui aveva formulato il suo teorema. Fermat non avrebbe mai potuto elaborare la dimostrazione di Andrew Wiles. La soluzione di Fermat era naturalmente del tutto diversa.

Era così stupefatta che fu costretta a sedersi su un ceppo. Guardava dritto davanti a sé mentre verificava mentalmente l'equazione.

Ecco cosa intendeva. Sfido io che i matematici si sono strappati i capelli per secoli.

Poi ridacchiò.

Un filosofo avrebbe avuto maggiori possibilità di risolvere l'enigma.

Le sarebbe piaciuto poter conoscere Fermat.

Doveva essere proprio un bel tipo.

Si alzò in piedi e riprese la manovra di avvicinamento attraverso il bosco. Aveva la stalla fra sé e la casa.

31.
Giovedì 7 aprile

Lisbeth Salander si introdusse nella stalla attraverso il portello di un vecchio canale di scolo degli escrementi. Non c'erano più animali nella fattoria. Si guardò intorno. Lì dentro c'erano solo tre automobili – la Volvo bianca dell'Auto-Expert, una vecchia Ford e una Saab un po' più moderna. In un angolo c'erano un erpice arrugginito e altri attrezzi di lavoro di quella che un tempo era stata una fattoria.

Si fermò nell'oscurità della stalla a osservare la casa. Fuori era buio e ora le luci erano accese in tutti i locali del pianterreno. Non vedeva nessun movimento ma le pareva di scorgere il bagliore tremolante di un televisore. Diede un'occhiata all'orologio. Le sette e mezza. Il telegiornale.

Era sconcertata. Zalachenko aveva scelto di abitare in una casa così isolata. Non era da lui, per come se lo ricordava. Non si era aspettata di trovarlo in campagna, in una piccola casa colonica bianca. Piuttosto un'anonima zona residenziale di periferia o una località turistica all'estero. Nella sua vita doveva essersi fatto altri nemici, oltre a Lisbeth Salander. Era disturbata dal fatto che il posto sembrasse così poco protetto. Ma metteva in conto che avesse delle armi dentro casa.

Dopo avere a lungo esitato scivolò fuori dalla stalla nella luce del crepuscolo. Attraversò rapida il cortile in punta di piedi e si fermò con la schiena contro la facciata della casa. D'improvviso udì una musica in lontananza. Girò silenziosa intorno e cercò di sbirciare attraverso le finestre, ma erano troppo in alto.

Istintivamente la situazione non le piaceva. Aveva vissuto la prima metà della sua vita nel costante terrore dell'uomo che c'era in quella casa. Per l'altra metà, da quando aveva fallito nel tentativo di ucciderlo, aveva aspettato che lui ritornasse. Questa volta non aveva intenzione di commettere errori. Zalachenko poteva anche essere un vecchio invalido, ma era un assassino bene addestrato che era sopravvissuto a più di un campo di battaglia.

Inoltre c'era anche Ronald Niedermann da prendere in considerazione.

Avrebbe preferito sorprendere Zalachenko all'aperto, in un punto non protetto del cortile. Non desiderava parlare con lui, e non le sarebbe dispiaciuto avere un fucile con mirino telescopico. Ma lei non aveva un fucile e lui faceva fatica a camminare. Lo aveva visto quando aveva accompagnato il gigante alla legnaia, era improbabile che gli venisse in mente di fare una passeggiatina serale. Se proprio avesse voluto aspettare un'occasione migliore, avrebbe dovuto ritirarsi e passare la notte nel bosco. Ma non aveva il sacco a pelo e anche se la serata era tiepida la notte avrebbe potuto essere molto fredda. Ora che finalmente l'aveva a portata di mano non voleva rischiare che le sfuggisse di nuovo. Lisbeth pensò a Miriam Wu e alla madre.

Si morse il labbro inferiore. Doveva penetrare nella casa, anche se era l'alternativa peggiore. Ovviamente avrebbe potuto bussare alla porta e sparare nell'attimo stesso in cui qualcuno fosse venuto ad aprire per poi entrare a caccia dell'altro farabutto. Ma così facendo avrebbe trovato il secondo in allerta e probabilmente armato. *Analisi delle conseguenze. Che alternative c'erano?*

D'improvviso scorse per un istante il profilo di Nieder-mann che passava davanti a una finestra a qualche metro da lei. Aveva la testa girata verso l'interno della stanza e stava parlando con qualcuno.

Tutti e due si trovavano nel locale a sinistra dell'ingresso.

Lisbeth si decise. Estrasse la pistola dalla tasca della giacca, tolse la sicura e salì i gradini della veranda senza fare rumore. Tenne l'arma nella mano sinistra mentre con infinita lentezza abbassava la maniglia della porta d'ingresso. Non era chiusa a chiave. Aggrottò le sopracciglia e tentennò. La porta era munita di doppia serratura di sicurezza.

Zalachenko non l'avrebbe lasciata aperta. Si sentì la pelle d'oca sulla nuca.

C'era qualcosa di sbagliato.

L'ingresso era immerso nel buio. Sulla destra distinse le scale che salivano al piano di sopra. C'erano due porte davanti a lei e un'altra sulla sinistra. Poteva vedere la luce filtrare attraverso una fessura sopra la porta. Rimase immobile ad ascoltare. Poi sentì una voce e il rumore di una sedia dalla stanza sulla sinistra.

Fece due rapidi passi in avanti e spalancò la porta e puntò l'arma contro... *la stanza era vuota.*

Udì un fruscio di indumenti dietro di sé e piroettò su se stessa con la rapidità di un rettile. Nell'attimo stesso in cui cercava di puntare la pistola, Ronald Niedermann le chiuse una mano enorme intorno al collo come un collare di ferro e con l'altra le bloccò la mano che stringeva la pistola. Tenendola per il collo la sollevò in aria come se fosse stata una bambola.

Per un secondo sgambettò nel vuoto. Poi si contorse e tirò un calcio a Niedermann in mezzo alle gambe. Mancò il bersaglio e lo colpì all'anca. Ebbe l'impressione di dare un calcio a un tronco d'albero. La vista le si annebbiò quando lui le strinse più forte il collo, e sentì che l'arma le cadeva di mano.

Dannazione.

Poi Ronald Niedermann la gettò dentro la stanza. Atterrò con un gran fracasso su un divano e scivolò sul pavimento. Sentì il sangue affluire alla testa e si rimise in piedi stordita. Vide un pesante posacenere triangolare di vetro sopra un tavolo e lo afferrò in corsa preparandosi a un rovescio. Niedermann le bloccò il braccio nel bel mezzo del gesto. Lei ficcò la mano libera nella tasca sinistra dei pantaloni, estrasse la pistola elettrica e la premette fra le gambe di Niedermann.

Avvertì lei stessa il potente colpo di coda della scarica elettrica diffondersi attraverso il braccio che Niedermann le teneva stretto. Si aspettava che si afflosciasse contorcendosi per il dolore. Invece la guardò con un'espressione perplessa. Gli occhi di Lisbeth si dilatarono per lo shock. Era evidente che l'uomo provava un qualche disagio ma non dolore. *Non è normale.*

Niedermann si chinò e le tolse di mano la pistola, esaminandola con un'espressione perplessa. Poi le mollò un ceffone a mano aperta. Fu come se l'avesse colpita con una clava. Lisbeth crollò a terra sul pavimento di fronte al divano. Alzò gli occhi e incontrò quelli di Ronald Niedermann. La stava guardando con curiosità, sembrava domandarsi quale sarebbe stata la sua prossima mossa. Come un gatto che si prepara a giocare con la sua preda.

Poi Lisbeth indovinò un movimento da un'apertura in fondo alla stanza. Voltò la testa.

Lui avanzava piano verso la luce.

Si sosteneva con una stampella. Lisbeth poté vedere la protesi che spuntava dalla gamba del pantalone.

La sua mano sinistra era un blocco rattrappito cui mancavano un paio di dita.

Lisbeth alzò lo sguardo sulla sua faccia. La metà sinistra era un intrico di cicatrici lasciate dalle ustioni. L'orecchio era ridotto a un mozzicone e non aveva più sopracciglia. Era calvo. Se lo ricordava come un uomo virile e atletico con una bella testa di capelli scuri ondulati. Era alto centosessantacinque centimetri e scavato.

«Ciao, papà» disse in tono piatto.

Alexander Zalachenko guardò sua figlia in modo altrettanto inespressivo.

Ronald Niedermann accese la luce centrale. Controllò che non avesse altre armi, dopo di che mise la sicura alla P-83 Wanad e ne estrasse il caricatore. Zalachenko passò faticosamente davanti a Lisbeth, andò a sedersi su una poltrona e prese un telecomando.

Lo sguardo di Lisbeth cadde su uno schermo televisivo. Zalachenko premette un pulsante e apparve una tremolante immagine verdastra dell'area dietro la stalla e di una porzione del viale d'accesso alla casa. *Telecamera a visione notturna. Loro sapevano che lei stava arrivando.*

«Cominciavo a credere che non ti saresti azzardata ad avvicinarti» disse Zalachenko. «Ti sorvegliamo dalle quattro. Hai fatto scattare quasi tutti gli allarmi.»

«Rilevatori di movimento» disse Lisbeth.

«Due sul viale d'accesso e quattro nella zona disboscata oltre il prato. Hai stabilito la tua postazione d'osservazione nel punto esatto in cui avevamo messo un allarme. È da lì che si ha la panoramica migliore. Quasi sempre si tratta di alci o caprioli, a volte di qualcuno che va in cerca di bacche e si spinge troppo vicino. Ma difficilmente si avvicina di soppiatto con la pistola in pugno.»

Tacque un secondo.

«Credevi davvero che Zalachenko sarebbe stato in una casa in aperta campagna senza nessuna protezione?»

Lisbeth si massaggiò il collo e accennò ad alzarsi.

«Resta seduta sul pavimento» disse Zalachenko in tono duro.

Niedermann smise di trafficare con le sue armi e la guardò tranquillo. Alzò un sopracciglio e le sorrise. Lisbeth ricordò la faccia massacrata di Paolo Roberto che aveva visto in tv e decise che sarebbe stata una buona idea rimanere sul pavimento. Fece un respiro profondo e appoggiò la schiena contro il divano.

Zalachenko allungò la mano destra, quella sana. Niedermann sfilò un'arma dalla cintola e gliela porse facendola roteare. Lisbeth notò che era una Sig Sauer, l'arma standard della polizia. Zalachenko annuì. Senza bisogno di ulteriori ordini Niedermann si voltò di scatto e si infilò una giacca. Uscì dalla stanza e Lisbeth sentì la porta d'ingresso aprirsi e poi richiudersi.

«Solo perché non ti venga in mente qualche sciocchezza. Nell'attimo stesso in cui cerchi di alzarti, ti sparo al petto.»

Lisbeth si rilassò. Lui avrebbe avuto il tempo di centrarla due tre volte prima che lei riuscisse a raggiungerlo, e probabilmente utilizzava munizioni che l'avrebbero fatta morire dissanguata nel giro di pochi minuti.

«Guarda come sei conciata» disse Zalachenko indicando il piercing al sopracciglio. «Sembri una sgualdrina.»

Lisbeth lo fissava.

«Però hai i miei occhi» disse lui.

«Ti fa male?» domandò lei, accennando col capo alla sua protesi.

Zalachenko la osservò.

«No. Non più.»

Lisbeth annuì.

«Tu hai una gran voglia di uccidermi» disse lui.

Lei non rispose. Lui scoppiò in una risata.

«Ti ho pensata tanto in tutti questi anni. Più o meno ogni volta che mi guardavo allo specchio.»

«Avresti dovuto lasciare in pace mia madre.»

Zalachenko rise.

«Tua madre era una puttana.»

Gli occhi di Lisbeth diventarono neri come il carbone.

«Non lo era affatto. Faceva la cassiera in un negozio di alimentari e cercava di far bastare i soldi che guadagnava.»

Zalachenko rise di nuovo.

«Tu puoi avere tutte le fantasie che ti pare su di lei. Ma io so che era una puttana. Fece in modo da farsi mettere incinta e poi cercò di indurmi a sposarla. Come se io potessi sposare una puttana.»

Lisbeth non disse nulla. Fissava la canna della pistola e sperava che lui allentasse la concentrazione per un istante.

«La bomba incendiaria fu un'idea astuta. Ti odiai. Ma poi la cosa perse d'importanza. Non valeva la pena sprecare energie per te. Se solo avessi lasciato tutto come stava, anch'io non me ne sarei più curato.»

«Balle. Bjurman si rivolse a te per sistemarmi.»

«Quella era una faccenda completamente diversa. Si trattava di affari. Lui aveva bisogno di un filmato che hai tu. E io gestisco una piccola attività.»

«E tu credevi che ti avrei dato il filmato.»

«Certo, mia cara figliola. Sono pienamente convinto che l'avresti fatto. Non immagini quanto diventi collaborativa la gente quando Ronald Niedermann chiede qualcosa. In particolare quando mette in funzione la sua sega a motore e trancia via un piede. Nel nostro caso, tra l'altro, sarebbe stato un risarcimento adeguato... piede per piede.»

Lisbeth pensò a Miriam Wu nelle mani di Ronald Niedermann nel deposito fuori Nykvarn. Zalachenko interpretò male l'espressione sul suo viso.

«Non è il caso che ti preoccupi. Non abbiamo intenzione di farti a pezzi.»

La guardò.

«Davvero Bjurman ti ha violentata?»

Lei non rispose.

«Diavolo, che pessimi gusti aveva. Leggo sui giornali che sei una dannata lesbica. E non mi stupisce. Lo credo che non c'è un ragazzo che ti voglia.»

Ancora una volta Lisbeth non rispose.

«Forse dovrei chiedere a Niedermann di darti una ripassata. Hai l'aria di averne bisogno.»

Rifletté sull'idea.

«Anche se Niedermann non fa sesso con le ragazze. No, non è un finocchio. Semplicemente non fa sesso e basta.»

«Allora puoi darmela tu, la ripassata» disse Lisbeth provocatoria.

Avvicinati. Commetti un errore.

«No, no davvero. Sarebbe perverso.»

Rimasero un momento in silenzio.

«Cosa stiamo aspettando?» domandò Lisbeth.

«Il mio socio sarà presto di ritorno. Deve solo spostare la tua macchina e fare una piccola commissione. Dov'è tua sorella?»

Lisbeth alzò le spalle.

«Rispondi.»

«Non lo so e detto francamente non me ne frega niente.»

Lui rise di nuovo.

«Amore fraterno. Era Camilla quella che aveva qualcosa nella zucca, tu eri solo spazzatura.»

Lisbeth non rispose.

«Però devo riconoscere che è una vera soddisfazione vederti di nuovo così da vicino.»

«Zalachenko» disse lei, «sei davvero noioso. È stato Niedermann a uccidere Bjurman?»

«Naturalmente. Ronald è un perfetto soldato. Obbedisce agli ordini, ma sa anche prendere l'iniziativa quando è necessario.»

«Dove diavolo l'hai pescato?»

Zalachenko fissò la figlia con un'espressione strana. Aprì la bocca come per dire qualcosa ma esitò e rimase zitto. Guardò con la coda dell'occhio la porta d'ingresso e d'improvviso sorrise a Lisbeth.

«Vuoi dire che non l'hai ancora scoperto? Stando a Bjurman dovresti essere una ricercatrice particolarmente in gamba.»

Poi Zalachenko rise sguaiatamente.

«Cominciammo a frequentarci in Spagna agli inizi degli anni novanta quando io ero ancora convalescente dopo la tua piccola bomba incendiaria. Lui aveva ventidue anni e diventò le mie braccia e le mie gambe. Non è un mio dipendente... siamo soci. Abbiamo una fiorente attività.»

«Trafficking.»

Lui si strinse nelle spalle.

«Si può dire che abbiamo diversificato e ci dedichiamo a molte merci e molti servizi. L'idea di base è stare sullo sfondo per non essere mai notati. Ma davvero non hai indovinato chi è Ronald Niedermann?»

Lisbeth restò zitta. Non capiva dove volesse andare a parare.

«Lui è tuo fratello» disse Zalachenko.

«No» disse Lisbeth col fiato sospeso.

Zalachenko rise di nuovo. Ma la canna della pistola era sempre puntata contro di lei.

«O per meglio dire, tuo fratellastro» spiegò. «È il risultato di uno svago nel corso di una missione in Germania nel 1970.»

«Hai trasformato tuo figlio in un assassino.»

«Oh no, io l'ho solo aiutato a realizzare il suo potenziale. Aveva la capacità di uccidere molto prima che mi facessi carico della sua istruzione. Sarà lui a guidare l'azienda di famiglia dopo che io me ne sarò andato.»

«Lui lo sa che siamo fratellastri?»

«Naturalmente. Ma se credi di poter fare appello al suo senso della famiglia ti sbagli. Io sono la sua famiglia. Tu sei solo un'interferenza all'orizzonte. Posso anche dirti che non è il tuo unico fratello. Tu hai almeno quattro fratelli e tre sorelle in giro per il mondo. Uno è un idiota, ma un altro ha un suo potenziale. Cura gli affari della società a Tallinn. Ma Ronald è l'unico dei miei figli veramente all'altezza di Zalachenko.»

«Suppongo che le mie sorellastre non abbiano spazio nell'azienda di famiglia.»

Zalachenko assunse un'aria stupefatta.

«Zalachenko... tu sei solo un volgare delinquente che odia le donne. Perché avete ucciso Bjurman?»

«Bjurman era un imbecille. Non voleva credere che tu fossi mia figlia. Come saprai era uno dei pochi in questo paese a conoscere il mio passato. E devo ammettere che mi preoccupai quando d'improvviso mi contattò, ma poi tutto si risolse per il meglio. Lui morì e tu ti prendesti la colpa.»

«Ma perché lo avete ucciso?» ripeté Lisbeth.

«In effetti non era nei piani. Io m'immaginavo molti anni di fruttuosa collaborazione con lui, ed è sempre utile poter disporre di un ingresso di servizio alla Säpo. Anche se si tratta di un imbecille. Ma quel giornalista di Enskede in qualche modo aveva scoperto un collegamento fra lui e me e gli telefonò proprio mentre Ronald era a casa sua. Bjurman fu colto dal panico e diventò intrattabile. Ronald fu costretto a prendere una decisione così su due piedi. Agì in modo del tutto corretto.»

Lisbeth si sentì sprofondare il cuore nel petto come un macigno quando suo padre le confermò ciò che già aveva capito. *Dag Svensson aveva trovato un collegamento.* Lei aveva parlato con Dag e Mia per oltre un'ora. Mia le era piaciuta subito, ma con Dag Svensson era stata più tiepida. Le ricordava davvero troppo Mikael Blomkvist – un insopportabile idealista convinto di poter cambiare il mondo con un libro. Però aveva accettato il suo onesto intendimento.

La visita a casa di Dag e Mia comunque era stata solo una perdita di tempo. Non erano stati in grado di condurla da Zalachenko. Dag aveva trovato il suo nome e aveva cominciato a scavare, ma non era riuscito a identificarlo.

Per contro lei aveva commesso un grave errore. Sapeva che doveva esistere un collegamento fra Bjurman e Zalachenko. Di conseguenza aveva fatto domande su Bjurman nel tentativo di scoprire se Dag fosse inciampato nel suo nome. Non era successo, ma il giornalista aveva buon fiuto. Aveva immediatamente zoomato sul nome Bjurman e aveva cominciato a tempestarla di domande.

Senza che Lisbeth gli avesse detto granché, aveva intuito che lei era un personaggio del dramma. E si era anche reso conto che lui stesso aveva delle informazioni che lei voleva. Si erano accordati per incontrarsi di nuovo dopo Pasqua per continuare la discussione. Poi Lisbeth era tornata a casa ed era andata a dormire. Quando si era svegliata aveva appreso dal notiziario del mattino che due persone erano state assassinate in un appartamento a Enskede.

Aveva fornito a Dag Svensson un'unica informazione utilizzabile. Gli aveva dato il nome di Nils Bjurman. Dag Svensson doveva avere chiamato Bjurman nell'attimo stesso in cui lei aveva lasciato il loro appartamento.

Il collegamento era lei. Se non fosse andata a trovarli, Dag e Mia sarebbero stati ancora vivi.

Zalachenko rise.

«Non t'immagini quanto siamo rimasti sbalorditi quando

la polizia ha cominciato a darti la caccia per gli omicidi.»

Lisbeth si morse il labbro inferiore. Zalachenko la scrutò.

«Come hai fatto a trovarmi?» chiese.

Lei si strinse nelle spalle.

«Lisbeth... fra poco Ronald sarà di ritorno. Posso chiedergli di spezzare ogni singolo osso del tuo corpo se non ti decidi a rispondere. Risparmiaci la fatica.»

«La casella postale. Ho rintracciato la macchina di Niedermann all'autonoleggio e ho aspettato finché quel ragnetto brufoloso non è comparso a vuotare la casella.»

«Aha. Così semplice. Grazie. Me ne ricorderò.»

Lisbeth rifletté un momento. La canna della pistola era ancora puntata contro il suo torace.

«Credi veramente di cavartela senza danni?» domandò Lisbeth. «Hai commesso troppi errori, la polizia finirà per identificarti.»

«Lo so» rispose suo padre. «Björck mi ha chiamato ieri per dirmi che un giornalista di *Millennium* ha fiutato la storia e che è solo questione di tempo. Forse dovremo fare qualcosa con quel giornalista.»

«È un lungo elenco» disse Lisbeth. «Mikael Blomkvist e il caporedattore Erika Berger e la segretaria di redazione e diversi collaboratori solo a *Millennium*. E poi Dragan Armanskij e un certo numero di dipendenti della Milton Security. E l'ispettore Bublanski e svariati altri poliziotti coinvolti nell'inchiesta. Quanti ne dovrai ammazzare per mettere tutto a tacere? Finiranno per identificarti.»

Zalachenko rise di nuovo.

«E allora? Io non ho ammazzato nessuno e contro di me non c'è la benché minima prova. Possono identificare chi diavolo vogliono. Credimi... in questa casa possono fare tutte le perquisizioni possibili, non troveranno neanche un granello di polvere che possa collegarmi a qualche attività illecita. Fu la Säpo a farti rinchiudere in manicomio, non io, e non faranno troppe storie per mettere le carte in tavola.»

«Niedermann» gli ricordò Lisbeth.

«Già domani mattina Ronald partirà per un periodo di vacanza all'estero, in attesa degli sviluppi.»

Zalachenko guardò Lisbeth trionfante.

«Tu sei ancora la principale sospettata degli omicidi. Dunque è molto opportuno che tu sparisca senza tanto chiasso.»

Ci vollero quasi cinquanta minuti prima che Ronald Niedermann tornasse. Aveva ai piedi degli stivali.

Lisbeth sbirciò con la coda dell'occhio l'uomo che secondo suo padre doveva essere un suo fratellastro. Non riusciva a scorgere la minima somiglianza. Anzi, era il suo esatto opposto. Lisbeth aveva la sensazione che ci fosse qualcosa di sbagliato in Ronald Niedermann. La corporatura da un lato, il viso dai lineamenti deboli e la voce non ancora matura dall'altro facevano pensare a un errore genetico di qualche tipo. Si era dimostrato assolutamente insensibile agli effetti della pistola elettrica e le sue mani erano enormi. Niente in lui sembrava normale.

Sembrano esserci parecchi errori genetici nella famiglia Zalachenko pensò amaramente.

«Finito?» domandò Zalachenko.

Niedermann annuì. Tese la mano verso la sua Sig Sauer.

«Vengo anch'io» disse Zalachenko.

Niedermann esitò.

«C'è un bel pezzo a piedi.»

«Vengo anch'io. Va' a prendermi la giacca.»

Niedermann alzò le spalle e fece quello che gli aveva detto. Poi prese la propria arma mentre Zalachenko si vestiva e spariva nella stanza adiacente. Lisbeth osservava Niedermann che avvitava un adattatore con un silenziatore di fabbricazione domestica.

«Allora andiamo» disse Zalachenko dalla porta.

Niedermann si chinò e la tirò in piedi. Lisbeth incrociò il suo sguardo.

«Ammazzerò anche te» gli disse.

«In ogni caso hai fiducia in te stessa» disse suo padre.

Niedermann le sorrise con aria mite e la spinse verso la porta e poi fuori in cortile. La teneva con una presa salda. Le sue dita riuscivano a circondarle completamente il collo. La guidò verso il bosco a nord della stalla.

La passeggiata procedeva lentamente. Niedermann si fermava a intervalli regolari per aspettare Zalachenko. Avevano con sé delle torce potenti. Quando entrarono nel bosco Niedermann mollò la presa intorno al collo di Lisbeth, mantenendo la bocca della pistola a un metro circa dalla sua schiena.

Seguirono un sentiero accidentato per circa quattrocento metri. Lisbeth inciampò due volte ma fu sempre rimessa in piedi.

«Gira a destra qui» disse Niedermann.

Dopo una decina di metri uscirono in una radura. Lisbeth vide la fossa nel terreno. Alla luce della torcia scorse una vanga infilata in un mucchio di terra. D'improvviso capì quale faccenda avesse sbrigato Niedermann. Lui la spinse verso la fossa e lei inciampò e cadde carponi con le mani infilate nel mucchio di terra sabbiosa. Si alzò e lo guardò senza espressione. Zalachenko avanzava senza fretta e Niedermann lo aspettava tranquillo. La bocca della pistola era sempre puntata contro Lisbeth.

Zalachenko aveva il fiatone. Passò più di un minuto prima che riuscisse a parlare.

«Forse dovrei dire qualcosa ma credo di non avere nulla da dirti» esordì.

«È okay» disse Lisbeth. «Neppure io ho granché da dire a te.»

Gli rivolse un sorriso storto.

«Allora concludiamo questa faccenda» disse Zalachenko.

«Sono contenta che l'ultima cosa che ho fatto è stata di incastrarti» disse Lisbeth. «La polizia busserà alla tua porta già questa notte.»

«Balle. Me lo aspettavo che avresti provato a bluffare. Tu sei venuta qui per uccidermi, nient'altro. Non hai parlato con nessuno.»

Il sorriso di Lisbeth Salander si allargò. D'un tratto sembrava veramente malvagia.

«Posso mostrarti una cosa, papà?»

Infilò lentamente la mano nella tasca sinistra dei pantaloni e tirò fuori un oggetto quadrato. Ronald Niedermann sorvegliava ogni suo movimento.

«Ogni parola che hai detto nell'ultima ora è stata trasmessa a una radio su Internet.»

Mostrò il suo Palm Tungsten T3.

La fronte di Zalachenko si corrugò dove avrebbero dovuto esserci le sopracciglia.

«Fa' vedere» disse, allungando la mano sana.

Lisbeth gli lanciò il computer. Lui lo afferrò al volo.

«Balle» disse Zalachenko. «Questo è solo un comune palmare.»

Quando Ronald Niedermann si chinò per sbirciare il suo computer, Lisbeth Salander gli gettò una manciata di sabbia negli occhi. Lui rimase accecato ma lasciò partire automaticamente un colpo dalla pistola col silenziatore. Lei però si era già spostata di lato, la pallottola bucò solo l'aria. Afferrò la vanga e la abbatté di taglio sulla mano che reggeva la pistola. La colpì con tutta la sua forza sulle nocche e intravide la Sig Sauer volare via lontano da loro descrivendo un lungo arco e finire in mezzo a un intrico di cespugli. Vide il sangue sgorgare copioso da un taglio profondo sull'indice.

Dovrebbe urlare di dolore.

Niedermann brancolò con la mano martoriata davanti a sé mentre con l'altra si sfregava disperatamente gli occhi. L'unica possibilità per Lisbeth era di fermarlo subito, se fossero arrivati allo scontro fisico sarebbe stata irrimediabilmente perduta. Aveva bisogno di cinque secondi di vantaggio per fuggire nel bosco. Prese lo slancio e descrisse con la vanga un ampio arco portandosela sopra la spalla. Cercò di girare l'impugnatura in modo da riuscire a colpire di taglio, ma era in una posizione sbagliata. Colpì Niedermann in piena faccia.

Niedermann grugnì quando il suo naso si ruppe per la seconda volta in pochi giorni. Era ancora accecato dalla sabbia ma fece scattare il braccio destro e riuscì a spingere Lisbeth lontano da sé. Lei barcollò all'indietro e inciampò su una radice. Per un secondo rimase a terra ma con uno scatto tornò subito in piedi. Per un po' Niedermann sarebbe stato inoffensivo.

Posso farcela.

Aveva fatto due passi verso i cespugli quando con la coda dell'occhio – *clic* – vide Alexander Zalachenko alzare il braccio.

Anche quel maledetto demonio è armato.

La percezione le passò per la testa come una frustata.

Cambiò direzione nell'attimo stesso in cui il colpo partì. La pallottola la colpì all'anca e le fece perdere l'equilibrio.

Non sentiva nessun dolore.

La seconda pallottola la colpì alla schiena e si fermò contro la scapola sinistra. Un dolore acuto le paralizzò il corpo.

Cadde in ginocchio. Per qualche secondo fu incapace di muoversi. Era consapevole di avere Zalachenko dietro di sé, a circa sei metri di distanza. Con un ultimo sforzo si rimise testardamente in piedi e mosse un passo verso la protezione dei cespugli.

Zalachenko ebbe il tempo di prendere la mira.

La terza pallottola la colpì circa due centimetri sopra l'orecchio sinistro. Penetrò nell'osso parietale provocando una ragnatela di crepe radiali nel cranio e andò a fermarsi nella materia grigia circa quattro centimetri sotto la corteccia cerebrale.

Per Lisbeth Salander, comunque, i termini medici avrebbero avuto solo un valore accademico in quella situazione. In termini pratici il colpò causò un esteso trauma immediato. La sua ultima sensazione fu uno shock arroventato che si trasformò in una luce bianca.

Poi, il buio.

Clic.

Zalachenko cercò di esplodere un altro colpo ma le sue mani tremavano così forte che non riusciva a prendere la mira. *Lei stava quasi per scappare.* Alla fine si rese conto che era già morta e abbassò il braccio mentre l'adrenalina gli fluiva attraverso il corpo. Spostò lo sguardo sulla sua arma. Aveva lasciato la pistola a casa ma poi era tornato a prenderla e se l'era infilata nella tasca della giacca come un portafortuna. *Un mostro.* Erano due uomini adulti e uno di loro era Ronald Niedermann che per di più era armato di una Sig Sauer. *E quella sgualdrina stava quasi per scappare.*

Diede un'occhiata al corpo di sua figlia. Alla luce della torcia tascabile sembrava una bambola di pezza insanguinata. Mise la sicura alla pistola e la infilò nella tasca, quindi si avvicinò a Ronald Niedermann che stava lì inerme con le lacrime agli occhi e il sangue che scorreva dalla mano e dal naso. Non si era ancora ripreso dopo l'incontro per il titolo con Paolo Roberto, la pala della vanga aveva provocato una devastazione.

«Credo di essermi rotto di nuovo il naso» disse il gigante.

«Idiota» disse Zalachenko. «Stava quasi per scappare.»

Niedermann continuava a sfregarsi gli occhi. Non gli facevano male, ma le lacrime continuavano a formarsi e lo rendevano quasi cieco.

«Sta' dritto con quella schiena, per l'inferno.» Zalachenko scosse la testa, sprezzante. «Cosa diavolo faresti senza di me.»

Niedermann batté le palpebre desolato. Zalachenko si avvicinò zoppicando al corpo della figlia e la afferrò per la giacca. La sollevò e la trascinò fino alla fossa che era solo un buco, troppo piccolo perché potesse entrarci lunga distesa. Sollevò il corpo in modo che i piedi si trovassero sopra la fossa, poi lo lasciò cadere dentro come un sacco di patate. Lei si afflosciò in posizione fetale con le gambe ripiegate sotto di sé.

«Chiudi la fossa che ce ne torniamo a casa una buona volta» ordinò Zalachenko.

Al semiaccecato Ronald Niedermann bastò un momento per riempirla. La terra in più la distribuì intorno con robuste palate.

Zalachenko fumava una sigaretta mentre osservava Niedermann che lavorava. Tremava ancora, ma l'adrenalina aveva cominciato a calare. Provava un improvviso sollievo per il fatto che lei non c'era più. Ricordava ancora i suoi occhi nell'attimo in cui aveva lanciato la bomba incendiaria tanti, tanti anni prima.

Erano le nove di sera quando Zalachenko si guardò intorno e annuì. Recuperarono la Sig Sauer di Niedermann sotto un cespuglio. Poi fecero ritorno a casa. Zalachenko si sentiva sorprendentemente soddisfatto. Dedicò un momento a medicare la mano di Niedermann. Il colpo di vanga era andato in profondità, fu costretto a tirare fuori ago e filo per cucire la ferita – un'arte che aveva imparato già a quindici anni alla scuola militare di Novosibirsk. In ogni caso non aveva bisogno di somministrargli nessun anestetico.

Forse la ferita avrebbe costretto Niedermann ad andare all'ospedale. Steccò il dito e lo fasciò.

Quando ebbe terminato si aprì una birra mentre suo figlio si sciacquava ripetutamente gli occhi in bagno.

32.
Giovedì 7 aprile

Mikael Blomkvist arrivò alla stazione centrale di Göteborg poco dopo le nove. Il rapido X2000 era riuscito a recuperare una parte del tempo perduto ma era comunque in ritardo. Mikael aveva dedicato l'ultima ora del viaggio in treno a telefonare a diverse ditte di autonoleggio. Come prima cosa aveva cercato di trovare una macchina ad Alingsås, con l'idea di scendere lì, ma era risultato impossibile a così tarda ora. Alla fine si era arreso ed era riuscito invece a prenotare una Volkswagen a Göteborg. Poteva ritirarla a Järntorget. Decise di lasciar perdere il trasporto pubblico locale, il cui sistema di biglietti richiedeva almeno una laurea in ingegneria spaziale per essere compreso, e chiamò un taxi.

Quando finalmente ebbe la macchina scoprì che non c'era neanche una cartina stradale dentro. Si fermò a una stazione di servizio aperta e fece acquisti. Dopo una breve riflessione comperò anche una torcia tascabile, una bottiglia di acqua minerale e un caffè da portare via, e infilò il bicchiere di carta nel portabicchiere del cruscotto. Erano già le dieci e mezza quando oltrepassò Partille uscendo da Göteborg in direzione nord. Imboccò l'autostrada per Alingsås.

Alle nove e mezza una volpe passò davanti alla tomba di Lisbeth Salander. Si fermò e si guardò intorno inquieta. Sapeva istintivamente che c'era qualcosa, ma giudicò che fosse troppo difficile da raggiungere perché valesse la pena scavare. C'erano prede più facili.

Da qualche parte nelle vicinanze qualche incauto animale notturno fece rumore muovendosi sulle foglie secche, e la volpe aguzzò immediatamente le orecchie. Mosse un cauto passo in avanti. Ma prima di continuare la caccia alzò la zampa posteriore e segnò il territorio con uno schizzo d'urina.

Bublanski non aveva l'abitudine di fare telefonate di lavoro la sera tardi, ma quella volta non riuscì a resistere. Alzò il ricevitore e compose il numero di Sonja Modig.

«Scusa se chiamo così tardi. Non stavi dormendo, spero.»

«Nessun problema.»

«Ho appena finito di leggere l'inchiesta del 1991.»

«Capisco che anche tu abbia trovato difficile staccartene.»

«Sonja... tu come interpreti tutto l'insieme?»

«La mia impressione è che Gunnar Björck, nome di spicco nella lista dei clienti delle prostitute, abbia sistemato Lisbeth Salander in manicomio dopo che lei aveva cercato di proteggere se stessa e la madre contro un pazzo assassino che lavorava per la Säpo, e che per fare questo abbia avuto l'appoggio fra gli altri di Peter Teleborian, sulle cui dichiarazioni noi a nostra volta abbiamo basato gran parte del nostro giudizio sulle condizioni psichiche di Lisbeth.»

«Questo però cambierebbe radicalmente l'immagine che abbiamo di lei.»

«E spiegherebbe parecchie cose.»

«Sonja, puoi passare a prendermi domani alle otto?»

«Certo.»

«Andiamo giù a Smådalarö a fare una chiacchierata con Gunnar Björck. Ho fatto un controllo. È a casa in malattia.»

«Non vedo l'ora.»

«Mi sa che dobbiamo rivalutare totalmente l'immagine di Lisbeth Salander.»

Greger Backman guardò con la coda dell'occhio sua moglie. Erika era in piedi accanto alla finestra del soggiorno e guardava l'acqua all'esterno. Aveva in mano il cellulare e lui sapeva che stava aspettando una telefonata da Mikael Blomkvist. Sembrava così infelice che le si avvicinò e la cinse con un braccio.

«Blomkvist è adulto e vaccinato» disse. «Ma se davvero sei così preoccupata devi telefonare a quel poliziotto.»

Erika sospirò.

«Avrei dovuto farlo già diverse ore fa. Ma non è per questo che sono angustiata.»

«C'è qualcosa che dovrei sapere?» domandò Greger.

Lei annuì.

«Racconta.»

«Ti ho tenuto all'oscuro. E ho tenuto all'oscuro anche Mikael. E tutti gli altri della redazione.»

«Tenuto all'oscuro?»

Erika si girò verso suo marito e gli raccontò che aveva avuto un posto come caporedattore allo *Svenska Morgon-Posten*. Greger Backman rimase sorpreso.

«Non capisco perché tu non me l'abbia detto prima» commentò. «È una cosa magnifica. Congratulazioni.»

«È solo che mi sento una traditrice, suppongo.»

«Mikael capirà. Tutti devono andare avanti, quando viene l'ora. E adesso è la tua ora.»

«Lo so.»

«Hai già deciso?»

«Sì. Ho deciso. Ma non ho avuto il coraggio di raccontarlo a nessuno. E mi sembra di mollare tutto nel bel mezzo di un caos gigantesco.»

Greger abbracciò sua moglie.

Dragan Armanskij si sfregò gli occhi e guardò il buio fuori dalla finestra della clinica a Ersta.

«Dovremmo telefonare a Bublanski» disse.

«No» replicò Holger Palmgren. «Né Bublanski né nessun'altra autorità ha mai alzato un dito per lei. Lasciamola fare come meglio crede.»

Armanskij osservava l'ex tutore di Lisbeth Salander. Le sue condizioni di salute erano incredibilmente migliorate dall'ultima volta che era andato a trovarlo a Natale. Le difficoltà di pronuncia c'erano ancora, ma Palmgren aveva una vitalità del tutto nuova nello sguardo. In lui c'era però anche una rabbia che Armanskij non riconosceva. Nel corso della serata, Palmgren gli aveva raccontato in dettaglio la storia che Mikael aveva messo insieme pezzo per pezzo. Armanskij era sconvolto.

«Cercherà di uccidere suo padre.»

«È possibile» disse Palmgren tranquillo.

«Oppure sarà Zalachenko a uccidere lei.»

«Anche questo è possibile.»

«E noi dobbiamo stare semplicemente ad aspettare?»

«Dragan... tu sei una brava persona. Ma quello che Lisbeth Salander fa o non fa e se ne uscirà viva oppure no non è responsabilità tua.»

Palmgren allargò le braccia. D'improvviso aveva una capacità di coordinazione che non aveva più avuto dal giorno dell'ictus. Era come se le ultime drammatiche settimane avessero acuito i suoi sensi sopiti.

«Non ho mai avuto simpatia per la gente che si fa giustizia da sé. Ma non ho mai sentito parlare di nessuno che abbia motivi tanto validi per farlo. Col rischio di sembrare cinico... quello che accadrà stanotte accadrà a prescindere da come tu o io la pensiamo. Era scritto nelle stelle già quando è venuta al mondo. E tutto quello che resta da fare a te e a me è decidere come rapportarci con lei se e quando farà ritorno.»

Armanskij sospirò e guardò di sottecchi il vecchio avvocato.

«Se passerà i prossimi dieci anni in carcere, sarà stata lei stessa a sceglierlo. Io continuerò a esserle amico.»

«Non avevo idea che avessi una tale visione libertaria dell'essere umano.»

«Nemmeno io» disse Holger Palmgren.

Miriam Wu fissava il soffitto. La luce notturna era accesa e una radio trasmetteva musica a basso volume. Ora stava suonando *On a slow boat to China*. Il giorno prima si era ritrovata all'ospedale, dove era stata portata da Paolo Roberto. Aveva dormito e si era svegliata inquieta e aveva dormito ancora, senza un vero ordine. I medici dicevano che aveva una commozione cerebrale. In ogni caso doveva riposare. Aveva il setto nasale e tre costole rotti e lividi su tutto il corpo. Il sopracciglio sinistro era talmente gonfio che l'occhio era solo una stretta fessura fra le palpebre. Sentiva male quando cercava di cambiare posizione. Sentiva male quando immetteva l'aria nei polmoni. Aveva il collo dolorante e le avevano messo un collare per precauzione. Ma i medici le avevano assicurato che si sarebbe rimessa perfettamente.

Quando si era svegliata, verso sera, Paolo Roberto era seduto accanto al letto. Le aveva fatto un mezzo ghigno e le aveva chiesto come si sentiva. Miriam si era domandata se anche lei aveva lo stesso aspetto miserevole del pugile.

Gli aveva fatto delle domande e lui le aveva dato le risposte. Per qualche motivo non le sembrava affatto assurdo che lui fosse buon amico di Lisbeth. Era un bell'elemento, e a Lisbeth di solito piacevano i tipi tosti come lui, mentre detestava gli sbruffoni. La differenza era sottile, ma Paolo Roberto apparteneva alla prima categoria.

Le aveva spiegato come mai d'improvviso era comparso dal nulla nel deposito di Nykvarn. Era stupefatta per come avesse dato testardamente la caccia al furgone. E sconvolta per il fatto che la polizia continuava a rinvenire cadaveri nel terreno intorno al deposito.

«Grazie» disse. «Tu mi hai salvato la vita.»

Lui scosse la testa e rimase in silenzio.

«Ho cercato di spiegarlo a Blomkvist, ma non è che abbia proprio capito. Però credo che tu possa capire, dato che tiri di boxe anche tu.»

Lei sapeva cosa voleva dire. Nessuno che non fosse stato nel deposito di Nykvarn avrebbe potuto capire cosa volesse dire battersi con un mostro che non sentiva il dolore. Pensò a come si era sentita inerme.

Alla fine gli aveva stretto la mano bendata. Non si erano detti altro. Non era nulla che si potesse dire a parole. Quando si era di nuovo svegliata lui non c'era più. Miriam avrebbe voluto che Lisbeth si facesse viva.

Era lei che Niedermann stava cercando.

Miriam Wu aveva paura che potesse trovarla.

Lisbeth non riusciva a respirare. Aveva perso la nozione del tempo ma era conscia di essere stata colpita e – più per istinto che per ragionamento – di essere sepolta sotto terra. Il braccio sinistro era inservibile, non poteva muoverlo senza che ondate di dolore le trafiggessero la spalla. La mente andava dentro e fuori da una nebbiosa consapevolezza. *Ho bisogno di aria.* La testa le scoppiava di un dolore pulsante come non ne aveva mai provati.

La mano destra le era finita sotto la faccia e lei cominciò istintivamente a grattare via la terra dal naso e dalla bocca. Era una terra sabbiosa e abbastanza asciutta. Riuscì a fare un buco grosso come un pugno.

Non sapeva da quanto tempo fosse dentro la fossa. Ma capiva di essere in pericolo di vita. Alla fine formulò un pensiero preciso.

Lui mi ha sepolta viva.

Questo la gettò nel panico. Non riusciva a respirare. Non riusciva a muoversi. Una tonnellata di terra la teneva incatenata alla roccia primaria.

Provò a muovere una gamba ma riuscì a malapena a tendere i muscoli. Poi commise l'errore di provare ad alzarsi. Spinse con la testa per mettersi dritta e immediatamente un dolore lancinante le attraversò le tempie come una scarica elettrica. *Non devo vomitare.* Sprofondò di nuovo in uno stato di semincoscienza.

Quando riuscì nuovamente a pensare cercò cautamente di indagare quali parti del suo corpo fossero utilizzabili. L'unica cosa che riusciva a muovere di qualche centimetro era la mano destra. *Ho bisogno di aria.* L'aria era sopra di lei, sopra la tomba.

Lisbeth Salander cominciò a scavare. Facendo pressione con il gomito riuscì a ricavare un piccolo spazio di manovra. Con il dorso della mano allargò il buco davanti alla faccia schiacciando la terra intorno. *Devo scavare.*

Si rese conto che c'era una cavità nell'angolo morto sotto di lei. Lì c'era buona parte dell'aria che ancora la teneva in vita. Cominciò disperatamente a contorcersi avanti e indietro e sentì la terra franare piano. La pressione sul torace si allentò un po'. Ora poteva muovere il braccio di qualche centimetro.

Minuto dopo minuto continuava a lavorare. Grattava via la terra sabbiosa e la spingeva giù manciata dopo manciata nella cavità sotto di lei. A poco a poco riuscì a liberare il braccio quel tanto che bastava per togliersi la terra da sopra la testa. Centimetro dopo centimetro liberò tutta la testa. Sentì qualcosa di duro e si ritrovò d'un tratto a stringere in mano un legnetto. Grattò verso l'alto. La terra non era particolarmente compatta.

Erano passate da poco le dieci quando la volpe passò di nuovo davanti alla tomba di Lisbeth Salander sulla via del ritorno verso la sua tana. Aveva mangiato un sorcio e si sentiva in pace col mondo quando d'improvviso avvertì un'altra presenza. Si immobilizzò e aguzzò le orecchie. Baffi e naso vibravano.

Fu allora che le dita di Lisbeth Salander spuntarono dalla terra come qualcosa di misterioso uscito dall'oltretomba. Se ci fosse stato uno spettatore umano avrebbe reagito come la volpe. Se la sarebbe filata a gambe levate.

Lisbeth sentì l'aria fredda fluire giù lungo il braccio. Poteva respirare di nuovo.

Non aveva un ricordo chiaro di ciò che era successo. Trovava strano di non riuscire a utilizzare la mano sinistra, ma grattava via meccanicamente terra e sabbia con la destra.

Aveva bisogno di qualcosa con cui continuare a scavare. Le bastò un momento per trovare cosa utilizzare. Con il braccio raggiunse il taschino della giacca ed estrasse il portasigarette di Mimmi. Lo aprì e lo usò come una paletta. Rimuoveva la terra gettandola lontano con uno scatto del polso. Tutto d'un tratto fu in grado di muovere la spalla. La spinse in su attraverso lo strato di terra e così riuscì a raddrizzare la testa. Ora aveva il braccio destro e la testa fuori. Quando riuscì a liberare anche parte del torace poté cominciare a tirarsi su centimetro dopo centimetro finché la terra d'improvviso liberò la pressione sulle gambe.

Si allontanò strisciando dalla tomba con gli occhi chiusi, e non si fermò finché non urtò con la spalla contro il tronco di un albero. Girò lentamente il corpo fino ad avere l'albero come sostegno dietro la schiena, e si ripulì gli occhi dalla terra con il dorso della mano prima di aprire le palpebre. Intorno a lei il buio era profondo e l'aria gelida. Sudava. Avvertiva un dolore sordo nella testa, alla spalla sinistra e all'anca, ma non sprecò energie per pensarci. Restò seduta immobile per dieci minuti, a respirare. Poi si rese conto che non poteva rimanere lì.

Lottò per mettersi in piedi mentre il mondo ondeggiava. Fu colta immediatamente dalla nausea e si piegò in avanti per vomitare.

Poi cominciò a camminare. Non sapeva in quale direzione stesse andando. Muoveva con difficoltà la gamba sinistra e a intervalli regolari finiva a terra in ginocchio. Ogni volta il dolore le trafiggeva la testa.

Non sapeva da quanto tempo stesse camminando quando d'un tratto vide una luce con la coda dell'occhio. Cambiò direzione e inciampò. Fu solo quando si trovò accanto al rustico ai margini del cortile che si rese conto di essere tornata alla casa di Zalachenko. Si fermò, barcollando come un ubriaco.

Fotocellule sul viale d'accesso e nell'area disboscata. Lei arrivava dall'altra parte. Non l'avevano vista.

Il pensiero la confuse. Si rendeva conto di non poter affrontare di nuovo Niedermann e Zalachenko. Fissò la casa di legno bianca.

Clic. Legno. *Clic.* Fuoco.

Cominciò a fantasticare di una tanica di benzina e di un fiammifero.

Si girò faticosamente verso il rustico e lentamente raggiunse una porta chiusa. Riuscì ad alzare la traversa mettendoci sotto la spalla destra e sentì il fracasso che produsse quando cadde a terra. Lisbeth fece un passo nell'oscurità e si guardò intorno.

Era una legnaia. Lì non c'era benzina.

Seduto al tavolo della cucina, Alexander Zalachenko alzò gli occhi quando sentì il rumore. Spostò la tendina e guardò fuori. Gli ci volle qualche secondo prima che gli occhi si abituassero all'oscurità. Soffiava un vento sempre più forte. I meteorologi avevano preannunciato un week-end tempestoso. Poi vide che la porta della legnaia era socchiusa.

Insieme a Niedermann era andato a prendere della legna nel pomeriggio. Una passeggiata il cui unico scopo era quello di confermare a Lisbeth Salander che era all'indirizzo giusto e di indurla a farsi avanti.

Niedermann si era dimenticato di rimettere a posto la traversa? Sapeva essere così distratto! Sbirciò verso la porta del soggiorno. Niedermann si era appisolato sul divano. Avrebbe dovuto svegliarlo, ma pensò che tanto valeva lasciarlo dormire. Si alzò dalla sedia.

Per trovare la benzina Lisbeth avrebbe dovuto raggiungere la stalla con le macchine. Si appoggiò contro un ceppo per tagliare la legna e respirò pesantemente. Doveva riposarsi. Era seduta da un minuto quando sentì i passi strascicati della protesi di Zalachenko fuori dalla legnaia.

Al buio Mikael sbagliò strada vicino a Mellby a nord di Sollebrunn.

Invece di prendere per Nossebro continuò verso nord e non si rese conto dell'errore finché non fu a Trökörna. Lì si fermò e consultò l'atlante stradale.

Imprecò e svoltò a sud tornando verso Nossebro.

Lisbeth afferrò con la mano destra l'accetta piantata nel ceppo un secondo prima che Alexander Zalachenko entrasse nella legnaia. Non aveva abbastanza forza per sollevare l'accetta sopra la testa, per cui impugnandola con una mano sola le fece descrivere un arco dal basso verso l'alto, poggiando il peso sull'anca sana e facendo un mezzo giro su se stessa.

Nell'attimo stesso in cui Zalachenko girò l'interruttore

della luce, il filo dell'accetta lo colpì sulla parte destra del volto, fracassandogli lo zigomo e penetrando di qualche millimetro nell'osso frontale. Non ebbe il tempo di capire cosa stesse accadendo, ma nel secondo successivo il suo cervello registrò il dolore e lui cominciò a urlare.

Ronald Niedermann si svegliò di soprassalto e si mise a sedere confuso. Udì un ululato che dapprincipio non gli pareva umano. Veniva da fuori. Poi si rese conto che era Zalachenko a urlare. Si mise velocemente in piedi.

Lisbeth prese lo slancio e fece ruotare l'accetta ancora una volta ma il suo corpo non obbedì. L'intenzione era di sollevare l'accetta e seppellirla nella testa di suo padre, ma aveva esaurito tutte le forze e il colpo si abbatté sotto la rotula. Tuttavia il filo penetrò così in profondità che l'accetta restò nella gamba e le sfuggì di mano quando Zalachenko cadde in avanti crollando dentro la legnaia. Non smetteva di urlare.

Lisbeth si chinò per afferrare di nuovo l'accetta. La terra le ondeggiò sotto i piedi mentre lampi le attraversavano il cervello. Fu costretta a sedersi. Allungò la mano e tastò le tasche della giacca di Zalachenko. Aveva ancora la pistola nella tasca destra. Lisbeth cercò di mettere a fuoco lo sguardo mentre la terra continuava a ondeggiare.

Una Browning calibro 22.

Una pistola da scout.

Ecco perché era ancora viva. Se fosse stata colpita dalla Sig Sauer di Niedermann o comunque da una pistola dotata di munizioni più pesanti, avrebbe avuto un bel cratere nel cranio.

Nell'attimo stesso in cui formulava il pensiero vide un Niedermann ancora assonnato riempire la porta della legnaia. L'uomo si fermò di botto e fissò la scena che gli si presentava davanti con gli occhi sbarrati. Zalachenko urlava come un ossesso. La sua faccia era una maschera insanguinata. Aveva un'accetta conficcata nel ginocchio. Una Lisbeth Salander sporca di terra e insanguinata era seduta accanto a lui. Sembrava uscita da uno dei troppi film dell'orrore che Niedermann aveva visto.

A Ronald Niedermann, insensibile al dolore e costruito come un robot anticarro, il buio non era mai piaciuto. Fin dove arrivavano i suoi ricordi, l'oscurità era sempre stata collegata a un senso di minaccia.

Nel buio aveva visto con i propri occhi delle figure e sapeva che un terrore indescrivibile era sempre in agguato. E adesso la paura si era materializzata.

La ragazza per terra era morta. Su questo non c'erano dubbi.

Lui stesso l'aveva sepolta.

Di conseguenza quella non era una ragazza ma un essere tornato dall'oltretomba che non si poteva combattere con la forza o con armi umane.

La trasformazione da essere umano a zombie aveva già avuto inizio. La sua pelle si era trasformata in una corazza simile a quella di un'iguana. I suoi denti avevano punte affilate che avrebbero strappato brandelli dalla carne della sua preda. La sua lingua da rettile usciva a scatti e leccava tutt'intorno alla bocca. Le sue mani insanguinate avevano artigli lunghi dieci centimetri e affilati come lamette da barba. I suoi occhi erano come braci ardenti. La sentì ringhiare sommessamente e la vide tendere i muscoli pronta a balzare contro la sua gola.

D'improvviso vide chiaramente che aveva una coda che si arricciava e cominciava a frustare minacciosa.

Poi lei alzò la pistola e sparò. La pallottola passò così vicino all'orecchio di Niedermann che lui riuscì a percepire la sferzata dell'aria. Gli parve che la sua bocca gli sputasse contro una lingua di fuoco.

Era troppo.

Smise di pensare.

Fece dietrofront e si mise a correre come se ne andasse della sua vita. Lei esplose ancora un colpo che lo mancò ma gli mise le ali ai piedi. Superò lo steccato con un balzo degno di un alce e fu inghiottito dall'oscurità dei campi in direzione della provinciale. Correva in preda a un terrore irrazionale.

Lisbeth Salander lo seguì con lo sguardo stupefatta finché sparì.

Si trascinò fino alla porta e guardò fuori nel buio, ma non riuscì più a vederlo. Zalachenko aveva smesso di urlare ma ora si lamentava, sotto shock. Lisbeth constatò che aveva ancora una pallottola, e valutò se spararla in testa a Zalachenko, ma pensò che Niedermann era ancora là fuori nel buio e che forse era meglio risparmiarla. Se l'avesse aggredita, probabilmente le sarebbe occorso ben altro che una pallottola calibro 22. Ma sarebbe stata comunque meglio di niente.

Si alzò a fatica, zoppicò fuori dalla legnaia e chiuse la porta. Le ci vollero cinque minuti per risistemare la traversa. Attraversò barcollando il cortile, entrò in casa e trovò il telefono su un cassettone in cucina. Fece un numero che non faceva da più di un anno. Lui non era in casa. Partì la segreteria telefonica.

Salve. Sono Mikael Blomkvist. In questo momento non posso rispondervi, ma lasciate nome e numero di telefono e vi richiamerò appena possibile.

Piiip.

«Mi-g-raal» disse, e si rese conto che la sua voce era completamente impastata. Deglutì. «Mikael. Sono Lisbeth.»

Poi non seppe più cosa dire.

Lentamente mise giù il ricevitore.

La Sig Sauer di Niedermann era appoggiata sul tavolo davanti a lei, smontata per la pulizia, accanto alla P-83 Wanad di Sonny Nieminen. Lasciò cadere la Browning di Zalachenko, recuperò la Wanad e controllò il caricatore. Trovò anche il suo palmare e se lo infilò in tasca. Poi raggiunse incespicando il lavello e riempì di acqua gelata una tazza sporca di caffè. Ne bevve quattro. Quando alzò lo sguardo vide improvvisamente la propria faccia in un vecchio specchio per radersi appeso al muro. Fece quasi partire un colpo per lo spavento.

Sembrava più un animale che un essere umano. Davanti a lei c'era una pazza con i lineamenti stravolti e la bocca spalancata. Faccia e collo erano una pappa rappresa di sangue e fango. Pensò a ciò che doveva avere visto Ronald Niedermann nella legnaia.

Si avvicinò un po' di più allo specchio e d'improvviso si rese conto che trascinava la gamba sinistra. Avvertiva un intenso dolore all'anca, dove era entrata la prima pallottola. La seconda l'aveva colpita alla schiena, paralizzandole il braccio sinistro. Faceva male.

Ma era il dolore alla testa a essere così acuto da farla vacillare. Sollevò lentamente la mano destra e si tastò. Sentì il cratere del foro d'ingresso.

Tastò con un dito nel foro, e si rese conto con orrore che stava toccando il suo stesso cervello. Era ferita così gravemente che di certo stava per morire o forse avrebbe dovuto essere già morta. Non riusciva a capire come facesse a reggersi ancora in piedi.

D'un tratto fu sopraffatta da una stanchezza infinita. Non sapeva se stava per svenire o per addormentarsi. Si trascinò fino alla cassapanca della cucina e si stese con cautela appoggiando la parte destra della testa, quella sana, su un cuscino.

Doveva recuperare le forze, ma sapeva anche che non poteva rischiare di addormentarsi con Niedermann là fuori. Prima o poi sarebbe tornato. Prima o poi Zalachenko sarebbe riuscito a uscire dalla legnaia e a trascinarsi fino in casa, ma lei non aveva più nemmeno la forza di stare ritta sulle gambe. Tremava di freddo. Tolse la sicura alla pistola.

Ronald Niedermann era fermo sulla provinciale fra Sollebrunn e Nossebro, indeciso. Era solo. Era al buio. Aveva ricominciato a pensare razionalmente e si vergognava della sua fuga. Non capiva cosa fosse successo, ma giunse alla conclusione logica che lei doveva essere sopravvissuta. *In qualche modo dev'essere riuscita a tirarsi fuori.*

Zalachenko aveva bisogno di lui. Di conseguenza doveva tornare a casa e torcerle il collo.

Al tempo stesso però Niedermann aveva la sensazione che tutto ormai fosse finito. Era da un pezzo che se lo sentiva. Le cose avevano cominciato ad andare male e avevano continuato su quella china da quando Bjurman li aveva contattati. Zalachenko era diventato un altro appena aveva sentito il nome di Lisbeth Salander. Tutte le regole di prudenza e misura che aveva predicato per così tanti anni avevano cessato di esistere.

Niedermann esitava.

Zalachenko aveva bisogno di un ospedale.

Se lei non l'aveva già ucciso.

Questo però avrebbe comportato delle conseguenze.

Si mordicchiò il labbro inferiore.

Era stato il socio di suo padre per molto tempo. Erano stati anni di successi. Aveva messo da parte dei soldi e inoltre sapeva dove Zalachenko aveva nascosto la propria fortuna. Aveva le risorse e la competenza che occorrevano per mandare avanti l'attività. Avrebbe dovuto andarsene via di lì senza voltarsi indietro. Se c'era qualcosa che Zalachenko gli aveva inculcato era di conservare sempre la capacità di allontanarsi da una situazione ingestibile senza tener conto dei sentimenti. Era la regola fondamentale della sopravvivenza. *Non alzare mai un dito per una causa persa.*

Lei non era un essere soprannaturale. Ma portava cattive notizie. Era la sua sorellastra.

L'aveva sottovalutata.

Ronald Niedermann era combattuto. Una parte di lui voleva tornare indietro e torcerle il collo. Un'altra parte voleva continuare a fuggire attraverso la notte.

Aveva passaporto e portafoglio nella tasca posteriore dei pantaloni. Non voleva tornare indietro. Alla fattoria non c'era niente di cui avesse bisogno.

A parte forse un'automobile.

Era ancora lì, esitante, quando vide il bagliore dei fari di un'auto avvicinarsi. Girò la testa. Forse poteva procurarsi un passaggio in un altro modo. Tutto ciò che gli occorreva era di raggiungere Göteborg.

Per la prima volta in vita sua – almeno da quando era uscita dal primissimo stadio dell'infanzia – Lisbeth Salander era incapace di avere il controllo della propria situazione.

Nel corso degli anni era stata coinvolta in risse, aveva subito maltrattamenti, era stata oggetto di cure coatte da parte dello stato e di soprusi privati. Aveva subito più batoste sia nel corpo che nell'anima di quante un essere umano dovrebbe mai patire. Ma ogni volta era stata capace di rivoltarsi. Si era rifiutata di rispondere alle domande di Teleborian, e quando si era trovata esposta alla violenza fisica era sempre riuscita a scansarsi e a tirarsi indietro.

Con il naso rotto poteva anche vivere.

Ma non poteva vivere con un buco in testa.

Questa volta non poteva trascinarsi nel suo letto e tirarsi le coperte sulla testa e dormire due giorni e poi alzarsi e tornare alla vita di tutti i giorni come se nulla fosse successo.

Era ferita così gravemente che non era in grado di sbrogliarsela da sola. Era così stanca che il suo corpo non obbediva più ai suoi comandi.

Devo dormire un po' pensò. E d'improvviso sentì che se avesse mollato la presa e chiuso gli occhi forse non si sarebbe più svegliata. Analizzò questa conclusione e constatò che in fin dei conti non le importava. Al contrario. Si sentiva quasi attratta dal pensiero. *Poter riposare. Non doversi svegliare per forza.*

Il suo ultimo pensiero andò a Miriam Wu.

Perdonami, Mimmi.

Teneva ancora stretta in mano la pistola di Sonny Nieminen senza sicura quando chiuse gli occhi.

Mikael Blomkvist vide Ronald Niedermann da molto lontano alla luce dei fari e lo riconobbe immediatamente. Era difficile sbagliarsi su un gigante biondo alto duecentocinque centimetri costruito come un robot anticarro. Niedermann agitava le braccia. Mikael accese gli abbaglianti e frenò. Allungò la mano verso la tasca esterna della borsa del computer e prese la Colt 1911 Government che aveva trovato sulla scrivania di Lisbeth Salander. Si fermò a circa cinque metri da Niedermann e spense il motore prima di aprire la portiera.

«Grazie di essersi fermato» disse Niedermann con il fiatone. Doveva avere corso. «Mi è successo un... guaio con il motore. Può darmi un passaggio fino in città?»

Aveva una voce stranamente infantile.

«Certo che posso provvedere a portarti in città» disse Mikael Blomkvist. Puntò l'arma contro Niedermann. «Stenditi a terra.»

Non c'era fine alle tribolazioni di Ronald Niedermann quella notte. Fissò esitante Mikael.

Niedermann non aveva paura né della pistola né del tipo

che la stava reggendo. Però aveva rispetto per le armi. Era vissuto tra armi e violenza per tutta la vita. Partiva dal presupposto che chi gli puntava contro una pistola era disperato e pronto a usarla. Strinse gli occhi e cercò di valutare l'uomo dietro la pistola, ma i fari lo rendevano una sagoma scura. *Un poliziotto? Non aveva l'aria del poliziotto. I poliziotti di solito si identificano. O almeno questo è ciò che fanno nei film.*

Valutò le proprie possibilità. Sapeva che se si fosse lanciato in avanti come un toro sarebbe riuscito a prendere l'arma. Ma l'uomo con la pistola pareva freddo, ed era dietro la portiera. Avrebbe rischiato di essere colpito da una, forse anche due pallottole. Se si fosse mosso rapidamente, forse l'uomo avrebbe mancato il bersaglio o comunque non avrebbe colpito nessun organo vitale, ma anche se fosse sopravvissuto le pallottole gli avrebbero reso difficile se non impossibile continuare la fuga. Era meglio aspettare un'occasione migliore.

«A TERRA ADESSO!» urlò Mikael.

Spostò la canna di qualche centimetro e sparò un colpo sul ciglio del fosso.

«Il prossimo ti colpirà il ginocchio» disse Mikael con voce alta e chiara.

Ronald Niedermann si lasciò cadere a terra, accecato dalla luce dei fari.

«Chi sei?» chiese.

Mikael infilò la mano nel portaoggetti e prese la torcia tascabile che aveva comperato alla stazione di servizio. Puntò il fascio di luce in faccia a Niedermann.

«Mani dietro la schiena» ordinò. «Gambe larghe.»

Aspettò finché Niedermann non ebbe obbedito.

«So chi sei. Se fai qualche sciocchezza ti sparo senza avvertimento. Al polmone, sotto la scapola.»

Appoggiò la torcia tascabile a terra e si tolse la cintura

annodandola a cappio, proprio come aveva imparato a fare a Kiruna nei reparti speciali quando aveva fatto il servizio militare vent'anni prima. Si piazzò fra le gambe del gigante biondo e gli passò il nodo scorsoio intorno alle braccia stringendolo sopra i gomiti. Con ciò l'enorme Niedermann era stato reso praticamente inoffensivo.

E dopo? Mikael si guardò intorno. Erano assolutamente soli nel buio della provinciale. Paolo Roberto non aveva esagerato nel descrivere Niedermann. Era un vero colosso. La questione era perché un tale colosso fosse arrivato di corsa nel cuore della notte come se fosse stato inseguito dal demonio in persona.

«Sto cercando Lisbeth Salander. Suppongo che tu l'abbia incontrata.»

Niedermann non rispose.

«Dov'è Lisbeth Salander?» incalzò Mikael.

Niedermann gli lanciò un'occhiata stupita. Non capiva cosa stesse succedendo in quella notte strana in cui tutto sembrava andare storto.

Mikael alzò le spalle. Tornò alla macchina, aprì il bagagliaio e recuperò un cavo da traino. Non poteva lasciare Niedermann legato in mezzo alla strada. Trenta metri più avanti un segnale stradale luccicava colpito dai fari. *Attenzione alci.*

«Alzati.»

Premette la canna della pistola contro la nuca di Niedermann, lo guidò verso il segnale e lo costrinse a scendere nel fosso. Gli ordinò di sedersi con la schiena contro il palo del cartello. Il gigante esitava.

«È molto semplice» disse Mikael. «Tu hai ucciso Dag Svensson e Mia Bergman. Erano miei amici. Non ho intenzione di lasciarti libero qui sulla strada, quindi o ti siedi e ti fai legare o ti sparo alle ginocchia. Scegli tu.»

Niedermann si sedette. Mikael gli passò il cavo intorno al

collo e ne fissò un capo al palo. Poi ne avvolse parecchi metri intorno al torace e alla cintola del gigante. Ne tenne da parte un pezzo con il quale gli fissò le braccia al palo e infine bloccò il tutto con alcuni robusti nodi da marinaio.

Quando ebbe terminato, Mikael chiese di nuovo dove fosse Lisbeth. Non ottenne risposta e stringendosi nelle spalle abbandonò Niedermann. Solo quando fu di nuovo alla macchina sentì fluire l'adrenalina e si rese conto di ciò che aveva appena fatto. Aveva l'immagine di Mia davanti agli occhi.

Mikael accese una sigaretta e bevve dell'acqua minerale dalla bottiglia di plastica. Osservò la figura al buio legata al palo. Poi si sedette al volante e calcolò che mancava circa un chilometro alla deviazione per la fattoria di Karl Axel Bodin. Avviò il motore e passò davanti a Niedermann.

Passò lentamente davanti al cartello che indicava Gosseberga e parcheggiò accanto a un fienile in una strada sterrata cento metri più a nord. Prese la pistola e accese la torcia tascabile. Scoprì tracce fresche di pneumatici nel fango e ne dedusse che un'altra macchina era stata parcheggiata nello stesso posto, ma non rifletté oltre sulla scoperta. Tornò indietro fino alla deviazione per Gosseberga e illuminò la cassetta della posta. Pl. 192 – K.A. Bodin. Proseguì lungo la strada.

Era quasi mezzanotte quando vide le luci della fattoria di Bodin. Si fermò e si mise in ascolto. Restò immobile diversi minuti ma non riuscì a sentire nient'altro che normali rumori notturni. Invece di prendere la strada che portava dritto alla fattoria camminò lungo i campi e si avvicinò alla costruzione principale dal lato della stalla. Si fermò ai margini del cortile a una trentina di metri dalla casa. Era teso. La corsa affannosa di Niedermann lungo la strada significava che era successo qualcosa alla fattoria.

Mikael era arrivato a metà cortile quando sentì un rumore. Si mise in ginocchio con l'arma sollevata. Gli occorse qualche secondo per localizzare il suono. Veniva da una delle costruzioni vicine. Sembrava un lamento. Si mosse rapidamente attraverso il cortile e si fermò accanto al rustico. Guardando oltre l'angolo vide che all'interno la luce era accesa.

Rimase in ascolto. Qualcuno si stava muovendo lì dentro. Sollevò la traversa, spinse la porta e incontrò un paio di occhi terrorizzati su un volto insanguinato. Vide l'accetta.

«*Diosantodelcielo*» mormorò.

Poi vide la protesi.

Zalachenko.

Lisbeth Salander era stata lì in visita, questo era certo.

Gli era difficile immaginare cosa potesse essere accaduto. Chiuse rapidamente la porta e mise al suo posto la traversa.

Con Zalachenko nel rustico e Niedermann legato come un salame sulla strada per Sollebrunn, Mikael attraversò a passo spedito il cortile dirigendosi verso la casa. Avrebbe potuto esserci anche una terza persona e questo avrebbe costituito un pericolo, ma la casa sembrava deserta, quasi disabitata. Puntò la pistola a terra e aprì con circospezione la porta d'ingresso. Entrò in un ingresso buio e vide un rettangolo di luce. L'unico rumore che poteva sentire era il ticchettio di un orologio a muro. Quando raggiunse la porta della cucina trovò Lisbeth Salander stesa sulla cassapanca.

Per un istante restò impietrito a guardare il suo corpo martoriato. Notò che teneva una pistola stretta nella mano abbandonata oltre il bordo della cassapanca. Le si avvicinò piano e le si inginocchiò accanto. Ripensò a quando aveva trovato Dag e Mia e per un momento credette che fosse morta. Poi colse un piccolo movimento sul suo petto e udì un debole respiro rantoloso. Allungò la mano e provò cautamente a levarle la pistola. Tutto d'un tratto la sua presa sul calcio si fece più stretta. Aprì un po' gli occhi e lo fissò per un lungo momento. Il suo sguardo era sfuocato. La sentì mormorare qualcosa così sottovoce che riuscì a malapena a distinguere le parole.

Kalle Dannatissimo Blomkvist.

Lisbeth chiuse di nuovo gli occhi e lasciò andare la pistola. Mikael la mise sul pavimento, prese il cellulare e fece il numero del pronto intervento.

Stampato da
Grafica Veneta S.p.A., Trebaseleghe (PD)
per conto di Marsilio Editori® in Venezia

«Farfalle Marsilio»
Periodico mensile n. 135/2008
Direttore responsabile: Cesare De Michelis
Registrazione n. 1334 del 29.05.1999
Tribunale di Venezia
Registro degli operatori di comunicazione-ROC n. 6388

EDIZIONE   ANNO

10 9 8 7 6 5 4   2008 2009 2010 2011 2012

Stieg Larsson
Uomini che odiano le donne
traduzione di Carmen Giorgetti Cima
pp. 688

Il primo episodio della Millennium Trilogy

«Un caso editoriale. Un libro che vi terrà svegli fino all'alba»
YSTADS ALLEHANDA

Da anni Harriett, la nipote prediletta del potente industriale Henrik
Vanger, è scomparsa senza lasciare traccia.
Quando, ormai vecchio, Vanger riceve un dono che riapre la vicenda,
incarica Mikael Blomkvist, noto giornalista investigativo, di ricostruire gli avvenimenti e cercare la verità.
Aiutato da Lisbeth Salander, abilissima giovane hacker, Blomkvist indaga a fondo la storia della famiglia Vanger. E più scava, più le scoperte sono spaventose.

Vincitore del Glass Key, miglior libro assoluto
Premio dell'Accademia svedese del poliziesco

«È nato un nuovo autore, una rivelazione. Uomini che odiano le
donne *è un vero e proprio tributo al poliziesco, che lascia il lettore
senza fiato»* DAGENS NYHETER

Stieg Larsson

Uomini che odiano le donne

«Un caso editoriale. Un libro
che vi terrà svegli fino all'alba»
Ystads Allehanda

farfalle Marsilio i gialli

Kjell Ola Dahl
L'uomo in vetrina
traduzione di Giovanna Paterniti
pp. 496

*Un caso per Gunnarstranda e Frølich, «la nuova coppia del
poliziesco scandinavo, in una serie di gialli di grande realismo
e suspense»* THE BOOKSELLER (Svezia)

*Un'intrigante detective story, storia d'amore e vendetta,
dove inquietanti emergono le ombre del passato*

Un mattino d'inverno il corpo di Reidar Folke Jespersen, vecchio antiquario di Oslo, viene esposto nella vetrina del suo negozio. Qualcuno l'ha assassinato.
Gli unici indizi per il commissario capo Gunnarstranda e il suo assistente Frølich sono una combinazione numerica scritta con l'inchiostro sul petto della vittima e tre croci disegnate sulla fronte. Ma col procedere dell'indagine si delinea sempre più chiara una traccia che porta agli anni della guerra e dell'occupazione nazista del paese.

*«La combinazione tra il thriller nella tradizione anglosassone e la
profondità di analisi che distingue la narrativa europea sembra
caratterizzare la migliore produzione di genere scandinava. E questo
nuovo romanzo di Kjell Ola Dahl lo conferma in modo superbo»*
WESTDEUTSCHE ZEITUNG

Kjell Ola Dahl (1958), giurista e psicologo, ex insegnante, vive in una fattoria ad Askim, nei pressi di Oslo. Considerato in Norvegia tra i migliori autori di polizieschi, tradotto in quattordici paesi, ha ottenuto il successo internazionale con la serie di Gunnarstranda e Frølich, di cui Marsilio ha già pubblicato *Un piccolo anello d'oro*.

Kjell Ola Dahl

L'uomo in vetrina

farfalle Marsilio **i gialli**

John Ajvide Lindqvist
L'estate dei morti viventi
traduzione di Giorgio Puleo
pp. 384

Una storia sulle nostre paure più grandi e sull'amore che sfida la morte

«Un capolavoro. Questo è uno dei pochi libri che fanno veramente capire al lettore cos'è la morte. Anche perché ci fa capire che i morti bisogna lasciarli in pace» Horace Engdahl, segretario permanente del Comitato per il premio Nobel

Stoccolma è sull'orlo del caos. Dopo un'ondata di caldo torrido, in città si è creato un campo elettrico di grande intensità. Presto si diffonde la notizia che negli obitori i morti si stanno risvegliando.
Ma quando i morti tornano, cosa vogliono? Quello che vogliono tutti: tornare a casa.
E riaverli con sé non è esattamente come ci si aspettava.

«Uno scrittore di culto» THE AGE (Australia)

«Lo Stephen King svedese. Impossibile smettere di leggerlo» AMELIA (Svezia)

John Ajvide Lindqvist (1968) è nato in Svezia ed è cresciuto nel quartiere di Blackeberg a Stoccolma. Ha fatto per anni il prestigiatore, è autore televisivo e ha scritto sceneggiature e testi teatrali. Di Lindqvist, Marsilio ha già pubblicato *Lasciami entrare*, bestseller in Svezia e successo internazionale da cui è stato tratto un film con la regia di Tomas Alfredsson, vincitore del Tribeca Film Festival 2008.

John Ajvide Lindqvist

L'estate dei morti viventi

farfalle Marsilio i gialli